O Evangelho
dos Humildes

Eliseu Rigonatti

O Evangelho dos Humildes

O Evangelho de Mateus e
os Atos dos Apóstolos
Explicados à Luz do Espiritismo

Editora
Pensamento
SÃO PAULO

Copyright © 2018 Eliseu Rigonatti.
Originalmente publicado com os títulos: *O Evangelho dos Humildes* e *O Evangelho da Mediunidade*.
Texto de acordo com as novas regras ortográficas da língua portuguesa.
1ª edição 2018.
Todos os direitos reservados. Nenhuma parte deste livro pode ser reproduzida ou usada de qualquer forma ou por qualquer meio, eletrônico ou mecânico, inclusive fotocópias, gravações ou sistema de armazenamento em banco de dados, sem permissão por escrito, exceto nos casos de trechos curtos citados em resenhas críticas ou artigos de revista.
A Editora Pensamento não se responsabiliza por eventuais mudanças ocorridas nos endereços convencionais ou eletrônicos citados neste livro.

Editor: Adilson Silva Ramachandra
Editora de texto: Denise de Carvalho Rocha
Gerente editorial: Roseli de S. Ferraz
Preparação de originais: Alessandra Miranda de Sá
Produção editorial: Indiara Faria Kayo
Editoração eletrônica: Mauricio Pareja da Silva
Revisão: Luciana Soares da Silva

Dados Internacionais de Catalogação na Publicação (CIP)
(Câmara Brasileira do Livro, SP, Brasil)

Rigonatti, Eliseu
    O evangelho dos humildes : o evangelho de Mateus e os Atos dos Apóstolos explicados à luz do espiritismo / Eliseu Rigonatti. — São Paulo : Pensamento, 2018.

    ISBN 978-85-315-2019-8
    1. Bíblia e espiritismo 2. Bíblia. N.T. Mateus — Crítica e interpretação 3. Espiritismo I. Título.

18-14643   CDD-133.9

Índices para catálogo sistemático:
1. Evangelhos : Exegese espírita 133.9
Iolanda Rodrigues Biode — Bibliotecária — CRB-8/10014

Direitos reservados
EDITORA PENSAMENTO-CULTRIX LTDA.
Rua Dr. Mário Vicente, 368 – 04270-000 – São Paulo – SP
Fone: (11) 2066-9000 – Fax: (11) 2066-9008
http://www.editorapensamento.com.br
E-mail: atendimento@editorapensamento.com.br
Foi feito o depósito legal.

Sumário

Prefácio 11

Capítulo 1
A Genealogia de Jesus Cristo 13

Capítulo 2
Os Magos do Oriente 16

Capítulo 3
João Batista 19

Capítulo 4
A Tentação de Jesus 23

Capítulo 5
O Sermão da Montanha; As Beatitudes... 27

Capítulo 6
Continuação do Sermão da Montanha, Esmolas, Oração, Jejum........ 38

Capítulo 7
Continuação do Sermão da Montanha.. 47

Capítulo 8
O Leproso Purificado 55

Capítulo 9
O Paralítico de Cafarnaum 61

Capítulo 10
Os Doze e sua Missão 69

Capítulo 11
João Batista Envia Dois Discípulos seus a Jesus 83

Capítulo 12
Jesus É Senhor do Sábado 90

Capítulo 13
A Parábola do Semeador 103

Capítulo 14
A Morte de João Batista... 114

Capítulo 15
A Tradição dos Antigos 118

Capítulo 16
O Fermento dos Fariseus.. 123

Capítulo 17
A Transfiguração... 128

Capítulo 18
O Maior no Reino dos Céus 132

Capítulo 19
Acerca do Divórcio 138

Capítulo 20
A Parábola dos Trabalhadores e das Diversas Horas do Trabalho....... 143

Capítulo 21
A Entrada Triunfal de Jesus em Jerusalém... 147

Capítulo 22
A Parábola das Bodas.. 153

Capítulo 23
Jesus Censura os Escribas e os Fariseus... 157

Capítulo 24
O Sermão Profético; O Princípio de Dores 165

Capítulo 25
O Sermão Profético Continua. A Parábola das Dez Virgens 176

Capítulo 26
A Consulta dos Sacerdotes e dos Escribas 182

Capítulo 27
O Suicídio de Judas 196

Capítulo 28
A Ressurreição 209

Capítulo 29
Introdução. A Ascensão 213

Capítulo 30
A Descida do Espírito Santo 220

Capítulo 31
Cura de um Coxo; Discurso de Pedro no Templo 228

Capítulo 32
Pedro e João Perante o Sinédrio 232

Capítulo 33
Ananias e Safira 238

Capítulo 34
A Instituição dos Diáconos 244

Capítulo 35 247

Capítulo 36
O Evangelho em Samaria 252

Capítulo 37
A Conversão de Saulo no Caminho de Damasco 257

Capítulo 38
O Centurião Cornélio 264

Capítulo 39
Pedro Justifica-se Perante a Igreja de Haver Batizado Cornélio 271

Capítulo 40
Herodes Manda Matar Tiago. Pedro É Livre da Prisão. A Morte de Herodes 276

Capítulo 41
Barnabé e Saulo são Enviados pela Igreja de Antioquia e Pregam em Chipre.
    Elimas, o Encantador 279

Capítulo 42
O Evangelho É Pregado em Icônio, Listra e Derbe; Sucesso e perseguição;
    a Volta a Antioquia 286

Capítulo 43
A Questão Acerca do Rito Mosaico; A Assembleia de Jerusalém e sua Decisão .. 289

Capítulo 44 295

Capítulo 45
Paulo em Tessalônica e em Bereia 301

Capítulo 46
Paulo em Corinto; em Éfeso; Volta para Jerusalém 306

Capítulo 47
Terceira Viagem Missionária de Paulo. Prega o Evangelho em Éfeso.
    Tumulto Incitado por Demétrio 309

Capítulo 48
Paulo Visita Outra Vez a Macedônia e a Grécia e Depois Voita para a Ásia 316

Capítulo 49
Paulo Chega a Jerusalém e É Preso no Templo 322

Capítulo 50
Discurso de Paulo em sua Defesa 329

Capítulo 51 332

Capítulo 52
Paulo Perante o Governador Felix.. 338

Capítulo 53
Paulo Comparece Perante Festo e Apela para Cesar 343

Capítulo 54 347

Capítulo 55
Paulo É Mandado para a Itália; O Naufrágio do Navio................. 350

Capítulo 56
Paulo em Malta.. 355

Prefácio

Este livro brotou da fonte inexaurível do Evangelho. É modesto, é despretensioso, é simples. Se algum mérito ele tem, foi o de reunir os maiores ensinamentos do Espiritismo até os dias de hoje e com eles comentar, analisar, explicar, pôr ao alcance dos pequeninos e iniciantes cada um dos versículos do *Evangelho segundo S. Mateus* e do livro *Atos dos Apóstolos*.

Por que esses textos foram escolhidos, e não outros? Nem eu o sei. Tomei-os ao acaso, como poderia ter tomado quaisquer outros, sem ideia e sem um plano preconcebido. E, uma vez iniciada a obra com o texto de Mateus e os *Atos*, fui com eles até o fim. Sendo um livro despretensioso, não tem a presunção de ensinar tudo sobre o Evangelho, apenas esclarecer o que está ao alcance da compreensão atual da humanidade.

Com o tempo, estes comentários envelhecerão e os homens terão progredido, e por isso terão necessidade de receber explicações mais elevadas, condizentes então com o grau de espiritualização conquistado. Então estes comentários terão cumprido seu propósito, e outros novos virão. Só a palavra de Jesus não envelhecerá; só ela não passará. Rocha inarredável dos séculos, cada geração descobrirá nas palavras de Jesus uma faceta sempre mais brilhante que a anterior, que reflete mais Luz, que mais ilumina os viajantes que demandam a Pátria Celeste por entre os caminhos da Terra. Resta-me dedicar este livro. A quem?

Dedicarei este livro aos pobres de espírito, porque meu Mestre os chamou de Bem-Aventurados. Almas cândidas que o mundo humilha e esmaga, compartilhai comigo destas lições de luz!

Dedicarei este livro aos mansos, porque meu Mestre os chamou de Bem-Aventurados. Almas ternas que repelis a violência e sabeis usar a força do Amor, este livro vos anuncia o novo mundo que ides possuir!

Dedicarei este livro aos que não acham justiça na Terra, porque meu Mestre os chamou de Bem-Aventurados. Eu vos ensinarei que não estais esquecidos e que os agravos que vos fizerem subirão ante um Tribunal Incorruptível, que, embora cheio de misericórdia, sabe ser Justo.

Vós, que não encontrais na Terra um bálsamo para vossas feridas; vós, cujo fardo ameaça esmagar-vos; vós, cuja flama da esperança bruxuleia ou já se extinguiu, vinde a Mim, disse o Mestre. Dai as mãos a Ele e escutai-me. Por meio das páginas deste singelo livro, Ele vos mostrará o bálsamo pelo qual suspirais, para que carregueis suavemente o vosso fardo. Meu Mestre manda que vos mostre onde está o descanso para vossas almas. E para isso é preciso que todos os trabalhadores do Espiritismo, desde os iniciantes aos mais graduados: os médiuns, os doutrinadores, os componentes das diretorias dos Centros e das sociedades espíritas, os jornalistas, os escritores, os oradores, os expositores da doutrina, enfim, todos os espíritas saibam RENUNCIAR A SI MESMOS para o completo triunfo da Terceira Revelação, que será coroada com o fim do Mal e um Reino de Luz sobre a Terra.

O autor.

Capítulo 1

A Genealogia de Jesus Cristo

1 – Livro da geração de Jesus, filho de David, filho de Abrahão
2 – E Abrahão gerou a Isaac; e Isaac gerou a Jacob. E Jacob gerou a Judas e seus irmãos.
3 – E Judas gerou de Thamar a Farés e a Zarão; e Farés gerou a Esron; e Esron gerou o Arão.
4 – E Arão gerou a Aminadab; e Aminadab gerou a Naasson; e Naasson gerou a Salmon.
5 – E Salmon gerou de Rahab a Booz; e Booz gerou de Ruth a Obed; e Obed gerou a Jessé; e Jessé gerou ao rei David.
6 – E o rei David gerou a Salomão, daquela que foi de Urias.
7 – E Salomão gerou a Roboão: e Roboão gerou a Abdias; e Abdias gerou a Asá.
8 – E Asá gerou a Josaphat; e Josaphat gerou a Jorão; e Jorão gerou a Ozias.
9 – E Ozias gerou a Joathão; e Joathão gerou a Acaz; e Acaz gerou a Ezequias.
10 – E Ezequias gerou a Manassés; e Manassés gerou a Amon; e Amon gerou a Josias.
11 – E Josias gerou a Jeconias e a seus irmãos na transmigração de Babilônia.
12 – E depois da transmigração de Babilônia: Jeconias gerou a Salathiel; e Salathiel gerou a Zorobabel.
13 – E Zorobabel gerou a Abiud; e Abiud gerou a Eliacim; e Eliacim gerou o Azor.
14 – E Azor gerou a Sadoc; e Sadoc gerou a Aquim; e Aquim gerou a Eliud.
15 – E Eliud gerou a Eleazar; e Eleazar gerou a Mathan; e Mathan gerou a Jacob.
16 – E Jacob gerou a José, esposo de Maria, da qual nasceu Jesus, que se chama o Cristo.
17 – De maneira que todas as gerações, desde Abrahão até David são quatorze gerações, e desde David até a transmigração de Babilônia, quatorze gerações, e desde a transmigração de Babilônia até Cristo, quatorze gerações.

Mateus inicia o seu Evangelho, traçando-nos a genealogia de Jesus. É uma genealogia de pouca significação e que nada acrescenta à glória de Jesus. O certo é que um homem vale por si mesmo e pelas suas realizações; e não pelo que foram ou pelo que fizeram seus ascendentes.

Jesus conviveu com os pequeninos das margens do lago e com os pobres dos subúrbios de Jerusalém; ensinava nas vilas e andava a pé pelas estradas. A vida humilde que viveu demonstra-nos que nunca se importou com as grandezas do mundo nem com os poderosos de seu tempo; por conseguinte, muito menos se preocuparia por seus antepassados.

Quanto à sua obra, não precisamos voltar a encarecer a importância dela: a influência que não cessa de exercer, o influxo que continuamente transmite às realizações nobres da humanidade, o abrandamento do caráter e a moralização dos costumes de todos os que a estudam de coração e o sentimento de fraternidade que há dois milênios desenvolve na Terra lhe conferem excepcional valor.

Jesus foi um médium de Deus. Diretamente inspirado pelo Altíssimo, tornou conhecido dos homens o código divino, pelo qual a Terra se ilumina espiritualmente cada dia mais.

O Nascimento de Jesus Cristo

18 – Ora, a concepção de Jesus Cristo foi desta maneira: Estando já Maria, sua mãe, desposada com José, antes de coabitarem se achou ter ela concebido por obra do Espírito Santo.

19 – E José, seu esposo, como era justo e não queria infamá-la, resolveu deixá-la secretamente.

20 – Mas andando ele com isto no pensamento, eis que lhe aparece em sonhos um anjo do Senhor, dizendo: José filho de David, não temas receber a Maria, tua mulher, porque o que nela se gerou é obra do Espírito Santo.

21 – E ela terá um filho; e lhe chamarás por nome Jesus; porque ele salvará o seu povo dos pecados deles.

22 – Mas tudo isto aconteceu pata que se cumprisse o que falou o Senhor pelo profeta, que diz:

23 – Eis que uma virgem conceberá e terá um filho; e apelidá-lo-ão pelo nome de Emmanuel, que quer dizer: Deus conosco.

24 – E despenando José do sono, fez como o anjo do Senhor lhe havia mandado e recebeu a sua mulher.

25 – E ele não a conheceu enquanto ela não teve o seu primogênito; e lhe pôs por nome Jesus.

O Espiritismo nos ensina que jamais devemos esquecer a preparação do ambiente familiar para a recepção dos espíritos que se encarnam na Terra. Costumes moralizados; vida pura; orações e práticas caridosas feitas pelos cônjuges; harmonia de vistas no tocante aos problemas domésticos, especialmente em relação à sublime tarefa da procriação, facilitam sobremaneira a vinda ao nosso plano de espíritos de categoria superior. E se num ambiente doméstico virtuoso encarnarem-se espíritos de baixa condição moral, o bom ambiente ajudará a destruir as sementes daninhas que os espíritos ainda trazem; eleva-lhes eficazmente o padrão de moralidade; e por fim fortifica e faz triunfar com facilidade as boas resoluções que os espíritos tomaram antes de se encarnarem.

Ao passo que os ambientes domésticos sem virtudes morais oferecem campo propício à proliferação de espíritos inferiores, dificultando-lhes grandemente o progresso moral e fazendo com que geminem as sementes malévolas que os espíritos inferiores guardam no íntimo.

Mateus aqui descreve, em linguagem simbólica, como se preparou o ambiente terreno onde se encarnaria Jesus. Ao escrever o seu Evangelho, Mateus compreendeu a inspiração que lhe vinha do Alto, de que um espírito virginal tinha sido escolhido para vir ser a mãe do Mestre.

Um espírito virginal é aquele que, através de sucessivas e incontáveis reencarnações, torna-se isento das máculas da matéria. Conquanto ainda não tenha alcançado as esferas divinas, próprias dos espíritos perfeitos, contudo vive em planos muito superiores. Os espíritos virginais só se encarnam na Terra para o desempenho de missões de benefício geral.

Maria e José eram espíritos virginais. O casal veio para facilitar a encarnação de Jesus, o qual, sendo um espírito de extrema pureza, requeria um ambiente adequado, para evitar as graves perturbações que um ambiente sem espiritualidade acarreta a um espírito evoluído.

Avisado, intuitivamente, de que por intermédio deles se estava processando a encarnação do Messias prometido ao mundo pelos antigos profetas de Israel, a princípio José não crê que Maria fosse digna de tal missão. É quando intervém um mensageiro espiritual para advertir José de que Maria já tinha alcançado a pureza de alma suficiente para servir de tão nobre instrumento. E José, sem duvidar mais, redobra de cuidados para que o ambiente doméstico se mantivesse puríssimo durante a concepção de Maria.

Os ensinamentos que temos recebido de elevados mentores espirituais, consubstanciados na já numerosa literatura espírita, nos dizem que Deus não quebra a harmonia das leis que regulam a natureza. E o característico principal de nossos irmãos altamente colocados na hierarquia espiritual é o da obediência absoluta à Vontade Divina, da qual são os intérpretes e os executores. Ora, porque haveria Jesus de se corporificar em nosso planeta, desrespeitando a lei biológica e, portanto, desobedecendo às leis que regem nossa esfera? Seria um triste começo para tão nobre missão!

A vinda de Jesus ao nosso plano operou-se pelos meios absolutamente comuns a todos nós; precisou do concurso de dois entes que se amavam: do amparo de José e da ternura de Maria.

Capítulo 2

Os Magos do Oriente

1 – *Tendo pois nascido Jesus em Belém de Judá, em tempo do rei Herodes, eis que vieram do Oriente uns magos a Jerusalém.*
2 – *Dizendo: Onde está o rei dos judeus, que é nascido? Porque nós vimos no Oriente a sua estrela e viemos a adorá-lo.*
3 – *E o rei Herodes ouvindo isto se turbou e toda Jerusalém com ele.*
4 – *E convocando todos os príncipes dos sacerdotes e os escribas do povo, lhes perguntava onde havia de nascer o Cristo.*
5 – *E eles lhe disseram: Em Belém de Judá; porque assim está escrito pelo profeta:*
6 – *E tu Belém, terra de Judá, não és a de menos consideração entre as principais de Judá; porque de ti sairá o condutor, que há de comandar o meu povo de Israel.*
7 – *E então Herodes, tendo chamado secretamente os magos, inquiriu deles com todo o cuidado que tempo havia que lhes aparecera a estrela.*
8 – *E enviando-os a Belém, disse-lhes: Ide e informai-vos bem que menino é esse; e depois que o houverdes achado vinde-me dizer, para eu ir também adorá-lo.*
9 – *Eles, tendo ouvido as palavras do rei, partiram; e logo a estrela, que tinham visto no Oriente, lhes apareceu, indo adiante deles, até que chegando, parou onde estava o menino.*
10 – *E quando eles viram a estrela, foi sobremaneira grande o júbilo que sentiram.*
11 – *E entrando na casa, acharam o menino com Maria, sua mãe, e prostrando-se o adoraram; e abrindo os seus cofres lhe fizeram suas ofertas de ouro, incenso e mirra.*
12 – *E havida resposta em sonhos, que não tornassem a Herodes, voltaram por outro caminho a suas terras.*

Segundo nos informa Emmanuel em seu livro, "A Caminho da Luz", as raças adâmicas guardaram a lembrança das promessas do Cristo que, por sua vez, a fortaleceu enviando-lhes periodicamente seus missionários. Os enviados do Infinito falaram na China milenária da celeste figura do Salvador, muitos séculos antes do advento de Jesus. Os iniciados do Egito o esperavam. Na Pérsia, idealizaram sua trajetória, antevendo-lhe os passos no caminho do porvir. Na Índia védica, era conhecida quase toda a história evangélica, que o sol dos milênios futuros iluminaria na escabrosa Palestina. (*Vide* Emmanuel, "A Caminho da Luz", pp. 30 e 31, edição de 1941.)

Os magos eram sacerdotes. Na antiga Pérsia formavam uma corporação que se ocupava do culto religioso e do cultivo da ciência, principalmente da astronomia. O verdadeiro significado da palavra *mago* é *sábio*. Eram respeitadíssimos pelo povo e dividiam-se em várias classes, cada uma das quais tinha privilégios e deveres distintos.

Levavam uma vida austera, vestiam-se com extrema simplicidade e não comiam carne. É fora de dúvida que terão tomado conhecimento das profecias referentes à vinda do Messias, por meio dos israelitas, quando estes estiveram cativos na Babilônia. Estas profecias, guardadas carinhosamente no recesso dos templos, só eram reveladas aos iniciados nas coisas espirituais. Estudiosos da espiritualidade que eram, não lhes foi difícil compreender o verdadeiro caráter de Jesus e da missão que vinha desempenhar entre os homens, motivo pelo qual o esperavam através das gerações. Cultores da mediunidade que para eles não tinha segredos, são avisados pelos seus mentores espirituais, logo que Jesus se encarna. E comparando o aviso recebido com as profecias que possuíam, não duvidaram em ir prestar suas homenagens ao Messias, há tanto tempo esperado e desejado. A estrela que os guiava era um espírito que se lhes apresentava em forma luminosa.

Qual o objetivo que visavam os mentores espirituais, favorecendo a adoração dos magos?

O objetivo era chamar a atenção do povo hebreu de que o Messias prometido já se tinha encarnado.

Realmente, os magos despertaram a curiosidade do povo de Jerusalém, tanto que Herodes os chamou e os inquiriu sobre os motivos que os tinham trazido à cidade. Certos de que o povo escolhido também sabia da chegada do Cristo, candidamente respondiam que o tinham vindo adorar.

De nada valeu o aviso, Israel não soube perceber o advento do Salvador.

A Fugida para o Egito; A Matança dos Inocentes

13 – Partidos que eles foram, eis que apareceu um anjo do Senhor em sonhos a José e lhe disse: Levanta-te e toma o menino e sua mãe e foge para o Egito e fica-te lá até que eu te avise. Porque Herodes tem de buscar o menino para o matar.

14 – E José, levantando-se, tomou de noite o menino e sua mãe e retirou-se para o Egito.

15 – E ali esteve até a morte de Herodes; para se cumprir o que proferira o Senhor pelo profeta que diz: Do Egito chamei a meu filho.

16 – Herodes então, vendo que tinha sido iludido pelos magos, ficou muito irado por isso e mandou matar todos os meninos que havia em Belém e em todo o seu termo, que tivessem dois anos e daí para baixo, regulando-se nisto pelo tempo que tinha exatamente averiguado dos magos.

17 – Então se cumpriu o que estava anunciado pelo profeta Jeremias, que diz:

18 – Em Ramá se ouviu um clamor, um choro e um grande lamento; vinha a ser Raquel chorando a seus filhos, sem admitir consolação pela falta deles.

Tendo sido avisados os poderes terrenos de que o Rei Espiritual da Terra viera iniciar o seu reinado no coração dos homens, a reação das trevas foi de ódio.

E deliberaram destruí-lo.

A Providência Divina, porém, fez com que o Messias fosse colocado em lugar seguro, enquanto se manifestava o temporário poder das trevas.

Obediente às intuições superiores que recebiam, os magos voltam a seus países, sem se avistarem de novo com os perseguidores do menino.

É decretada a matança dos inocentes. As crianças atingidas por este violento desencarne eram espíritos em expiação.

Em encarnações passadas muito tinham errado, tornando-se, desse modo, merecedores do castigo pelo qual passaram.

Durante o progresso do Evangelho, vemos as trevas se insurgirem contra ele em quatro ocasiões: A primeira, quando Jesus nasceu. A segunda, quando Jesus foi crucificado. A terceira, quando os Apóstolos se espalharam pelo mundo, levando o Evangelho a todos os povos; então assistimos às perseguições dos cristãos. E a quarta é de nossos dias, quando, com o advento do Espiritismo, o Consolador que viria explicar o que Jesus deixou para mais tarde e reviver-lhe os preceitos, seus adeptos foram ridicularizados.

A Volta do Egito

19 – E sendo morto Herodes, eis que o anjo do Senhor apareceu em sonhos a José no Egito.
20 – Dizendo: Levanta-te e toma o menino e sua mãe e vai para a terra de Israel; porque são mortos os que buscavam o menino para o matar.
21 – José, levantando-se, tomou o menino e sua mãe e veio para a terra de Israel.
22 – Mas ouvindo que Arquelao reinava na Judeia em lugar de seu pai Herodes, temeu ir para lá; e avisado em sonhos se retirou para as partes da Galileia.
23 – E veio morar numa cidade que se chama Nazaré; para se cumprir o que fora dito pelos profetas: Que será chamado Nazareno.

Em preservar a vida do menino, defendendo-o de seus perseguidores, devemos admirar a obediência de José, esposo de Maria e pai de Jesus.

Obedecendo às intuições de seus guias espirituais e ao seu anjo da guarda, José rendeu um preito de adoração e de veneração a Deus, nosso Pai.

Se José não tivesse obedecido às inspirações superiores, teria falhado na missão que lhe fora conferida de velar pela infância de Jesus.

Observemos aqui a ação maravilhosa da mediunidade. Os magos, José e Maria, receberam as ordens dos planos superiores por meio da mediunidade que possuíam. Por aí vemos que todo médium que trata amorosamente de sua mediunidade e sabe obedecer às inspirações de seus superiores espirituais tem, na própria mediunidade, um arrimo seguro para triunfar de suas provas e de suas expiações na Terra.

Capítulo 3

João Batista

1 – Naqueles dias pois veio João Batista pregando no deserto da Judeia.
2 – E dizendo: Fazei penitência; porque está próximo o reino dos céus.
3 – Porque este é de quem falou o Profeta Isaías, dizendo: Voz do que clama no deserto; aparelhai o caminho do Senhor; endireitai as suas veredas.
4 – Ora o mesmo João tinha um vestido de peles de camelo e uma cinta de couro em roda de seus rins; e a sua comida era gafanhotos e mel silvestre.
5 – Então vinha a ele Jerusalém e toda a Judeia e toda a terra dá comarca do Jordão.
6 – E confessando os seus pecados, eram por ele batizados do Jordão.
7 – Mas vendo que muitos dos fariseus e dos saduceus vinham ao seu batismo, lhes disse: Raça de víboras, quem vos ensinou a fugir da ira vindoura?
8 – Fazei pois dignos frutos de penitência.
9 – E não queirais dizer dentro de vós mesmos: Nós temos por pai a Abrahão; porque eu vos digo que poderoso é Deus para fazer que nasçam destas pedras filhos a Abrahão.
10 – Porque já o machado está posto à raiz das árvores. Toda a árvore pois que não dá bom fruto será cortada e lançada no fogo.
11 – Eu na verdade vos batizo em água para vos trazer à penitência; porém o que há de vir depois de mim é mais poderoso do que eu; e eu não sou digno de lhe ministrar o calçado; ele vos batizará no Espírito Santo e no fogo.
12 – A sua pá na sua mão se acha; e ele a limpará muito bem a sua eira; e recolherá o seu trigo no celeiro, mas queimará as palhas num fogo que jamais se apagará.

A figura máscula de João Batista inicia a idade evangélica, na qual estamos. Pregador rude, homem de um viver austeríssimo, desprezou as comodidades da vida, a ponto de se alimentar com o que achava no deserto e de se vestir com a pele de animais. Assim impressionou fortemente o povo, que acorria a ouvi-lo e a pedir-lhe conselhos. Poderoso médium inspirado, foi o transmissor das mensagens do Alto, pelas quais se anunciava a chegada do Mestre e o começo dos trabalhos de regeneração da humanidade.

A todos os que queriam tornar-se dignos do reino dos céus, João aconselhava que fizessem penitência.

Qual seria essa penitência, primeiro passo a ser dado em direção ao reino de Deus?

Não eram as longas orações, nem os donativos e esmolas; nem as peregrinações aos lugares santos nem as construções de capelas; nem os jejuns nem os votos nem as promessas; não era a adoração de imagens nem a entronização delas.

A penitência não consistia em formalidades exteriores, mas sim na reforma do caráter e na retificação dos atos errados que cada um tinha praticado.

De que valem formalidades exteriores se o íntimo de cada qual permanece o mesmo? As práticas exteriores podem enganar os homens, mas não enganam a Deus, nosso Pai.

Qual o valor da confissão de erros a um homem, que, geralmente, erra tanto quanto seus irmãos?

Permanecendo o erro de pé, pode haver justificativa diante de Deus, nosso Pai?

A verdadeira confissão se faz quando se procura a pessoa a quem se ofendeu e com ela se conserta o erro.

Roubaste teu irmão? Restitui-lhe o que lhe roubaste.

Defraudaste alguém? Entrega-lhe o que lhe pertence.

Cometeste adultério? Purifica-te por um viver honesto. Tens vícios? Abandona-os.

És mau, vingativo, rancoroso? Torna-te bom, perdoa, sê indulgente.

És rico? Ajuda o pobre.

És pobre? Não murmures contra tua situação. És sábio? Instrui o ignorante.

És forte? Ampara o fraco.

És empregado? Obedece diligentemente.

És patrão? Sê humano para com teus subalternos.

Sois pais? Encaminhai vossos filhos pelas veredas do bem.

Sois esposos? Tratai-vos com carinho, amor e amizade, fazendo do lar um santuário de virtudes, de abnegação e de devotamento.

Sois filhos? Respeitai vossos pais.

Estes são alguns dos dignos frutos de penitência que João ordenava que se fizessem.

Já o machado está posto à raiz das árvores é uma das mais belas, sugestivas e vigorosas das figuras usadas por João, para demonstrar-nos o que sucederá depois de a Terra ter recebido o Evangelho.

O Evangelho é a lei eterna de Deus, reguladora dos atos de cada um de nós, não só no plano terreno, como em qualquer outro plano do Universo. O Pai promulgou uma só lei para seus filhos, não importa em que plano habitem.

O Evangelho é o Regulamento Moral que cumpre observar. Ora, acontecerá que serão banidos da Terra os espíritos que não se conformarem com a lei evangélica. Os endurecidos no mal e nos vícios e sem vontade de se reformarem desencarnarão. Depois de desencarnados não se reencarnarão mais na Terra; emigrarão da Terra para planos do Universo que estiverem de acordo com seus caracteres.

E Jesus terá limpa sua eira, isto é, a Terra será habitada somente pelos espíritos evangelizados. E a palha, isto é, os espíritos que não aceitarem o Evangelho, em novos ambientes sofrerão as transformações que os levarão, futuramente, a caminho do Bem.

O Batismo de Jesus

13 – Então veio Jesus da Galileia ao Jordão ter com João, para ser batizado por ele.
14 – Porém João impedia, dizendo: Eu sou o que devo ser batizado por ti e tu vens a mim?
15 – E respondendo, Jesus lhe disse: Deixa por ora; porque assim nos convém cumprir toda a justiça. E ele então o deixou.
16 – E depois que Jesus foi batizado, saiu logo para fora da água; e eis que se lhe abriram os céus; e viu o Espírito de Deus, que descia como pomba e que vinha sobre ele.
17 – E eis uma voz dos céus que dizia: – Este é meu filho amado, no qual tenho posto toda minha complacência.

Este ponto, em que os Evangelistas tratam do batismo do Mestre, deu origem a intermináveis discussões, que sempre se reacendem ao depararem com circunstâncias favoráveis.

Todas as seitas que se constituíram ao influxo das palavras evangélicas adotaram o batismo. Algumas de um modo racional, pois só permitem que seus adeptos se batizem na idade em que possam julgar o ato que praticam. Outras obrigam seus seguidores a se batizarem na primeira infância, idade em que lhes é impossível avaliarem a cerimônia na qual tomam parte inconscientemente.

O batismo em nossos dias é uma formalidade exterior, sem significado moral, e serve apenas para a satisfação de vaidades e preconceitos arraigados nos corações dos pais.

O Espiritismo não adota o batismo. O batismo, diante das revelações do Espiritismo, é uma cerimônia do passado, inútil no presente.

E por que Jesus se batizou?

Porque lhe convinha cumprir toda a justiça, segundo ele próprio o declara a João.

O Precursor encerra o período das fórmulas exteriores, com as quais até então se adorava o Pai. Jesus inaugura o período em que se presta veneração a Deus em espírito e verdade, no santuário da consciência de cada um de seus filhos.

O batismo de João era bem diferente do que conhecemos em nossos dias. Pregando no deserto as alvoradas do reino dos céus, dirigia enérgico convite a todos para que se preparassem para o luminoso dia da redenção. Seduzidos pela sua palavra vibrante de fé, muitos dos ouvintes se arrependiam da vida delituosa que tinham levado e confessavam-lhe as faltas, como penhor de que não tornariam a cometê-las. E João batizava-os, isto é, lavava-os, dando a entender que o arrependimento sincero, seguido do firme propósito de não mais reincidir no erro, limpa o espírito, como a água limpa o corpo.

E João prega que Jesus batizaria no Espírito Santo e no fogo. Entrando Jesus na água para ser batizado, é como se dissesse: Até agora foi assim; daqui por diante, será conforme lhes vou ensinar.

E seu batismo é do Espírito Santo e de fogo.

O avaro que deixa de ser avarento.

O hipócrita que se torna sincero.

O orgulhoso que se torna humilde.
O mau que se torna bom.
Os viciados que abandonam os vícios.
Os inimigos que esquecem os ódios que os separavam e se abraçam à luz do Evangelho.
O forte que se lembra de proteger o fraco.
O rico que procura concorrer para o bem-estar dos pobres.
O pobre que não murmura.
Os que, apesar de seus padecimentos, bendizem a vontade de Deus.
Todos esses não sofrem um verdadeiro batismo de fogo?
O batismo de fogo, pois, com o qual Jesus nos batiza é o esforço que ele nos convida a fazer para que nos livremos das paixões inferiores, que nos dominam; livres delas, estaremos batizados, isto é, puros diante de Deus, nosso Pai.

O Espírito Santo é a denominação dada à coletividade dos espíritos desencarnados, que lutam pela implantação do reino de Deus na face da Terra.

Batizar-se no Espírito Santo significa receber-se a mediunidade. Todos os que recebem a mediunidade se colocam à disposição dos espíritos do Senhor para os trabalhos de evangelização que se desenvolvem no plano terrestre. É um batismo de renúncia, devotamento, abnegação e humildade. Todos são chamados para o sagrado batismo do Espírito Santo, porque todos podem trabalhar para o advento do reino dos céus.

Quando Jesus saiu da água, João viu a legião dos fulgurantes espíritos que seguiam Jesus e ouviu o cântico que entoavam ao Senhor nas alturas. E para ser compreendido pelo povo, traduziu a visão celeste por um símbolo material.

Capítulo 4

A Tentação de Jesus

1 – Então foi levado Jesus pelo Espírito ao deserto, para ser tentado pelo diabo.
2 – E tendo jejuado quarenta dias e quarenta noites, depois teve fome.
3 – E chegando-se a ele o tentador, lhe disse: Se és filho de Deus, dize que estas pedras se convertam em pães.
4 – Jesus, respondendo-lhe, disse: Escrito está: Não só de pão vive o homem, mas de toda a palavra que sai da boca de Deus.
5 – Então tomando-o o diabo o levou à cidade santa e o pôs sobre o pináculo do templo.
6 – E lhe disse: Se és filho de Deus, lança-te daqui abaixo. Porque escrito está: Que mandou os seus anjos que cuidem de ti e eles te tomarão nas palmas, para que não suceda tropeçares em pedra com teu pé.
7 – Jesus lhe disse: Também está escrito: Não tentarás ao Senhor teu Deus.
8 – De novo o subiu o diabo a um monte muito alto; e lhe mostrou todos os reinos do mundo e a glória deles.
9 – E lhe disse: Tudo isto te darei, se prostrado me adorares.
10 – Então lhe disse Jesus: Vai-te Satanás. Porque escrito está: Ao Senhor teu Deus adorarás e a ele só servirás.
11 – Então o deixou o diabo; e eis que chegaram os anjos e o serviram.

Chegara a hora de o Mestre iniciar a gloriosa tarefa que o trouxera à Terra. Antes, porém, medita profundamente. E as vantagens materiais que a Terra lhe oferecia apresentam-se a seu espírito. Se ele se consagrasse à sua obra espiritual, era a pobreza, as dificuldades, a humildade, que o aguardavam e, por fim, o martírio. Se usasse seus dons para fins materiais, de certo teria boa mesa, evitaria as dificuldades geradas pela incompreensão dos homens e conquistaria cargos proeminentes no seio de sua nação. Jesus foi forte. Rejeitou tudo o que o mundo lhe daria e devotou-se ao trabalho espiritual para o qual viera.

Conquanto se possa supor que Mateus exagera ao afirmar que o Mestre jejuou pelo espaço de quarenta dias e quarenta noites, é fora de dúvida que o jejum favorece muito as atividades do espírito, principalmente no tocante ao exercício da mediunidade. Todo médium que nutrir vontade de tirar o máximo proveito de sua mediunidade e obter os melhores resultados de seus trabalhos mediúnicos deveria cultivar o hábito de impor-se períodos de jejum, Certamente, jamais poderemos ombrear com Jesus, o qual, dada sua perfeição espiritual, sabia sobrepor-se às coisas da Terra, usando da matéria somente o necessário para manter-se.

Um médium que luta para sua evolução espiritual e deseja estar permanentemente preparado para o desempenho de seu medianato, precisa saber praticar o jejum material e o jejum moral.

De três maneiras poderemos jejuar:

1ª — *Jejum alimentar*: Nos dias de trabalho no Centro, lembrar-se de preparar seu organismo para a prática da mediunidade. Nesses dias, abster-se de alimentos pesados, dando preferência a alimentos leves e alimentando-se moderadamente. E, algumas horas antes do início das sessões, abstenção completa, se possível, de alimentação. Este é um jejum material.

2ª — *Jejum moral*: Um médium deve habituar-se a jejuar pelo pensamento, pela palavra e pelos atos. Por este jejum, que é um jejum puramente moral, o médium evitará pensamentos anticristãos, impuros e excessivamente materiais; não pronunciará palavras que possam ferir seus semelhantes e não praticará atos contrários aos ensinamentos de Jesus. A tudo anteporá seus deveres espirituais, evitando passeios fúteis, festas e divertimentos profanos, todas as vezes em que tiver de perfazer seus misteres mediúnicos.

3ª — *Outro jejum moral*: Outro jejum moral que um médium deverá saber impor-se é o desprendimento das coisas materiais. Nunca poderá cumprir satisfatoriamente seus deveres mediúnicos o médium excessivamente preocupado com os interesses terrenos. A ambição, a ganância, o muito querer acumular os bens da terra perturbam o médium, atraindo para junto dele espíritos inferiores, que interferem maleficamente em seus trabalhos espirituais. Saber jejuar das coisas terrenas, em benefício de sua mediunidade, é o primeiro passo que um médium dará para a garantia do bom êxito de sua tarefa na seara de Jesus.

Este trecho, em que Mateus simbolicamente comenta as tentações sofridas por Jesus, encerra profunda lição para os estudiosos do Evangelho e, principalmente, para os médiuns.

Quantos médiuns há que sucumbiram às tentações, trocando os dons divinos por algumas moedas?

Quando as tentações materiais se apresentarem a um médium, recorde-se ele das tentações sofridas pelo Mestre e, como Jesus, responda varonilmente: Nem só de pão vive o homem. As tentações mais comuns que se apresentam aos espíritos que se encarnam na Terra podem ser agrupadas em três classes:

1ª — A tentação dos gozos materiais.
2ª — A tentação de uma vida fácil, livre de cuidados e de dificuldades.
3ª — A tentação da riqueza e do poder.

Jesus, com sua fortaleza de alma, nos ensina como reagirmos resolutamente contra essas tentações. Precavendo-nos contra a tentação dos gozos materiais, lembra-nos de que a palavra divina, isto é, os mandamentos de Deus, quando bem observados, constituem gozos puros que enchem o coração de felicidade. Contra o desejo que frequentemente nos assalta de vivermos uma vida fácil, avisa-nos de que não devemos tentar a Deus. Os trabalhos, os suores, as amarguras e as desilusões são oportunidades benditas de redenção e de progresso. Se insistíssemos para com o Senhor e ele nos concedesse uma vida isenta de cuidados, estacionaríamos lamentavelmente. Chegaria o dia em que o tédio se apossaria de nós e suplicaríamos ao Altíssimo que semeasse nosso caminho de pedras e de tropeços para que, por meio de rudes trabalhos, pudéssemos progredir.

Se a ambição do mando, o orgulho do poder e a glória da riqueza ofuscarem nosso espírito, tenhamos em mente a lição de Jesus em suas tentações. Acima de tudo, veneremos a Deus, nosso Pai, e o sirvamos lealmente. As coisas do mundo são efêmeras, duram muito pouco e costumam precipitar em séculos de sofrimentos expiatórios quem as adora excessivamente.

Diabo ou Satanás: é a designação que se aplica à coletividade dos espíritos ignorantes que se comprazem no mal. Inspiram aos homens pensamentos malévolos e os secundam em todas as ações más. Para repeli-los devemos cultivar bons pensamentos, viver uma vida pura e fortificarmo-nos com orações diárias. Um dia essa coletividade desaparecerá do ambiente terreno, porque todos os espíritos que a integram se evangelizarão. E depois de evangelizados farão parte da coletividade do Espírito Santo.

Jesus na Galileia; Os Primeiros Discípulos

12 – *E quando ouviu Jesus que João fora preso, retirou-se para a Galileia.*
13 – *E deixada a cidade de Nazaré, veio habitar em Cafarnaum, cidade marítima, nos confins de Zabulon e Neftali.*
14 – *Para se cumprir o que tinha dito o profeta Isaías:*
15 – *A terra de Zabulon e a terra de Neftali, a estrada que vai dar no mar além do Jordão, a Galileia dos gentios.*
16 – *O povo que estava de assento nas trevas viu uma grande luz; e aos que estavam de assento na região de sombra da morte, a estes apareceu a luz.*
17 – *Desde então começou Jesus a pregar e a dizer: Fazei penitência, porque está próximo o reino dos céus.*
18 – *E caminhando Jesus ao longo do mar da Galileia, viu dois irmãos, Simão, que se chama Pedro e seu irmão André, que lançavam a rede ao mar, porque eram pescadores.*
19 – *E disse-lhes: Vinde após mim e farei que vós sejais pescadores de homens.*
20 – *E eles sem mais detença, deixadas as redes, o seguiram.*
21 – *E passando dali, viu outros dois irmãos, Tiago, filho de Zebedeu e João, seu irmão, em uma barca com seu pai Zebedeu, que consertavam suas redes e os chamou.*
22 – *E eles no mesmo ponto, deixando as redes e o pai, foram em seu seguimento.*
23 – *E Jesus rodeava toda a Galileia, ensinando nas suas sinagogas e pregando o Evangelho do reino: e curando toda a casta de doenças e toda a casta de enfermidades no povo.*
24 – *E correu a sua fama por toda a Síria e lhe trouxeram todos os que se achavam enfermos, possuídos de vários achaques e dores e os possessos e os lunáticos e os paralíticos e os curou.*

25 – E uma grande multidão de povo o foi seguindo de Galileia e de Decápole e de Jerusalém e da Judeia e de além Jordão.

A tarefa de João terminara; conclamara os pecadores ao arrependimento das faltas cometidas e pregou que as reparassem; tinha anunciado a vinda do Salvador; nada mais restava fazer.

Até então a humanidade estava imersa em trevas espirituais; agora brilharia a grande luz: os ensinamentos de Jesus, que iluminariam os caminhos do porvir.

E Jesus começa a trabalhar. Antes de tudo, cerca-se de cooperadores. Devemos admirar nesta passagem a humildade de Jesus: ele, o Espírito Excelso, convida modestos colaboradores para sua obra grandiosa. Assim nos adverte que, em quaisquer setores de atividades, todo trabalho exige cooperação.

Os apóstolos eram elevados espíritos encarnados com a missão de ajudarem Jesus. Por conseguinte, estavam em condições de compreenderem o trabalho que Jesus lhes confiaria. Esses missionários, escolhidos por Jesus quando ainda estavam no mundo espiritual, seriam os primeiros depositários do Evangelho. E quando Jesus partisse, deles se irradiaria o movimento de evangelização da humanidade.

Notemos o ambiente humilde em que os Apóstolos se encarnaram e os rudes ofícios que exerciam, para ganharem o pão de cada dia. Jesus e seus Apóstolos, assim procedendo, nos ensinam que, para os trabalhadores do Evangelho triunfarem, não necessitam se apoiar nos esplendores da matéria; basta que se firmem em sua própria boa vontade e na confiança em Deus.

À medida que Jesus encontra seus auxiliares, segura intuição lhes diz que lhes é mister entregarem-se a ocupações diferentes. Não medem consequências. Largam o que tinham nas mãos e seguem aquele que daí por diante lhes seria o Companheiro Constante.

Modernamente, por meio do Espiritismo, Jesus convoca novos discípulos para reacenderem na Terra as luzes de seu reino. Sob sua divina inspiração, em todos os Centros Espíritas prega-se o Evangelho e concita-se a humanidade a viver de acordo com as leis divinas. Por meio de médiuns curadores, Jesus permite que se reproduzam as curas, que realizou nas margens do mar de Galileia, de toda a casta de enfermidades no povo.

E a fama do Espiritismo, o Consolador enviado por Jesus, corre por toda a Terra. E aos Centros Espíritas são trazidos todos os que se acham enfermos, possuídos de vários achaques e dores e os possessos e os lunáticos e os paralíticos e cada um é curado de acordo com sua fé e seu merecimento aos olhos de Deus.

Capítulo 5

O Sermão da Montanha; As Beatitudes

1 – E vendo Jesus a grande multidão do povo, subiu a um monte e depois de se ter sentado, se chegaram para o pé dele os seus discípulos.
2 – E ele abrindo a sua boca os ensinava, dizendo:
3 – Bem-aventurados os pobres de espírito; porque deles é o reino dos céus.

Não devemos ver na expressão "pobres de espírito" um designativo pejorativo. É a correta designação dos espíritos que já compreendem as leis divinas e se esforçam por obedecê-las.

"Ricos de espírito" para o mundo são os orgulhosos, os que se julgam melhores do que os outros e os que pensam que todos se devem dobrar a seus caprichos.

"Pobres de espírito" para o mundo são os humildes, os modestos, os bondosos, os quais colocam os deveres da fraternidade acima de tudo.

4 – Bem-aventurados os mansos, porque eles possuirão a terra.

Conquanto pareça que os violentos sejam senhores da Terra, um dia a violência será banida da face de nosso planeta. À medida que os homens forem ficando esclarecidos à luz da fraternidade universal, irão também desaparecendo os atos violentos que as nações praticam contra nações e indivíduos contra indivíduos. Os rebeldes que não se submeterem às leis fraternas serão desterrados para mundos inferiores. E a Terra será possuída pelos mansos, isto é, pelos que não tentam violentar o próximo nem por palavras nem por atos.

5 – Bem-aventurados os que choram; porque eles serão consolados.

O sofrimento é a moeda com a qual pagamos as faltas e os erros que, em nossa ignorância, cometemos em encarnações passadas; e com ele compramos nossa felicidade futura; porque os que sofrem têm contas a ajustar com a Justiça Divina.

As lágrimas do sofrimento, quando suportado resignadamente, lavam as manchas da consciência e purificam o espírito. Por isso Jesus diz que são felizes os que choram, porque já iniciaram o resgate dos débitos anteriores; e, embora a Terra lhes reserve lágrimas, suaves consolações os esperam no mundo espiritual, onde entrarão libertos de remorsos, originados pelos maus atos praticados no pretérito.

6 – *Bem-aventurados os que têm fome e sede de justiça; porque serão fartos.*

A justiça da Terra é falha; ignora as causas profundas que levaram alguém a cometer uma falta; por isso julga superficialmente. Além disso, quantos crimes não ficam impunes! Qualquer um de nós pode observar diariamente uma quantidade enorme de erros que ferem nosso próximo, mas que a justiça da Terra não castiga nem corrige.

Embora possamos iludir a justiça terrena, é impossível iludir a Justiça Divina. E Jesus, profundo conhecedor da lei de compensação que cada um movimenta pró ou contra si próprio, nos diz:

— Não te importes se sofreres injustiças ou se irmãos que te ofenderam não foram alcançados pela justiça dos homens. No mundo espiritual para onde irás mais cedo ou mais tarde, pontifica um Juiz Incorruptível; ele te fartará de Justiça.

7 – *Bem-aventurados os misericordiosos; porque eles alcançarão misericórdia.*

Misericordioso é aquele que se compadece da miséria alheia.

Ser misericordioso é sentir o coração pulsar de piedade para com os irmãos tocados pela necessidade e pelo sofrimento; é ser compassivo, amigo, tolerante.

A misericórdia, porém, deve ser uma virtude ativa; deve ir procurar os desafortunados e mitigar-lhes a situação dolorosa, dentro das possibilidades que o Senhor concede a cada um; deve saber estender a mão ao ofensor, num gesto resoluto de perdão e amizade.

Os misericordiosos alcançarão misericórdia; porque aquilo mesmo que fizermos aos outros, isso mesmo receberemos. Espíritos em começo de evolução que somos, ainda muito sujeitos a erros, de que maneira mereceríamos a misericórdia divina, senão pela misericórdia que usarmos para com nosso próximo?

8 – *Bem-aventurados os limpos de coração; porque eles verão a Deus.*

Ser limpo de coração é não dar abrigo a paixões inferiores, tais como: o ódio, a inveja, a maledicência, o orgulho, a concupiscência. As paixões inferiores turvam a visão espiritual.

9 – *Bem-aventurados os pacíficos; porque eles serão chamados filhos de Deus.*

Os pacíficos são aqueles que obedecem à lei da fraternidade. Sabendo que todos somos irmãos, filhos de um único Pai, tratam a todos com brandura, moderação, mansuetude, afabilidade e paciência.

10 – *Bem-aventurados os que padecem perseguição por amor da justiça; porque deles é o reino dos céus.*

As nobres ideias que fazem com que a humanidade avance espiritual, moral, política e materialmente, encontram acérrimos opositores, que se esforçam por esmagá-las. E no mundo, formam-se castas que se aproveitam de suas prerrogativas, tiram o máximo proveito de seus poderes e não admitem a mais leve mudança no regime que as mantém e favorece.

Compreendendo a injustiça que semelhantes organizações espalham pela Terra, Jesus torna dignos da recompensa divina os homens esclarecidos e de boa vontade, que lutam para que a Justiça reine em todos os setores das atividades humanas.

11 – Bem-aventurados sois, quando os injuriarem e perseguirem e disserem todo o mal contra vós, mentindo por meu respeito.

12 – Folgai e exultai, porque o vosso galardão é copioso nos céus: pois assim também perseguiram aos profetas que foram antes de vós.

A doutrina de Jesus veio estabelecer na Terra as bases definitivas em que as relações e as instituições humanas se apoiarão. É, pois, natural que tenha de destruir tudo quanto não se conforme com ela. Acontece, porém, que os interessados em ofuscar a luz acendida por Jesus são muitos e poderosos e, como não lhes convém seguir a lei divina, perseguem impiedosamente os colaboradores sinceros do Mestre. Desde o sacrifício que impuseram a Jesus, o espetáculo dos cristãos lançados às feras, até à calúnia e à mentira injuriosas, quanto amargor foi, é e ainda será vertido nos corações dos que se batem para o completo triunfo do verdadeiro Cristianismo!

Jesus conforta seus trabalhadores, prometendo-lhes que no mundo espiritual os esforços serão copiosamente recompensados e nos recomenda que não façamos caso das perseguições. As perseguições são dificuldades que também os profetas, trabalhadores do passado, encontraram.

Os Discípulos São o Sal da Terra e a Luz do Mundo

13 – Vós sois o sal da terra. E se o sal perder sua força, com que outra coisa se há de salgar? Para nenhuma coisa mais fica servindo, senão para se lançar fora e ser pisado pelos homens.

A comparação que Jesus faz entre o sal e seus discípulos é bastante explícita. O bom sal salga, preservando da corrupção. Os modernos discípulos de Jesus são os espíritas e, particularmente, os médiuns, chamados a fazer brilhar novamente no mundo os preceitos do Evangelho, no momento em que desaparecem soterrados nas abominações dos altares. Cumpre-lhes lutar para que a corrupção não arruíne o corpo e a alma da humanidade.

14 – Vós sois a luz do mundo. Não se pode esconder uma cidade que está situada sobre um monte.

A luz destrói as trevas. A ignorância é treva da alma. Os discípulos de Jesus destroem a ignorância. Por conseguinte, os discípulos de Jesus são a luz espiritual do mundo.

Uma cidade, erguida no cabeço de um monte, é vista por todos, desde muito longe. Assim é o discípulo de Jesus: todos o observam a ver se não desmente com os atos o que prega com as palavras.

15 – *Nem os que acendem uma luzerna a metem debaixo do alqueire, mas põem-na sobre o candieiro a fim de que ela dê luz a todos os que estão em casa.*

Os que tiveram a ventura de conhecer as leis divinas deverão esforçar-se para que o maior número possível de criaturas as conheçam também. Não espalhar os conhecimentos espirituais é esconder egoisticamente a luz que deveria beneficiar a muitos. Tais médiuns que se afastam do trabalho mediúnico: apagam a luz que em si traziam para clarearem o caminho a irmãos menos evoluídos.

16 – *Assim luza a vossa luz diante dos homens; que eles vejam as vossas boas obras e glorifiquem a vosso Pai que está nos céus.*

Os modernos discípulos de Jesus trazem consigo uma luz que deve luzir diante dos homens. Essa luz é a mediunidade. Entretanto, para que a luz da mediunidade brilhe em todo o esplendor, o médium é obrigado a travar lutas, por vezes bem ásperas.

Há duas espécies de lutas que um médium trava para que sua luz luza diante dos homens: uma é a luta que se desenrola em seu próprio íntimo, luta contra si mesmo, para vencer o comodismo, a inércia, a rotina. Para vencer na luta íntima, o médium deverá saber sobrepor-se a seus gostos e a seus caprichos, sacrificando suas vaidades, colocando-se, assim, em todas as oportunidades, a serviço do Altíssimo, em socorro dos necessitados e esclarecimento dos ignorantes. A outra luta é contra os preconceitos sociais, entre os quais, ordinariamente, está incluída a incompreensão de seus familiares. O médium deverá possuir a força moral necessária para quebrar definitivamente as cadeias que o impedem de exercer o seu medianato.

Lembremo-nos de que a mediunidade bem praticada ainda se assemelha muito ao caminho do Gólgota. E, a esse respeito, o generoso instrutor Emmanuel assim se expressa:

"A missão mediúnica, se tem os seus percalços e suas lutas dolorosas, é uma das mais belas oportunidades de progresso e de redenção, concedidas por Deus a seus filhos. Sendo luz que brilha na carne, a mediunidade é um atributo do espírito, patrimônio da alma imortal, elemento renovador da posição moral da criatura terrena, enriquecendo todos os seus valores no capítulo da virtude e da inteligência, sempre que se encontre ligada aos princípios evangélicos, na sua trajetória pela face do mundo."

Portanto, integrados em sua tarefa mediúnica, com amor e constância, concorrendo para a realização de curas, encaminhando espíritos obsessores, combatendo a ignorância espiritual em que se debatem os homens, servindo de instrumentos para a disseminação do Evangelho, os médiuns perfazem obras pelas quais os homens glorificam a Deus.

O Cumprimento da Lei e dos Profetas

17 – Não julgueis que vim destruir a lei ou os profetas; não vim a destruí-los, mas sim a dar-lhes cumprimento.

A lei a que Jesus se refere é o Decálogo, transmitido à humanidade por Moisés.

Os profetas que vieram depois de Moisés chamaram continuamente a atenção do povo para a observância dos dez mandamentos.

Jesus não veio invalidar o Decálogo ou o que disseram os profetas; veio simplesmente fazer com que os homens o cumprissem à risca.

Assim também o Espiritismo: não veio destruir ou combater religiões, mas veio ensinar-nos a viver de acordo com o Evangelho.

18 – Porque em verdade vos afirmo que enquanto não passar o céu e a terra, não passará da lei um só i ou um til, sem que tudo seja cumprido.

Por afirmar que da lei não passará um único til sem que tudo seja cumprido, Jesus se refere ao progresso contínuo a que está sujeito o estudioso do Evangelho. À medida que formos estudando o Evangelho e esforçando-nos por viver de conformidade com ele, a lei divina se gravará em nosso perispírito, e chegará então o dia em que saberemos cumpri-la sem exceção de um i ou de um til.

19 – Aquele pois que quebrar um destes mínimos mandamentos e que ensinar assim aos homens, será chamado mui pequeno no reino dos céus; mas o que os guardar e ensinar a guardá-los, esse será reputado grande no reino dos céus.

Jesus nos adverte aqui da grande responsabilidade dos que ensinam. Se seus ensinamentos não forem pautados pelo Evangelho, tremendas contas lhes serão tomadas, porque retardaram o progresso espiritual do mundo. E grandes recompensas aguardam os que ensinam os povos a se encaminharem para Deus. Notemos, entretanto, que não é só ensinar: é preciso ensinar e praticar o que se ensina; nunca desmentir com os atos o que se prega com as palavras.

20 – Porque eu vos digo que se a vossa justiça não for maior e mais perfeita do que a dos escribas e a dos fariseus, não entrareis no reino dos céus.

Quanto mais evoluídos estivermos, tanto maiores serão nossas responsabilidades espirituais. Neste ponto, dada a grande soma de conhecimentos espirituais que os espíritas receberam, são eles os que mais obrigados estão para com o Pai. É fora de dúvida, pois, que os espíritas são os indicados neste versículo a praticarem com mais perfeição os ensinamentos evangélicos, do que seus irmãos de outras crenças menos evoluídas.

21 – Ouvistes o que foi dito aos antigos: Não matarás; e quem matar será réu no juízo.

22 – Pois eu vos digo que todo o que se ira contra seu irmão será réu no juízo; e o que disser a seu irmão: Raca, será réu no conselho; e o que disser: és um tolo, será réu do fogo do inferno.

A vida de nossos semelhantes não nos pertence. Quem mata, conquanto não aniquile o espírito, fá-lo desencarnar violentamente acarretando-lhe sofrimentos indizíveis. E, sobretudo, corta-lhe as oportunidades de progresso, que a encarnação lhe proporcionaria. É bom notar que uma encarnação não se consegue facilmente; por vezes é conseguida à custa de muitos sacrifícios e trabalhos no mundo espiritual. Mas não é somente o progresso da vítima que o assassino interrompe: também o dos entes que dependiam dela, dado que o plano de trabalho pré-estabelecido no mundo espiritual fica sem um dos elementos, quem sabe se o principal, para sua realização.

A lei divina diz claramente: Não matarás, dando a entender que não se deve matar nada. Agora o homem está aprendendo a não matar os seus semelhantes; mais tarde, aprenderá a não matar os animais, nossos irmãos inferiores na escala evolutiva.

Não somente a morte material não podemos causar ao próximo, mas também precisamos evitar causar mortes morais. Há indivíduos que são incapazes de matar uma mosca, como vulgarmente se diz; contudo, não trepidam em matar as reputações alheias; em matar a harmonia que reina num lar; em matar a fé que desponta numa alma; em matar a esperança que enxuga as lágrimas dos aflitos; em matar a doce fraternidade que existe entre irmãos; tudo isto são mortes morais, e Jesus ensina que sofrerá rudes consequências quem as causar.

23 – Portanto, se tu estás fazendo a tua oferta diante do altar e te lembrares aí que teu irmão tem contra ti alguma coisa.

24 – Deixa ali tua oferta diante do altar e vai reconciliar-te primeiro com teu irmão e depois virás fazer a tua oferta.

Nós, que adoramos a Deus em espírito e verdade, temos por altar a consciência. E a oferta que fazemos ao Pai são nossas preces sinceras. Se, quando estivermos orando a Deus, nossa consciência nos acusar de termos prejudicado a um irmão, quer por palavras, quer por atos, devemos, em primeiro lugar, ir procurar o irmão e perdoarmo-nos reciprocamente. E, livres de rancores um do outro, teremos a consciência tranquila e o amor fraterno voltará a se instalar em nosso coração. Isso feito poderemos continuar nossa oferta ao Pai; em caso contrário, ele não a aceitará.

25 – Concerta-te sem demora com teu adversário, enquanto estás posto a caminho com ele; para que não suceda que ele, o adversário, te entregue ao juiz e que o juiz te entregue ao seu ministro e sejas mandado para a cadeia.

26 – Em verdade te digo que não sairás de lá enquanto não pagares o último ceitil.

O caminho em que estamos postos com nosso adversário é a vida presente, durante a qual houve o atrito entre nós e ele. Enquanto estamos juntos, isto é, todos encarnados, é que convém desfazer os agravos e transformar as inimizades, por menores que sejam, em estima. Convém, também, corrigir todo o mal que tivermos praticado; porque se não aproveitarmos a oportunidade que o Senhor nos concede e desencarnarmos odiando alguém e com ações malévolas pesando em nossa consciência, seremos colhidos pelo ciclo das reencarnações dolorosas. Então o sofrimento nos ensinará a mudar todo o ódio em amor e a corrigir até a mais pequenina falta que tivermos cometido contra nosso próximo.

27 – *Ouvistes que foi dito aos antigos: Não adulterarás.*
28 – *Eu porém vos digo: que todo o que olhar para uma mulher, cobiçando-a, já no seu coração adulterou com ela.*

O simples pensar no mal revela inferioridade de uma pessoa. Se não realiza o seu mau pensamento, é porque não se lhe apresentou ocasião favorável; tivesse tido oportunidade e o mal, que guardou consigo, se traduziria em ação.

Se alguém pensa no mal e, todavia, não o pratica nem por isso se livra da responsabilidade de expurgar de seu coração os sentimentos ruins.

A lei antiga condenava o mal quando este se manifestava materialmente. A lei de Jesus não só condena a manifestação material do mal, como também o alimentá-lo com o pensamento. Onde há pensamentos malévolos, ainda não há pureza.

29 – *E se o teu olho direito te serve de escândalo, arranca-o e lança-o fora de ti; porque melhor te é que se perca um dos teus membros, do que todo teu corpo seja lançado no inferno.*
30 – *E se a tua mão direita te serve de escândalo, corta-a e lança-a fora de ti; porque é melhor que se perca um dos teus membros do que todo o teu corpo vá para o inferno.*

A palavra escândalo no significado aqui empregado é tudo quanto é mal. E as causas de escândalo são os meios pelos quais o homem pratica o mal.

Os olhos postos a serviço da cobiça e da inveja; a língua quando é maldizente; as mãos que usam do poder para esmagar os fracos; o cérebro que se serve da inteligência para desviar os homens de Deus; enfim todos os órgãos do corpo e os bens intelectuais e os materiais, quando usados para a satisfação de apetites inferiores, são causas de escândalo.

É necessário, pois, que tenhamos o máximo cuidado em bem empregar não só os órgãos do corpo, como também os bens materiais e os intelectuais, para que não se tornem causas de escândalo e não precipitem nosso espírito em séculos de sofrimentos expiatórios.

31 – *Também foi dito: Qualquer que se desquitar de sua mulher, dê-lhe carta de repúdio.*
32 – *Mas eu vos digo: Que todo o que repudiar sua mulher, a não ser por causa da fornicação, a faz ser adúltera; e o que tomar a repudiada, comete adultério.*

O casamento é uma instituição divina. Unem-se dois seres para evoluírem juntos e providenciarem corpos materiais para outros espíritos encarnarem e progredirem.

No ambiente do lar, o membro mais adiantado orienta a família, a fim de que do esforço de todos resulte o progresso de cada um.

Grande é a responsabilidade dos cônjuges; de seu bom ou mau comportamento podem advir consequências felizes ou dolorosas. É comum o mau procedimento dos cônjuges arrastar a família para caminhos de trevas já nesta vida e no futuro a reencarnação de sofrimentos; ao passo que os cônjuges, procedendo bem, facilmente guiarão a família a planos felizes do universo.

O Espiritismo não pode concordar com a separação dos casais, porque quase toda separação é motivada pelo ódio. E a lei que o Senhor nos deu é: — Amai-vos uns aos outros. E, além disso, a separação nada resolve de definitivo; bem sabemos que os espíritos que erram juntos, juntos terão de corrigir o erro.

A incompatibilidade de gênios, tão citada para justificar a separação, é o reflexo dos erros das encarnações passadas. E dois espíritos que se odeiam frequentemente se unem pelos sacrossantos laços de família para, com menos repugnância, extinguirem o ódio que os separava. Por conseguinte, a separação é um recurso provisório apenas; porque nas encarnações futuras terão de trilhar juntos os mesmos caminhos, até que se harmonizem com as leis divinas.

33 – Igualmente ouvistes que foi dito aos antigos: Não jurarás falso, mas cumprirás ao Senhor os teus juramentos.

34 – Eu porém vos digo: Que absolutamente não jureis nem pelo céu, porque é o trono de Deus.

35 – Nem pela terra, porque é o assento de seus pés; nem por Jerusalém, porque é a cidade do grande rei.

36 – Nem jurarás pela tua cabeça, pois não podes fazer que um cabelo teu seja branco ou negro.

37 – Mas seja o vosso falar: Sim, sim; não, não; porque tudo o que daqui passa procede do mal.

Tomadas no sentido moral, estas palavras de Jesus nos ensinam a humildade perante Deus e a resignação plena à sua vontade.

Os juramentos que fazemos traduzem, ordinariamente, presunção, vaidade e orgulho, porque não sabemos se os poderemos cumprir. Se nas mínimas coisas temos de nos sujeitar à vontade divina, quanto mais nas grandes? Procuremos unicamente ser sinceros em nossas afirmativas, certos de que, se desempenharmos com sinceridade e satisfação os nossos deveres, a Providência Divina se encarregará do resto.

No tocante à parte religiosa, maior deverá ser a nossa sinceridade. Ou somos, ou não o somos. Se nós nos intitulamos espíritas, estudiosos do Evangelho, nossos pensamentos, nossas palavras e nossos atos, enfim, nosso comportamento deverá confirmar perante o mundo os mandamentos da religião que professamos.

38 – Vós tendes ouvido o que se disse: olho por olho e dente por dente.

Refere-se à lei de Moisés. No tempo em que Moisés legislou, teve de o fazer para povos rudes, primitivos e quase ferozes, os quais não tinham compreensão alguma da espiritualidade. Foi obrigado a recomendar-lhes que retribuíssem a violência pela violência, para que fossem contidos pelo medo de receberem o mesmo que fizessem aos outros.

39 – Eu porém vós digo, que não resistais ao que vos fizer mal; mas se alguém te ferir na tua face direita, oferece-lhe também a outra.
40 – E ao que demandar-te em juízo e tirar-te a tua túnica, larga-lhe também a capa.
41 – E se qualquer te obrigar a ir carregado mil passos, vai com ele ainda mais outros dois mil.

Jesus aqui nos ensina que a lei divina proíbe rigorosamente a vingança. Estando já os povos mais adiantados em compreensão espiritual, Jesus lhes demonstra com seus ensinamentos que o castigo deve sempre vir do Alto, o qual sabe melhor como obrigar ao que errou a corrigir o erro cometido contra o próximo.

Ao Senhor pertence punir os seus filhos rebeldes; pois não afirmou Jesus que serão saciados os que clamam por justiça? Então por que cada um querer procurar fazer justiça por suas próprias mãos?

A vingança tem enchido prisões, arruinado lares e perdido existências preciosas. Nos tribunais se arrastam longos processos e demandas, litígios e querelas que, consumindo as posses de seus autores, os empobrecem e originam ódios seculares. Eis porque Jesus, que veio combater todas as causas das infelicidades materiais e espirituais da humanidade, recomenda-nos que procuremos harmonizar as situações sem recorrermos a vingança, mesmo que tenhamos de arcar com prejuízos materiais ou morais.

Aconselhando-nos a que andemos dois mil passos com quem nos obrigar a andar mil, Jesus nos aconselha a obediência para com nossos superiores. Nos lugares subalternos nos quais a vida nos colocar, aprendamos a obedecer sem murmurar. A obediência é uma grande virtude. Se não soubermos obedecer aos homens, como poderemos obedecer a Deus e cumprir-lhe as ordens, vivendo conforme sua vontade?

Lembremo-nos que a Justiça Incorruptível de Deus, em tempo oportuno, ferirá quem nos feriu, restituir-nos-á o que nos tiraram e considerará nossa obediência.

42 – Dá a quem te pede e não voltes as costas ao que deseja que lhe emprestes.

Prestar auxílio a quem o solicita é uma lei divina. A quem nos pedir, quer sejam auxílios materiais, quer espirituais, precisamos socorrer na medida de nossas possibilidades. Recusar ajuda, seja por dar ou por emprestar, é agravar uma situação penosa em que se encontra um irmão.

É verdade que nem sempre estamos em condições de satisfazer os pedidos que nos fazem. Contudo, quando o pedido for justo, com um pouco de boa vontade e de bom coração, sempre encontraremos meios de atender à maior parte das solicitações que nos são dirigidas em nome do Senhor. Neste versículo, Jesus nos ensina a colocar o pouco ou o muito que possuímos a serviço da fraternidade universal.

43 – Tendes ouvido o que foi dito: Amarás o teu próximo e aborrecerás a teu inimigo.
44 – Mas eu dos digo: Amai a vossos inimigos, fazei o bem ao que vos tem ódio; e orai pelos que vos perseguem e caluniam.

Incapazes de compreender que todos os homens, pertençam a que raça pertencerem, são irmãos, filhos de um único Pai, Moisés teve de ensinar a seus tutelados a amarem pelo menos os de sua tribo ou família. Jesus dilata o ensinamento de Moisés, ensinando-nos que até mesmo nosso próprio inimigo é nosso próximo, pois é nosso irmão em Deus.

Este ensinamento de Jesus poderia ser um contrassenso, se não houvesse a lei da reencarnação. De fato, se vivêssemos apenas uma vez, e se depois da morte mergulhássemos no nada, ou fôssemos viver em beatitudes ou em tormentos eternos, por que haveríamos de forçar nosso coração a amar quem nos odeia? Por que teríamos de orar pelos que nos espezinham?

Porém, sabemos que existe a lei da reencarnação. Sabemos que nossa vida não termina pela morte. Sabemos que não iremos para lugares de beatitudes, nem de tormentos. E sabemos que o ódio liga pelos laços do sofrimento, ao passo que o amor une pelos laços da felicidade.

A morte não nos livra dos inimigos, como não nos separa dos amigos.

A lei da reencarnação faz com que os espíritos que se odeiam encarnem no mesmo grupo, a fim de que os trabalhos, os sofrimentos e as alegrias que suportarem em comum, transformem em fraterna amizade a repulsa que os separava. Sabedor disso, Jesus recomenda que procuremos extinguir as animosidades que nos dividem, quer lutando por transformar os inimigos em amigos, quer fazendo o bem a quem não nos estima, quer orando pelos que nos perseguem. Assim procedendo, afrouxaremos os dolorosos laços fluídicos do ódio, os quais facilmente serão rompidos no momento oportuno; e nosso espírito estará livre de pesado fardo e merecedor de um futuro risonho.

45 – Para serdes filhos de vosso Pai, que está nos céus; o qual faz nascer o seu sol sobre bons e maus e vir chuva sobre justos e injustos.

Por que é que Deus, Nosso Pai, permite que também os maus gozem dos bens da Natureza, na mesma proporção que os bons?

Porque Deus sabe que seus filhos rebeldes de hoje por força da lei do progresso, hão de ser bons no futuro, assim como os bons de hoje, já terão sido maus no passado.

O bem é a lei suprema do Universo. O mal é simplesmente a ausência do bem, assim como a escuridão é a ausência da luz. Faça-se a luz e a escuridão deixará de existir. Logo que um espírito malévolo procura a luz, as trevas da ignorância, que o envolviam, dissipam-se e ele se torna luminoso. Portanto, sigamos o exemplo de Deus, não privando nossos inimigos de nosso amor, certos de que a lei da Evolução, à qual todos estamos submetidos, fará deles nossos irmãos bem amados.

46 – Porque se vós não amais senão os que vos amam, que recompensa haveis de ter? Não fazem os publicanos também o mesmo?

47 – E se vós saudardes somente aos vossos irmãos, que fazeis nisso de especial? Não fazem também assim os gentios?

O verdadeiro progresso espiritual se verifica quando o indivíduo combate seu excessivo amor próprio.

O amor próprio, uma das mais comuns manifestações do orgulho, é a causa principal, que impede se restabeleça a fraternidade entre os homens. Sacrificando seu amor próprio, facilmente cada um encontrará os meios de se manter em harmonia com todos e de fazer com que desapareçam as inimizades, que, porventura, se tenham gerado em seu ambiente.

Estes dois versículos visam particularmente os espíritas. Os espíritas, para serem alunos mais adiantados de Jesus, precisam amar aos que os aborrecem e saudar até os que os contrariam. De outra forma, onde estará o mérito de professarmos uma doutrina mais evoluída?

48 – Sede vós logo perfeitos, como também vosso Pai celestial é perfeito.

À primeira vista este preceito de Jesus parece impossível de ser praticado. Todavia, se meditarmos um pouco sobre ele, veremos que é um mandamento lógico e cujo cumprimento está ao alcance de qualquer discípulo de boa vontade.

É fora de dúvida que o amor que o Pai consagra a seus filhos é igual para todos. O Pai celestial não ama mais um filho em detrimento de outro. O forte e o fraco, o rico e o pobre, o são e o doente, o sábio e o ignorante, o justo e o pecador, todos são amados por Deus, e a Divina Providência vela por eles, amparando-os e guiando-os para a Perfeição.

Pois bem, para sermos perfeitos como nosso Pai celestial é perfeito, precisamos amar com o mesmo amor a todos os nossos irmãos, a toda humanidade. Ricos e pobres, amigos e inimigos, fortes e fracos, sãos e doentes, sábios e ignorantes, justos e pecadores, todos merecem nosso carinho, nosso amor e nossa dedicação. Assim sendo, amando nossa imensa família humana, sem exceção de pessoas, estaremos sendo perfeitos como é perfeito nosso Pai, que está nos céus.

Capítulo 6

Continuação do Sermão da Montanha. Esmolas, Oração, Jejum

1 – Guardai-vos não façais as vossas boas obras diante dos homens, com o fim de serdes vistos por eles; de outra sorte não tereis a recompensa da mão de vosso Pai que está nos céus.

No coração dos homens há dois sentimentos que os impelem a executar seus atos: a humildade e o orgulho.

A humildade é o sentimento que leva o homem a praticar o bem pelo bem, sem esperar outra recompensa a não ser a satisfação íntima de ter concorrido para a felicidade de um irmão.

E o orgulho é o sentimento que leva o homem a praticar o bem por ostentação.

Jesus aqui nos recomenda que façamos o bem movidos pelo sentimento da humildade.

2 – Quando pois dás a esmola, não faças tocar a trombeta diante de ti, como praticam os hipócritas nas sinagogas e nas ruas, para serem honrados dos homens; em verdade vos digo que eles já receberam a sua recompensa.

Isto é, quando deres esmolas, ou praticares qualquer ato bom para com teu próximo, que não seja o sentimento do orgulho que te mova, mas sim que sejas movido pelo sentimento da humildade e da fraternidade.

3 – Mas quando dás a esmola, não saiba a tua esquerda o que faz a tua direita.
4 – Para que tua esmola fique escondida e teu Pai, que vê o que tu fazes em secreto, ta pagará.

Preceituando que não devemos beneficiar ninguém à vista de todos, Jesus nos ensina a não humilhar o irmão que recorre a nós. Há bastante sofrimento no coração do irmão necessitado.

Por que lhe aumentar as amarguras, tornando-o alvo de uma beneficência orgulhosa?

A verdadeira beneficência é modesta e branda; socorre sem humilhar e ampara sem ferir a dignidade de cada criatura, por ínfima que seja.

Ainda aqui devemos imitar o Pai em sua perfeição: não está ele nos socorrendo e amparando sem cessar? Nem por isso ele nos lembra o que lhe devemos. Assim seremos: beneficiaremos nossos irmãos no que estiver ao nosso alcance e nunca deixaremos vestígios pelos quais se alardeie nossa caridade.

5 – E quando orais, não haveis de ser como os hipócritas, que gostam de orar em pé nas sinagogas e nos cantos das ruas, para serem vistos dos homens; em verdade vos digo que eles já receberam a sua recompensa.

6 – Mas tu, quando orares, entra no teu aposento e, fechada a porta, ora a teu Pai em secreto; e teu Pai que vê o que se passa em secreto, te dará a paga.

A prece é uma demonstração de humildade da criatura para com o Criador; não pode, por conseguinte, servir de estímulo ao orgulho dos homens.

Recomendando-nos que oremos secretamente dentro de nosso quarto, Jesus quer que o sagrado ato da prece seja realizado na maior simplicidade possível e na mais perfeita humildade e harmonia.

7 – E quando orais, não faleis muito como os gentios; pois cuidam que pelo muito falar serão ouvidos.

A prece não vale pelas palavras com que é formulada, e sim pelo sentimento que a inspira. Não são os lábios que devem orar, mas o próprio coração.

8 – Não queirais portanto parecer-vos com eles; porque vosso Pai sabe o que vos é necessário, primeiro que vós lho peçais.

É verdade que o Pai sabe o que é necessário a cada um de nós, antes que lho peçamos. Jesus, neste versículo, quer dizer-nos que, velando pela criação inteira, está a Providência Divina, que a tudo provê.

Contudo, temos obrigação de orar, tanto assim que Jesus nos ensina como devemos orar.

A prece é um dever e uma necessidade.

Como dever, é um ato de adoração e de agradecimento ao Pai, do qual recebemos a vida.

É uma necessidade, porque é por meio da prece que movimentamos as forças magnéticas que nos protegerão contra as investidas maléficas do invisível; e com ela melhoramos nossa vida, adquirindo forças para suportarmos com resignação e coragem as provas e as expiações.

E para corrigirmos nossas imperfeições e livrarmo-nos dos vícios, é ainda a prece um auxiliar poderoso, porque fortifica nossa vontade.

9 – Assim pois é que vós haveis de orar: Pai nosso que estás nos céus; santificado seja o teu nome.

O Pai Nosso, a oração universal por excelência, a prece maravilhosa que Jesus nos ensina, além de ser uma oração completa que dirigimos a Deus, é também uma norma de bem viver, um guia seguro para vivemos cristãmente.

Iniciamos a prece por um ato de adoração a Deus, em cuja presença se move o Universo. E como o nome de Deus é santo, devemos pronunciá-lo sempre com o máximo respeito.

10 – Venha a nós o teu reino. Seja feita tua vontade, assim na terra como nos céus.

O reino que desejamos é um mundo onde todos sejam felizes. É, portanto, nosso dever trabalhar para que haja a maior soma possível de felicidade na Terra.

Só Deus sabe o que convém a cada um de seus filhos; por conseguinte, devemos conformar-nos com a Vontade Divina que rege o Universo.

11 – O pão nosso de cada dia, dá-nos hoje.

Rogamos ao Pai celestial os meios de subsistência material e espiritual. A subsistência material, conseguimo-la pelo trabalho; e a espiritual, pelo cumprimento e pelo estudo das leis divinas e pelo respeito a elas.

12 – E perdoa-nos as nossas dívidas, assim como também perdoamos aos nossos devedores.

Para recebermos uma graça de nosso Pai, devemos ter iniciativa. Se não procurarmos merecer o favor divino, estacionaremos na estrada do progresso. E se lutarmos para alcançar o auxílio celeste, tanto mais depressa construiremos nossa felicidade.

Todavia, o auxílio divino está sempre subordinado aos atos que praticamos para com nosso próximo. É necessário, pois, que façamos o máximo de bem possível a nossos irmãos, para que Deus nos favoreça com sua misericórdia.

Um dos benefícios, que Jesus nos ensina a obtermos de Deus, é o perdão das faltas, que cometemos contra suas leis. Ora, nossos irmãos cometem faltas contra nós; se lhes perdoarmos os prejuízos morais ou materiais que nos causam, é certo conseguirmos o perdão de Deus, pelos erros em que incidimos durante nossa encarnação. Aqui Jesus nos faz ver a necessidade de usarmos de nossa misericórdia para com os outros, a fim de que o Pai use de sua misericórdia para conosco.

13 – E não nos deixes cair em tentação. Mas livra-nos do mal. Amém.

Pedimos ao Pai as forças suficientes para resistirmos às tentações que se nos apresentam durante a vida; por isso, quando formos tentados, devemos elevar ao Alto o nosso pensamento, donde nos virá o auxílio.

Roguemos ao Senhor que nos livre do mal, mas não o pratiquemos nem por atos, nem por palavras, nem por pensamento.

14 – Porque se vós perdoardes aos homens as ofensas que tendes deles, também o vosso Pai celestial perdoará os vossos pecados.

15 – Mais se não perdoardes aos homens, tampouco o vosso Pai vos perdoará os vossos pecados.

Os atos que praticamos aqui na Terra são a favor de nosso próximo ou contra ele. Quando são a favor de nosso próximo, dizemos que são atos bons. Quando são contra nosso próximo, dizemos que são atos maus.

Dentre os atos maus, destaca-se a vingança.

Vingar-se é retribuir o mal com o mal. Todo mal causa sofrimentos. Por conseguinte, a vingança perpetua o sofrimento na face da Terra. E, quando os contendores desencarnarem, o mal continuará seus maléficos efeitos no mundo espiritual. Infelizmente não pararão aí as terríveis consequências da vingança: projetar-se-ão pelas reencarnações futuras, até que os infelizes irmãos, que não souberam perdoar, aprendam a praticar a lei do perdão, que a vingança os fizera desprezar. Por isso, Jesus, que veio ensinar-nos como terminar com o sofrimento que infelicita a Terra, recomenda-nos, insistentemente, que não menosprezemos a lei do Perdão. A toda ofensa que nos fizerem, retribuamos com o bem ou a esqueçamos completamente, a fim de extinguirmos, de pronto, os focos de futuros tormentos.

O perdão espiritualiza a criatura, ao passo que a vingança a confina nos ambientes de trevas. E aqui Jesus nos quer dizer:

— Se perdoares, Deus te perdoará, isto é, nada ficarás a dever a teu próximo e, portanto, nada terás de resgatar no futuro. Se não perdoares, Deus não te perdoará, isto é, tu te tornarás devedor do mal que tua vingança causou e serás obrigado a saldar a dívida que contraíste perante tua própria consciência.

E o Espiritismo te revela que em perdoares, nada perderás, porque a Providência Divina saberá dispor as coisas para que teu ofensor te dê a reparação no momento oportuno; se não for nesta, será nas futuras reencarnações, ou no mundo espiritual, onde se encontrarão algozes e mártires, vítimas e ofensores.

16 – E quando jejuais, não vós ponhais tristes como os hipócritas; porque eles desfiguram os seus rostos, para fazer ver aos homens que jejuam. Na verdade, vos digo, que já receberam sua recompensa.

Aqui Jesus alude ao jejum espiritual. É a alma que deve jejuar, e não o corpo. O jejum da alma são as expiações, por meio das quais se corrigem os erros do passado e purificam-se as imperfeições. Quando atravessarmos o período das expiações e o sofrimento nos chamar ao pagamento de dívidas antigas, não nos entreguemos ao desespero, a murmurações e a lamentações contra as leis divinas. Não nos revoltemos quando a dor impuser à nossa alma o jejum da felicidade terrena, para não perdermos a sagrada oportunidade do resgate, que a misericórdia do Pai nos oferece.

17 – Mas tu, quando jejuares, unge a tua cabeça e lava o teu rosto.
18 – A fim de que não pareças aos homens que jejuas, mas somente a teu Pai, que está presente a tudo o que há de mais secreto; e teu Pai, que vê o que se passa em secreto, te dará a paga.

O jejum, que o Pai recompensa, pode ser de duas espécies: uma é a resignação ante as provas e as expiações. Ante as provas, porque são os degraus da escada, que precisamos subir, para alcançar a Perfeição. Ante as expiações porque são os meios pelos quais corrigimos os erros de nossas existências passadas.

A outra espécie de jejum é o esforço que fazemos para nos libertarmos de nossas imperfeições. Quando perdoamos, quando abandonamos os vícios, quando alimentamos pensamentos puros, quando evitamos ser maldizentes, quando cumprimos rigorosamente nossos deveres, quando somos humildes, quando amamos nosso próximo, tudo isso constitui um verdadeiro jejum espiritual, muito meritório aos olhos de Deus.

Todavia, Jesus recomenda que esse jejum espiritual seja praticado na humildade de nosso coração, sem hipocrisia, sem alardes, o mais ocultamente possível, para que o orgulho não comprometa os resultados.

Ao praticarmos o jejum espiritual, devemos notar que Deus não impede nem proíbe que trabalhemos para suavizar nossas provas e nossas expiações. Ele nos deu a inteligência, justamente para melhorarmos, com nossos próprios esforços, as condições materiais e espirituais em que nos encontramos. Nosso principal objetivo deve consistir em conseguirmos ser felizes aqui na Terra, como encarnados, e mais tarde como desencarnados, no mundo espiritual, para onde iremos. Devemos ser resignados, porque a resignação é um belíssimo jejum espiritual; contudo, jamais deixemos de lutar tenazmente para melhorar o estado em que estivermos. Resignação não é aceitar a vida com os braços cruzados: é trabalhar para progredirmos material e espiritualmente, confiantes na Providência Divina.

Ao dizer-nos Jesus que, quando jejuarmos, unjamos a cabeça e lavemos o rosto, ele nos ensina que recebamos com alegria as oportunidades de progresso espiritual. Ao passarmos pelas provas, alegremo-nos; depois delas, teremos conquistado mais um galardão espiritual. Ao sermos atingidos pelas expiações, alegremo-nos; depois delas, nosso perispírito se apresentará mais luminoso e nosso coração, mais puro. E a alegria não deixará que os homens vejam a mortificação de nossa alma; mas Deus a vê e providenciará, segundo sua misericórdia e nosso merecimento.

O Tesouro no Céu. O Olho Puro. Os Dois Senhores. A Ansiosa Solicitude pela Nossa Vida

19 – *Não queirais entesourar para vós tesouros na Terra, onde a ferrugem e a traça os consomem e onde os ladrões os desenterram e roubam.*

Ao contrário do que geralmente se crê, Jesus aqui não condena as riquezas. As riquezas, quando utilizadas de acordo com a vontade divina, propulsionam três ordens de progresso em nosso planeta, que são:

O progresso material, por fornecer trabalho ao povo; por melhorar as condições físicas da Terra; por criar bem-estar e conforto para todos.

O progresso intelectual, por desenvolver as artes e as ciências.

O progresso espiritual, por proporcionar a seus detentores os meios suficientes para a prática do bem em larga escala.

Jesus aqui nos ensina que não nos escravizemos às riquezas; não façamos delas a finalidade de nossa existência. As riquezas são transitórias e devem ser usadas como úteis instrumentos de trabalho, em benefício da coletividade.

20 – *Mas entesourai para vós tesouros no céu, onde não os consomem a ferrugem nem a traça e onde os ladrões não os desenterram nem roubam.*

Se as riquezas terrenas são transitórias e concedidas a título precário, tal não acontece com as riquezas espirituais.

O desencarne nos priva totalmente das riquezas terrenas, fazendo com que entremos no gozo das nossas riquezas espirituais.

As riquezas materiais são emprestadas temporariamente por Deus, segundo nossos deveres do momento; ao passo que as riquezas espirituais são aquisições eternas do espírito.

Recomendando-nos que ajuntemos tesouros no céu, Jesus quer que desenvolvamos as boas qualidades de nossa alma: a bondade, a moralidade, a inteligência, a mansidão, a tolerância, o amor fraterno para com todos. E quer que semeemos a maior soma possível de benefícios; porque as virtudes que cultivarmos em nossas almas e as ações nobres que praticarmos, isso é que constituirá nossa verdadeira e imperecível riqueza.

21 – *Porque onde está o teu tesouro, aí está também o teu coração.*

Sendo transitórias as riquezas terrenas, é um erro grave ligarmos nossos corações a elas. Porque as riquezas terrenas, às quais ligarmos nossos corações, não passarão de ilusões a atormentar-nos, quando o desencarne nos despertar para a realidade da vida espiritual.

Liguemos nossos corações aos bens inamovíveis da alma, que são: a caridade, o amor ao próximo, o estudo, a prece, a fé, a esperança, a mediunidade quando exercida com devotamento e abnegação, a pureza de pensamentos, de palavras e de atos.

E a maneira pela qual podemos adquirir as riquezas espirituais é impormo-nos um rigoroso jejum espiritual. Cumpre notar que não é sem sacrifícios que as obteremos. E o sacrifício que fazemos é extirparmos de nossa alma o orgulho, a vaidade, o ódio, os preconceitos, os vícios, enfim o mal sob qualquer forma que ele exista em nós.

O auxílio divino nunca faltará aos que lutarem para ligar seus corações às verdadeiras riquezas da alma. E no fim da luta, que maravilhoso tesouro de espiritualidade teremos! E quando entrarmos no gozo desse tesouro, veremos que valeu a pena o sacrifício.

22 – *O teu olho é a luz do teu corpo. Se o teu olho for simples, todo o teu corpo será luminoso.*
23 – *Mas se o teu olho for mau todo o teu corpo estará em trevas. Se pois a luz que em ti há são trevas, quão grandes não serão essas mesmas trevas!*

Os olhos nos fazem ver o bem e o mal.

No plano terreno cada criatura tem o seu lado bom e o seu lado mau, isto é, o seu lado ainda imperfeito. Jesus nos aconselha que vejamos em nosso próximo somente o lado bom, o lado luminoso, o lado que já começa a apresentar alguma perfeição, e nos esqueçamos de observar o lado imperfeito, o lado em que o buril da perfeição ainda não começou a trabalhar.

Se prestarmos atenção unicamente no lado bom que cada um possui, desenvolveremos luz em nossos espíritos; se fixarmos as más qualidades de nossos irmãos, estaremos criando trevas para nós próprios.

24 – *Ninguém pode servir a dois senhores; porque ou há de aborrecer um e amar outro, ou há de acomodar-se a este e desprezar aquele. Não podeis servir a Deus e às riquezas.*

Jesus nos demonstra a incompatibilidade reinante entre os bens materiais e os espirituais. Vulgarmente, hoje dizemos que dois proveitos não cabem num saco só. Realmente, não podemos amar com a mesma intensidade as coisas da Terra e as do Céu. Insensivelmente, sem que o percebamos, começaremos a nos dedicar mais a umas do que a outras. É contra esse perigo que Jesus nos adverte. Se a nossa vontade de adquirir os bens espirituais for fraca, correremos o risco de trocá-los pelas coisas transitórias da Terra. É preciso, pois, que nutramos o ardente desejo de trabalhar assiduamente para conquistar a espiritualidade, dedicando a esta tarefa nossos melhores esforços. A isto é que Jesus chama servir a Deus.

É bom notar que, para servir a Deus, Jesus não quer que abandonemos o mundo, desprezando completamente as coisas terrenas e entregando-nos à vida contemplativa, em criminosa inatividade. Ele não quer isso. Salientando que não podemos servir a Deus e às riquezas, é como se Jesus nos dissesse:

– "Se quiserdes servir a Deus, aprimorai vossas almas, fazendo dessa tarefa vossa constante preocupação. Não podeis preocupar-vos, ao mesmo tempo, com as coisas materiais e com as espirituais. Primeiro, preocupai-vos com a alma, que é imortal; depois, preocupai-vos com o corpo, que é perecível. E assim estareis no caminho certo."

Servir, pois, a Deus, é lutar pela melhoria de nosso estado, sem deixar que os interesses terrenos sufoquem nosso progresso espiritual.

Conquanto todos os espíritos, quer encarnados, quer desencarnados, tenham por primeiro dever servir a Deus, podemos particularizar esta advertência de Jesus no que se refere aos médiuns e aos trabalhadores do Evangelho. Os médiuns e os que lutam pela propagação do Evangelho deverão compreender que, acima de todas as questões do mundo, está o sagrado compromisso que assumiram de colaborar no esclarecimento espiritual dos homens. Lembremo-nos sempre de que, embora calcando afeições queridas, sacrificando o repouso e o sossego, é preciso ser fiel a Deus e servi-lo.

25 – *Portanto vos digo, não andeis cuidadosos de vossa vida, que comereis, nem para o vosso corpo, que vestireis. Não é mais a alma que a comida e o corpo mais que o vestido?*

"A excessiva preocupação pelas coisas materiais é responsável por grande parte do desassossego em que vivemos. Sustentamos uma luta ansiosa, diariamente, não só para conseguirmos o necessário, como também o supérfluo, possuídos do injustificável receio de que as coisas nos faltem. É um erro. A Providência Divina ampara o Universo; e, portanto, providenciará para que tenhamos com o que prover nossas necessidades, na medida justa de nosso merecimento. Sabendo disso, Jesus nos ensina que devemos preocupar-nos menos com as coisas materiais e mais com as do espírito. Não quer ele dizer que cruzemos os braços; mas que trabalhemos confiantes no Pai celestial e nada nos faltará.

Outro ponto importante que devemos considerar é que o tratar, unicamente, das coisas materiais apresenta dois graves perigos:

Em primeiro lugar, embrutece a alma. Quem só cuida da parte material da existência, esquecido da centelha divina que traz dentro de si, materializa seu perispírito, o que lhe acarretará grandes perturbações, quando passar para o mundo espiritual.

Em segundo lugar, afasta-se de Deus. E quem se afasta de Deus retarda seu progresso espiritual. E as consequências do progresso espiritual retardado são fatais para o espírito, porque o mergulham em reencarnações dolorosas, até que desperte para a verdadeira vida.

26 – *Olhai para as aves do céu, que não semeiam nem segam, nem fazem provimento nos celeiros; e contudo vosso Pai celestial as sustenta. Por ventura não sois vós mais do que elas?*

Assim como a Providência Divina não abandona nem os mais pequeninos e humildes seres viventes, cuidando sem cessar de que eles tenham o mantimento, assim também não nos deixará faltar nada do que nos seja realmente necessário para a manutenção de nossa vida e para o progresso de nosso espírito.

27 – *E qual de vós, discorrendo, pode acrescentar um côvado à sua estatura?*

Na verdade, nossos desejos, cuidados, ansiedades e ambições terrenas não podem contrariar os desígnios de Deus. Portanto, devemos curvar-nos, humildemente, ante sua soberana vontade, porque só ele sabe dispor dos bens da Terra, para o progresso de seus filhos. Contudo, se não podemos acrescentar nada às coisas materiais que o Senhor separou para nós, podemos aumentar bastante o nosso patrimônio espiritual. Isso conseguiremos aplicando-nos, diligentemente, a tratar do progresso de nossa alma.

Há indivíduos que julgam que o tempo empregado em assuntos espirituais, tais como: a prece pelos que sofrem, o estudo do Evangelho, uma visita aos doentes desamparados, o esforço que se faz para a extinção dos vícios, a luta contra as imperfeições do espírito, o trabalho para tornarmo-nos bondosos, pacíficos, tolerantes e puros, seja tempo perdido, que melhor seria aproveitado no trato das coisas materiais. É um erro pensar assim. A todos os que procurarem promover intensamente seu progresso espiritual, o Pai celestial dará as coisas materiais, por acréscimo de misericórdia.

28 – *E por que andais vós solícitos pelo vestido? Considerai como crescem os lírios do campo; eles não trabalham nem fiam.*
29 – *Digo-vos mais que nem Salomão, em toda sua glória se cobriu jamais como um deles.*
30 – *Pois se ao feno do campo, que hoje é, e amanhã é lançado no forno, Deus veste assim, quanto mais a vós, homens de pouca fé?*
31 – *Não nos aflijais, pois, dizendo: Que comeremos, ou que beberemos, ou com que nos cobriremos?*
32 – *Porque os gentios é que se cansam por estas coisas. Porquanto vosso Pai sabe que tendes necessidade de todas elas.*

É formosa a maneira pela qual Jesus nos faz ver a Providência Divina cuidando da Criação. Desde a tenra e pequenina e quase desprezível ervinha do campo até o homem, tudo é objeto dos carinhos do Pai celestial. Nada está abandonado na face da Terra; ninguém está desamparado; não há Órfãos. Por certo, cada um receberá o seu quinhão de acordo com o estado em que se encontra. A ervinha do campo e as aves do céu recebem seus alimentos por meio dos canais da Natureza, sem maiores esforços; porque a ervinha do campo ainda está na fase vegetativa e as aves do céu somente possuem o instinto. Mas o homem, que já atingiu a idade do raciocínio, deve prover a sua própria subsistência. Deus sabe do que necessitamos; e todas as facilidades nos serão concedidas para vivermos; para isso devemos aplicar-nos ao trabalho e ampararmo-nos na confiança de Deus.

Os gentios, aqui, simbolizam as pessoas sem fé, que não procuram elevar-se espiritualmente e só encontram satisfação nas coisas materiais, esquecidos de cultivarem seus espíritos.

33 – *Buscai pois primeiramente o reino de Deus e a sua justiça e todas estas coisas se vos acrescentarão.*

O nosso primeiro e principal dever é lutar por conseguir os bens imperecíveis da alma, os bens espirituais, realizando assim o reino de Deus em nossos corações e pautando nosso viver segundo as leis divinas; essa é a finalidade de nossa existência. Quanto às coisas materiais, poderemos estar tranquilos; a Providência Divina fará com que elas nos cheguem às mãos, à medida que nossas necessidades reais as reclamarem.

34 – *E, assim, não andeis inquietos pelo dia de amanhã. Porque o dia de amanhã a si mesmo trará seu cuidado; ao dia basta a sua própria aflição.*

Certos de que a Providência Divina está incessantemente velando por nós, é um erro inquietarmo-nos pelo futuro. Trabalhemos confiantes hoje e resolvamos nossos problemas e nossas dificuldades, conforme elas se nos forem apresentando. Não tenhamos excessiva preocupação ou ansiedade pelo que o dia de amanhã nos reserva. Preparemo-nos espiritualmente para a tarefa de cada dia e cumpramos de boa vontade nossas obrigações diárias. O futuro pertence a Deus e só ele o pode solucionar. E a solução será sempre segundo nossas obras e nosso merecimento.

Capítulo 7

Continuação do Sermão da Montanha

O juízo temerário. As coisas santas não deis aos cães. Perseverança na oração. A porta estreita. Os falsos profetas. Devemos ouvir e executar as palavras de Jesus.

1 – Não queirais julgar, para que não sejais julgados.
2 – Pois com o juízo com que julgardes, sereis julgados; e com a medida com que medirdes, vos medirão a vós.

Jesus condena a maledicência, a qual consiste em esmiuçar a vida alheia, apresentando-a aos olhos dos outros eivada de erros ou revelando sempre o mal. Enfim, ser maledicente é comentar as ações do próximo, procurando em todas as ocasiões descobrir e propalar o lado imperfeito dos atos de cada um.

A maledicência é uma imperfeição da alma. A pessoa maledicente é maldosa. Se o coração do maledicente fosse puro, ele não teria nenhum prazer em discutir, pelo lado pior, os atos de um seu irmão.

Dizendo Jesus que cada um será medido com a mesma medida de que tiver usado, é como se ele dissesse: — Uma vez que te comprazes em descobrir o mal cometido por teu irmão e depois discuti-lo e anunciá-lo, é porque em teu coração também existe a maldade. E, da maldade que ainda trazes dentro de ti, terás de prestar contas ao Pai.

As pessoas que falam mal de seus irmãos ou, como se diz vulgarmente, as pessoas que falam da vida alheia, chamam-se murmuradores.

Jesus não quer que murmuremos contra a vida de nossos semelhantes, porque devemos notar que, às vezes, a pessoa que erra não compreende a extensão de seu erro. Cada um de nós age de acordo com sua inteligência e com o grau de adiantamento a que chegou e, principalmente, segundo o momento. Portanto, a inteligência, o grau de adiantamento espiritual e as circunstâncias em que se encontra são os fatores que levam uma pessoa a agir. Mais tarde, ao se impor a análise do ato praticado, verificará que errou; e, se tiver boa vontade, humildemente corrigirá o erro. E se formos maldizentes, agravaremos a situação penosa em que se encontra o irmão que errou, dificultando-lhe, por conseguinte, a reparação.

3 – Por que vês tu pois a aresta no olho de teu irmão e não vês a trave no teu olho?

A propensão de todos nós é reconhecermos facilmente o erro dos outros; mas não temos nenhuma propensão para reconhecer os nossos próprios erros.

O orgulho, sob a forma do amor próprio, não permite que percebamos as imperfeições de nossa alma; porém, assim como vemos as imperfeições dos outros, do mesmo modo os outros veem as nossas.

O amor próprio embaraça e retarda muito nosso progresso espiritual. Se o orgulho encobre nossos defeitos, a humildade nos descobre a nós próprios. Eis porque a pessoa humilde se adianta espiritualmente com grande facilidade: em lugar de perder tempo em reparar nos outros, usa sabiamente o tempo em descobrir suas próprias imperfeições e estudar os meios de livrar-se delas.

Outro ponto importante que devemos considerar é o seguinte: os nossos verdadeiros amigos são aqueles que, sinceramente, nos apontam os nossos próprios erros e nos induzem a corrigi-los. Quando a misericórdia do Pai colocar em nossos caminhos um desses amigos verdadeiros, não consintamos que o amor próprio nos torne surdos às ponderações dele; mas oremos ardentemente para que a humildade nos abra os ouvidos à voz desses amigos providenciais.

4 – *Ou como dizes a teu irmão: Deixa-me tirar-te do teu olho uma aresta, quando tu tens no teu uma trave?*

5 – *Hipócrita, tira primeiro a trave do teu olho e então verás como hás de tirar a aresta do olho de teu irmão.*

Um de nossos costumes e, talvez, péssimo defeito é querer socorrer os outros, sem primeiro atender a nossas próprias necessidades.

Cada um só pode prestar auxílio eficaz a um semelhante, na medida das forças que possui, as quais são sempre proporcionais ao grau de progresso que realizou em benefício de sua alma. Não podemos dar o que não temos; e muito menos exigir que os outros observem e pratiquem os ensinamentos que nós nos esquecemos de observar e de exemplificar. Para dar, precisamos possuir; para amparar, precisamos ser fortes; para corrigir precisamos ser perfeitos, pelo menos naquilo que desejamos corrigir nos outros. Por conseguinte, para darmos a luz espiritual a nossos irmãos, é mister que possuamos essa luz; para ampararmos espiritualmente irmãos enfraquecidos, devemos ser fortes espiritualmente; e para corrigirmos imperfeições nos outros, não podemos apresentar imperfeições em nossa alma. Eis que se quisermos auxiliar eficientemente nosso próximo, impõe-se que fortaleçamos nossa alma, adquirindo as qualidades espirituais que ainda não possuímos e limpando nossos corações de todas as impurezas. Então, sim, veremos claramente.

O argueiro são os defeitos que notamos na vida dos outros, esquecidos de que temos uma trave a nos embaraçar o caminho da espiritualidade. Essa trave são os erros que cometemos e as imperfeições de nossa alma. Tirar a trave de nossos olhos é, portanto, corrigir nossos erros e extirpar nossas imperfeições. Depois de removida essa trave, poderemos ajudar nosso próximo a livrar-se do argueiro, isto é, de suas imperfeições e ensiná-lo a corrigir seus erros. Aliás, esse é o primeiro dever de todos os espíritos, quer encarnados, em qualquer plano do Universo em que se encontrem e, aqui na Terra, quaisquer que sejam suas obrigações terrenas.

6 – Não deis aos cães o que é santo; nem lanceis aos porcos as vossas pérolas, para que não suceda que eles lhes ponham os pés em cima e, tornando-se contra vós, vos despedacem.

No ministrar os ensinamentos divinos, há mister graduá-los de conformidade com a compreensão das criaturas, com a boa vontade delas e com as circunstâncias do momento. Todo o ensinamento administrado em ocasião oportuna e graduado segundo a capacidade de quem o ouve produz resultados benéficos. Ao passo que o ensinar a esmo, sem que o discípulo repare na situação e na capacidade de percepção dos ouvintes, é perder tempo e, sobretudo, arriscar-se a ser ridicularizado. Contudo, se o discípulo fosse esperar que aparecessem circunstâncias favoráveis, o trabalho de evangelização se tornaria extremamente moroso. É preciso, por conseguinte, que o discípulo se esforce em criar terreno propício para a semeadura. Em primeiro lugar, preparando-se a si próprio para adquirir a autoridade moral; depois trabalhando com bom ânimo para formar ambiente onde possa lançar suas ideias.

7 – Pedi e dar-se-vos-á; buscai e achareis; batei e abrir-se-vós-á.
6 – Porque todo o que pede, recebe, e o que busca, acha; e a quem bate, abrir-se-á.

Nunca nos entreguemos à preguiça ou à inatividade. Jesus aqui nos recomenda o trabalho, a ação, o esforço próprio. Esforçando-nos diligentemente para melhorar nossas condições materiais e, principalmente, as espirituais, podemos pedir ao Altíssimo que nos faculte o que for necessário ao nosso progresso espiritual e material. Jesus nos lembra que nos sirvamos da prece. A prece sincera dirigida ao Altíssimo sempre encontra resposta. É pela prece que mostramos o íntimo de nosso coração a Deus; ele saberá prover as nossas necessidades. Deus é o Supremo Despenseiro; portanto, é a ele que devemos dirigir nossos pedidos. Contudo, é mister ter em mente que só receberemos o que for de real interesse ao progresso de nossa alma. Se, em nossa ignorância, pedirmos coisas que prejudicarão nosso aprimoramento espiritual, não as receberemos. Todavia, jamais deixaremos de receber o conforto e as consolações do plano superior.

Dizendo-nos que se buscarmos acharemos, Jesus também nos ensina a procurar as imperfeições de nossa alma. E, depois de achá-las, peçamos ao Pai que nos inspire como ficarmos livres delas.

E a quem bate, abrir-se-á. Aqui Jesus nos afirma que os planos superiores estarão sempre abertos para atender aos nossos justos pedidos, em quaisquer circunstâncias em que estejamos.

9 – Ou qual de vós porventura é o homem que, se seu filho lhe pedir pão, lhe dará uma pedra?
10 – Ou porventura, se lhe pedir um peixe, lhe dará uma serpente?

11 – Pois se vós outros, sendo maus, sabeis dar boas coisas aos vossos filhos, quanto mais vosso Pai que está nos céus, dará bens aos que lhos pedirem?

O pai que sabe amar verdadeiramente seus filhos, atenderá, o pedido deles, na proporção justa das necessidades de cada um; não lhes dará mais, nem menos. E, sobretudo, evitará dar-lhes coisas que os poderão prejudicar, por mais que lhas peçam. Muitas vezes, o que os filhos pedem poderá originar desastres. Então o pai previdente não lhas dá. E o que os filhos não pedem, por não saberem pedir, o pai lhes dá por saber que aquilo irá beneficiá-los. Assim é Deus. Ele só dá a seus filhos, que somos nós todos, aquilo que realmente contribuirá para nossa felicidade futura, isto é, para nossa felicidade espiritual, sem que nos pergunte se gostamos ou se não gostamos, se queremos ou se não queremos. E recusa formalmente tudo quanto poderá causar danos ao nosso espírito, embora lho peçamos.

Dizendo-nos Jesus, que o Pai dará bens aos que lhos pedirem, não quer ele dizer que o Pai só nos dará o de que gostamos. Os bens que o Pai nos dará são aqueles que contribuírem para nossa espiritualização e para purificação de nossa alma. Frequentemente o bem consiste numa doença; outras vezes, nas dificuldades de cada dia; e o Pai nos dará a riqueza ou a pobreza, caso um destes estados possa servir ao nosso progresso. E, assim por diante, o Pai nos dará sempre o que for útil ao aperfeiçoamento espiritual de cada um de nós, embora possa acontecer que a dádiva nos contrarie.

12 – E assim tudo o que vós quereis que vos façam os homens, fazei-o também vós a eles. Porque esta é a lei e os profetas.

Dizendo-nos Jesus que esta é a lei e os profetas, quis ele dizer-nos que este mandamento resume toda a lei divina e tudo quanto os profetas ensinaram. É a lei da causa e do efeito. A toda causa corresponde um efeito, o qual será sempre da mesma natureza da causa que o originou. Os atos maléficos dão origem a sofrimentos para quem os cometeu. Os atos benéficos promoverão a felicidade de quem os praticou. Na assistência recíproca que nós nos devemos uns aos outros, encontraremos a recompensa para nossas boas ações e a punição para as más. Cada um colherá segundo o que plantar: sememos o bem e colheremos o bem; e se espalharmos o mal, teremos de arcar com as consequências. Lembremo-nos de que só seremos felizes na proporção da felicidade que tivermos dado aos outros.

Aqui se impõe um exame de nossa situação atual, com relação a nossas existências passadas e às futuras. Se quisermos ser felizes no futuro, comecemos a fazer o bem daqui por diante. E o mal que tivermos feito em existências passadas é a raiz de nossos sofrimentos do presente.

13 – Entrai pela porta estreita; porque larga é a porta e espaçoso o caminho, que guia para a perdição e muitos são os que entram por ela.

14 – Que estreita é a porta e que apertado o caminho, que guia para a vida; e que poucos são os que acertam com ele!

A luta que travamos para a conquista dos bens espirituais constitui a porta estreita e o caminho apertado no fim do qual está a verdadeira vida, a Vida Eterna, livre de reencarnações dolorosas, que viveremos nos planos felizes da espiritualidade.

Os gozos terrenos são a porta larga e o caminho espaçoso, no fim do qual está o sofrimento nos planos inferiores e depois reencarnações cheias de dores e de desesperos.

E são poucos os que trabalham pelos bens espirituais. A maioria enverada pelo caminho largo das coisas da Terra.

Mantermo-nos na observância dos preceitos divinos é a porta estreita pela qual Jesus nos convida a penetrar no reino dos céus. Possuirmos a pobreza de espírito, isto é, a humildade; sermos mansos, misericordiosos, pacíficos e limpos de coração; reconciliarmo-nos com os adversários; não alimentarmos pensamentos adúlteros, honrando o sagrado instituto da família; não abrigarmos no coração sentimentos de ódio e de vingança; sermos úteis a todos, sem distinção de credos, cor e classes sociais; fazermos o bem, mesmo a inimigos, e orarmos por eles; não praticarmos a caridade orgulhosa, nem elevarmos ao Senhor orações hipócritas; perdoarmos sempre; recebermos alegremente o jejum da alma, isto é, as expiações e as provas; darmos o justo valor às coisas da Terra, procurando, em primeiro lugar, amealhar as riquezas espirituais; vermos, em todas as circunstâncias o lado bom de tudo e de todos; confiarmos na Providência Divina; esforçarmo-nos por corrigir os próprios erros; livrarmo-nos de imperfeições e abandonarmos os vícios, tudo isso é nosso Dever, simbolizado por Jesus no caminho apertado e na porta estreita.

15 – *Guardai-vos dos falsos profetas, que vêm a vós com vestidos de ovelhas e dentro são lobos roubadores.*

Falsos profetas são todos aqueles que trabalham contra os ensinamentos de Jesus e procuram perpetuar na Terra a ignorância espiritual. São encontrados não só no terreno religioso, como também nos vários departamentos das atividades humanas. São perigosíssimos, porque semeiam a descrença, destruindo as energias espirituais de quem os escuta. Apresentam-se revestidos de nobres títulos do saber humano, o que faz com que a funesta ação deles se exerça amplamente. As religiões dogmáticas que procuram manter os povos na cegueira espiritual, para auferirem proveitos materiais, são verdadeiros falsos profetas. A ciência, quando nega a imortalidade da alma e a existência do mundo espiritual, matando a Esperança e arrancando a Fé dos corações, também é um falso profeta. Os escritores, que com seus livros lançam a confusão e as trevas no espírito de seus leitores, são outros tantos profetas falsos, contra os quais cumpre usar de muita cautela.

Ainda há outra categoria de falsos profetas, que atacam de preferência os médiuns e os trabalhadores espirituais. Esta categoria é constituída pelos espíritos desencarnados que se comprazem na ignorância e tudo fazem para desviar os médiuns e demais trabalhadores espirituais de seus sagrados deveres.

16 – Pelos seus frutos os conhecereis. Por ventura os homens colhem uvas dos espinhos ou figos dos abrolhos?
17 – Assim toda a árvore boa dá bons frutos; e a árvore má dá maus frutos.
18 – Não pode a árvore boa dar maus frutos; nem a árvore má dar bons frutos.

Mantenhamos a máxima vigilância para que não sejamos vítimas dos falsos profetas. Impõe-se uma rigorosa análise das doutrinas e teorias que há no mundo. O melhor meio de analisá-las é aferi-las pelo Evangelho: tudo o que estiver em desacordo com os ensinamentos de Jesus deve ser rejeitado. Acaso poderemos colher algum fruto bom, um fruto que nos alimente durante a jornada, dessas doutrinas que semeiam a descrença e, quais espinheiros e abrolhos, sufocam a Fé e a Esperança?

19 – Toda a árvore que não dá bom fruto será cortada e metida no fogo.
20 – Assim pois, pelos frutos deles os conhecereis.

São bem expressivas as figuras das quais Jesus se serve para ilustrar seus ensinamentos. As árvores somos nós; os frutos, nossas ações; o fogo é o sofrimento. Seremos conhecidos pelos nossos frutos, isto é, seremos julgados pelas nossas obras. A árvore cortada e lançada ao fogo simboliza o sofrimento, pelo qual passam todos os que se distanciam das leis divinas, produzindo más ações, que são péssimos frutos.

21 – Nem todo o que me diz: Senhor, Senhor, entrará no reino dos céus; mas sim o que faz a vontade de meu Pai, que está nos céus, esse entrará no reino dos céus.
22 – Muitos me dirão naquele dia: Senhor, Senhor, não é assim que profetizamos em teu nome e em teu nome expelimos os demônios e em teu nome obramos muitos prodígios?
23 – E eu então lhes direi em voz muito inteligível: Pois eu nunca vos conheci; apartai-vos de mim os que obrais a iniquidade.

Não são os rótulos religiosos que abrem as portas dos planos felizes do Universo, nem as palavras piedosas que se pronunciam, nem as obras que se praticam, quando são o orgulho ou a hipocrisia que as ditam ou inspiram. Inimigo da hipocrisia e do orgulho, tendo combatido acerrimamente estes dois vícios da alma, principais obstáculos à perfeição, Jesus coloca na categoria de obras da iniquidade mesmo as boas obras quando praticadas sob a capa destas duas imperfeições. E a vontade do Pai é que não sejamos nem hipócritas nem orgulhosos, praticando o bem pelo bem, sem outro qualquer motivo oculto.

24 – Todo aquele pois que ouve estas minhas palavras e as observa, será comparado ao homem sábio, que edificou a sua casa sobre a rocha.
25 – E veio a chuva e transbordaram os rios e assopraram os ventos e combateram aquela casa e ela não caiu; porque estava fundada sobre a rocha.

A observância dos preceitos de Jesus nos dará a fortaleza moral com a qual nós nos protegeremos, quando tivermos de sofrer as provas e as expiações que merecermos. Com o espírito fortificado pelo conhecimento que possuímos das leis divinas, facilmente triunfaremos das vicissitudes terrenas e edificaremos nossas vidas em bases sólidas, que não poderão ser abaladas pelas ilusões da Terra. Quem ouve a palavra de Jesus é aquele que estuda o Evangelho; mas não basta estudar ou ouvir a palavra; é preciso observá-la, isto é, viver de conformidade com o que ouviu e aprendeu.

A fortaleza moral que sustentará nosso espírito é a força que conquistamos para lutar contra nossas imperfeições e desenvolver em nossa alma a Virtude. Não só contra nossos defeitos devemos lutar, mas também devemos reagir contra o ambiente em que vivemos, porque, por vezes, nossos familiares mais queridos se convertem em instrumentos das trevas e combatem contra nossa espiritualização e consequente elevação para Deus. Saber sobrepormo-nos a nós mesmos e dominar com mansidão evangélica a inferioridade dos que nos circundam; impedir que eles anulem nossos esforços; e trabalhar para que eles se elevem espiritualmente constituem a fortaleza moral.

Além do estudo contínuo do Evangelho, podemos fortificar nosso espírito pela prece, pela dedicação aos trabalhos espirituais e pela leitura dos bons livros. A prece fortifica, principalmente se feita como um ato diário, em horas determinadas; forma-se, então, em nosso recinto uma pequenina corrente espiritual, da qual receberemos benéficos fluidos, que fortificam nosso corpo e nossa alma. A dedicação aos trabalhos espirituais é outra fonte onde podemos haurir forças espirituais, que nos protegerão das tentações do mundo. Particularmente os médiuns, os trabalhadores do Evangelho, os próprios assistentes das sessões espíritas e dos estudos evangélicos, todos se beneficiarão das horas que passarem em contato com os planos superiores, por meio das lições de Jesus.

A leitura dos bons livros é outro meio eficaz de fortalecer o espírito. Assimilando os altos pensamentos dos bons escritores, nosso espírito se revigora e se aparelha para resistir aos embates da vida.

Onde não haja centros de explicações evangélicas, resta-nos o recurso da prece e das boas leituras. E ainda temos outros meios fáceis de adquirir forças espirituais: visitando os doentes, levando-lhes nosso carinho e nossa palavra amiga de estímulo e de conforto. Há os desvalidos que também reclamam nosso concurso fraterno. Tudo isso são meios muito bons de fortificar nossa alma.

Recapitulando o que lemos acima, vemos que para edificar nossa casa sobre a rocha, para que a chuva, os rios e os ventos não a derrubem, poderemos usar dos seguintes recursos: estudo e prática do Evangelho; preces; frequência a centros de cultura espiritual; dedicação aos trabalhos espirituais e mediúnicos; leitura de bons livros; visita aos doentes e amparo aos desvalidos.

26 – *E todo o que ouve estas minhas palavras e não as observa, será comparado ao homem insensato, que edificou a sua casa sobre a areia.*
27 – *E veio a chuva e transbordaram os rios e assopraram os ventos e combateram aquela casa e ela caiu e foi grande a sua ruína.*

Um dos principais pontos onde poderemos fracassar é a não observância das lições do Evangelho, com conhecimento de causa. Uma vez que estudamos as leis divinas, temos obrigação de viver de acordo com elas. O evangelho não é um repositório de máximas para uso dos outros apenas, mas, principalmente, para nosso próprio uso. Os que pregam e ensinam e, todavia, não vivem em harmonia com o que ensinam e pregam estão construindo a casa sobre a areia. A fortaleza moral se consegue, sobretudo, pela prática diária dos preceitos divinos. Os médiuns que trabalham nos Centros Espíritas, pregando e doutrinando e contudo, em seus lares, em suas relações sociais, em seus costumes, não cogitam aplicar os ensinamentos que pregam ou transmitem aos outros são trabalhadores fracassados, que constroem sobre areia. Neste particular, recomenda-se a máxima vigilância sobre a família: uma vez que ditamos normas evangélicas para os outros, devemos zelar para que em nosso ambiente familiar estas mesmas normas sejam rigorosamente observadas.

Outros que também fracassam são aqueles que não possuem a força moral suficiente para seguirem a orientação espiritual que pediram e que receberam, mas que não veio consoante seus desejos. Todos podemos solicitar do plano superior uma orientação para bem dirigir nossas vidas aqui na Terra, especialmente no que se refere à parte espiritual. Entretanto, uma vez recebida a resposta, é mister que passemos a pautar vosso procedimento segundo as instruções que nossos guias espirituais nos deram.

Finalizando, podemos dizer que também constroem sobre a areia aqueles que não aceitam resignadamente as provas e as expiações que lhes couberam; e os que usam dos bens que o Senhor lhes confiou unicamente para a satisfação de seu egoísmo.

28 – E aconteceu que, tendo acabado Jesus este discurso, estava o povo admirado de sua doutrina.

29 – Porque ele os ensinava como quem tinha autoridade e não como os escribas e os fariseus.

Jesus ensinava amorosamente o povo, e sua doutrina ia direito aos corações de seus ouvintes, avivando-lhes a ideia inata que traziam de um mundo de paz, de amor e de fraternidade. Despertava-lhes, assim, a Esperança; reacendia-lhes a Fé e conduzia-os às práticas da Caridade. Ao passo que os escribas e os fariseus, os sacerdotes das religiões organizadas, amedrontando os humildes, sobrecarregando-os de formalidades materiais e esquecendo-se de cuidarem da parte espiritual do povo, pouca confiança mereciam. É o que sucede hoje com o Espiritismo: dia a dia ganha mais adeptos, porque, à semelhança do Mestre, trata com autoridade e mansidão de guiar as almas para Deus.

Capítulo 8

O Leproso Purificado

1 – E depois que Jesus desceu do monte foi muita a gente do povo que o seguiu.
2 – E eis que vindo um leproso o adorava, dizendo: Se tu queres, Senhor, bem me podes purificar-me.
3 – E Jesus, estendendo a mão, tocou-o, dizendo: Pois eu quero. Fica limpo. E logo ficou limpa toda a sua lepra.
4 – Então lhe disse Jesus: Vê, não o digas a alguém; mas vai, mostra-te ao sacerdote e faze a oferta que ordenou Moisés, para lhes servir de testemunho a eles.

Fascinada pela amorosa mensagem de Jesus, muita gente o seguia. Todavia, cumpre dividir em duas classes os que seguem Jesus: a uma classe pertencem os que o seguem com os lábios, sem jamais o sentirem no coração; estes falam, mas não praticam. A outra classe é constituída pelos que seguem Jesus, esforçando-se o mais possível para viverem segundo os ensinamentos dele.

Dada a extraordinária elevação moral de Jesus e o seu perfeito conhecimento das leis divinas, fácil lhe era movimentar poderosos recursos fluídicos, com os quais efetuava as curas. É de se notar, contudo, que o paciente devia estar em posição de receber a cura que implorava. Uma das condições que melhor predispunha o doente a merecer a cura que tanto ambicionava era alimentar uma fé viva, que pudesse atrair o fluxo magnético que Jesus irradiava.

Aqui vemos o leproso criar a condição favorável, pois diz ao Mestre: – "Se tu queres, bem me podes purificar-me."

É como se ele afirmasse a Jesus: "A minha fé em tua ação é muito grande; o resto depende de tua vontade, Senhor".

E Jesus, notando que o leproso estava suficientemente preparado pela fé, respondeu-lhe: "Quero." Isto é: "Agora que estás regenerado, eu posso curar-te".

A lepra pertence à categoria das moléstias expiatórias. É um dos mais dolorosos, porém dos mais enérgicos remédios para livrar a alma de pesados débitos contraídos em existências passadas. No tribunal da justiça divina, o castigo é sempre proporcional à falta cometida. Por isso, os que são tocados por tão terrível enfermidade, é porque têm grandes contas a liquidar. Em primeiro lugar deverão dar graças ao Pai pela sublime oportunidade de resgate, que sua misericórdia lhes proporciona; depois, encher-se-ão de fé, paciência, coragem e resignação. Quando a vontade de Deus os chamar novamente para o mundo espiritual, deixarão na Terra o miserável corpo que lhes servia de cárcere e de tormentos; e seus espíritos, purificados das manchas dos crimes das encarnações anteriores, resplandecerão luminosos e felizes.

Jesus, ao curar o leproso, não contrariou as leis divinas. As leis de Deus são imutáveis. Aconteceu que o leproso, pela sua resignação à Vontade Divina, tinha expiado suficientemente seus erros, purificando-se espiritualmente. E Jesus, vendo a fé de que o leproso estava possuído, fez com que a cura de seu espírito se refletisse em seu corpo físico.

Neste trecho aprendemos também que as expiações, isto é, os castigos não são eternos. Não há castigos eternos. O fim de uma expiação depende unicamente da força de vontade de cada um. Conformar-se com a situação em que se acha é o primeiro passo para a cura do espírito, cura essa que, no momento oportuno, se refletirá infalivelmente no corpo físico. O leproso soube sofrer resignadamente e, como recompensa e exemplo, mereceu a cura que Deus lhe enviou por meio de Jesus.

O Centurião de Cafarnaum

5 – *Tendo porém entrado em Cafarnaum, chegou-se a ele um centurião, fazendo-lhe esta súplica.*
6 – *E dizendo: Senhor, o meu criado jaz em casa doente com uma paralisia e padece muito com ela.*
7 – *Respondeu-lhe então Jesus: Eu irei e o curarei.*
8 – *E respondendo o centurião, disse: Senhor, eu não sou digno de que entres na minha casa; porém, manda-o só com a tua palavra e o meu criado será salvo.*
9 – *Pois eu também sou um homem sujeito a outro, que tenho soldados às minhas ordens e digo a um: Vai acolá, e ele vai; e a outro: Vem cá, e ele vem; e ao meu servo: Faze isto, e ele o faz.*
10 – *E Jesus, ouvindo-o assim falar, admirou-se e disse para os que o seguiam: Em verdade vos afirmo, que não achei tamanha fé em Israel.*
11 – *Digo-vos, porém, que virão muitos do Oriente e do Ocidente e que se sentarão à mesa com Abrahão e Isaac e Jacob no reino dos céus.*
12 – *Mas que os filhos do reino serão lançados nas trevas exteriores; ali haverá choro e ranger de dentes.*
13 – *Então disse Jesus ao Centurião: Vai e faça-se segundo tu creste. E naquela mesma hora ficou são o criado.*

Observemos aqui a humildade com que o centurião se dirige a Jesus. Essa humildade transparece não só das palavras do centurião, como também do fato de ele, um superior, interceder por um inferior, seu servo.

A humildade é o característico da fé sincera. Os que sabem ser verdadeiramente humildes muito recebem; porque a humildade abre as faculdades receptivas da alma, colocando-a em posição de merecer o auxílio divino.

Nos versículos 11 e 12, Jesus quer dizer que as leis divinas, até aí conhecidas somente do povo hebreu, no futuro seriam conhecidas e praticadas por todos os povos da Terra. Esta profecia de Jesus se cumpre em nossos dias. O monoteísmo que era uma crença somente dos filhos de Israel espalhou-se pela Terra inteira. E hoje a humanidade civilizada já adora o Deus único, tornado conhecido em nosso planeta, por meio do povo israelita. E o Evangelho do Mestre já espalha sua claridade por todas as nações.

Os filhos do reino simbolizam aqueles que conhecem as leis divinas, mas não as praticam. E Jesus os adverte de que sofrerão as consequências dolorosas de seu endurecimento perante as leis do Senhor.

A Sogra de Pedro

14 – E tendo chegado Jesus à casa de Pedro, viu que a sogra dele estava de cama e com febre.
15 – E tocou-lhe na mão e a febre a deixou e ela se levantou e se pôs a servi-los.
16 – Sobre a tarde porém lhe puseram diante muitos endemoninhados; e ele com sua palavra expelia os espíritos e curou todos os enfermos.
17 – Para se cumprir o que estava anunciado pelo profeta Isaías, que diz: Ele tomou as nossas enfermidades e carregou com as nossas doenças.

Os endemoninhados aqui referidos eram pessoas obsidiadas; e Jesus, com sua palavra, afastava os espíritos obsessores.

Nas épocas de renovação espiritual da humanidade, multiplicam-se os casos de obsessões, como prova da imortalidade da alma. Foi o que aconteceu no tempo de Jesus: a Providência Divina permitiu as manifestações dos espíritos para chamar a atenção dos homens sobre a realidade da sobrevivência da alma, conforme Jesus ensinava.

Nos tempos modernos em que o Espiritismo por seu turno intensifica o trabalho de espiritualização do mundo, novamente se manifestam os espíritos, provando as verdades espirituais. E as manifestações mais comuns são as obsessões, que avivam a curiosidade do povo sobre os problemas da alma.

Quanto à profecia de Isaías, ela se refere à parte moral da doutrina de Jesus. Ensinando-nos as leis divinas e como praticá-las, Jesus nos deu o remédio que livra nossa alma de doenças e enfermidades morais, que nesta ou nas futuras encarnações arruinariam a saúde de nosso corpo.

Quanto à sogra de Pedro, ela foi curada pelo passe, tão comum hoje em dia nos Centros Espíritas.

Como Devemos Seguir a Jesus

18 – Ora, vendo-se Jesus rodeado de muito povo, mandou-lhes que passassem para a banda dalém do lago.
19 – Então chegando-se a ele um escriba, lhe disse: Mestre, eu seguir-te-ei para onde quer que fores.
20 – Ao que Jesus lhe respondeu: As raposas têm covas e as aves do céu, ninhos; porém o Filho do Homem não tem onde reclinar a cabeça.
21 – E outro de seus discípulos lhe disse: Senhor, deixa-me ir primeiro enterrar a meu Pai.
22 – Mas Jesus lhe respondeu: Segue-me e deixa que os mortos sepultem os seus mortos.

Seguir a Jesus é renunciar à cobiça, à inveja, à maledicência, ao ódio, à concupiscência, à cólera, à violência, aos vícios, aos maus hábitos, às más palavras, aos maus pensamentos e aos maus atos.

Seguir a Jesus é não se apegar excessivamente aos bens deste mundo, com prejuízo dos bens espirituais.

Seguir a Jesus é esquecer-se de si mesmo, em benefício dos outros.

Conhecendo que o escriba queria segui-lo, mas ainda carregado das vaidades do mundo, Jesus lhe respondeu como se lhe dissesse: "Eu, neste mundo, renunciei a tudo; como queres seguir-me se não te sujeitas a renunciar a nada?".

Os que já compreendem a imortalidade da alma sabem que a morte não existe. Quem já chegou a este grau de compreensão é um vivo, porque despertou para a realidade. Os que não compreendem a imortalidade da alma e julgam que a morte é o fim de tudo, estes são os verdadeiros mortos espirituais.

Dizendo Jesus ao discípulo que o seguisse, pois os mortos cuidariam do morto, quis dizer-lhe: "Tu que já sabes que a morte não existe, porque te importas tanto com ela? Deixa que se interessem pela morte os que não compreendem a verdadeira vida".

Jesus Apazigua a Tempestade

23 – E entrando ele numa barca, o seguiram seus discípulos.

24 – E eis que sobreveio no mar uma grande tempestade, de modo que a barca se cobria das ondas e entretanto ele dormia.

25 – Então se chegaram a ele seus discípulos e o acordaram, dizendo: Senhor, salva-nos, que perecemos.

26 – E Jesus lhes disse: Por que temeis, homens de pouca fé? E levantando-se pôs preceito ao mar e aos ventos e logo se seguiu uma grande bonança.

27 – E os homens se admiraram, dizendo: Quem é este, que os ventos e o mar lhe obedecem?

As chamadas forças cegas da natureza não existem. Em todos os departamentos que regulam a vida na face da Terra, depararemos sempre com cooperadores espirituais. Falanges de espíritos em evolução trabalham ativamente, zelando pela manutenção dos reinos da natureza: o mineral, o vegetal e o animal. Os fenômenos atmosféricos também são presididos por plêiades de espíritos, sob orientação superior, encarregados de manterem o equilíbrio planetário.

Nem sempre compreendemos o porquê dos fenômenos, que muitas vezes causam verdadeiras calamidades em determinadas regiões do mundo. Mas o Espiritismo nos ensina que não há efeito sem causa. Por conseguinte, os fenômenos tais como: tempestades, terremotos, maremotos, inundações são orientados por entidades espirituais, em obediência a desígnios divinos, visando o apressamento da evolução não só do planeta, como também das populações atingidas.

Jesus aqui não fez milagre ao apaziguar a tempestade. Usou apenas de seu conhecimento das forças que regem o Universo e de sua superioridade moral para ordenar aos orientadores invisíveis da atmosfera que fizessem cessar a tempestade.

Todavia, de cada trecho do Evangelho podemos tirar proveitosos ensinamentos morais.

O espírito, quando se entrega às paixões terrenas, desencadeia em seu íntimo terrível tempestade moral: a ambição o perturba, o ódio o maltrata, os vícios o escravizam, o orgulho o sufoca, seu coração se torna um mar tempestuoso. Para aplacar semelhantes tempestades da alma, o recurso é invocar a proteção de Jesus e conformar-se com seus ensinamentos. E a consciência, que se debatia qual mar encapelado e revolto, começa a abrandar, e suave paz assenhoreia-se do coração. E depois, com o coração sereno e a consciência tranquila, o espírito regenerado exclama satisfeito: "Verdadeiramente Jesus aplaca as tempestades".

Os Endemoninhados Gerasenos

28 – E quando Jesus passou à outra parte do lago, ao país dos gerasenos, vieram-lhe ao encontro dois endemoninhados, que saíam dos sepulcros, em extremo furiosos, de tal maneira, que ninguém ousava passar por aqueles caminhos.

29 – E gritaram logo ambos, dizendo: Que temos nós contigo, Jesus, filho de Deus? Vieste aqui atormentar-nos antes do tempo?

30 – Ora em alguma distância deles andava uma manada de porcos pastando.

31 – E os demônios o rogavam, dizendo: Se nos lanças daqui, manda-nos para a manada dos porcos.

32 – E ele lhes disse: Ide. E saindo eles se foram aos porcos e no mesmo ponto toda a manada correu impetuosamente por um despenhadeiro a precipitar-se no mar; e todos morreram afogados nas águas.

33 – E os pastores fugiram; e vindo à cidade, contaram tudo, e o sucesso dos que tinham sido endemoninhados.

34 – E logo toda a cidade saiu a encontrar-se com Jesus; e quando o viram, pediram-lhe que se retirasse do seu termo.

É comum depararmos com espíritos obsessores que não sentem o menor desejo de se regenerarem nem de deixarem suas vítimas. Quando doutrinados, imprecam contra quem os chama ao reto caminho e tudo fazem para não escutarem palavras de bom senso. Nestes casos, o doutrinador deve possuir grande força moral para ser obedecido. É o que nos ensina esta passagem evangélica: os espíritos obsessores não puderam desobedecer a Jesus; porém, como não tinham vontade de se corrigirem, acharam mais fácil atormentar os porcos do que aproveitar a oportunidade de melhoria que Jesus lhe oferecia.

Como a cura dos obsidiados lhes custou a perda dos porcos, os pastores se revoltaram. Estes pastores simbolizam duas espécies de indivíduos: os que dão mais valor às coisas terrenas do que às espirituais e os que recebem graças espirituais e não sabem reconhecê-las. Os primeiros só veem a matéria e repelem sistematicamente qualquer tentativa que vise despertá-los para a espiritualidade. Os segundos jamais se lembram de agradecer a Providência Divina pelo que recebem, como os gerasenos que não se mostraram agradecidos a Jesus pela cura de seus endemoninhados. É verdade que Jesus não está à espera de agradecimentos, pois que cada um sempre receberá de acordo com seus merecimentos; contudo, o saber agradecer e ser reconhecido é prova de humildade e de elevação espiritual.

É digno de notar-se o exemplo de tolerância que Jesus nos dá: ao ser convidado a retirar-se das terras dos gerasenos, Jesus não alterca com eles nem lhes lança em rosto o benefício que tinha feito aos obsidiados que sofriam; respeita-lhes a incompreensão, perdoa-lhes a ingratidão e retira-se.

Capítulo 9

O Paralítico de Cafarnaum

1 – E entrando em uma barca, passou à outra banda e foi à sua cidade.

2 – E eis que lhe apresentaram um paralítico, que jazia em um leito. E vendo Jesus a fé deles, disse ao paralítico: Filho, tem confiança, perdoados te são os teus pecados.

3 – E logo alguns dos escribas disseram dentro de si: Este blasfema.

4 – E como visse Jesus os pensamentos deles, disse: Por que cogitais mal em vossos corações?

5 – Que coisa é mais fácil dizer: Perdoados te são os teus pecados; ou dizer: Levanta-te e anda?

6 – Pois para que saibais que o Filho do Homem tem poder sobre a Terra de perdoar pecados, disse ele então ao paralítico: Levanta-te, toma o teu leito e vai para tua casa.

7 – E ele se levantou e foi para sua casa.

8 – E vendo isto as gentes, temeram e glorificaram a Deus, que deu tal poder aos homens.

Aqui vemos que, antes de fazer qualquer coisa em benefício do paralítico, Jesus examina se ele já possuía a fé em Deus. Somente depois de se ter certificado de que o paralítico estava intimamente transformado pela fé e pela dor, é que lhe efetua a cura.

O paralítico era um espírito em expiação. Num corpo entrevado, resgatava os erros do passado. O sofrimento resignado lhe abrira o coração para o amor e despertara-lhe o desejo de viver nobremente. E por fim desenvolveu em seu íntimo a fé na bondade divina. Estava, pois, em condições de merecer a comutação da pena a que se sujeitava. Como a causa que lhe tinha acarretado o castigo tinha cessado, foi possível a Jesus beneficiá-lo.

A Vocação de Mateus

9 – E passando Jesus dali, viu um homem que estava sentado no telônio, chamado Mateus, e lhe disse: Segue-me. E levantando-se ele, o seguiu.

Quando Jesus desceu ao nosso plano para trazer-nos o Evangelho, trouxe consigo os companheiros que deveriam cooperar com ele. Ao chegar a hora de se reunirem para o sublime trabalho que os aguardava, Jesus os encontra e convida-os.

Os discípulos guardavam intuitivamente a lembrança da missão para a qual se tinham encarnado; e, ao se defrontarem com o Mestre, compreendem o chamado e o seguem.

Hoje, por meio da mediunidade, Jesus convoca seus novos discípulos, aos quais confiou o importante trabalho de lhe continuarem a obra. Portanto, quem for chamado para o desempenho de funções no campo do Espiritismo recorde-se do compromisso assumido na espiritualidade e comece a trabalhar resolutamente.

10 – E aconteceu que, estando Jesus sentado à mesa numa casa, eis que vindo muitos publicanos e pecadores, se sentaram a comer com ele e com os seus discípulos.

Na época de Jesus, como em todas as épocas, havia espíritos encarnados sequiosos e famintos de ensinamentos espirituais. Eram todos aqueles que estavam aptos a compreender as lições mais elevadas, possuídos de grande vontade de progredirem e de regenerarem. Ao ouvirem Jesus, intuitivamente percebiam que ele estava provendo às necessidades de suas almas. E a personalidade de Jesus era como um ímã que os atraía irresistivelmente.

Os fracos, os tristes, os doentes, os desanimados, os sofredores, enfim, sentiam-se bem na companhia de Jesus, porque eram banhados pelos fluidos benéficos que a espiritualidade dele irradiava.

Ainda hoje, os pecadores e os sofredores que dirigem suas preces sinceras a Jesus recebem os mesmos fluidos revigorantes, que recebiam os que se sentavam com ele à mesa terrena. E o conforto espiritual desce a seus corações em resposta à suplica fervorosa.

11 – E vendo isto os fariseus, diziam aos seus discípulos: Por que come o vosso Mestre com os publicanos e pecadores?

Os fariseus, não admitindo em sua companhia os pobrezinhos, os humildes, os pecadores e os sofredores, estabeleceram na Terra o monopólio das coisas divinas, no que foram imitados pelo clero atual. Ninguém tem o direito de monopolizar a graça divina; nem o clero, nem os médiuns, nem quem quer que seja que dirija os trabalhos espirituais. Lembremo-nos constantemente de que nosso concurso é por demais pequeno e tudo emana de Deus. Por isso, por mais pecador que um irmão seja, nunca o afastemos de nós, quando quer participar conosco de nossos trabalhos espirituais. É esta a lição que Jesus aqui nos dá, admitindo em sua companhia publicanos e pecadores.

Notemos aqui que os ricos não procuravam a companhia de Jesus e até escarneciam dos que o buscavam. A explicação é simples: os ricos e os bem situados na vida terrena ordinariamente não procuram o conforto espiritual, porque possuem o conforto material. Ao passo que os pobres, impossibilitados de se ampararem nas coisas materiais, apoiam-se com mais facilidade nas coisas espirituais, das quais recebem forças para a caminhada terrena.

Tal qual Jesus, o Espiritismo em nossos dias congrega em humildes recintos os pecadores e os sofredores de todas as espécies. E eles encontram no Espiritismo o mesmo conforto, o mesmo amparo e a mesma consolação que os pequeninos do tempo de Jesus encontravam nele. Mas os fariseus modernos, como os antigos, longe de se regenerarem e crerem, ainda tentam abafar a voz amiga, que conclama a humanidade para o reino dos céus.

12 – Mas ouvindo-os Jesus, disse: Os sãos não têm necessidade de médico, mas sim os enfermos.

13 – Ide pois, e aprendei o que quer dizer: Misericórdia quero e não sacrifícios. Porquanto eu não vim a chamar os justos, mas os pecadores.

Até o dia em que Jesus veio ao nosso planeta, aqui era um lugar de provas e de expiações. Depois do advento de Jesus, a Terra paulatinamente está passando a ser uma escola de regeneração. O médico é Jesus; e os enfermos são os espíritos falidos moralmente que habitam a Terra. Jesus chama os pecadores, concitando-os a promoverem sua reabilitação moral, pela observância de seus ensinamentos.

Em trabalho pelo nosso aprimoramento espiritual, Jesus não exige sacrifício de nossa parte; exige simplesmente que façamos o que estiver ao alcance de nossas forças. Como somos espíritos imortais, Jesus aguarda com paciência que cada um de nós lhe assimile as lições e depois que as pratique para atingirmos a perfeição espiritual. Para isso ele conta com nossas encarnações. O que não fizermos em uma encarnação, faremos noutra. Todavia, cumpre que trabalhemos diligentemente para realizar o mais que nos for possível nesta encarnação. Assim evitaremos acúmulo de trabalhos para as futuras reencarnações. Todo o trabalho protelado numa encarnação se tornará pesada carga para a seguinte.

Se Jesus é um Mestre paciente, é também um credor compassivo, que sabe esperar até o dia em que o devedor estiver em condições de saldar a dívida. Chega, porém, o dia em que estamos preparados para o resgate; é quando já somos estudantes do Evangelho e começamos a compreender as leis divinas. Então não mais poderemos alegar ignorância; só nos resta atender ao chamado do Mestre e ativar nosso progresso espiritual.

O Jejum

14 – Então vieram ter com ele os discípulos de João, dizendo: Qual é a razão por que nós e os fariseus jejuamos com frequência e os teus discípulos não jejuam?

15 – E Jesus lhes disse: Por ventura podem estar tristes os filhos do esposo, enquanto está com eles o esposo? Mas virão dias em que lhes será tirado o esposo e então eles jejuarão.

O jejum, ato puramente material, não era adotado por Jesus. Seguindo-lhe o exemplo, o Espiritismo também não adota o jejum material.

O significado espiritual do jejum são os sacrifícios que fazemos, não só para que nos livremos de nossas imperfeições, como também para beneficiarmos nossos irmãos.

O jejum espiritual é o único que o Senhor leva em conta.

Há três espécies de jejum espiritual:

1 – O jejum de pensamentos;

2 – O jejum de palavras;

3 – O jejum de atos.

Praticando o jejum de pensamentos, nós nos absteremos de pensamentos malévolos, substituindo-os sempre por pensamentos puros, harmoniosos, carinhosos. Baniremos de nosso cérebro esses inúmeros pensamentos fúteis, que não trazem proveito a nós nem a nosso próximo.

O jejum de palavras consiste em pronunciarmos sempre palavras dignas, honestas, bondosas. Pelo jejum de palavras, nunca diremos aquelas que possam ferir nosso próximo, nem manteremos conversas que nos rebaixem moralmente.

Por fim, pelo jejum dos atos, evitaremos praticar toda e qualquer ação que possa prejudicar nosso progresso espiritual ou nossos irmãos, contrariando a lei da caridade.

Perguntado Jesus por qual motivo ele e os seus discípulos não jejuavam, percebeu que os que lhe faziam a pergunta não estavam em condições de compreenderem o ensinamento. De sua resposta podemos deduzir o seguinte: "Por que terão de estar tristes os meus discípulos, agora que estou com eles? O sofrimento virá para eles quando eu lhes for tirado. Então é justo que se cubram de tristeza". E assim aconteceu. Quando Jesus foi sacrificado, profunda tristeza invadiu o coração dos discípulos dispersos, até que as gloriosas aparições do Mestre lhes levantaram os ânimos abatidos e lhes retemperaram as forças. Então, cheios de coragem, trilharam os caminhos do mundo, levando a todos os povos as alegrias do Evangelho. E nas ásperas caminhadas, muitas vezes jejuaram, isto é, privaram-se de tudo, até mesmo da própria vida, por amor do reino dos céus.

16 – E ninguém deita remendo de pano novo em vestido velho; porque leva quanto alcança do vestido e se faz maior a rotura.

17 – Nem deitam vinho novo em odres velhos; de outra maneira rebentam os odres e se vai o vinho e se perdem os odres. Mas deitam vinho novo em odres novos; e assim ambas as coisas se conservam.

Que não se guarda vinho novo em odres velhos nem se remenda roupa velha com pano novo, são advertências profundas, que devem tocar de muito perto os que se dedicam à tarefa de espalhar ideias novas.

Há indivíduos que se aferram à rotina, aos preconceitos sociais, às conveniências mundanas, ou por comodismo ou por orgulho. Quais odres velhos que não suportam vinho novo tais pessoas são inacessíveis às ideias novas. Com pessoas dessa categoria, o trabalhador de boa vontade do Evangelho e do Espiritismo nada tem a fazer. é deixá-las entregues aos cuidados do Pai celestial, que, por meio das reencarnações em ambientes diversos, lhes modificará a atitude mental, transformando-as em odres novos, aptos a receberem o generoso vinho novo das ideias novas e progressistas.

A ânsia de conseguir adeptos que caracteriza alguns trabalhadores tem trazido confusão em vários setores das atividades espirituais e tem feito com que se pervertam sublimes ensinamentos. Forçar a aceitar os ensinamentos aos que ainda não estão preparados para recebê-los é coser pano novo em vestido velho. O trabalhador poderá desse modo, em aparência, conseguir grande número de prosélitos; mas, se bem analisar o resultado do trabalho realizado, verificará, desapontado, que quase tudo é remendo que se descoserá em pouco tempo.

A Cura da Mulher que Tinha Fluxo de Sangue

18 – Dizendo-lhes ele estas coisas, eis que um príncipe se chegou a ele e o adorou, dizendo: Senhor, agora acaba de expirar minha filha; mas vem tu, põe a tua mão sobre ela e viverá.

19 – E Jesus, levantando-se, o foi seguindo com os seus discípulos.

20 – E eis que uma mulher, que havia doze anos padecia um fluxo de sangue, se chegou por detrás dele e lhe tocou a orla do vestido.

21 – Porque ia dizendo dentro de si: Se eu lhe tocar, ainda que seja somente o seu vestido, serei curada.

22 – E voltando-se Jesus e vendo-a, disse: Tem confiança, filha, a tua fé te sarou. E ficou sã a mulher desde aquela hora.

23 – E depois que Jesus chegou à casa daquele príncipe e viu os tocadores de flautas e uma multidão de gente, que fazia rebuliço, disse:

24 – Retirai-vos; porque a menina não está morta, mas dorme. E eles o escarneciam.

25 – E tendo saído a gente, entrou Jesus; e a tomou pela mão. E a menina se levantou.

26 – E correu esta fama por toda aquela terra.

    Conquanto Jesus possuísse excepcional força magnética, não lhe seria possível fazer voltar à vida um corpo que já estivesse morto. Depois que os laços fluídicos que ligam o espírito ao corpo se desatam, nada mais os poderá atar de novo. A rudimentar medicina dos antigos não sabia distinguir entre a morte real e a aparente, isto é, entre a morte e uma síncope. O próprio Jesus declara: "A menina não está morta, mas dorme". Em nossos dias, feitos os exames necessários, um médico diria: "A menina teve uma síncope". E Jesus, aplicando-lhe um vigoroso passe, reanimou-a.

    Quanto à mulher que tinha um fluxo de sangue, constitui um caso bem interessante. Notemos que para curar a menina foi a vontade de Jesus que agiu; ele fez com que os fluidos penetrassem no corpo da menina. Ao passo que foi a própria mulher que atraiu para si o fluido magnético que emanava do corpo de Jesus.

    A cura da mulher que tinha um fluxo de sangue se explica da seguinte maneira: Todos nós irradiamos fluidos e de contínuo os recebemos. Pela nossa vontade podemos fazer com que uma determinada pessoa receba nossos fluidos. E também pela nossa vontade podemos atrair para nós os fluidos que uma outra pessoa irradia. A mulher que tinha o fluxo de sangue, possuída do intenso desejo de se curar, desenvolveu força de vontade tamanha que, apesar das pessoas que rodeavam Jesus, conseguiu estabelecer entre ela e o Mestre a corrente fluídica magnética que a curou.

A Cura de Dois Cegos e um Mudo

27 – E passando Jesus daquele lugar, o seguiram dois cegos, gritando e dizendo: Tem misericórdia de nós, filho de David.

28 – E chegando à casa vieram a ele os cegos. E Jesus lhes disse: Credes que vos posso fazer isso a vós outros? Disseram eles: Sim, Senhor.

29 – Então lhes tocou os olhos, dizendo: Faça-se-vos segundo a vossa fé.

30 – E foram abertos os seus olhos; e Jesus os ameaçou, dizendo: Vede lá que o não saiba alguém.

31 – Mas eles, saindo dali, divulgaram por toda aquela terra o seu nome.

Para curar os dois cegos, Jesus procura despertar-lhes a fé, tanto que lhes diz que o pedido deles seria atendido segundo a fé que possuíssem.

Mas qual é a fé que deveriam possuir? Deveriam possuir a fé em Deus, nosso Pai, que é o único que pode permitir que os desejos de seus filhos sejam satisfeitos. Por isso é que Jesus proíbe os cegos de que digam de quem receberam a cura. É como se lhes dissese: "Não digam que fui eu quem lhes deu a vista, porque foi de Deus que a receberam".

Admiramos aqui a humildade de Jesus, fazendo com que suas obras glorifiquem a Deus, nosso Pai.

32 – E logo que saíram, lhe apresentaram um homem mudo, possuído do demônio.

33 – E depois que foi expelido o demônio, falou o mudo e se admiraram as gentes, dizendo: "Nunca tal se viu em Israel."

Deparamos aqui com um caso de obsessão. O mudo era um obsidiado. A obsessão é o ato pelo qual um espírito persegue uma pessoa. Um espírito obsessor é um espírito malévolo. Os espíritos bons não obsidiam ninguém. O espírito obsessor atua sobre o organismo todo ou sobre determinados órgãos da pessoa, prejudicando-a. Aqui vemos o espírito obsessor maltratar os órgãos vocais, tornando mudo o homem.

As obsessões podem ser causadas por deficiências morais, por vingança de inimigos desencarnados, por mediunidade não desenvolvida e por mediunidade mal--empregada. Sempre que se manifestar um caso de obsessão, o obsidiado deverá ser levado a um Centro Espírita, a fim de se proceder ao tratamento espiritual. É imprescindível que se trate imediatamente de uma pessoa que apresente sinais de obsessão para evitar-se que seu organismo fique imprestável pela ação dos fluidos venenosos que o obsessor injeta no corpo de sua vítima. Demorando-se muito tempo para procurar a cura, é fácil acontecer que a pessoa obsidiada tenha seu organismo abalado para sempre, embora o espírito obsessor se retire. Neste caso, elimina-se a causa, mas não se remedeiam os efeitos.

Jesus cura o homem, afastando dele o espírito obsessor. Iguais resultados se obtêm hoje nos Centros Espíritas, onde, por meio de uma bem orientada doutrinação, consegue-se que os espíritos obsessores abandonem suas vítimas. E estas de novo passam a gozar de excelente saúde, uma vez que os maléficos fluidos ainda não lhes arruinaram os corpos.

34 – Porém os fariseus diziam: "Ele em virtude do príncipe dos demônios lança fora os demônios."

Percebendo que os ensinamentos de Jesus contrariavam seus interesses terrenos, o clero não o aceitou como um Enviado Divino. O povo era ignorante, e fácil foi aos sacerdotes persuadi-lo a que perdesse Jesus. Sob qualquer forma que o bem se apresente na face da Terra, é sempre de origem divina. E como a missão de Jesus era espalhar o bem, logicamente tinha autoridade celeste. Porém, os fariseus pervertem o bem aos olhos do povo, fazendo-o acreditar no absurdo de que o poder de Jesus se originava do mal.

As ideias novas encontram sempre opositores, quer se manifestem no terreno religioso, quer no científico e até no material.

Os sacerdotes mais inteligentes logo viram que Jesus vinha inaugurar uma nova era de paz para os que o compreendiam; e de ranger de dentes para os recalcitrantes. Receosos de perderem a influência material de que desfrutavam, tudo fizeram para não deixar Jesus trabalhar.

Hoje se passa o mesmo com o Espiritismo. Os maiores disparates foram inventados contra essa Doutrina progressista no intuito de abafá-la. Mas também o Espiritismo trabalha em nome de Deus e por isso distribui o bem a todos os que o procuram.

A Seara e os Obreiros

35 – Entretanto ia Jesus dando voltas por todas as cidades e aldeias, ensinando nas sinagogas deles e pregando o Evangelho do reino e curando toda doença e toda enfermidade.
36 – E olhando para aquelas gentes se compadeceu delas, porque estavam fatigadas e quebrantadas, como ovelhas que não têm pastor.
37 – Então disse a seus discípulos: "A seara verdadeiramente é grande, mas os obreiros, poucos."
38 – Rogai pois ao Senhor da seara, que envie obreiros à sua seara.

Os judeus tinham por único templo onde cultuavam a Deus o templo de Salomão em Jerusalém. Quando celebravam suas principais festas, tais como: a Páscoa, a Consagração, a dos Tabernáculos, acorriam ao menos uma vez por ano ao templo, em Jerusalém, para adorarem a Deus.

Outras cidades e vilas e povoados da Judeia não possuíam templos, mas sim sinagogas, que eram edifícios onde os judeus se reuniam aos sábados e faziam suas preces públicas sob a presidência dos escribas ou doutores da lei. Era costume um dos presentes levantar-se, pedir a palavra, ler um trecho das Escrituras e comentá-lo. Não era preciso ser um sacerdote para explicar as Escrituras: qualquer pessoa do povo podia fazê-lo. Jesus não era sacerdote; contudo, ensinava nas sinagogas, aproveitando-se desse costume. Nos primeiros tempos do Cristianismo os cristãos também procediam assim.

Nas humildes assembleias que realizavam, qualquer um dos assistentes tinha permissão de comentar o Evangelho. Somente depois que o Cristianismo se tornou a religião oficial, degenerando no Catolicismo Romano, é que tal prática foi abolida e proibida, passando a ser privilégio da casta sacerdotal que se formou.

Trabalhando para que o Cristianismo ressurja em sua pureza primitiva, o Espiritismo, em nossos dias, franqueia livremente sua tribuna a todos os de boa vontade que querem pregar o Evangelho, fazendo, dessa maneira, reinar em seu seio a simplicidade da era apostólica.

Na verdade, o povo não tinha pastores. O clero, cuja missão era instruí-lo, cheio de ganância pelas coisas materiais se tinha esquecido de seus principais deveres espirituais. A ambição e o desejo intenso de ajuntar os bens da terra desvirtuaram a sagrada missão dos sacerdotes. Analisando a situação, o povo compreendia que estava espiritualmente abandonado; e por isso apresentava-se triste e abatido.

Ainda hoje a seara continua a ser muito grande. E os obreiros, muito poucos. Essa rogativa que o Mestre pede que seus discípulos enderecem ao Pai, dono da seara, deve ser incessantemente repetida por todos nós, para que Deus envie trabalhadores abnegados, que continuem o trabalho de espiritualização e de evangelização do mundo. Todavia, cumpre notar que o trabalho é árduo e por isso não são todos que são aptos para ele. Considerando-se que a humanidade ainda está muito afastada dos princípios cristãos, para trabalhar a contento e eficientemente na seara do Senhor é preciso que o trabalhador se arme de muito boa vontade, de renúncia, de constância, de paciência, de muito amor ao próximo e, sobretudo, de muita fé em Deus.

Capítulo 10

Os Doze e sua Missão

1 – Então convocando os seus doze discípulos, deu-lhes Jesus poder sobre os espíritos imundos, para os expelirem e para curarem todas as doenças e todas as enfermidades.

2 – Ora os nomes dos doze apóstolos são estes: O primeiro, Simão, que se chama Pedro e André, seu irmão.

3 – Tiago, filho de Zebedeu e João, seu irmão, Filipe e Bartolomeu, Tomé e Mateus, o publicano, Tiago, filho de Alfeu, e Tadeu.

4 – Simão Cananeu e Judas Iscariotes, que foi o que o entregou.

Durante algum tempo, os discípulos se dedicam ao aprendizado junto ao Mestre. Espíritos de alto progresso espiritual, fácil lhes foi assimilar as lições que Jesus lhes ministrava diariamente, não só pelas palavras, como também pelo exemplo. Fortificados pela fé que Jesus lhes acendera nos corações, estavam preparados para continuar a obra evangélica, que Jesus lhes confiaria. São sábias e comovedoras as regras, segundo as quais os discípulos pautariam sua conduta no mundo. Há vinte séculos que os discípulos de boa vontade estudam este código de renúncia; os que não se afastaram dele triunfaram. Palmilhando os ásperos caminhos da Terra, quando a taça de amarguras parecia transbordar, lembravam-se das ternas exortações e dos conselhos do Mestre e adquiriam novo alento para perseverarem até o fim. Estas instruções são para todos os tempos e para todos os discípulos de boa vontade. Os médiuns, especialmente, devem meditá-las, estudá-las e assimilá-las muito bem, antes de iniciarem seu medianato. De acordo com os últimos ensinamentos do Espiritismo, estudemos o código do discípulo fiel.

5 – A estes doze enviou Jesus, dando-lhes estas instruções, dizendo: Não ireis caminho de gentios, nem entreis nas cidades dos samaritanos.

6 – Mas ide antes às ovelhas que pereceram da casa de Israel.

Jesus ordena a seus discípulos que se dirijam antes aos que já estavam em condições de entender os novos ensinamentos. Os israelitas eram, naturalmente, os indicados para primeiro receberem o Evangelho, dado o longo preparo espiritual a que a lei de Moisés os tinha submetido. Dirigindo-se a eles, os discípulos encontrariam um terreno propício à semeadura. Ao passo que, se procurassem em primeiro lugar os outros povos, as dificuldades para a difusão do Evangelho seriam maiores, pois ainda não estavam à altura de suas lições. Com o tempo, todos os povos se prepararam convenientemente e, então, surgiriam novos trabalhadores, que lhes levariam as claridades do Evangelho.

Na difusão do Espiritismo, o discípulo inteligente deve seguir a mesma diretriz: primeiro os que estão em estado de o compreenderem; os outros virão depois.

7 – *E pondo-vos a caminho, pregai que está próximo o reino dos céus.*

O reino dos céus está dentro de nossos corações. É inútil ir procurá-lo mais longe. Caracteriza-se pela bondade, pelo amor fraterno entre todos, por acolhimento, amparo e proteção aos que sofrem. O coração, livre de ódios, de remorsos, de cobiça, de ambições descabidas, da concupiscência; e capaz de amar a todos os homens, sem distinção de cor, de classe social, de raças, de credos políticos ou religiosos, um coração assim traz dentro de si o reino dos céus. Portanto, o reino dos céus está ao nosso alcance. A consciência tranquila e o coração puro causam uma felicidade tal aos que os possuem que, já na Terra, gozam as alegrias espirituais que os aguardam nos planos da espiritualidade. Não deixemos para amanhã o início de adquirirmos essa graça. Comecemos desde agora a trabalhar por merecê-la, combatendo nossas imperfeições, abandonando nossos vícios, abrandando nosso caráter e esforçando-nos por nos amarmos uns aos outros. E depois de termos realizado o reino dos céus dentro de nós, fácil será concretizá-lo na face de nosso planeta. Jesus alude ao começo dos trabalhos de regeneração da humanidade pela observância das leis divinas, quando manda a seus discípulos que preguem estar próximo o reino dos céus.

8 – *Curai os enfermos, ressuscitai os mortos, limpai os leprosos, expeli os demônios; dai de graça o que de graça recebestes,*

Conquanto Jesus e seus discípulos e, modernamente, o Espiritismo tenham operado curas materiais, é mais no sentido moral que devemos entender esta ordem de Jesus. Porque o Evangelho é a lição divina que ensina a humanidade a se curar de suas imperfeições morais.

Curai os enfermos, isto é, ensinai os homens a evitarem o mal, para que não sofram suas dolorosas consequências.

Ressuscitai os mortos, isto é, ensinai que a morte não existe e que do outro lado do túmulo o espírito continua com sua vida eterna.

Limpai os leprosos, isto é, ensinai os pecadores a se regenerarem e esclarecei os ignorantes sobre as coisas divinas.

Expeli os demônios, isto é, encaminhai os espíritos obsessores concitando-os ao perdão e à prática do bem.

E nunca aceiteis a paga do bem que espalhastes, uma vez que o Pai, que está nos céus, não põe preço em sua misericórdia.

9 – *Não possuais ouro nem prata, nem tragais dinheiro nas vossas cintas;*

10 – Nem alforge para o caminho, nem duas túnicas, nem calçado, nem bordão; porque digno é o trabalhador do seu alimento.

Acima de tudo, o discípulo fiel deve confiar na Providência Divina. O Senhor da seara não deixará os seus obreiros sem o necessário para sua manutenção. Se os patrões humanos não deixam seus operários sem a paga do trabalho que executam, quanto mais o Patrão Divino não cuidará de seus servos?

Além disso, o discípulo do Evangelho ensina os povos a se libertarem da matéria. Daria um péssimo exemplo o discípulo que se afadigasse pela posse transitória dos bens terrenos; porque demonstraria confiar mais na matéria do que na Providência Divina. A evangelização das criaturas deve ser a principal preocupação do discípulo sincero.

11 – E em qualquer cidade ou aldeia em que entrardes, informai-vos de quem há nela digno; e ficai aí até que vos retireis.
12 – E ao entrardes na casa saudai-a, dizendo: Paz seja nesta casa.
13 – E se aquela casa na realidade o merecer, virá sobre ela a vossa paz; e se o não merecer, tornará para vós a nossa paz.

Os discípulos tinham de ir de aldeia em aldeia e de cidade em cidade pregando o Evangelho. Naqueles tempos não havia a imprensa, nem o rádio nem os modernos meios de propaganda; somente dispunham da palavra oral para tornarem conhecido o Evangelho. Pobres como eram, não podiam pagar pousadas; forçoso lhes era, por conseguinte, procurarem almas caritativas que os hospedassem gratuitamente. Não só era uma oportunidade para essas almas exercerem a caridade para com os viajores sem recursos, como também era um testemunho que os discípulos davam de sua fé em Deus.

Em nossos dias, o Espiritismo é o novo apóstolo que Jesus envia a todas as cidades e a todos os lares para ensinar os preceitos evangélicos. O Espiritismo saúda com a sagrada saudação a casa onde penetra. E a casa passa a gozar a paz, o ambiente doméstico fica livre de espíritos inferiores que o perturbavam, os quais são encaminhados para as escolas de aprendizado e de regeneração no mundo espiritual. Os membros da família extinguem as querelas e doce fraternidade preside às relações familiares. Todavia, para isso é necessário que a casa mereça realmente a paz, o que será conseguido pela observância dos preceitos de Jesus.

Cumpre notar que quando um médium vai ministrar um passe a um doente, prestando assim a caridade espiritual, o doente pode ou não merecer a graça de ser beneficiado. Porque há doentes que só se lembram de implorar o auxílio divino e prometem regenerar-se quando premidos pelo sofrimento. Logo que se livram dos males que os atormentavam, esquecem-se das promessas feitas a Deus e não mais se interessam pelas coisas espirituais. Nesse caso a graça será toda do médium, que será recompensado espiritualmente pelo serviço prestado.

14 – Sucedendo não vos querer alguém em casa, nem ouvir o que dizeis, ao sair para fora da casa, ou da cidade, sacudi o pó dos vossos pés.

Os preceitos de Jesus visam eliminar do seio da grande família humana todos os motivos que separam os seus membros. O Evangelho, portanto, não poderá ser imposto pela força, mas pelo Amor. Jesus não ordena que seus discípulos forcem a consciência daqueles que os querem ouvir; mas que se afastem deles, sem discutirem.

Mandando que seus discípulos sacudissem o pó dos sapatos ao deixarem os que os repelissem, é como se lhes dissesse: "'Mostrai aos vossos irmãos que vos enxotarem ou vos contradizerem que nenhuma das ideias deles conseguiu abalar a vossa fé; e que deles não guardais o menor ressentimento".

Na difusão do Espiritismo, inúmeras vezes terão os discípulos sinceros de sacudirem o pó das sandálias; porque nem todos os encarnados estão em condições de compreendê-los.

15 – Em verdade vos afirmo isto: Menor rigor experimentará no dia do juízo a terra de Sodoma e de Gomorra, do que aquela cidade.

Aqui Jesus nos demonstra que toda aquisição de conhecimentos acarreta aumento de responsabilidade. E cada um experimentará o rigor da Justiça Divina de acordo com o grau de conhecimentos que tiver adquirido. Assim sendo, ninguém carregará um fardo mais pesado do que suas forças o permitirem. Todos aqueles que são chamados a participar das alegrias do Evangelho, construindo seus destinos à luz dos ensinamentos de Jesus, é porque já estão em situação de poderem atender ao convite que lhes é feito. Todavia, há os que não atendem ao chamado, furtando-se ao trabalho divino. Se analisarmos muito bem a situação desses irmãos, notaremos que assim agem por não quererem contrariar o comodismo em que vivem, protelando, dessa maneira, o seu progresso espiritual e acumulando sofrimentos para o futuro.

Outra importante advertência que podemos tirar desse versículo é no que se refere aos que pregam o Evangelho e não o exemplificam. Quem ensina o Evangelho e não vive de conformidade com o que ensina na verdade experimentará o rigor que Sodoma e Gomorra não experimentaram.

16 – Vede que eu vos mando como ovelhas no meio de lobos. Sede logo prudentes como as serpentes e símplices como as pombas.

Deus ama os humildes e abate os orgulhosos. Por isso é que Jesus nos recomenda que sejamos simples como as pombas. Na simplicidade das pombas, Jesus simboliza a humildade de que devemos nos revestir no desempenho do labor de nosso aperfeiçoamento espiritual; porque aos humildes nunca faltará o auxílio do Altíssimo. E nossa humildade será provada diante dos reveses da vida, quando sofremos as provas e as expiações reservadas para o progresso e a purificação de nosso espírito. Entretanto, Jesus quer também que tenhamos a prudência das serpentes. Com isso ele nos adverte que exerçamos contínua e enérgica vigilância sobre nós próprios, a fim de que as tentações do mundo, quais lobos vorazes, não inutilizem nossa encarnação.

No que se refere ao trabalho espiritual, essa advertência de Jesus é profunda. É fora de dúvida que o trabalhador do Evangelho viverá continuamente assediado pelas forças das trevas, as quais tentarão frequentemente desviá-lo da tarefa. Os médiuns, sobretudo, e os pregadores da palavra divina terão de lutar não só contra os encarnados, mas também contra os espíritos desencarnados que, ou por ignorância ou movidos por sentimentos inferiores, tudo farão para anular-lhes os esforços. E como os trabalhadores do Evangelho somente poderão revidar com as armas do bem, do amor, do pacifismo, da tolerância e da piedade, jamais recorrendo à violência, deverão ser quais ovelhas, cheias de prudência, convivendo no meio de lobos.

17 – Mas guardai-vós dos homens; porque eles vos farão comparecer nos seus juízos e vos farão açoitar nas suas sinagogas;
18 – E vós sereis levados por meu respeito à presença dos governadores e dos reis, para lhes servirdes a eles e aos gentios de testemunho.

Pregando uma doutrina de paz e de igualdade; de amor, de fraternidade e de perdão, entre homens que cultuavam a guerra, o ódio, a vingança e os rígidos preconceitos sociais, os discípulos levantariam contra si a perseguição de todos os espíritos que se comprazam na ignorância ou que usufruíam proveitos dela. A História nos conta que as predições de Jesus se realizaram. Ainda hoje as perseguições não cessaram. Onde quer que se erga uma voz concitando os homens à prática do Evangelho em toda sua pureza e simplicidade, é certo aí acorrerem muitos para abafá-la. É o que tem acontecido com o Espiritismo. Essa Doutrina, que é o Consolador prometido pelo Mestre, suscitou desde o seu aparecimento, todas as perseguições morais possíveis. Desde as religiões organizadas até a ciência, todos se bateram contra ela, culminando no martírio dos médiuns, submetidos a desalmadas experiências de laboratório. Todavia, se cai um discípulo, levanta-se outro; e os trabalhadores da grande causa prosseguem dando o testemunho.

19 – E quando vos levarem, não cuideis como ou o que haveis de falar; porque naquela hora vos será inspirado o que haveis de dizer:
20 – Porque não sois vós os que falais, mas o Espírito de vosso Pai é o que fala em vós.

Os pregadores do Evangelho eram médiuns e, por isso, no momento de responderem a seus algozes, eram assistidos por espíritos de elevada hierarquia espiritual, que lhes sugeriam as palavras a serem proferidas. Eis por que vemos que os sacrificados nos circos romanos, ante a turba ébria de sangue e de violência, nada respondiam que não glorificasse o Cristianismo nascente; e elevavam ao Alto suas preces e seus cânticos de perdão e de amor. E acabado o espetáculo, os espíritos mártires partiam para o mundo espiritual nos braços de seus amigos. E o povo voltava para suas casas pensativo e indagando de si para si: — Que nova religião será essa cujos adeptos são sinceros até diante da morte?

E todos queriam conhecê-la.

21 – *E um irmão entregará à morte a outro irmão e o pai ao filho; e os filhos se levantarão contra os pais e lhes darão a morte.*

Nas perseguições e nas lutas religiosas a que o mundo tem assistido, o fanatismo religioso quase sempre armou os braços dos membros de uma mesma família, uns contra os outros. Pelo lado moral, houve profundo choque entre os adeptos do Cristianismo nascente e os dos outros credos, gerando-se assim a guerra de religiões dentro de um mesmo lar.

Em nossos dias reacende-se a luta contra as ideias progressistas do Espiritismo, que trabalha por reconduzir o Cristianismo à sua forma e à sua pureza primitivas e explicar o Evangelho racionalmente. Embora sem o caráter sanguinolento do passado, a batalha que se trava não deixa de ser intensa a fim de que a luz brilhe novamente. É natural, pois, que, no entrechocar das ideias novas do progresso com as ideias velhas do passado e do comodismo, muitas vezes pais, filhos e irmãos se coloquem em campos opostos.

Jesus aqui nos adverte acerca das lutas que um espírita travará dentro de seu próprio lar para encaminhar a si e aos seus pelo caminho da Verdade. Deverá, em primeiro lugar, vencer a perseguição que lhe desencadearão os espíritos desencarnados ignorantes, os quais incitarão contra ele seus próprios familiares. Assistimos, então, à crítica impiedosa que tem de suportar e à oposição tenaz que lhe é movida no sentido de afastá-lo do caminho da espiritualidade. Em seguida deverá corrigir seus defeitos, livrar-se dos vícios para que possa adquirir a força moral suficiente para guiar sua família e combater as imperfeições, que cada um de seus familiares apresentar. Manter a força moral para que seja respeitado e se fazer respeitar pela família é outra luta moral em que se empenhará um espírita que quer seguir à risca os ensinamentos do Evangelho.

Um lar não se domina pela violência. Dominar um lar pela violência é tiranizar a família. Um lar se domina pelo Amor. Mas para que o Amor possa dominar é preciso que seja gerado pelo respeito; e o respeito só será conseguido quando o chefe da família for um alto padrão de moralidade. Então terá a autoridade incontestável para impor à sua família a norma de conduta que o Espiritismo lhe ditar. Fazendo respeitar-se pelo Amor, os pais precisam saber usar da severidade para não deixarem que seus filhos se extraviem. Grande é a responsabilidade dos pais neste assunto. Cada filho extraviado é uma dívida que os pais contraem para com Deus, por não terem sabido desempenhar a missão de bons orientadores das almas que o Senhor lhes confiou. Essa dívida lhes acarretará enormes trabalhos no futuro, além de sofrimentos no mundo espiritual. Quando os filhos ameaçam desviar-se e não querem obedecer pelo Amor, os pais devem empregar em tempo oportuno o corretivo enérgico, embora com mágoa no coração, para evitarem males maiores. É por isso que Jesus aqui nos fala que sua doutrina causaria divisões na família, trazendo para o seio dela muitas lutas. Ele sabia que os membros mais evoluídos, querendo impulsionar a evolução dos retardatários, entrariam em choque com eles e teriam de trabalhar arduamente para obterem êxito.

22 – *E vós por causa do meu nome sereis o ódio de todos; aquele porém que perseverar até o fim, esse é o que será salvo.*

Jesus aqui precavém os discípulos contra o orgulho e os preconceitos sociais que separam as criaturas. Como eles pregariam a extinção do orgulho e lutariam contra os preconceitos sociais, ensinando aos homens que todos são irmãos, filhos do mesmo Pai, atrairiam sobre si a cólera de grande número daqueles que não estavam preparados para compreendê-los. Um dos pontos básicos do ensino de Jesus é fazer com que os homens aprendam que todos são irmãos, não importa a que nação ou raça pertençam e como irmãos se devem tratar. É justamente isso que a maioria da humanidade não quer compreender; daí resultaria para os discípulos o ódio de muitos.

Conquanto muito se pregue e já se tenha chegado à conclusão de que a humanidade é uma imensa família, cujos membros são irmãos, o orgulho, gerando os preconceitos sociais, tem prejudicado constantemente o cumprimento desta lei da fraternidade. Mas não é só em relação às coisas terrenas que o orgulho tem feito estragos: sua maléfica ação se estende também às coisas espirituais. Na aquisição dos bens espirituais, o orgulho é o principal tropeço. Às vezes, pelo simples fato de não querermos ombrear com nossos irmãos mais modestos e mais pequeninos do que nós, desrespeitamos as leis divinas. A fraternidade é uma das grandes leis morais do código divino. E sempre que o orgulho falar mais alto do que a humildade, sufocaremos o sentimento de fraternidade, que deve presidir ao trato com nosso próximo.

Jesus é a personificação da humildade. E sua doutrina prega a humildade de coração. Na Terra ainda predomina o orgulho. E os orgulhosos se revoltam contra os que lhes falam da doutrina de Jesus, porque ela lhes relembra a humildade da qual se afastaram. E por isso o nome do Mestre traria o desprezo para os discípulos. É preciso que não nos esqueçamos de que seremos salvos, isto é, ficaremos livres do ciclo das reencarnações dolorosas, somente se nós nos conservarmos fiéis observadores dos preceitos de Jesus até o fim de nossa vida.

23 – *Quando porém vos perseguirem numa cidade, fugi para outra. Em verdade vos afirmo que não acabareis de correr as cidades de Israel, sem que venha o Filho do homem.*

Assim como cada espírito, individualmente, obedece à lei do progresso, é natural que também o planeta, em seu conjunto, obedeça à mesma lei. À medida que os espíritos aqui encarnados progredirem, progredirão com eles as instituições humanas, as quais melhorarão não só na parte material, como também na moral e na intelectual. Os principais propulsores desse progresso, principalmente na parte espiritual, são os espíritos desencarnados, que por toda parte inspiram aos encarnados o respeito às leis divinas e, por meio de médiuns através dos tempos, indicam à humanidade os rumos espirituais a seguir.

Jesus toma Israel como o símbolo do mundo ao qual vinha ser pregado o Evangelho. E recomenda a seus discípulos que não interrompam o labor evangélico por coisa alguma, nem mesmo por causa das perseguições que sofreriam. Conquanto, materialmente falando, não houvesse possibilidade de os discípulos percorrerem todas as cidades do planeta, nem por isso elas ficariam esquecidas. Uma legião de espíritos desencarnados estava incumbida de levar o Evangelho aos mais afastados recantos do globo, suscitando trabalhadores onde fossem necessários. E, modernamente, o Espiritismo, manifestando-se desde os lugarejos às grandes capitais, tornou-se o instrumento para a disseminação dos preceitos evangélicos, preparando, assim, o advento do Filho do homem, isto é, do reinado espiritual de Jesus, em todos os corações.

24 – Não é o discípulo mais que seu Mestre, nem o servo mais que seu senhor;
25 – Basta ao discípulo ser como o seu mestre e ao servo, como seu senhor. Se eles chamaram Belzebu ao pai de família, quanto mais aos seus domésticos?

Jesus nos recomenda que o tomemos por modelo em nosso labor evangélico. Calmos, pacíficos, mansos e tolerantes, exemplifiquemos com os atos o que pregarmos com as palavras. Não violentemos a consciência de ninguém. Não nos percamos no emaranhado das discussões inúteis. Estejamos certos de que, se nos foi concedido semearmos algumas sementes, ao Pai Celestial pertence o fazê-las germinar. Quanto aos que nos perseguirem, zombarem e escarnecerem de nossa doutrina, perdoemo-los de todo o coração, lembrados de que, se assim trataram o Senhor, não saberiam tratar melhor os seus servidores.

26 – Pois não os temais; porque nada há encoberto que se não venha a descobrir; nem oculto que se não venha a saber.
27 – O que eu vos digo às escuras, dizei-o às claras; e o que se vos diz ao ouvido, publicai-o dos telhados.

Os discípulos não devem temer aqueles que não lhes aceitam as lições. A lei da desencarnação os levará para o mundo espiritual e lhes provará serem verdadeiros os ensinamentos, que repudiaram, quando encarnados. É o que sucede atualmente com o Espiritismo: ensina a lei da reencarnação, a imortalidade da alma, prega que não existem tormentos eternos, demonstra o progresso ininterrupto do espírito, estabeleceu a comunicação entre os encarnados e os desencarnados; por fim, explica de modo mais racional os preceitos de Jesus. Apesar de encerrar tanta beleza e simplicidade, ainda encontra perseguições, descrentes e detratores. Não os devemos temer. A desencarnação se encarregará de abrir-lhes os olhos para as verdades eternas. Por isso, publiquemos sempre em voz bem alta e por toda a parte as lições que recebemos por meio do Espiritismo.

28 – E não temais aos que matam o corpo e não podem matar a alma; temei antes porém ao que pode lançar no inferno tanto a alma como o corpo.

Inferno é o símbolo do sofrimento em que incorremos todas as vezes em que incidimos em faltas. Não há castigos eternos e não há inferno onde os espíritos culpados sofram as consequências de suas más ações, por toda a eternidade. Conquanto o sofrimento seja efêmero, é causado ao nosso corpo por todo ato, por mais insignificante que seja, que praticarmos em desacordo com as leis divinas. E é frequente um espírito sofrer, durante sucessivas reencarnações em corpos carnais, as más consequências dos péssimos atos do passado.

A reencarnação é um processo regenerador e aperfeiçoador ao mesmo tempo; enquanto de um lado faz com que corrijamos os erros do passado, de outro lado promove nosso aprimoramento espiritual. Como somos espíritos imortais submetidos a um constante progresso, é por meio das reencarnações, isto é, das vidas sucessivas que vivemos na Terra, e algumas delas bastante dolorosas, é por meio delas que sairemos da materialidade primitiva e alcançaremos a espiritualidade superior. Tal sucede com a joia que, antes de ostentar todo seu fulgor, tem de suportar inúmeros processos de burilamento até perder toda a ganga que a enfeiava e lhe ocultava o magnífico brilho.

O que devemos temer não são as perseguições que apenas atingem o nosso corpo. Devemos temer o que atinge a alma. O corpo é transitório, a alma é imortal. O que atinge a alma e pode lançá-la no inferno, isto é, em muitos séculos de sofrimentos expiatórios repercutindo nas vidas sucessivas, é a hipocrisia, o orgulho, o ódio, os crimes, os vícios, em resumo, o mal sob qualquer forma de que se revista.

29 – Porventura não se vendem dois passarinhos por um asse? e nenhum deles não cairá sobre a terra sem a vontade de vosso Pai.
30 – E até os mesmos cabelos da vossa cabeça todos eles estão contados.
31 – Não temais pois, que mais valeis vós que muitos pássaros.

Aqui Jesus nos mostra a soberana vontade de Deus regendo o Universo, até nas menores coisas. E adverte os trabalhadores do Evangelho de que as horas que despenderem no trabalho espiritual nunca lhes farão falta, no que se refere à parte material de suas existências. Se mesmo um passarinho é objeto dos desvelos de Deus, quanto mais nós não o seremos? Por isso aqueles que dedicarem uma fração de tempo ao serviço divino de cooperarem com o Mestre na difusão do Evangelho e os que destinarem algumas horas por semana ao estudo dos assuntos espirituais e evangélicos não deverão temer que estes momentos lhes prejudiquem o andamento de suas ocupações materiais.

Há pessoas que não procuram seguir o Espiritismo, e outras que não querem desenvolver sua mediunidade com receio de perderem na parte material. Aquelas horas que deveriam consagrar ao serviço divino e ao estudo do Evangelho para seu aprimoramento moral e espiritual, passam-nas trabalhando para aumentar seus haveres materiais, receosas de que mais tarde lhes falte o necessário. É um erro pensar assim. Até mesmo os cabelos de nossas cabeças estão contados é uma figura de que se serve o Mestre para afirmar que na parte material nada há de faltar aos que consagram algumas horas, por poucas que sejam, ao serviço de Deus.

É verdade que devemos ser previdentes; contudo, não devemos exagerar. Para desempenhar nossa vida na Terra, temos necessidade de duas coisas: dos bens espirituais e dos bens materiais: estes para nosso corpo, e aqueles para nossa alma. E o Senhor proverá às necessidades do trabalhador, uma vez que este demonstre boa vontade na execução de seu pequenino labor evangélico. O Senhor não exige que nos sacrifiquemos às coisas divinas; nós, de nossa parte, não nos devemos sacrificar às coisas materiais.

32 – *Todo aquele pois que me confessar diante dos homens, também eu o confessarei diante de meu Pai que está nos céus.*

33 – *E o que me negar diante dos homens, também eu o negarei diante de meu Pai que está nos céus.*

Confessar Jesus diante dos homens é viver de conformidade com seus ensinamentos. É ter a coragem suficiente de abandonar os preconceitos das religiões dogmáticas, o preconceito das raças e das classes sociais; é ver em cada pessoa um irmão que merece o nosso carinho, respeito e consideração. Enfim, confessar Jesus diante dos homens é submeter-se à lei da fraternidade universal. Os médiuns que sinceramente confessam Jesus diante dos homens são aqueles que não medem sacrifícios quando se trata de levar sua cooperação mediúnica quer ao leito de um enfermo, quer em auxílio de um obsidiado e a qualquer lugar onde haja dores, aflições e lágrimas. Tais médiuns sabem renunciar aos prazeres do mundo, sempre que estes interfiram no desempenho de seu medianato.

34 – *Não julgueis que vim trazer paz à Terra; não vim trazer-lhe paz, mas espada;*

35 – *Porque vim separar ao homem contra seu pai, e a filha contra sua mãe, e a nora contra sua sogra.*

Uma ideia, por mais nobre que seja, ao aparecer desperta a oposição da maioria. Os hábitos seculares, o comodismo, a indiferença, o interesse, tudo luta contra ela. Semelhante estado de coisas é motivado pelo pequeno adiantamento espiritual, que caracteriza a quase totalidade dos habitantes da terra. Cumpre notar que na Terra estão encarnados espíritos em diversos graus de evolução; alguns já alcançaram um grau de adiantamento superior e aceitam facilmente as ideias novas; outros estão em grau inferior de espiritualidade e mostram-se refratários a ensinamentos mais elevados, para cuja compreensão ainda não estão suficientemente preparados. Daí se origina a divergência de opiniões, que divide até os membros de uma mesma família.

Dizendo Jesus que não veio trazer paz, mas espada, quis dar-nos a entender que sua doutrina, enquanto não fosse compreendida pela totalidade dos encarnados, seria causa de atritos entre os que a compreenderiam e os que não a compreenderiam. E nos adverte de que esses atritos começariam dentro dos próprios lares.

O Espiritismo se bate pela unidade religiosa do mundo, porque a lei divina é uma só. Contudo, a unidade religiosa só será possível quando a Terra tiver acabado de sofrer sua transformação para planeta de categoria mais elevada. Então será habitada por espíritos de maior adiantamento espiritual, os quais assimilarão com mais facilidade as ideias progressistas e trabalharão por fazê-las triunfar. Em sua simbologia, a Bíblia prediz que tal transformação será feita pelo fogo e por cataclismas. Não será assim. A transformação que se processará será apenas de ordem moral, e a Terra já está passando por ela. Pouco a pouco se encarnarão espíritos de maior elevação espiritual, uns aqui e outros acolá, até completarem um todo homogêneo, que impulsionará a Terra para uma hierarquia espiritual superior, no concerto dos mundos que compõem o Universo.

Notemos que todas as religiões do planeta são boas, pois estão graduadas de conformidade com a compreensão de seus adeptos, constituindo cada uma delas uma face da Verdade, que se revela progressivamente à humanidade. Sendo as revelações progressivas, há religiões que melhor explicam as leis divinas. E os espíritos que acompanham o progresso são aqueles que vão aceitando as revelações à medida que elas surgem. Nesse caso está o Espiritismo com revelações mais adiantadas. Moisés revelou uma parte da Verdade, graduada para a compreensão dos povos de seu tempo. Jesus continuou a obra de Moisés, acrescentando-lhe novas revelações e novos ensinamentos. O Espiritismo continua a obra de Moisés e de Jesus, enriquecendo-a de novos valores espirituais, mediante o que vem revelar aos homens. Assim vemos que o Espiritismo nada mais é do que a continuação das religiões que o antecederam, explicando-as sob um ponto de vista mais adiantado, mais racional e mais compreensível, porque não usa símbolos nem tem dogmas. E lança luz sobre o que seus predecessores deixaram subentendido, por não terem podido explicar tudo aos povos das épocas em que viveram. A Moisés e a Jesus cumpria esperarem que a inteligência humana se desenvolvesse, para que pudesse assimilar conhecimentos de ordem superior. E o Espiritismo veio precisamente na época em que a humanidade, estando com sua inteligência amadurecida, podia receber ensinamentos novos.

36 – E os inimigos do homem serão os seus mesmos domésticos.

37 – O que ama o pai ou a mãe mais do que a mim, não é digno de mim; e o que ama o filho ou a filha mais do que a mim, não é digno de mim.

Jesus nos avisa de que os inimigos do homem são os seus próprios domésticos, porque as opiniões contraditórias, que se formam dentro de um lar, poderão desviar do caminho espiritual aqueles que o querem seguir.

É comum alguém querer desenvolver sua mediunidade e encontrar cerrada oposição justamente naqueles que mais deveriam entusiasmá-lo para isso. Outros querem seguir o Espiritismo, frequentar as sessões, estudar o Evangelho, e a mesma má vontade em secundá-los em seus esforços divinos se manifesta no seio de sua família. Às vezes é o marido que serve de obstáculo à mulher e a mulher ao marido; outras vezes são os pais que não se interessam pelo futuro espiritual de seus filhos e nada fazem para guiá-los espiritualmente; e acontece também que, pelo falso amor que os pais consagram aos filhos, não usam da energia necessária para conduzi-los pelo reto caminho, deixando que eles se percam nas ilusões do mundo. Os pais espíritas precisam prestar atenção nesse particular: não basta que eles se esforcem por seguir a Jesus; é imprescindível que incutam no coração de seus filhos, desde pequeninos, os hábitos de acordo com os ensinamentos de Jesus; só assim estarão cooperando com o Mestre na evangelização do mundo.

Ser digno de Jesus, portanto, é saber superar todos os obstáculos que se nos apresentarem contra nosso desejo de espiritualização. Esses obstáculos se manifestarão com maior intensidade em nosso ambiente doméstico; é indispensável, então, uma grande dose de boa vontade, muita fé em Deus, muita oração a fim de que esses obstáculos sejam removidos, não pela violência, mas pelo entendimento mútuo e pelo amor que todas as criaturas se devem umas às outras.

38 – E o que não toma a sua cruz e não me segue, não é digno de mim.

A cruz a que Jesus se refere pode apresentar-se a nós sob três aspectos: no cumprimento de nosso dever de cada dia, no sofrimento e na mediunidade.

É mister que cumpramos nossos deveres diários com a melhor boa vontade e segundo os preceitos de Jesus, tratando cristãmente de todos os que se aproximarem de nós e dos que vivem sob nossa dependência. Para isso devemos esforçar-nos para sermos um padrão de moralidade, de trabalho, de fé em Deus e de amor ao próximo. É baseando mesmo os nossos mínimos atos no Evangelho de Jesus, que nos tornaremos dignos de Jesus.

O sofrimento pelo qual passaremos também constitui a cruz que devemos carregar durante nossa existência. Não há efeito sem causa. Se sofremos, é porque o merecemos. Se não conseguirmos descobrir a causa de nosso sofrimento na existência atual, ela estará, forçosamente, numa de nossas existências do passado. Nunca nos esqueçamos de que nossa vida presente é a consequência dos atos que tivermos praticado em nossas encarnações anteriores, assim como nosso futuro será o resultado de nossas ações da vida presente. Geralmente, os que sofrem se afastam de Jesus por se lastimarem. E o sofrimento humano pode ser causado pelo desvio das leis divinas, pela ignorância e pelo endurecimento. Qualquer transgressão das leis divinas causa sofrimentos. Podemos escapar da justiça terrena, mas jamais poderemos escapar da Justiça Divina, que dá a cada um unicamente o que cada um merece, como consequência de seus atos.

A ignorância é outra grande causa de sofrimentos. A ignorância conduz ao vício e ao crime. Por isso o indivíduo já esclarecido à luz do Evangelho deverá combater acerrimamente a ignorância de seus irmãos, ensinando-os a respeitarem os preceitos de Jesus.

O endurecimento é outra fonte de sofrimento. O indivíduo endurecido é aquele ao qual já foi mostrado o bom caminho, mas, por orgulho, por comodismo, por conveniências sociais ou por pouca vontade, persiste no erro. Semeia, assim, sementes de sofrimentos que, mais cedo ou mais tarde, ou nesta vida ou na outra, germinarão, resultando numa colheita de frutos amargos.

Os que sofrem, por conseguinte, que tomem a cruz de seus padecimentos e a carreguem com calma, paciência, resignação e coragem até o fim, para que possam ser dignos de Jesus.

Dado o estado de incompreensão em que está imersa a maioria dos encarnados, a mediunidade se torna, por vezes, uma cruz bem pesada. E o médium digno de Jesus é o que toma a cruz de sua mediunidade e a transforma em luz para os que jazem nas trevas, consolo para os aflitos, esperança para os tristes, alívio para os sofredores e guia para os ignorantes.

39 – O que acha a sua alma, perdê-la-á; e o que perder a sua alma por mim, achá-la-á.

Nossa verdadeira vida é a vida espiritual que viveremos quando estivermos libertos da matéria. A vida material é fugaz e, por mais que façamos, não a poderemos conservar senão por um curto período. É um erro, pois, não cuidarmos de nos preparar para a vida espiritual, que constitui nosso futuro. Se desde nossa infância tudo fazemos para que fiquemos aparelhados para triunfarmos materialmente, procurando auferir as maiores vantagens que a Terra nos pode oferecer, porque não nos prepararemos também para a vida espiritual na qual ingressaremos infalivelmente?

Acham sua alma na Terra os que julgam que é aqui que estão seus únicos interesses e concentram seus esforços apenas na consecução das coisas materiais. Quando despertarem no mundo espiritual, verificarão que correram atrás de ilusões. E como não conquistaram nem um pouquinho de bens espirituais, estarão com suas almas perdidas na maior pobreza espiritual. Os que perdem suas almas na terra são aqueles que tudo fazem para conquistar os bens espirituais, por meio da vida terrena. Compreendem que a vida terrena é um meio que Deus lhes dá para o progresso de suas almas. E como sabem que a vida terrena é passageira, envidam seus melhores esforços na aquisição de tudo quanto lhes possa ser útil na pátria espiritual.

Perder a alma por Jesus é observar rigorosamente os seus preceitos, única maneira de se conseguir a riqueza espiritual, que fará com que as almas se achem ricas e felizes quando desencarnarem.

40 – O que a vós vos recebe, a mim me recebe; e o que a mim me recebe, recebe aquele que me enviou.

Diariamente estamos recebendo os ensinamentos de Jesus. Se prestarmos um pouco de atenção, notaremos que continuamente somos advertidos sobre a prática do bem. Não só os evangelizadores, porém mesmo uma criança serve de mensageira para trazer-nos uma mensagem de Jesus, que nos aponte nossos deveres para com Deus e para com nosso próximo. Os bons espíritos estão incessantemente velando para que os ensinamentos do Mestre sejam relembrados por nós e para isso usam de todos os meios ao alcance deles. Nosso anjo da guarda não cessa de nos dirigir salutares inspirações para que não nos afastemos da observância das leis divinas. Nos conselhos de um amigo, nas leituras úteis, nos bons pensamentos que se formam em nosso cérebro, nas preleções evangélicas que ouvimos, são transmitidas lições de alto interesse para nossas almas. Nossa consciência é a sentinela vigilante, que faz com que jamais deixemos de receber a Jesus no íntimo de nossos corações. Basta que ouçamos nossa consciência com sinceridade e humildade e sua voz nos recordará sempre, nas vicissitudes e na bonança, a fé que Jesus nos recomendou, a esperança que ele nos trouxe, a caridade que nos ensinou a praticar e a resignação ante a vontade do Pai celestial que exemplificou.

41 – O que recebe um profeta na qualidade de profeta receberá a recompensa de profeta; e o que recebe um justo na qualidade de justo receberá a recompensa de justo.

42 – E todo o que der de beber a um daqueles pequeninos um copo de água fria só pela razão de ser meu discípulo, na verdade vos digo que não perderá a sua recompensa.

Profetas, no tempo de Jesus, eram os inspirados que ensinavam o povo a respeitar os mandamentos divinos. E os justos eram as pessoas que viviam conforme a lei de Deus. Era crença geral que o Pai não deixaria sem recompensa aqueles que agasalhassem um profeta ou um justo. Jesus leva mais longe ainda a recompensa divina, afirmando que receberão a paga celeste até os que derem um simples copo de água a um pobrezinho, pela simples razão de quererem obedecer aos preceitos do Evangelho.

Capítulo 11

João Batista Envia Dois Discípulos seus a Jesus

1 – E aconteceu que quando Jesus acabou de dar estas instruções aos seus doze discípulos, passou dali a ensinar e a pregar nas cidades deles.
2 – Como João, estando no cárcere, tivesse ouvido as obras de Cristo, enviando dois de seus discípulos.
3 – Lhe fez esta pergunta: Tu és o que hás de vir, ou é outro o que esperamos?
4 – E respondendo Jesus, lhes disse: Ide contar a João o que ouvistes e vistes:
5 – Os cegos veem, os coxos andam e os leprosos limpam-se, os mortos ressurgem, aos pobres anuncia-se-lhes o Evangelho.

O Precursor termina aqui sua missão. Com sua enérgica pregação, avisara o povo de que já estava encarnado aquele que lhe ensinaria o caminho reto, que conduz ao reino de Deus.

João dera testemunho de Jesus à multidão que o tinha procurado no deserto. Agora que os homens tinham presenciado as ações nobres de Jesus e lhe tinham ouvido a palavra da Vida Eterna, mais fácil seria a João confirmar a vinda do Enviado. E manda que dois discípulos seus interroguem Jesus perante testemunhas. A resposta de Jesus é clara e positiva; não responde: eu o sou; mostra-lhes simplesmente as obras generosas que vinha realizando, como a dizer-lhes: julgai-me pelas minhas obras.

Do mesmo modo serão reconhecidos os verdadeiros seguidores de Jesus: pelas suas obras. Ao discípulo, não serão as palavras que afirmarão sua qualidade de praticante do Evangelho; suas obras é que deverão testemunhar isso. Como Jesus, o discípulo sincero não deixa atrás de si uma longa esteira de palavras sonoras, porém vagas. Deixa, sim, uma semeadura substancial de amor cristão, à qual consagrou o espírito bem formado.

Os cegos veem significa que a luz espiritual foi trazida à Terra. Os coxos andam significa que foi ensinado à humanidade como caminhar para o reino de Deus. Os leprosos limpam-se significa que os que aceitassem o Evangelho purificariam suas almas. Os surdos ouvem significa que a palavra divina estava sendo pregada aos que nunca a tinham ouvido. Os mortos ressurgem, significa que a imortalidade da alma estava sendo revelada aos homens. Aos pobres anuncia-se-lhes o Evangelho significa que a verdadeira riqueza são os bens espirituais que Jesus ensinava como podiam ser adquiridos. E a humanidade, antes do advento de Jesus, jazia em grande pobreza espiritual.

A riqueza material nao se conta por ser transitória, aqui ficando quando o espírito desencarnar. Na pátria espiritual julga-se a riqueza de uma alma pelo seu maior ou menor grau de espiritualidade que conquistou na Terra.

6 – E bem-aventurado aquele que não for escandalizado em mim.

Uma vez que serão as obras que demonstrarão se alguém é ou não um aprendiz de Jesus, é necessário que aqueles que lhe aceitam os ensinamentos se revistam da humildade e da sinceridade para praticá-los.

Os que se escandalizam de Jesus, são os que preferem as coisas profanas da Terra; nesses o orgulho fala mais alto, desviando-se uns por comodismo, outros por conveniências sociais, outros para não perderem amigos, outros para não abandonarem os vícios. Muitos, do mesmo modo, não aceitam o Espiritismo, escandalizando-se dele, com o receio de serem ridicularizados pelos amigos; também porque o Espiritismo lhes profliga os vícios e exige esforço próprio de cada um de seus adeptos, muitos fogem dele.

Quem não se escandaliza de Jesus é aquele que contorna todas as dificuldades a fim de se tornar um aprendiz do Evangelho. Nesse particular, o Espiritismo oferece a todos os de boa vontade a sublime oportunidade de demonstrarem pelas suas obras sua categoria de verdadeiros aprendizes de Jesus, por meio do desempenho da mediunidade.

7 – E logo que eles se foram, começou Jesus a falar de João às gentes: Que saístes vós a ver no deserto? uma cana agitada pelo vento?

8 – Mas que saístes a ver? um homem vestido de roupas delicadas? Bem vedes que os que vestem roupas delicadas são os que assistem nos palácios dos reis.

9 – Mas que saístes a ver? um profeta? Certamente, vos digo, e ainda mais do que profeta.

10 – Porque este é de quem está escrito: Eis aí envio eu o meu anjo ante a tua face, que aparelhará o teu caminho diante de ti.

Ao chegar o momento de a humanidade receber ensinamentos novos, encarna-se na Terra um emissário do Altíssimo para trazê-los. E quando começa a desempenhar sua tarefa, forma-se em torno dele um movimento de opinião. Uns são atraídos pela curiosidade: chegam, olham, ouvem e passam indiferentes. Outros são atraídos pela dor: move-os a esperança de encontrarem alívio para seus sofrimentos. Outros veem no mensageiro e na revelação que traz uma coisa sem valor, como se tudo não valesse mais do que uma cana agitada pelo vento. Outros ficam desapontados por não verem nele um homem revestido das coisas vãs e transitórias da Terra. E, finalmente, outros há que descobrem nele muito mais do que o profeta; veem nele o enviado de Deus, que lhes fala o que suas almas necessitavam para evoluírem; estes são os preparados para receber os ensinamentos pelos quais ansiavam.

É o que acontece com o Espiritismo. É o novo enviado do Altíssimo, que veio trazer à Terra ensinamentos novos. Alguns se achegam ao Espiritismo, pensando assistirem a prodígios. Outros não lhe dão nenhuma importância. Outros, desesperados de conseguirem a cura de seus males, procuram o Espiritismo na esperança de ficarem curados e depois o esquecem. E por fim temos alguns poucos que sabem descobrir no Espiritismo um caminho reto para a Vida Eterna.

Tal como João Batista no início da idade evangélica, o Espiritismo é o moderno enviado de Jesus, que aparelha aos homens a estrada luminosa, que os conduzirá ao reino de Deus.

11 – Na verdade vos digo que entre os nascidos de mulher não se levantou outro maior que João Batista; mas o que é menor no reino dos céus é maior do que ele.

É evidente que Jesus se refere aqui à grandeza espiritual da missão de João Batista. Cumpria-lhe preparar os corações para a recepção do Evangelho; despertar a atenção do povo para a vida espiritual, facilitando a Jesus o início de seu trabalho. Enfim, João Batista arcaria com a responsabilidade de abrir para a humanidade a era evangélica. Por isso é que Jesus diz que, dos nascidos de mulher, nenhum foi maior do que João Batista; isto é, não se encarnou ainda nenhum espírito com missão maior do que a de João Batista.

O respeito e a admiração que João Batista granjeou entre o povo foram tão grandes que o consideravam como um homem quase que sobrenatural. Jesus, conquanto justifique o amor que o povo consagrava a João Batista, adverte-o de que no mundo espiritual existiam espíritos ainda maiores, por serem mais evoluídos que João Batista.

12 – E desde os dias de João Batista até agora o reino dos céus padece força e os que fazem violência são os que o arrebatam.

Aqui a violência a que Jesus se refere é a árdua luta que devemos travar para que nos libertemos da matéria e atingir a espiritualidade. Enquanto não tivermos conseguido nossa completa espiritualização, sempre teremos de nos encarnar em corpos materiais, sofrendo, por conseguinte, todas as vicissitudes a que a matéria está sujeita. E para ficarmos livres do ciclo das reencarnações, passando a viver unicamente no mundo espiritual, precisamos empregar o máximo de nossos esforços na correção de todas as imperfeições de nossa alma.

Jesus diz que o reino dos céus padece força desde os dias de João Batista, porque é por João Batista que se inicia a evangelização da humanidade. E o espírito, para se evangelizar, deve lutar asperamente contra suas próprias imperfeições.

O reino dos céus aqui simboliza a paz interior, que poderemos alcançar mediante o sacrifício de nosso orgulho, de nossas vaidades e pelo desapego das coisas materiais, pela prática do mais puro amor ao próximo e das virtudes pregadas por Jesus.

13 – Porque todos os profetas e a lei até João profetizaram.

João é o último profeta enviado pelo Senhor para ensinar os homens a viverem de acordo com os mandamentos divinos. De agora em diante Jesus legará o Evangelho ao mundo, como um roteiro seguro que o conduzirá a Deus. E hoje temos o Espiritismo, um profeta que está em toda parte, falando ao coração e à inteligência de todas as criaturas: aos humildes e aos letrados, aos pobres e aos ricos, aos sãos e aos doentes, espalhando ensinamentos espirituais de fácil compreensão. Fala ao coração, estimulando nele o sentimento; fala à inteligência, explicando racionalmente as leis de Deus; fala a todas as criaturas, porque não faz acepção de pessoas; e seus ensinamentos são de fácil compreensão, porque não usa dogmas, nem símbolos, não tem rituais nem fórmulas vãs nem pompas exteriores, as quais, satisfazendo os sentidos, em nada contribuem para o benefício da alma.

14 – E se vós o quereis bem compreender, ele mesmo é o Elias que há de vir.

Jesus aqui prega a lei da reencarnação. Reencarnou-se o espírito de Elias e com o novo corpo material chamou-se João Batista. Confirmando isto, podemos notar em João Batista a mesma rudeza, a mesma independência de palavras e atos e a mesma coragem de Elias.

Se bem quisermos ver, o Espiritismo é a religião do progresso, porque, além de pregar a reencarnação da alma, acompanha o desenvolvimento da ciência, nada ensinando que não esteja de acordo com o que não possa ser explicado pelo raciocínio; enquanto outras religiões pregam dogmas absurdos, em completo desacordo com o desenvolvimento da inteligência humana, chegam a negar fatos comprovados pela ciência e vivem enclausuradas em hábitos antigos e retrógrados. Figuradamente podemos dizer que o Espiritismo é a reencarnação das religiões do passado, trazendo sob sua nova vida todo o progresso espiritual que é dado aos homens alcançar na Terra.

Poderosa alavanca do progresso humano em geral e do espírito em particular é a reencarnação. Reencarnando-se sucessivamente, de cada vez que aqui vêm, os espíritos trazem do mundo espiritual novos e valiosos conhecimentos que aplicam no melhoramento do ambiente terreno, promovendo assim o progresso e o conforto na face do globo. E, particularmente, um espírito por meio da reencarnação corrige os erros do passado, conclui o que o tempo não lhe permitiu concluir em vidas anteriores e, por meio das lutas terrenas, liberta-se da matéria e conquista a espiritualidade.

15 – O que tem ouvidos de ouvir, ouça.

Jesus veio trazer a Verdade ao Mundo. A Verdade é o conjunto das leis divinas. A revelação da Verdade é progressiva. Os ensinamentos são trazidos paulatinamente à Terra e chegam os novos, sempre que os anteriores tiverem sido assimilados. A Verdade nos impele ao bem e ao Amor, por isso Jesus é a expressão mais pura da Verdade. Contudo, como a prática da Verdade reclama esforço próprio e às vezes árduo, muitos que a ouvem não querem sair de seu comodismo e se fingem surdos à sua voz.

Ainda não se disse nem se dirá a última palavra sobre a Verdade. Quanto mais marcharmos pela estrada evolutiva, tantos maiores aspectos da Verdade iremos conhecendo. E como o Espiritismo é uma religião essencialmente progressista, aceitará como novas manifestações da Verdade tudo quanto venha beneficiar a humanidade.

16 – Mas a quem direi eu que é semelhante esta geração? É semelhante aos meninos, que estão sentados na praça; que, gritando aos seus iguais.
17 – Dizem: Nós vos cantamos ao som da gaita e vós não bailastes; choramo-vos e não chorastes.
18 – Porque veio João, que não comia nem bebia, e dizem: Ele tem demônio.
19 – Veio o Filho do homem, que come e bebe e dizem: Eis um homem glutão e bebedor de vinho, amigo de publicanos e de pecadores. Mas a sabedoria foi justificada por seus filhos.

Estas palavras de Jesus retratam fielmente os obstinados na incredulidade. Para os que não querem crer, de nada valem argumentos; sempre sabem encontrar meios para justificarem sua descrença.

A sabedoria é a compreensão das leis divinas; e os filhos da sabedoria são os que as compreendem e as seguem. Justifica-se a sabedoria por seus filhos, porque os que observam os preceitos divinos realizam em si próprios o reino dos céus.

As Três Cidades Impenitentes

20 – Então começou a lançar em rosto às cidades, em que foram obradas tantas das suas maravilhas, que não haviam feito penitência;
21 – Ai de ti Corazin, ai de ti Betsaida; que se em Tiro e em Sidônia se tivessem obrado as maravilhas que se obraram em vós, muito tempo há que elas teriam feito penitência em cilício e em cinza.
22 – E eu vos digo, contudo, que haverá menos rigor para Tiro e Sidônia, que para vós outros, no dia do juízo.
23 – E tu, Cafarnaum, elevar-te-ás, porventura, até o céu? hás de ser abatida até o inferno; porque se em Sodoma se tivessem feito os milagres que se fizeram em ti, talvez que ela tivesse permanecido até o dia de hoje.
24 – Eu vos digo, contudo, que no dia do juízo haverá menos rigor para a terra de Sodoma que para ti.

Jesus exprobra a indiferença dos habitantes das cidades em que realizou a maior parte de seus atos e de suas pregações. Apesar de tantas provas que lhes foram fornecidas, continuavam na descrença e reincidiam nos erros. Por isso, sofreriam mais rigorosamente a ação da Justiça Divina, porque estavam agindo com conhecimento de causa. É o que acontece modernamente com muitos dos que são bafejados pelos ensinamentos e pelas provas que o Espiritismo lhes oferece. Quantos há que não chegam aos Centros Espíritas tangidos pelo sofrimento e pelas desilusões do mundo? E depois de aliviados, consolados, fortificados, sentindo na alma mais calma e mais coragem, em lugar de abraçarem os novos ensinamentos e trilharem com segurança o caminho que lhes é apontado, afastam-se indiferentes para reincidirem nos hábitos errôneos do passado! E outros ainda, conquanto conheçam a Verdade, não se esforçam por melhorar seu comportamento. Não resta dúvida de que serão julgados com mais rigor do que aqueles aos quais não foi mostrada a luz.

O Jugo de Jesus

25 – Naquele tempo, respondendo Jesus, disse: Graças te dou a ti, Pai, Senhor do céu e da terra, porque escondeste estas coisas aos sábios e entendidos e as revelaste aos pequeninos.

Sábios e entendidos, aqui, simbolizam os que querem aproximar-se de Deus com a fria ciência da Terra, que lhes enche o coração de orgulho. Incapazes de abrigar em seu íntimo a fé, falta-lhes a intuição sublime que lhes concederia a sabedoria. Atentos aos fenômenos superficiais, perdem precioso tempo em discussões inúteis e terminam por negar o que não quiseram compreender.

Deus não esconde as coisas aos sábios e aos entendidos; é o orgulho que não os deixa vê-las. Ao passo que os pequeninos, isto é, os despidos de orgulho e de presunção, iluminados pela fé pura que lhes concede segura intuição, assimilam facilmente as lições divinas e fazem delas caminho para a felicidade espiritual.

26 – Assim é, Pai, porque assim foi de teu agrado.

Jesus deposita suas esperanças em Deus; ele sabia que o Pai deu a seus filhos as leis evolutivas pelas quais todos se aperfeiçoarão. Nosso espírito sai bruto do seio de Deus, como é bruto o diamante encontrado no seio da terra. Inúmeros processos de lapidação transformam o diamante escuro e sem forma numa gota de luz. Da mesma maneira, nossa alma será burilada através das reencarnações até brilhar esplendorosamente.

Jesus se conforma com a incompreensão da época, porque tinha certeza de que seus ensinamentos jamais se perderiam. No caminho do progresso, o que a alma não aceita hoje, aceitará no futuro.

27 – Todas as coisas me foram entregues por meu Pai. E ninguém conhece o Filho senão o Pai, nem alguém conhece o Pai senão o Filho, e a quem o Filho o quiser revelar.

Jesus é o Supremo Orientador da coletividade terrena; Deus lhe confiou a Terra e o destino dos seus habitantes. Somente Jesus conhecia Deus e o tornou conhecido dos homens. Antes da vinda de Jesus ao mundo, não conhecíamos o Pai Celestial. De um lado tínhamos o feroz e sanguinário Deus de Moisés; e do outro lado, o politeísmo pagão. Jesus veio e aboliu o Deus de Moisés e os milhares de deuses do paganismo, revelando-nos o Pai extremoso, o Deus bom, que trata carinhosamente de todos os seus filhos, quer sejam culpados ou justos, quer sejam bons ou rebeldes.

28 – Vinde a mim todos os que andais em trabalho e vos achais carregados e eu vos aliviarei.

Os que andam em trabalhos no mundo, somos todos nós que aqui estamos a saldar os débitos das vidas passadas e ainda carregados das ilusões terrenas. Encontraremos alívio em Jesus, porque sua consoladora doutrina nos enche de resignação, de calma e de paciência ante os rudes embates da vida e nos livra do peso das ilusões, demonstrando-nos que a verdadeira felicidade não consiste na posse transitória dos bens da Terra; e sim nos bens imperecíveis do espírito.

Quando o rigor das expiações nos tocarem e estivermos prestes a vacilar ante as provas; quando o castelo de nossas ilusões ruírem, deixando o vazio em nossos corações; quando até daqueles que mais amamos recebermos a repulsa e a ingratidão; quando virmos fenecer as flores da esperança que plantamos nas margens do caminho de nossas existências, não busquemos no mundo um consolo que o mundo não nos pode dar. Procuremos o consolo na doutrina de Jesus e estejamos certos de que o acharemos.

29 – Tomai sobre vós o meu jugo e aprendei de mim, que sou manso e humilde de coração; e achareis descanso para vossas almas.
30 – Porque o meu jugo é suave e o meu peso, leve.

Quão suave é o jugo de Jesus e quão pesado é o jugo da Terra! O jugo de Jesus é a humildade, a fraternidade, o perdão, o amor, a resignação, a calma, a paciência e a confiança em Deus; é a paz e a bondade; é a certeza de uma vida eterna, vivida em perene alegria no seio de nosso Pai celestial; é o doce descanso de nossas almas, que, pela fé e pelas boas obras, subirão aos planos divinos.

E o jugo da Terra é o ódio e a vingança; o desespero e a revolta; a descrença, o egoísmo, o orgulho, a ambição e a concupiscência. O jugo terreno prende em séculos de sofrimentos expiatórios os que não se esforçarem por se livrarem dele.

Demonstrando-nos a realidade da vida além-túmulo e ensinando-nos e concitando-nos a praticar os preceitos de Jesus, o Espiritismo é uma poderosa força, que muito nos ajudará a libertarmo-nos do jugo terreno e fará com que facilmente aceitemos o suave e leve jugo de Jesus.

Capítulo 12
Jesus É Senhor do Sábado

1 – Naquele tempo, num dia de sábado, saiu Jesus caminhando ao longo das searas; e seus discípulos, que tinham fome, começaram a colher espigas e a comer delas.

2 – E vendo isto, os fariseus lhe disseram: Eis aí estão os teus discípulos fazendo o que não é permitido fazer nos sábados.

3 – Porém ele lhes disse: Não tendes lido o que fez David, quando ele teve fome e os que com ele estavam?

4 – Como entrou na casa de Deus e comeu os pães da proposição, os quais não era lícito comer nem a ele nem aos que com ele estavam, mas unicamente aos sacerdotes?

5 – Ou não tendes lido na lei, que os sacerdotes nos sábados no templo quebrantam o sábado e ficam sem pecado?

6 – Pois digo-vos que aqui está o que é maior do que o templo.

7 – E se vós soubésseis o que é: Misericórdia quero e não sacrifício, jamais condenaríeis os inocentes.

8 – Porque o Filho do homem é senhor até do sábado mesmo.

As religiões dogmáticas prendem seus adeptos a rígidas práticas exteriores e colocam o culto a Deus na observância exclusiva de fórmulas vãs, sem cogitarem de melhorar o íntimo de seus fiéis.

Jesus veio ensinar a humanidade a adorar o Pai Celestial em espírito e verdade. Jesus desprezava o ritual das religiões organizadas e, com frequência, faz exatamente o contrário do que elas mandam, a fim de demonstrar ao povo que práticas exteriores e fórmulas de adoração de nada valem diante de Deus.

Esta lição é bem sugestiva. É um brado de revolta do bondoso coração de Jesus contra a hipocrisia dos sacerdotes. Por que podem os sacerdotes fazer certas coisas que proíbem aos fiéis? Pois, não deveriam os sacerdotes ser os primeiros a darem o bom exemplo para a edificação do povo? Então o rigorismo de Deus deixa-os de lado, a eles que são esclarecidos e por isso mais facilmente poderiam obedecer aos preceitos divinos, e vai castigar os inocentes, isto é, aqueles que deixaram de observar fórmulas exteriores?

O pensamento de Jesus ao dizer: misericórdia quero e não sacrifício é este: — Abaixo templos e religiões organizadas para a exploração do povo. Abaixo o sacerdócio hipócrita que vive do altar e se julga livre de obrigações para com Deus e para com o próximo. Abaixo fórmulas vãs, práticas exteriores e dogmas absurdos. Substituamos toda essa inutilidade que atravanca o mundo e enegrece as consciências pela misericórdia, pela fraternidade, pelo perdão, pelo Amor que deve unir todos os filhos de Deus.

A Cura do Homem que Tinha uma das Mãos Ressicada

9 – E depois de partir dali veio à sinagoga deles:
10 – E eis que aparece um homem que tinha ressicada uma das mãos, e eles, para terem de que o arguir, lhe fizeram esta pergunta, dizendo: É por ventura lícito curar no sábado?
11 – E ele lhes disse: Que homem haverá por acaso entre vós, que tenha uma ovelha e se esta lhe cair no sábado numa cova, não lhe lance a mão para dali a tirar?
12 – Ora, quanto mais excelente é um homem do que uma ovelha? Logo é lícito fazer o bem nos dias de sábado.
13 – Então disse para o homem: Estende a tua mão. E ele a estendeu e lhe foi restituída sã como a outra.

As curas que Jesus de propósito realizava nos sábados eram um eloquente protesto contra o rigorismo da religião organizada, que tinha sufocado num amontoado de observâncias materiais os mandamentos divinos. Em obediência à lei de Moisés, o sábado era um dia santificado e nesse dia era proibido a um israelita o trabalho de qualquer espécie. Consagravam o sábado às orações e à frequência às sinagogas. Tão longe levaram a observância desse preceito, que o transformaram numa prática material rígida, da qual até a ideia de ajudar o próximo, de fazer o bem, fora banida. Ao fazer o bem nos sábados, contrariando assim o costume da época, Jesus ensina aos homens que é necessário fazê-lo todos os dias; porque o Pai Celestial leva em conta os atos de cada um e não a guarda de um determinado dia.

14 – Mas os fariseus, saindo dali, consultavam contra ele como o fariam morrer.

Todos os reformadores deparam com objeções por parte dos que se comprazem na ignorância e dos que tiram proveito do estado de ignorância em que se encontra a humanidade. Esses lutam sempre contra todos os espíritos nobres que se encarnam na Terra, para melhorarem as condições em que vivem seus irmãos menores. Árduo é o trabalho dos que aqui vierem para indicar aos povos novos rumos de progresso, trazendo-lhes novos ensinamentos e revelando-lhes novas leis espirituais.

Neste versículo vemos que os beneficiados pela ignorância em que jazia o povo, percebendo que os ensinamentos de Jesus feriam seus interesses, começam a conspirar contra ele. Do mesmo modo, em nossos dias, grande número dos que têm seus interesses contrariados pelos ensinamentos do Espiritismo se insurge contra ele.

15 – E Jesus, sabendo-o, se retirou daquele lugar e foram muitos após ele e os curou a todos;
16 – E lhes pôs preceito, que não descobrissem quem ele era.

Jesus nos ensina como proceder em relação às curas realizadas espiritualmente. Ele não quer que os trabalhadores espirituais façam propaganda das pequeninas curas de que foram humildes instrumentos. Deus, nosso Pai, é quem realiza a cura; sem que a vontade dele se manifeste, ninguém poderá fazer nada. A contribuição do trabalhador espiritual, do médium por excelência, é sempre mínima. Todos os que alardeiam as curas espirituais para as quais concorrem contrariam este preceito evangélico e demonstram orgulho e presunção; porque, se a cura não partisse da vontade de Deus, nada seria conseguido. Erram, por conseguinte, os médiuns que não sabem manter-se humildes diante das graças e da misericórdia que o Pai, utilizando-os como instrumentos, distribui a seus filhos. E o erro se torna mais grave quando, além da propaganda, ainda guardam para documentário, retratos, muletas, moldes etc., dos que se curaram.

17 – Para que se cumprisse o que foi anunciado pelo profeta Isaías, que diz:

Na Terra encarnam-se espíritos em diversos graus de adiantamento; desde os pequeninos que ainda não conseguem compreender nada do que se refere à espiritualidade, até os bastante adiantados que, embora encarnados, facilmente percebem as coisas espirituais. Isaías pertencia ao número destes últimos, motivo pelo qual pôde transmitir à humanidade as advertências sobre a missão de Jesus.

Em todas as épocas há aqueles que estão mais bem preparados para compreenderem melhor a marcha do progresso espiritual da humanidade. Em nossos dias, vemos que os ensinamentos do Espiritismo são bem aceitos por uns, combatidos por outros e indiferentes a muitos. E pela maneira por que são recebidas as revelações do Espiritismo, podemos aquilatar o grau espiritual de quem as recebe.

18 – Eis aqui o meu servo, que eu escolhi, o meu amado, em quem a minha alma tem posto a sua complacência. Porei o meu espírito sobre ele e ele anunciará às gentes a justiça.

Quando a sabedoria do Pai Celestial determinou que se formasse a Terra, como uma grande escola e oficina de trabalho para o aprendizado de seus filhos, Jesus, cuja perfeição se perde na noite imperscrutável do tempo, foi o escolhido para dirigir a comunidade terrena. E ele prometeu ao Pai Celestial guiar seus pequeninos tutelados por todas as experiências terrenas, até que também eles, por sua vez, se tornassem perfeitos. E no desempenho de seus deveres divinos, Jesus jamais deixou faltar qualquer coisa a seus irmãos menores; na parte material fez com que a natureza produzisse frutos para todos se fartarem; e determinou que a todos se oferecessem magníficas oportunidades de progresso e de realizações. Se ele se esforçou para que a vida material se desenvolvesse normalmente na face da Terra, jamais se descurou da parte espiritual de seus aprendizes incipientes. E desde as mais recuadas eras na história da humanidade, tem enviado periodicamente os seus mensageiros que o auxiliaram a preparar o ambiente terreno para os trabalhos de espiritualização dos espíritos encarnados. Na Grécia, na Pérsia, na Índia, na China, encarnaram-se missionários trazendo luzes espirituais, que até hoje iluminam o pensamento humano. E em todas as nações sempre se encarnaram filósofos e pensadores que, procurando a resolução dos problemas espirituais, agitaram a humanidade, fazendo-a ver algo mais do que a simples matéria.

Quando o ambiente terreno estava preparado pelos elementos da filosofia, por Moisés e até João Batista, encarnou-se Jesus para superintender pessoalmente aos trabalhos finais de regeneração, evangelização e espiritualização da humanidade. Médium de Deus, Jesus anuncia a Justiça Divina e nos lega o código celeste que é o Evangelho. Compreendendo isto, foi que Isaías transmitiu esta mensagem dos planos superiores, a qual é um hino de louvor a Jesus e uma exortação à humanidade.

19 – Não contenderá, nem clamará, nem ouvirá alguém a sua voz nas praças.

É bem expressiva esta advertência de Isaías: demonstra-nos que Jesus nunca forçaria a quem quer que seja a aceitar sua doutrina por meio de discussões e jamais faria alarde dos bens espirituais que prodigalizaria, nem clamaria contra os que não queriam ouvi-lo.

Os discípulos humildes de hoje devem aproveitar esta advertência: não clamarem, não contenderem, não alardearem sua caridade, nem suas esmolas, nem seus feitos evangélicos. No desempenho de suas funções mediúnicas e evangélicas, por mais modestas que sejam, é imprescindível muita sinceridade. Nem sempre existe sinceridade, porém ostentação no coração de quem faz questão de espalhar aos quatro ventos a caridade material ou espiritual que pratica.

20 – Não quebrará a cana que está deprimida nem apagará a torcida que fumega, até que saia vitoriosa a sua justiça.

Por mais oposição que sua doutrina encontre, jamais a palavra de Jesus será abafada. Pelo contrário, quanto mais a humanidade progredir espiritualmente, tanto mais comentará, estudará, assimilará e aplicará os preceitos evangélicos. Por vezes, parece que a vitória pertence ao mal; entretanto, se prestarmos atenção, notaremos que a vitória do mal é efêmera e ilusória; a verdadeira vitória é ganha por tudo o que for para o bem, o que for nobre e útil. Assim sairá vitoriosa a justiça de Jesus, isto é, sua doutrina, por ser boa, nobre e de extrema utilidade para nossa felicidade real.

A felicidade na Terra é de curta duração e sempre dosada de acordo com nosso grau de espiritualidade. Somente alcançaremos a felicidade integral no plano espiritual, quando tivermos completado nosso aprendizado das leis divinas e liquidado os débitos contraídos no passado pela nossa ignorância.

Ao chegar a ocasião de o homem trabalhar para se espiritualizar no ambiente terreno, então se lhe deparam as grandes dificuldades. A sociedade de um lado e seus familiares do outro procuram desviar sua atenção do objetivo espiritual que visa. É quando se lhe faz mister impor-se muita fortaleza moral para que não venha a sucumbir aos caprichos da sociedade nem às ideias materiais de seus familiares.

Jesus não quer que os homens se afastem nem da sociedade nem da família; quer que cada um saiba vencer as dificuldades e superar os obstáculos, tendo por norma os preceitos de amor a Deus sobre todas as coisas e ao próximo como a si mesmo.

Não apagará a cana deprimida nem a torcida que fumega, até que saia vitoriosa a sua justiça, são símbolos de que Isaías usa para dizer-nos que Jesus jamais imporia sua lei pela violência; porém sempre guiará com amor seus tutelados até Deus.

21 – E as gentes esperarão no seu nome.

As leis humanas são transitórias, mutáveis e incapazes de promoverem a felicidade dos povos. A única lei capaz de trazer a felicidade, a paz, a harmonia e a compreensão entre os povos da Terra é a lei divina consubstanciada no Evangelho. À medida que o progresso espiritual se for processando no seio da humanidade, as leis terrenas irão tendo por base os preceitos evangélicos e dia virá em que a única lei será o Evangelho. Nessa época, um tanto longínqua ainda, mas que os povos esperam alcançar, haverá espiritualidade na face da Terra e gozaremos da real felicidade. Por isso, é necessário que cada um de nós, em particular, procure espiritualizar-se, concorrendo, dessa maneira, para a espiritualização geral.

A Blasfêmia dos Fariseus

22 – Então lhe trouxeram um endemoninhado, cego e mudo e ele o curou, de sorte que falava e via.

Deparamos aqui com um caso de obsessão. A obsessão é o ato pelo qual um espírito desencarnado persegue uma pessoa. A obsessão pode apresentar-se sob diversas formas: com as características da loucura ou sob o aspecto de moléstias que nada consegue curar.

No caso aqui narrado, o espírito obsessor atuava fluidicamente sobre os órgãos da fala e da vista do obsidiado, causando-lhe a cegueira e a mudez. O remédio para a cura da obsessão é conseguir-se que o espírito obsessor se afaste de sua vítima, conforme Jesus o fez. Uma vez livre de seu perseguidor invisível, a pessoa fica curada.

Não há efeito sem causa. E como cada um recebe de conformidade com seus atos, vamos encontrar a causa das obsessões no mal que tivermos praticado nesta ou em existências passadas. Assim sendo, as obsessões, ordinariamente, nada mais são do que a vingança que as vítimas de outrora exercem sobre seus antigos algozes. Pela lei do choque de retorno, cada um atrairá para junto de si todos aqueles aos quais fez o bem e todos aqueles aos quais fez o mal. Os que receberam o bem virão auxiliar seu benfeitor; os que receberam o mal virão vingar-se de quem os prejudicou, se ainda não souberam perdoar, conforme Jesus ensinou. Daí se originam as obsessões, por vezes dolorosas, que o Espiritismo veio explicar natural e logicamente e ensinar como curá-las.

23 – E ficavam pasmadas todas as gentes e diziam: Por ventura é este o filho de David?

Segundo a tradição corrente entre os judeus, o Messias descenderia de David. Notando as maravilhas que Jesus operava, o povo era levado a crer ser ele o descendente de David e, portanto, o Messias esperado e desejado.

Jesus conseguia realizar as maravilhas que pasmavam as gentes em virtude de sua elevação moral, de seu alto grau de espiritualidade e por exemplificar com seus próprios atos o que ensinava.

A vinda de Jesus ao nosso plano marca o início de uma nova era. Até então a humanidade se dedicava unicamente à matéria. Jesus veio ensinar que além da matéria existe algo mais importante, que é o espírito; que esta vida é continuada por outra, infinitamente superior; que o amor fraterno e não o interesse grosseiro deve presidir às relações sociais.

A vinda de Jesus significa que a humanidade atingiu a maioridade. E como o jovem que se torna adulto e daí em diante esquece as frivolidades da infância e da adolescência, valorizando as coisas sérias, assim a humanidade, do advento de Jesus em diante, começa a preocupar-se com as coisas da vida espiritual.

24 – Mas os fariseus, ouvindo isto, diziam: Este não lança fora os demônios, senão em virtude de Belzebu, príncipe dos demônios.

Devemos considerar que Jesus veio inaugurar na Terra as relações mais intensivas entre o mundo material e o mundo espiritual. Em sua época o povo não compreendia as manifestações espirituais que Jesus provocava e por isso surgiam as dúvidas. A princípio, essas dúvidas eram motivadas pela falta de compreensão do povo; mas, depois que os sacerdotes perceberam que a obra de Jesus tomava vulto e se firmava, contrariando os objetivos materiais que visavam, resolveram combater a obra do Mestre. E as primeiras armas de que lançaram mão foram a ignorância e a superstição em que mantinham o povo para melhor explorá-lo.

Em nossos dias acontece a mesma coisa com o Espiritismo. Impotente para deter-lhe a marcha, o clero usa a superstição do povo para combatê-lo, pregando que os fenômenos espíritas são realizados pelo diabo, entidade que nunca existiu.

25 – E Jesus, sabendo o pensamento deles, lhes disse: Todo o reino dividido contra si mesmo será desolado; e toda cidade ou casa, dividida contra si mesma, não subsistirá.
26 – Ora se Satanás lança fora a Satanás, está ele dividido contra si mesmo; como persistirá logo o seu reino?

Em virtude de sua elevada hierarquia espiritual, Jesus possuía a clarividência em toda sua plenitude. Sabemos que os pensamentos são imagens mentais, emitidas pelo cérebro e refletidas no exterior, como numa tela. A clarividência de Jesus permitia que ele visse as imagens mentais projetadas por seus interlocutores e por isso sabia o que pensavam.

A resposta de Jesus é uma lição de concórdia. Toda a obra em que não reine a concórdia entre seus executores está destinada ao fracasso. Os espíritas deverão tomar estas palavras como uma advertência para que vivam em harmonia, a fim de que o Espiritismo não encontre tropeços em sua expansão.

27 – E se eu lanço fora os demônios em virtude de Belzebu, em virtude de quem os expelem os vossos filhos? Por isso é que eles serão os vossos juízes.

28 – Se eu porém lanço fora os demônios pela virtude do Espírito de Deus, logo é chegado a vós o reino de Deus.

Aqui Jesus recomenda que lhe analisem os atos. Belzebu era um símbolo do mal; por conseguinte, quem abrigava o mal em seu coração jamais poderia estar praticando o bem.

Com o decorrer dos tempos, a humanidade compreenderia a obra de Jesus e, então, saberia julgar com acerto todas as suas ações, realizando os mesmos atos de Jesus. Cumpria que a evolução espiritual se processasse. E hoje, graças às revelações do Espiritismo, sabemos que os demônios nada mais são do que os espíritos desencarnados que já viveram na Terra. Como não sabem ainda se comportar cristãmente, perseguem aqueles dos quais guardam ódio. Para expeli-los, basta que a pessoa tenha superioridade moral e amorosamente lhes ensine o caminho que deverão trilhar para serem felizes, alcançando, assim, o reino de Deus. Este reino, Jesus o trouxe a nós; caracteriza-se pela prática do bem, pela observância da lei da fraternidade e pelo auxílio mútuo. Cumpre agora que todos trabalhem com boa vontade, para que este reino se estabeleça em todos os corações.

29 – Ou como pode alguém entrar na casa do valente e saquear os seus móveis, se antes não prender o valente? E então lhe saqueará a casa.

No combate ao mal, é imprescindível o preparo íntimo. Jamais poderá trabalhar com eficiência no campo espiritual o trabalhador que não cuidar do seu aprimoramento moral. Para ser obedecido pelos espíritos ignorantes, para ser ouvido quando prega o Evangelho, é necessário que o discípulo exemplifique com os atos o que prega com as palavras. É preciso que vençamos as nossas imperfeições, para depois ensinarmos ao nosso próximo como vencer as dele. Se não prendermos o mal, que como um valente campeia em nossa alma, como poderemos prender o mal que se alastra pelo mundo e arrebatar dele nossos irmãos menos evoluídos?

Jesus aqui frisa a importância do preparo individual, antes de alguém se aventurar a preparar a coletividade.

30 – O que não é comigo é contra mim; e o que não ajunta comigo, desperdiça.

Entre o mal e o bem não há meio-termo: ou somos bons ou somos maus. A indiferença é indício de inferioridade moral. Se não lutarmos por melhorar nosso caráter, segundo os ensinamentos do Mestre, estamos desperdiçando o tempo que nos foi concedido na Terra para cuidarmos de nosso progresso espiritual. Esta é uma advertência que Jesus faz aos encarnados, para que aproveitem bem a presente encarnação.

A encarnação é uma bênção divina, a qual deve ser muito bem aproveitada. Tiramos o máximo proveito da encarnação, quando praticamos o bem, quando nós nos dedicamos às obras morais, quando nos aplicamos ao estudo, quando minorarmos a miséria moral ou material de nossos irmãos; e, sobretudo, procurando por todos os meios seguir os preceitos evangélicos, respeitando as leis divinas.

31 – *Portanto vos digo: Todo o pecado e blasfêmia serão perdoados aos homens: porém a blasfêmia contra o Espírito Santo, não lhes será perdoada.*

32 – *E todo o que disser alguma palavra contra o Filho do Homem, perdoar-se-lhe-á; porém o que a disser contra o Espírito Santo, não se lhe perdoará, nem neste mundo, nem no outro.*

Pecar contra o Espírito Santo significa pecar com conhecimento de causa e, por conseguinte, pecar não por cegueira ou por inexperiência, mas por maldade. O Espírito Santo constitui a coletividade de espíritos esclarecidos e bons, que lutam por melhorar as condições espirituais da Terra. Todos aqueles que recebem uma parcela de conhecimentos espirituais e, contudo, persistem na prática do mal pecam contra o Espírito Santo. Estas faltas são tanto mais difíceis de reparar, porque foram cometidas por livre vontade, menosprezando a alma suas aquisições divinas.

Pecam contra o Espírito Santo os ministros e pregadores e sacerdotes de religiões, quando deixam de praticar o que ensinam, apesar do conhecimento espiritual que possuem.

Dizendo Jesus que o pecado contra o Espírito Santo não será perdoado nem neste mundo nem no outro, não quer ele dizer que a condenação será eterna. Não há condenações eternas. O que ele quer dizer-nos é que os pecados cometidos com conhecimento de causa não apresentam desculpas que os atenuem. Assim sendo, o pecador terá de arcar com a responsabilidade integral do erro cometido, o que lhe acarretará uma reparação difícil e trabalhosa.

As Árvores e seus Frutos

33 – *Ou fazei a árvore boa e o seu fruto bom; ou fazei a árvore má e o seu fruto mau; pois que pelo fruto é que a árvore se conhece.*

A árvore é a religião; os frutos são o bem e o mal que os adeptos de uma religião espalham. Aqui Jesus nos adverte de que são os adeptos de uma religião que a tornam boa ou má. Uma religião para dar bons frutos deve seguir as leis divinas; seus sacerdotes devem observá-las estritamente e não pouparem esforços para ensinar o povo a viver de conformidade com elas; do contrário os frutos não poderão ser bons.

Na Terra estão encarnados espíritos nos mais variados graus de adiantamento espiritual e desenvolvimento intelectual. Por isso cada criatura possui uma determinada capacidade de raciocínio e, obedecendo à lei da afinidade, formam grupos mais ou menos homogêneos. Origina-se daí que nem todos os ensinamentos são aceitos por todos, mas que cada criatura e cada grupo somente aceitam os ensinamentos segundo o grau de compreensão que possuem. As correntes espirituais estão sempre em harmonia com o grau de compreensão do grupo a que presidem e seus frutos são próprios daquele meio. Agora, cumpre a cada componente do grupo fazer com que os frutos sejam bons. Cada um de nós e o grupo a que pertencermos poderemos produzir frutos bons ou frutos maus: frutos bons se agirmos com pureza de pensamentos, palavras e atos; frutos maus se preferirmos os caminhos tortuosos dos pensamentos malévolos, das palavras maledicentes e dos atos malignos.

Em virtude do grande esforço que o Espiritismo está desenvolvendo junto a seus adeptos para instruí-los nas leis divinas, os espíritos têm por obrigação produzir bons frutos. Nunca nos esqueçamos de que a base para a produção dos frutos bons é a regeneração de nossas almas. Sem renovação íntima não é possível perfazer-se o progresso moral, produtor dos bons frutos.

34 – *Raça de víboras, como podeis falar coisas boas sendo maus? Porque a boca fala o de que está cheio o coração.*

35 – *O homem bom do bom tesouro tira boas coisas; mas o homem mau do mau tesouro tira más coisas.*

36 – *E digo-vos que de toda a palavra ociosa, que falarem os homens, darão conta dela no dia do juízo.*

37 – *Porque pelas tuas palavras serás justificado e pelas tuas palavras serás condenado.*

Jesus se insurge contra os hipócritas, os quais aparentam sentimentos louváveis que não possuem. Contudo, por mais que se esforcem por demonstrarem virtudes, o mal transparece em suas ações, porque cada indivíduo age sempre de conformidade com seus íntimos sentimentos e não com os que finge possuir. Ao passo que o homem sincero, cujos íntimos sentimentos estão trabalhados pelo bem, age em todas as circunstâncias movido pelo bem que realmente traz em seu coração.

A palavra aqui é empregada no sentido figurado e significa os atos que cada um pratica e os pensamentos que habitualmente alimenta. As palavras ociosas, que os homens falarem, são as más ações que cometem e seus pensamentos maldosos. Cada um será justificado ou condenado por suas palavras quer dizer que cada um receberá exatamente segundo suas obras; nem mais nem menos. O juízo final não existe de um modo absoluto: é simplesmente o julgamento que cada um sofrerá ao passar para o mundo espiritual; reverá em quadros fluídicos, criados por sua consciência, toda sua vida passada; e se sentirá feliz pelo bem que tiver feito e será compelido à retificação do mal que tiver causado. Portanto, quem muito errar, muito padecerá, até extinguir as causas que deram motivo ao seu sofrimento.

O Milagre de Jonas

38 – *Então lhe tomaram alguns dos escribas e fariseus, dizendo: Mestre, nós quiséramos ver-te fazer algum prodígio.*

Incapazes de compreenderem a beleza moral de seus ensinamentos e não querendo ver as numerosas curas que tinha praticado, os escribas e os fariseus reclamavam de Jesus surpreendentes fatos materiais.

Curando os doentes, Jesus queria demonstrar que o verdadeiro poder é o daquele que faz o bem. Aliviando o sofrimento de todos os que se aproximavam dele, Jesus conquistava as criaturas pelo coração e fazia prosélitos mais numerosos e sinceros, do que se os encantasse com maravilhas, que apenas lhes tocassem os olhos, como se fosse um prestidigitador a desempenhar sua parte num espetáculo.

O objetivo de Jesus não era satisfazer à curiosidade dos indiferentes, mas plantar no coração dos homens as sementes do amor a Deus e ao próximo e fornecer-lhes os meios de concretizarem na Terra o reino dos céus. Por isso não atendeu ao estulto pedido que os sacerdotes lhe fizeram. Comentando este episódio da vida de Jesus, Allan Kardec judiciosamente conclui:

"Do mesmo modo o Espiritismo prova sua missão providencial pelo bem que faz. Ele cura os males físicos, mas cura, sobretudo, as doenças morais, e são estes os maiores prodígios que lhe atestam a procedência. Seus mais sinceros adeptos não são os que foram tocados pela observação de fenômenos extraordinários, mas os que dele recebem consolações para suas almas; aqueles aos quais liberta da tortura da dúvida; aqueles aos quais levantou o ânimo nas aflições, que hauriram forças na certeza que lhes trouxe acerca do futuro, no conhecimento da vida espiritual. Estes são os de fé inabalável, porque sentem e compreendem. E assim como Jesus, não será por meio de prodígios que o Espiritismo triunfará da incredulidade; será pela multiplicação dos benefícios morais".

39 – *Ele lhes respondeu, dizendo: Esta geração má e adúltera pede um prodígio; mas não lhe será dado outro prodígio, senão o prodígio do profeta Jonas;*
40 – *Porque assim como Jonas esteve no ventre da baleia três dias e três noites, assim estará o Filho do Homem três dias e três noites no coração da terra*

Três dias e três noites no coração da terra, como Jonas esteve três dias e três noites no ventre da baleia, é um símbolo de que Jesus se serve para descrever-nos o estado de transição que se seguiria ao seu desencarne, antes de poder materializar-se a seus discípulos.

O desencarne traz ao espírito uma série de perturbações. Deixando o corpo material que por tantos anos lhe serviu de morada, é natural que o espírito gaste algum tempo em adaptar-se ao ambiente espiritual no qual passará a viver. Além da perturbação própria da transição, há necessidade de o espírito eliminar os fluidos animalizados que lhe integraram o perispírito durante sua vida terrena e dos quais necessitou enquanto encarnado. Jesus não fugiu à lei. E aqui, em sentido figurado, ele se refere ao tempo que consumiria para libertar-se dos efeitos de seu desencarne.

A transição não é igual para todos; a cada espírito ela apresenta particularidades próprias, que dependem do grau de desenvolvimento moral do espírito, do gênero de vida terrena que viveu, do bom ou do mau emprego do tempo que lhe foi concedido na Terra e do progresso espiritual que conseguiu. De um modo geral, podemos agrupar as transições em três grupos: a dos espíritos superiores, a dos medianos e a dos ignorantes ou inferiores.

A transição dos espíritos superiores é facílima; como já são possuidores de grande adiantamento espiritual e como suas vidas terrenas foram pautadas por sentimentos nobres, rapidamente se identificam com o ambiente espiritual quando desencarnam e tudo se resume no processo mecânico de se desprenderem da matéria; em seguida alijam de seus perispíritos os fluidos animalizados, que se gravaram nele; isso feito, voltam à normalidade e começam a cumprir seus deveres espirituais.

Os espíritos medianos já gastam mais tempo para se adaptarem ao novo ambiente. E, depois de libertos da perturbação que se seguiu ao desencarne, ainda passam por um período de aprendizado, antes de iniciarem suas tarefas no novo plano.

Nos espíritos inferiores ou ignorantes a transição é sempre dolorosa. Como a inferioridade deles fez com que somente se preocupassem com a matéria durante suas encarnações, jamais cuidando das coisas do espírito, a transição é acompanhada de grandes e penosas perturbações, que se prolongam por muitos anos.

É um erro alegarmos que a obra de Jesus fica desmerecida, por ter ele sofrido os efeitos normais das leis que regulam a vida na terra. Isso mais realça a grandiosidade de sua missão, porque nos ensina a profunda obediência que devemos às leis divinas, sejam elas quais forem, obediência essa que é uma das principais virtudes dos espíritos verdadeiramente superiores. Ao passo que a rebeldia às leis divinas e o procurar esquivar-se a elas, revelam ignorância e atraso.

Se Jesus, sem reclamar, submeteu-se às leis iníquas dos homens que o condenaram, sendo ele inocente, por que haveria ele de não respeitar as leis planetárias instituídas pelo Pai Celestial? Assim Jesus também nos prova que na obra de Deus não há privilegiados. A herança do Pai Celestial está distribuída equitativamente por todos os seus filhos; os riscos, os trabalhos, as oportunidades e as recompensas são iguais para todos.

41 – *Os habitantes de Nínive se levantarão no dia do juízo com esta geração e a condenarão; porque fizeram penitência com a pregação de Jonas. E eis aqui está neste lugar quem é mais do que Jonas.*

42 – *A rainha do meio-dia se levantará no dia do juízo com esta geração e a condenará; porque veio das extremidades da Terra ouvir a sabedoria de Salomão e eis aqui está neste lugar quem é mais do que Salomão.*

Os habitantes de Nínive simbolizam os que se afastaram das leis de Deus, mas que retornam a elas, logo que alguém lhes abra os olhos. A rainha do meio-dia simboliza os que começam a praticar as leis divinas, assim que alguém lhas ensine.

O convite celeste chega aos homens continuamente. Em sua misericórdia jamais o Pai deixa qualquer um de seus filhos ao desamparo espiritual. Serve-se ele, para isso, dos mais variados meios: das palavras de um amigo, das advertências dolorosas do sofrimento, dos exemplos de outros irmãos, da voz íntima que cada um traz dentro de si, que é a consciência, e, por vezes, até dos lábios inocentes de uma criança. Acontece que uns aceitam o convite e passam a trilhar o caminho reto; outros continuam rebeldes e recalcitrantes, sem quererem ouvir o convite celeste.

Em nossos dias, um apelo direto é feito a todos os corações por intermédio do Espiritismo. Por toda a parte, em todos os lares, multiplicam-se os fenômenos espirituais, abrindo os olhos de todos e convidando-os para o banquete divino. E como no tempo de Jonas e da rainha do meio-dia, uns o aceitam e outros não.

Julgamento e condenação não existem de um modo absoluto, uma vez que não há penas eternas. Os próprios atos de cada um o julgarão; a condenação consiste em quem errou corrigir os erros praticados. Por outras palavras: cada um arcará com as consequências de suas ações; e se as consequências forem más, terá de trabalhar até livrar-se delas.

43 – E quando o espírito imundo tem saído de um homem, anda por lugares secos buscando repouso e não o acha.

44 – Então diz: Voltarei para minha casa, donde saí. E quando vem, a acha desocupada, varrida e ornada.

45 – Então vai, e ajunta a si outros sete espíritos piores do que ele e entrando habitam ali; e o último estado daquele homem fica sendo pior do que o primeiro. Assim também acontecerá a esta geração.

Não basta que os espíritos obsessores sejam doutrinados e encaminhados. Há absoluta necessidade de que o homem construa sua fortaleza moral, a fim de que não mais seja assaltado pelo mal. Se não se fortificar pela prática do bem e pela moralização de sua vida, segundo os preceitos do Evangelho, novos espíritos obsessores tomarão o lugar dos primeiros e o estado da vítima se tornará pior.

A geração a que Jesus alude personifica todos aqueles que receberam os ensinamentos evangélicos. Caso essa geração não conforme o seu viver pelo Evangelho, o erro será de graves consequências, porque recusou espontaneamente a luz que lhe foi oferecida. Assim sendo, o sofrimento que desabará sobre ela será grande, em virtude de ter errado com pleno conhecimento de causa, tal como o homem que uma vez liberto dos obsessores e já esclarecido, contudo, não fecha as portas de sua alma às influências malignas.

A Família de Jesus

46 – Estando ele ainda falando ao povo, eis que se achavam da parte de fora sua mãe e seus irmãos, que procuravam falar-lhe.

47 – E um lhe disse: Olha que tua mãe e teus irmãos estão ali fora e te buscam.

48 – E ele, respondendo ao que lhe falava, lhe disse: Quem é minha mãe e quem são os meus irmãos?

49 – E estendendo a mão para seus discípulos, disse: Eis ali minha mãe e meus irmãos.

50 – *Porque todo aquele que fizer a vontade de meu Pai que está nos céus, esse é meu irmão e minha irmã e minha mãe.*

Aqui Jesus começa a pregar a fraternidade universal. A despeito dos laços transitórios do sangue, somos todos irmãos, filhos do mesmo Pai, que é Deus. Não importa a cor, a raça, a religião, o credo político a que cada um pertence; estas coisas são transitórias e deixam o espírito logo que este desencarne. Também são transitórios os laços consanguíneos; pelo desencarne, estes laços se desfazem, permanecendo apenas os laços da afeição e da simpatia que unem os espíritos uns aos outros. No mundo espiritual, nossa verdadeira pátria, não há pais, mães, maridos e esposas: há apenas irmãos, filhos de Deus. Se Deus permite que nós nos agrupemos em famílias distintas aqui na Terra, é para que por meio dos laços consanguíneos, das alegrias e das dores suportadas em comum aprendamos a fraternidade sem mácula.

A lei da fraternidade universal baseia-se na Harmonia, no Amor, na Verdade e na Justiça.

Entre irmãos que somos, deve reinar a mais bela harmonia. Devemos evitar discórdias, querelas, brigas e descontentamento; e quando surgirem dúvidas, todos devem esforçar-se para resolvê-las harmoniosamente.

Amor é a estima recíproca que deve reinar entre todos. Amparando-nos, ajudando-nos, tolerando-nos uns aos outros, implantaremos na Terra o Amor.

A Verdade é a sinceridade com que devemos tratar-nos uns aos outros, evitando a hipocrisia e a maledicência.

A Justiça é o respeito rigoroso que devemos à propriedade alheia, por mais insignificante que o objeto seja. Jamais contrariemos a lei da fraternidade, apropriando-nos, por meios ilícitos, do que pertence aos outros. E saibamos sempre, em quaisquer circunstâncias, dar o seu a seu dono, quer no terreno material quer no terreno moral.

É certo que a humanidade atual ainda não está preparada para a aplicação integral da lei de fraternidade. Mas o Espiritismo está trabalhando ativamente para fazer florescer em todos os corações a lei da fraternidade, preparando, desse modo, a humanidade para os dias de compreensão e de amor. E, quando a humanidade estiver preparada, novos ensinamentos virão guiar os homens à prática da mais elevada fraternidade.

Capítulo 13

A Parábola do Semeador

1 – Naquele dia saindo Jesus de casa, sentou-se à borda do mar.
2 – E vieram para ele muitas gentes, de tal sorte que entrando numa barca se assentou; e toda a gente estava de pé na ribeira.
3 – E lhes falou muitas coisas por parábolas, dizendo: Eis aí saiu o que semeia a semear.
4 – E quando semeava, uma parte da semente caiu junto da estrada e vieram as aves do céu e comeram-na.
5 – Outra, porém, caiu em pedregulhos, onde não havia muita terra; e logo nasceu, porque não tinha altura de terra.
6 – Mas saindo o sol se queimou; e porque não tinha raiz se secou.
7 – Outra igualmente caiu sobre espinhos; e cresceram os espinhos e estes a afogaram.
8 – Outra enfim caiu em boa terra; e dava fruto, havendo grãos que rendiam a cento por um, outros a sessenta e outros a trinta.

Nesta formosa parábola, Jesus classifica cada um dos que se achegariam ao Evangelho. Não somente o Evangelho é o semeador das verdades divinas, como também é uma bússola que Jesus deixou para a humanidade se orientar. Dos que se acercam do Evangelho, há os que aceitam os ensinamentos divinos com facilidade; e há os que não os aceitam. Das religiões que pregam o Evangelho, o Espiritismo é a que melhor o explica, concorrendo assim para que grande número de pessoas pautem suas vidas pelos preceitos divinos. Contudo, o Espiritismo não se arroga o direito de estar com toda a Verdade, nem disse nem dirá a última palavra, porque o Espiritismo é uma religião progressista, que acompanha a evolução das criaturas.

9 – O que tem ouvidos de ouvir, ouça.

Cada pessoa compreenderá os ensinamentos espirituais de acordo com seu grau de adiantamento e sua elevação moral. Neste particular devemos notar o grande papel que a reencarnação desempenha em benefício de nossos espíritos; por meio dela, adquirimos os ouvidos de ouvir os ensinamentos divinos. Em cada encarnação passamos por experiências que nos aguçam a inteligência e despertam nossos sentimentos. Em cada vida que vivemos na Terra, conseguiremos um grau a mais de conhecimentos, até que um dia chegaremos a estar convenientemente preparados, não só para a compreensão total das leis divinas, como também para respeitá-las e aplicá-las integralmente.

10 – E chegando-se a ele os discípulos, lhe disseram: porque razão lhes falas tu por parábolas?

Jesus lhes falava por parábolas, por serem as parábolas provérbios que acompanhariam os povos através dos tempos. Apesar de pequeninas como são, condensam em poucas palavras verdades profundas e que podem ser aplicadas em todos os tempos por serem expressões da sabedoria popular. Em qualquer época, por mais intelectualizados que estejam os povos, jamais conseguirão suplantar as parábolas de Jesus. Elas encerram sabedoria profunda, simplicidade de palavras, sentimento e se quadram maravilhosamente a todas as inteligências. Os pequeninos as entendem e os letrados nunca as desprezarão. Passarão os milênios, a humanidade se adiantará, mas as parábolas de Jesus sempre terão ensinamentos morais a darem aos homens.

11 – Ele respondendo lhes disse: Porque a vós outros vos é dado saber os mistérios do reino dos céus; mas a eles não lhes é concedido.

É preciso notar que Jesus aqui não faz acepção de pessoas, pois ele veio trazer o Evangelho para todos, e não para um reduzido grupo. Unicamente ele se dirigia em primeiro lugar aos que já estavam preparados para compreendê-lo. Nem todos, entretanto, estavam preparados porque Jesus iniciava um novo período evolutivo para a humanidade. Ele veio pregar verdades espirituais, e o povo estava dominado pelo materialismo. Era preciso dar tempo ao tempo. O espírito é imortal. Paulatinamente, através das reencarnações, todos se preparariam e a todos seria concedido compreender o mistério do reino dos céus, recebendo e aceitando o que Jesus revelava.

O mesmo sucede hoje com o Espiritismo; muitos dos que hoje não o aceitam hão de aceitá-lo em futuras encarnações, quando estiverem preparados para isso.

12 – Porque ao que tem se lhe dará e terá em abundância; mas ao que não tem, até o que tem lhe será tirado.

Jesus aqui se refere aos bens espirituais e ao consequente reflexo deles sobre os bens materiais. A observância dos preceitos divinos faz com que os bens espirituais, que constituem a verdadeira e imperecível riqueza do espírito, aumentem incessantemente. E o reflexo do respeito às leis divinas, o encarnado o receberá na parte material, porque, se cada um de nós se esforçar por nosso aprimoramento espiritual, Deus nos dará as facilidades materiais por acréscimo de misericórdia.

Os que não têm são aqueles que se dedicam unicamente à matéria. Esquecidos de que um dia deixarão tudo, e iludidos pelos gozos que a matéria lhes proporciona, não procuram conquistar os bens espirituais. A esses será tirado o que julgavam possuir, porque as coisas da Terra constituem apenas um empréstimo; ninguém as possui para sempre. Por isso Jesus diz que ao que tem se lhe dará e terá em abundância, isto é, quem cuidar do seu espírito irá rico de bens espirituais para o mundo espiritual, sem nunca ficar desamparado enquanto estiver encarnado. E dizendo que aos que não têm até o que têm lhes será tirado quis dizer que aquele que não cuidar de desenvolver suas riquezas espirituais, ao desencarnar, perderá o que possuía na matéria e comparecerá pobre no mundo espiritual.

13 – Por isso é que eu lhes falo em parábolas; porque eles vendo não veem e ouvindo não ouvem nem entendem.

14 – De sorte que neles se cumpre a profecia de Isaías que diz: Vós ouvireis com os ouvidos e não entendereis; e vereis com os olhos e não vereis.

15 – Porque o coração deste povo se fez pesado e os seus ouvidos se fizeram tardos e eles fecharam os seus olhos; para não suceder que vejam com os olhos e ouçam com os ouvidos e entendam no coração e se convertam e eu os sare.

A maioria do povo e os sacerdotes viam os atos de Jesus e ouviam suas palavras; no entanto, conservavam-se indiferentes. As ações do Mestre não os convenciam nem as palavras dele encontravam eco em seus corações orgulhosos. Parecia que para as obras de Jesus todos tinham os olhos fechados; e para suas palavras, os ouvidos surdos. Semelhante endurecimento não permitia que Jesus os convertesse, nem lhes curasse os males.

Grande parte do povo, as religiões organizadas e a ciência oficial comportam-se do mesmo modo para com o Espiritismo; cegos e surdos, não percebem a revivescência do Cristianismo, que o Espiritismo está promovendo, nem os benefícios morais que espalha. De muitos o Espiritismo recebe a indiferença e a crítica; das religiões organizadas, violentos ataques; e da ciência oficial o Espiritismo recebe a negação. Todos veem e todos ouvem, mas é como se não vissem nem ouvissem.

16 – Mas por vós, ditosos os vossos olhos pelo que veem e ditosos os vossos ouvidos pelo que ouvem.

Não há necessidade de sermos letrados para entendermos as leis divinas. Entretanto, o saber observá-las não depende de uma encarnação apenas. É preciso dar tempo ao tempo. E, para isso, nada melhor do que as reencarnações. Através das sucessivas reencarnações, nós nos aperfeiçoamos, adquirindo em cada uma delas novos esclarecimentos espirituais, por meio das lições que elas nos proporcionam.

Jesus qualifica de ditosos os que já sabem ver e ouvir as coisas espirituais, o que é sinal evidente de que já alcançaram grande progresso espiritual.

17 – Porque em verdade vos digo; que muitos profetas e justos desejaram ver o que vedes e não o viram; e ouvir o que ouvis, e não o ouviram.

Jesus alude a todos os missionários que o precederam e que se esforçaram por preparar o povo para a compreensão das coisas divinas. Jesus vinha inaugurar a era dessa compreensão, pela qual todos lutaram e na qual depuseram todas as suas esperanças.

18 – Ouvi pois, vós outros, a parábola do semeador.

Jamais nos tornemos indiferentes às coisas espirituais. A vida não consiste somente no momento presente, mas continua sempre, ininterruptamente. Somos espíritos eternos. Fomos criados por Deus, nosso Pai comum, e temos atrás de nós um passado imperscrutável e, em nossa frente, a eternidade. O que hoje somos representa o resultado de milhões de milênios de lenta marcha evolutiva. Há grande necessidade de sabermos o que nos aguarda no além-túmulo. Temos o sagrado dever de ouvirmos os pregadores evangélicos e de procurar a explicação das leis divinas. A ignorância das leis divinas pode conduzir-nos a enormes sofrimentos no mundo espiritual, por não termos sabido evitar erros de dolorosas consequências, os quais repercutirão desfavoravelmente em nossas futuras reencarnações.

19 – *Todo aquele que ouve a palavra do reino e não a entende, vem o mau e arrebata o que se semeou em seu coração; este é o que recebeu a semente junto da estrada.*

Explicando a parábola do semeador, Jesus retrata a categoria espiritual de cada um a quem é endereçada a palavra divina. Aqui vemos os indiferentes; achegam-se ao Evangelho, ouvem as lições e retiram-se; seus corações não sentem os ensinamentos e, por comodismo, acham mais fácil abandoná-los; são terrenos ainda não preparados para a semeadura.

20 – *Mas o que recebeu a semente no pedregulho, este é o que ouve a palavra, e logo a recebe com gosto;*
21 – *Porém ela não tem em si raiz, antes é de pouca duração e quando lhe sobrevém tribulação e perseguição por amor da palavra, logo se escandaliza.*

Aqui vemos os entusiastas e os discípulos de primeira hora, os quais depressa se cansam de seus trabalhos espirituais. Aceitam o Evangelho mas o abandonam tão logo tenham de fazer qualquer esforço para pô-lo em prática. O entusiasmo deles se esfria ao receberem a mais ligeira crítica contra a doutrina que abraçaram ou ao surgirem dificuldades para segui-la. Quando se defrontam com as provas e as expiações, perdem o amor pela doutrina, esquecidos de que têm dívidas de encarnações anteriores para resgatarem e erros para corrigirem. Contudo nada se perde no planeta: em futuras reencarnações continuarão o trabalho de compreensão da Verdade.

22 – *E o que recebeu a semente entre espinhos, este é o que ouve a palavra, porém os cuidados deste mundo e o engano das riquezas, sufocam a palavra e fica infrutuosa.*

Temos aqui aqueles que, ao ouvirem a palavra divina, comparam as coisas materiais com as espirituais e se decidem pelas materiais, por parecer-lhes um caminho mais fácil e mais cômodo; são almas de pequenino desenvolvimento espiritual, que se acomodam melhor nas facilidades que a matéria proporciona. Dos males é preferível sempre o menor; é mais conveniente que assim procedam do que tomarem um compromisso divino e depois desistirem dele, o que lhes acarretaria consequências desastrosas. É natural que assim aconteça, porque, se ao falharmos com nossos compromissos terrenos temos de arcar com as consequências, o mesmo sucederá se falharmos com o compromisso divino. Recomendamos por conseguinte, aos médiuns e a todos os trabalhadores espirituais, que, antes de se comprometerem e de assumirem responsabilidades espirituais, meçam muito bem suas forças e verifiquem, cuidadosamente, se estão aparelhados para a tarefa, a qual, uma vez iniciada, não poderá ser interrompida nem pelos cuidados do mundo, nem pelos encargos das coisas materiais.

23 – E o que recebeu a semente em boa terra, este é o que ouve a palavra e a entende e dá fruto e assim um dá a cento e outro a sessenta e outro a trinta por um.

Eis aí a personificação do adepto sincero; abraça os ensinamentos divinos, esforça-se por praticá-los e trabalha no campo espiritual sem medir sacrifícios.

E cada um produzirá de acordo com seu adiantamento espiritual; uns mais e outros menos. Esta comparação de Jesus dizendo que uns dão cem, outros sessenta e outros trinta por um significa que na seara do Senhor há trabalho para todos, desde o mais pequenino ao mais letrado, desde o mais pobrezinho ao mais bem situado no mundo. Não há escolha de classe social, nem de cor, nem de fortuna, nem de credos nem de intelectos; todos podem produzir segundo suas capacidades e posses. Evidentemente, os mais esclarecidos trabalhadores são os que aceitam a sobrevivência da alma e a reencarnação e repelem as religiões dogmáticas.

A Parábola do Trigo e da Cizânia

24 – Outra parábola lhes propôs, dizendo: O reino dos céus é semelhante a um homem que semeou boa semente no seu campo;

25 – E enquanto dormiam os homens, veio o seu inimigo e semeou depois cizânia no meio do trigo e foi-se.

26 – E tendo crescido a erva e dado fruto, apareceu também então a cizânia.

27 – E chegando os servos do pai de família, lhe disseram: Senhor, porventura não semeaste tu a boa semente no teu campo? Pois donde lhe veio a cizânia?

28 – E ele lhes disse: O homem inimigo é que fez isto. E os servos lhe tornaram: Queres tu que nós vamos e a arranquemos?

29 – E respondeu-lhes: Não, para que talvez não suceda que, arrancando a cizânia, arranqueis juntamente com ela também o trigo.

30 – Deixai crescer uma e outra coisa até à ceifa e no tempo dá ceifa direi aos segadores: Colhei primeiramente a cizânia e atai-a em molhos para a queimar, mas o trigo recolhei-o no meu celeiro.

Esta parábola nos explica porque na Terra o mal existe ao lado do bem. Depois de sua formação, a Terra se tornou apta a receber os espíritos, que aqui viriam desenvolver-se. Esses espíritos se encarnaram simples e ignorantes e deveriam iniciar seu longo aprendizado, que os transformaria em espíritos perfeitos. Como, porém, cada um possui o seu livre-arbítrio, uns se dedicaram ao bem e outros, ao mal. E a Terra passou a ser qual seara onde, ao lado da planta generosa e útil, crescesse também a planta venenosa. E hoje, contemplando o mal que campeia pela face da Terra, muitos corações bem formados se admiram que o Senhor não o elimine do globo. Entretanto esse dia chegará. Depois de o Evangelho ser pregado a todos os povos da Terra, de modo que ninguém possa alegar ignorância das leis divinas, o Senhor procederá à ceifa, isto é, os maus serão compelidos a desencarnarem e a se retirarem para mundos inferiores, mais de conformidade com o caráter de cada um; então a Terra será um imenso celeiro de almas regeneradas.

Particularizando esta parábola e aplicando-a aos adeptos do Espiritismo, notamos que muitas pessoas frequentadoras de Centros Espíritas apresentam pequenos defeitos que estão em desacordo com as lições que recebem. É como se fosse a cizânia que no mesmo coração crescesse ao lado do bom trigo. Todavia, nessas pessoas o bem que possuem já supera o mal que ainda não conseguiram extirpar de seu íntimo. Por isso os mentores espirituais as toleram condescendentemente, porque sabem que esses defeitos desaparecerão no momento oportuno. Ao passo que, se fossem agir energicamente contra essas pessoas, provavelmente elas sofreriam na parte boa que trazem consigo; correriam o risco de se afastarem e assim perderem a oportunidade de regeneração completa, a qual seria relegada para um futuro, por vezes remoto.

As Parábolas do Grão de Mostarda e do Fermento

31 – *Propôs-lhes mais outra parábola, dizendo: O reino dos céus é semelhante a um grão de mostarda, que um homem tomou e semeou no seu campo;*

32 – *O qual grão é na verdade a mais pequena de todas as sementes; mas depois de ter crescido é a maior de todas as hortaliças e se faz árvore, de sorte que as aves do céu vêm a fazer ninho nos seus ramos.*

Jesus prediz que seu Evangelho cobrirá a Terra toda. O Evangelho será o livro de todos os tempos, acolhendo em sua sombra generosa o viajor feliz, que o tomar como bússola em sua caminhada para a perfeição. É o livro que nos descerra as sublimes portas da espiritualidade, ampara-nos no pagamento de débitos antigos e nos dá esperanças quanto ao radioso futuro que nos aguarda.

Na verdade, o Evangelho foi uma pequenina semente que Jesus trouxe à Terra; plantou-a nos corações de seus discípulos, os quais a espalharam pelo mundo.

Hoje também o Espiritismo cuida da grande árvore, que dentro em breve abrigará sob seus ramos a humanidade regenerada e feliz.

33 – *Disse-lhes ainda outra parábola: O reino dos céus é semelhante ao fermento, que uma mulher toma e o esconde em três medidas de farinha, até que todo ele fique levedado.*

O fermento que uma mulher toma representa o labor evangélico, que se desenvolveria através dos tempos, por meio dos discípulos de boa vontade, até que a humanidade fique completamente evangelizada.

Assim como a massa se fermenta vagarosamente, assim também a humanidade não compreenderá nem assimilará os ensinamentos espirituais de uma só vez, mas aos poucos. Quanto mais a humanidade estudar o Evangelho, tanto mais gosto irá tendo por ele e tanto melhor o irá compreendendo e descobrindo como aplicá-lo em todos os departamentos das atividades terrenas.

O mesmo acontece a cada um de nós. A princípio lutamos com dificuldades para compreender e aceitar os preceitos divinos; mas, se persistirmos no estudo, nossa compreensão irá aumentando, até ficarmos aptos não só para bem entendê-los, como também para vivermos de conformidade com eles.

34 – *Todas estas coisas disse Jesus ao povo em parábolas; e não lhe falava sem parábolas;*
35 – *A fim de que se cumprisse o que estava anunciado pelo profeta, que diz: Abrirei em parábola a minha boca, farei dela sair coisas escondidas desde a criação do mundo.*

As revelações são progressivas. À medida que a humanidade avança na senda do progresso, vai recebendo os ensinamentos compatíveis com o grau de progresso alcançado.

A vinda de Jesus ao nosso planeta assinala a maioridade terrena. A humanidade ia ser iniciada nas coisas espirituais, tendo-se em vista sua elevação aos planos superiores do Universo.

As coisas escondidas desde a criação do mundo são os ensinamentos que Jesus nos trouxe e as revelações que nos fez sobre a sobrevivência da alma, a reencarnação dos espíritos, a fraternidade universal, a bondade divina e os poderes espirituais da alma, os quais podem ser movimentados pela fé e pela prece.

Jesus se servia de parábolas para ilustrar seus ensinamentos, facilitando assim a compreensão do povo, que ainda tinha dificuldades em compreender os ensinamentos espirituais abstratos. E são ditas de tal modo, que as parábolas se aplicarão a todos os tempos, mesmo quando a humanidade tiver atingido o mais alto quociente de espiritualidade e de intelectualidade; porque quanto mais as estudarmos, tanto mais belas explicações e aplicações encontraremos para elas.

Explicação da Parábola da Cizânia

36 – *Então, despedidas as gentes, veio à casa; e chegaram-se a ele os seus discípulos, dizendo: Explica-nos a parábola da cizânia do campo.*

Jesus instruía particularmente os seus discípulos, preparando-os para a elevada missão que teriam de desempenhar na difusão do Cristianismo. Não era por preferência que Jesus assim procedia; ensinava-os em particular porque eles estavam à altura de compreendê-lo. Os discípulos eram espíritos de grande adiantamento espiritual, que tinham vindo especialmente para colaborar com o Mestre.

37 – *Ele lhes respondeu dizendo: O que semeia a boa semente é o Filho do homem.*

38 – E o campo é o mundo; a boa semente porém são os filhos do reino; e a cizânia são os maus filhos.

39 – E o inimigo que a semeou é o diabo; e o tempo da ceifa é o fim do mundo; e os segadores são os anjos.

40 – De maneira que assim como é colhida a cizânia e queimada no fogo, assim acontecerá no fim do mundo.

41 – Enviará o filho do homem os seus anjos e tirarão do seu reino todos os escândalos e os que obram a iniquidade.

42 – E lançá-los-ão na fornalha de fogo. Ali será o choro e o ranger com os dentes.

43 – Então resplandecerão os justos como o sol, no reino de meu Pai. O que tem ouvidos de ouvir, ouça.

O Filho do homem é Jesus e a boa semente é o Evangelho. Os filhos do reino são todos aqueles que procuram viver de conformidade com os preceitos divinos. Os maus filhos são os que se comprazem no mal, nos vícios, na descrença e não se esforçam por melhorar seu estado espiritual. O diabo simboliza as tentações do mundo, que desviam os homens fracos do caminho da espiritualidade. O tempo da ceifa é a época em que se dará a reforma da Terra, depurando-a de todos os elementos nocivos e refratários ao bem, que entravam o progresso espiritual do globo.

Os espíritos rebeldes às leis divinas serão compelidos a deixarem a Terra, não lhes sendo mais permitido reencarnarem-se aqui. Os segadores serão os elevados espíritos colaboradores de Jesus, os quais presidirão à seleção.

Ao se verem transferidos para mundos inferiores à Terra, onde sacrifícios e pesados trabalhos os aguardam, os espíritos exilados se entregarão ao desespero e ao arrependimento simbolizados no choro e no ranger de dentes. Todavia, não serão eternos condenados, mas irmãos nossos que lutarão até se reabilitarem, em outros ambientes mais adequados a seus caracteres.

Com o desaparecimento da face da Terra de todas as causas do mal e de seus promotores, nosso planeta se tornará uma estância de trabalho, cheia de paz e de grandes realizações espirituais, e seus habitantes gozarão da felicidade.

Quem tem ouvidos de ouvir ouça é um convite que Jesus nos faz no sentido de aproveitarmos o mais possível nossa encarnação e os ensinamentos evangélicos. Não há na Terra quem não tenha o seu momento em que será chamado para principiar o seu trabalho de construir dentro de seu coração o reino dos céus. Nunca deveremos perder a oportunidade, rogando ao Senhor que nos conceda ouvidos de ouvi-la.

Parábolas do Tesouro Escondido, da Pérola, da Rede

44 – O reino dos céus é semelhante ao tesouro escondido no campo, que quando um homem o acha, o esconde e pelo gosto que sente de o achar, vai e vende tudo o que tem e compra aquele campo.

45 – *Assim mesmo é semelhante o reino dos céus a um homem negociante que busca boas pérolas.*
46 – *E tendo achado uma de grande preço, vai vender tudo o que tem e a compra.*

Jesus aqui nos adverte de que a verdadeira finalidade de nossa vida terrena é obtermos a riqueza espiritual. Tão logo chegarmos a compreender que a real felicidade não consiste na posse transitória das coisas do mundo, de bom grado passaremos a trabalhar ativamente para entrarmos na posse dos bens espirituais. E assim como o homem que vendeu tudo o que tinha para comprar o campo e o negociante de pérolas que trocou tudo por uma de alto preço, assim também nós, quando compreendermos o valor dos bens espirituais, tudo trocaremos por eles. Quaisquer sacrifícios serão pequenos para realizarmos o reino de Deus no íntimo de nossa alma.

47 – *Finalmente o reino dos céus é semelhante a uma rede lançada no mar, que toda a casta de peixes colhe.*
48 – *E depois de estar cheia, a tiram os homens para fora e, sentados na praia, escolhem os bons para os vasos e deitam fora os maus.*
49 – *Assim será no fim do mundo: sairão os anjos e separarão os maus dentre os justos.*
50 – *E lançá-los-ão na fornalha de fogo; ali será o choro e o ranger com os dentes.*

Os espíritos se desenvolvem de acordo com o livre-arbítrio que Deus lhes concede. De tempos a tempos, a diretoria espiritual do globo procede, por ordem do Altíssimo, a uma seleção rigorosa dos espíritos que habitam o ambiente terreno: os que usaram de seu livre-arbítrio para cultivarem o bem tornam-se dignos de passar a viver em planos mais adiantados do Universo, onde fruirão de felicidade imperturbável; os que usaram o seu livre-arbítrio para cometerem o mal são transferidos para planos inferiores, onde os aguardam rudes provas e expiações.

Não devemos tomar a expressão *fim do mundo* no sentido absoluto. Jamais haverá *fim do mundo*, porque o Universo é eterno como o Criador. Essa expressão designa apenas o fim de um ciclo evolutivo da humanidade terrena.

51 – *Tendes vós compreendido bem tudo isto? Responderam eles: Sim.*
52 – *Ele lhe disse: Por isso todo escriba instruído no reino dos céus é semelhante a um pai de família, que tira do seu tesouro coisas novas e velhas.*

À medida que formos assimilando e praticando as leis divinas, iremos abandonando as ideias velhas do passado e adotando as novas, as quais orientarão nosso progresso espiritual.

O trabalho que deveremos executar para perfazermos nosso progresso espiritual terá de ser realizado aqui na Terra por meio de nossa luta diária pela vida, dos obstáculos e das dificuldades que se nos apresentarem, pelo estudo, pela prática do bem e pela reforma íntima de nosso caráter. E para isso reencarnaremos tantas vezes quantas forem necessárias.

O Reino dos Céus

A expressão *reino dos céus*, muito usada por Jesus em suas lições, tem dois sentidos: o sentido *objetivo* e o sentido *subjetivo*. Quando usada objetivamente designa o mundo exterior, isto é, o Universo, do qual a Terra faz parte e onde habitamos. Reserva-se, então, a denominação *reino dos céus* para os lugares felizes do Universo, que são os mundos regenerados, os felizes e os divinos. As outras categorias de mundos, que são os primitivos, os de expiações e de provas, constituem os mundos ou lugares onde há prantos e ranger de dentes.

A separação dos bons e dos maus anunciada por Jesus é a transferência para planos superiores do Universo de espíritos que já alcançaram o grau de moralização suficiente para habitá-los. Enquanto os maus, isto é, os espíritos que persistem no erro e não querem regenerar-se, continuarão nos planos de provas e de expiações. Esta separação de uns e de outros se processa diariamente, porque todos os espíritos que já têm o direito de viver em mundos melhores se transferem para lá sem demora. Também acontece que, quando um mundo começa a oferecer as condições necessárias para servir de morada a espíritos em franco progresso espiritual, o Senhor faz uma seleção rigorosa, banindo dele para mundos inferiores os espíritos que não acompanham o progresso geral. É o que está acontecendo agora com a Terra; ela já oferece as condições necessárias, materiais e espirituais, requeridas por um mundo de regeneração; e por isso está passando pelas transformações próprias da mudança de categoria, isto é, de um mundo de prova e expiações para um mundo de regeneração. É natural que semelhante transição não se efetue suavemente e sem choques dolorosos. E não é de uma hora para outra que se transforma um mundo. Todavia, é fora de dúvidas que, ao despontar o terceiro milênio, tudo estará consumado e a Terra terá conquistado o grau de planeta de regeneração e constituirá uma morada de paz e luz e de felicidade, onde o Evangelho será lei.

Tomada no sentido *subjetivo*, a expressão *reino dos céus* designa a tranquilidade de consciência, a paz interior, a felicidade íntima, a suavidade no coração, a calma interna, a fé viva em Deus, tudo isso originado da perfeita compreensão das leis divinas e de completa submissão à vontade do Senhor.

Nas formosas e pequeninas parábolas acima, Jesus exemplifica o *reino dos céus* nos dois sentidos: no objetivo e no subjetivo.

Na parábola do joio o sentido é objetivo: Deus cria os espíritos e deixa que cada um construa o seu destino, até o dia em que separa os que se dedicaram ao bem dos que se dedicaram ao mal.

Na parábola do grão de mostarda, o sentido é também objetivo: Jesus simboliza no pequenino grão a religião pura, sem formalismo e sem preconceitos, mas com base no coração, a qual, crescendo, abrigará a humanidade. O Evangelho, qual pequenino grão plantado na Galileia, realizará o reino dos céus na face da Terra.

Na parábola do fermento o sentido é subjetivo: aos poucos, os preceitos evangélicos se instalarão no coração da humanidade.

Na parábola do tesouro escondido e da pérola, o sentido é subjetivo: para possuírem dentro de si o *reino dos céus*, os homens deverão sacrificar todas as más paixões e renunciar a todo o egoísmo.

Na parábola dos peixes, o sentido é objetivo: aqueles que já estão preparados para o reino dos céus vão para os planos superiores; os que não o estão continuam em planos inferiores.

Na parábola do escriba instruído, o sentido é subjetivo: diante das novas ideias espirituais que conquistam o mundo, o indivíduo esclarecido abandona as ideias velhas do passado e abraça a fé iluminada pela razão, a religião pura do bem e da fraternidade, do amor e do perdão e do auxílio mútuo, que se devem todos os irmãos, filhos do mesmo Pai.

53 – E depois que acabou de dizer estas parábolas, aconteceu partir Jesus dali.
54 – E vindo para a sua pátria, ele os ensinava nas suas sinagogas, de modo que se admiravam e diziam: Donde lhe vem a este uma sabedoria como esta e tais maravilhas?
55 – Por ventura não é este o filho do oficial? Não se chama sua mãe Maria? e seus irmãos Tiago e José e Simão e Judas?
56 – E suas irmãs não vivem elas todas entre nós? Donde vem logo a este todas estas coisas?
57 – E dele tomavam ocasião para se escandalizarem. Mas Jesus lhes disse: Não há profeta sem honra, senão na sua pátria e na sua casa.
58 – E não fez ali muitos milagres, por causa da incredulidade de seus naturais.

Custava aos conterrâneos de Jesus se convencerem dos fatos que presenciavam e darem crédito ao que Jesus ensinava. Viram – no crescer entre eles, passar sua infância e mocidade na oficina do pai, ajudando-o no labor diário, sabiam que ele não tinha outra instrução a não ser aquela que lhe tinham dado na aldeia. Donde pois lhe vinha a sapiência com que discorria, a segurança com que ensinava, a autoridade com que se dirigia aos seus ouvintes? Incapazes de compreenderem as energias espirituais que Jesus movimentava no desempenho do seu trabalho evangélico, recusavam-se a crer na palavra divina e persistiam na incredulidade.

A sabedoria de Jesus e o seu elevado poder espiritual eram o resultado do progresso alcançado através das encarnações anteriores, segundo as leis da evolução, iguais para todos os filhos de Deus. Como Deus cria incessantemente desde toda a eternidade, sempre houve espíritos que estão sendo criados, outros nos mais diversos graus de evolução e outros que já são perfeitos, tornando-se colaboradores de Deus na obra da Criação. Jesus é um destes últimos; sua perfeição perde-se na noite dos tempos e foi conseguida do mesmo modo como estamos conseguindo a nossa, porém em mundos que existiram antes da Terra. Ao formar-se a Terra, Jesus já era perfeito; por isso, desde os primórdios de nosso planeta, recebeu de Deus a incumbência suprema de o dirigir.

Capítulo 14

A Morte de João Batista

1 – *Naquele tempo Herodes tetrarca ouviu a fama de Jesus.*
2 – *E disse aos seus criados: Este é João Batista; ele ressuscitou de entre os mortos e por isso obram nele tantos milagres.*
3 – *Porque Herodes tinha feito prender a João e ligar com cadeias; e assim o meteu no cárcere, por causa de Herodias, mulher de seu irmão.*
4 – *Porque João lhe dizia: Não te é lícito tê-la por mulher.*
5 – *E querendo matá-lo temia o povo, porque o reputavam como um profeta.*
6 – *Mas no dia em que Herodes fazia anos, bailou a filha de Herodias diante de todos e agradou a Herodes.*
7 – *Por onde ele lhe prometeu com juramento que lhe daria tudo o que lhe pedisse.*
8 – *Mas ela, prevenida por sua mãe: Dá-me, disse, aqui em um prato a cabeça de João Batista.*
9 – *E o rei se entristeceu; mas pelo juramento e pelos que estavam com ele à mesa, lha mandou dar.*
10 – *E deu ordem que fossem degolar a João no cárcere.*
11 – *E foi trazida sua cabeça num prato e dada à moça e ela a levou à sua mãe.*
12 – *E chegando os seus discípulos, levaram o seu corpo e o sepultaram e foram dar a notícia a Jesus.*

João Batista é o símbolo do cristão que se sacrifica pela Verdade. Todavia João Batista não sofreu unicamente pela Verdade que pregava. Em virtude da lei de causa e efeito, sabemos que não há efeito sem causa. Por conseguinte, para que João Batista sofresse a pena de decapitação é porque ainda tinha dívidas de encarnações anteriores a pagar. Apesar do alto grau de espiritualidade que tinha alcançado, João teve de passar pela mesma pena que infligira aos outros. De fato, se João Batista era a reencarnação de Elias, poderemos ver nessa decapitação o saldo da dívida que tinha contraído quando, como Elias, mandou decapitar os sacerdotes de Baal. É a Justiça Divina que se cumpre, nada deixando sem pagamento. Deus, porém, sempre une a Justiça à Misericórdia e assim permitiu que João resgatasse o passado, trabalhando também pelo seu futuro espiritual, com o desempenho de sua tarefa de abrir caminho a Jesus. Também a nós é dada essa oportunidade: espíritos devedores que somos, se bem soubermos aproveitar nossa encarnação, iremos liquidando o passado culposo e construindo um futuro feliz.

A Primeira Multiplicação dos Pães

13 – E quando Jesus o ouviu, se retirou dali em uma barca, a um lugar solitário apartado; e tendo ouvido isto, as gentes foram saindo das cidades a pé, em seu seguimento.

14 – E ao saltar em terra, viu Jesus uma grande multidão de gente e teve deles compaixão e curou os seus enfermos.

15 – E vindo a tarde, se chegaram a ele os seus discípulos, dizendo: Deserto é este lugar e a hora é já passada; deixa ir essa gente, para que passando às aldeias compre de comer.

16 – E Jesus lhes disse: Não têm necessidade de se ir; dai-lhes vós outros de comer.

17 – Responderam-lhe: Não temos aqui senão cinco pães e dois peixes.

18 – Jesus lhes disse: Trazei-mos cá.

19 – E tendo mandado à gente que se recostasse sobre o feno, tomando os cinco pães e os dois peixes, com os olhos no céu abençoou e partiu os pães e os deu aos discípulos e os discípulos ao povo.

Nesta pequena narração, temos de distinguir dois aspectos: o material e o espiritual. Materialmente falando, o fato pertence ao gênero dos fenômenos de efeitos físicos. E nas sessões espíritas de efeitos físicos, já se tem observado a formação de objetos pelos espíritos com o auxílio dos médiuns. Jesus, médium de Deus, ajudado pela mediunidade de seus doze discípulos e assistido pelos espíritos que o secundavam nos trabalhos evangélicos, faz com que se materialize em suas mãos os bocados de pão para o povo.

Interpretado o fato pelo lado espiritual, Jesus ordena a seus discípulos que satisfaçam o ardente desejo do povo em se instruir nas coisas divinas. Realmente, era em busca da palavra de Jesus e pelo conforto espiritual pelo qual ansiava que o povo o seguia. E os discípulos, possuidores de um maior conhecimento espiritual, estavam em condições de saciarem a fome de saber espiritual da multidão.

Mandando que os discípulos dessem de comer ao povo, é como se Jesus lhes dissesse: Ensinai a todos o que sabeis e vereis que ficarão fartos.

Espiritualmente falando, o Espiritismo repete hoje o milagre da multiplicação dos pães. Por toda a parte, humildes Centros Espíritas congregam as multidões, e os espíritos do Senhor, distribuindo o pão da palavra divina, saciam a fome espiritual de quantos os procuram.

20 – E comeram todos e se saciaram. E levantaram, do que sobejou, doze cestos cheios daqueles fragmentos.

21 – E o número dos que comeram foi de cinco mil homens, sem falar em mulheres e meninos.

O Evangelho é o celeiro de Jesus. Neste celeiro há pão para todos os famintos, porque o Mestre não deixa que se perca a mínima parcela de seus ensinamentos. Assim Jesus sacia os que o procuram de boa vontade e sempre sobra para os retardatários, que acorrem a ele, premidos pela dor e pela necessidade de luzes e de conforto espiritual.

Jesus Anda sobre o Mar

22 – E obrigou logo Jesus a seus discípulos a que se embarcassem e que passassem primeiro que ele à outra ribeira do lago, enquanto ele despedia a gente.

23 – E logo que a despediu, subiu só a um monte a orar. E quando veio a noite, achava-se ali só.

É significativo o fato de Jesus não procurar os templos, nem os lugares consagrados para orar. Quis, assim, ensinar-nos que as orações a Deus podem ser feitas em qualquer parte, porque a presença de Deus abrange o Universo e, de onde estivermos, ele nos ouvirá e nos dará segundo nosso merecimento, isto é, segundo nossas obras.

De duas maneiras podemos orar: em conjunto e isolados. Reunindo-se várias pessoas para orarem em conjunto, a prece adquire extraordinário valor, por formar-se uma forte corrente ritual; serão assim beneficiados os sofredores encarnados e os desencarnados. Quando oramos isolados, em lugar solitário, longe das multidões e do bulício, onde o silêncio favoreça nossa meditação e concentração, retemperamos nossas forças fluídico-espirituais; assim ficamos encorajados e fortificados para os trabalhos terrenos. Devemos também aproveitar esses momentos de solidão para agradecermos ao Pai as infinitas graças que recebemos continuamente. Pobres e ricos, sábios e ignorantes, sãos e doentes, sempre teremos o que agradecer à misericórdia divina, da qual nos provém tudo.

24 – E a barca no meio do mar era combatida das ondas porque o vento em contrário.

25 – Porém, na quarta vigília da noite, veio Jesus ter com eles, andando sobre o mar.

26 – E quando o viram andar sobre o mar, se turbaram, dizendo: É pois um fantasma. E de medo começaram a gritar.

27 – Mas Jesus lhes falou imediatamente, dizendo: Tende confiança, sou eu, não temais.

28 – E respondendo, Pedro lhe disse: Senhor, se tu és, manda-me que vá até onde tu estás, por cima das águas.

29 – E ele lhe disse: Vem. E descendo Pedro da barca, ia caminhando sobre a água para chegar a Jesus.

Assistimos aqui a um fenômeno de levitação, o qual pertence à categoria dos fenômenos de efeitos físicos. Nas sessões de efeitos físicos já se viram médiuns serem sustentados no ar e desse modo serem transportados como se propriamente andassem no ar. Jesus nos dá um exemplo desse fenômeno sendo levitado sobre a água. E ao permitir que Pedro lhe fosse ao encontro, Jesus faz com que Pedro também fosse levitado.

30 – Vendo porém que o vento era rijo, temeu – e quando se ia submergindo gritou, dizendo: Senhor, põe-me a salvo.

31 – E no mesmo ponto Jesus, estendendo a mão, o tomou por ela e lhe disse: Homem de pouca fé, porque duvidaste?

32 – E depois que subiram à barca, cessou o vento.

33 – Então vieram os que estavam na barca e o adoraram, dizendo: Verdadeiramente tu és Filho de Deus.

Toda dúvida traz fracasso. Foi o que aconteceu com Pedro ao temer; faltando-lhe a fé, faltou-lhe o amparo. Ao longo da vida, jamais devemos duvidar do auxílio divino. Todas as vezes em que a dúvida se instalar em nosso íntimo, abrimos as portas para a derrota. É mister que fortaleçamos a fé, nunca duvidando do auxílio divino, que no momento oportuno chegará infalivelmente, às vezes por meios inesperados.

Simbolicamente podemos ver na barca batida pelas ondas nós mesmos, quando somos visitados pelo sofrimento. A fé nos salva nos momentos dolorosos, como à mão de Jesus salvou Pedro. Quando as ondas do desespero e da dúvida ameaçarem tragar--nos; devemos apoiar-nos inteiramente e com a máxima confiança em Deus, pois a fé é qual luz que ilumina nosso roteiro, fazendo com que evitemos esses dois terríveis abismos que são a dúvida e o desespero.

34 – *E tendo passado à outra banda, vieram para a terra de Genezar.*
35 – *E depois de o terem reconhecido os naturais daquele lugar, mandaram por todo aquele país circunvizinho e lhe apresentaram todos quantos padeciam algum mal.*
36 – *E lhe rogavam que os deixasse tocar sequer a orla de seu vestido. E todos os que o tocaram ficaram sãos.*

Curando os enfermos, Jesus predispunha o povo a ouvi-lo e a comentar-lhe os ensinamentos, atraindo-o amorosamente a si.

As curas de Jesus efetuavam-se pela fé. Essas curas se operavam da seguinte maneira: Jesus, cuja confiança em Deus era ilimitada, irradiava fluidos curativos; bastava que o enfermo possuísse um pouco de fé, para movimentar a seu favor os fluidos curativos, que se emanavam de Jesus.

A fé constitui uma força de atração e de projeção. Pela sua fé em Deus, Jesus projetava seus eflúvios curativos sobre o doente e pela sua fé o doente tornava seu corpo receptivo a esses fluidos. As duas vontades, a de Jesus e a do doente, firmados na fé em Deus, produziam a ambicionada cura.

Modernamente, o Espiritismo, ensinando como se formam correntes magnéticas curativas por meio dos médiuns e fazendo brotar um pouco de fé nos corações sofredores, consegue realizar algumas curas espirituais.

Capítulo 15

A Tradição dos Antigos

1 – Então chegaram a ele alguns escribas e fariseus de Jerusalém, dizendo:
2 – Porque violam os teus discípulos a tradição dos antigos? pois não lavam as mãos quando comem pão.
3 – E ele, respondendo-lhes disse: E vós também porque transgredis o mandamento de Deus pela vossa tradição? Porque Deus disse:
4 – Honra a teu pai e à tua mãe e o que amaldiçoar a seu pai ou à sua mãe, morra de morte.
5 – Porém vós outros dizeis: Qualquer que disser a seu pai ou à sua mãe: Toda a oferta que eu faço a Deus te aproveitará a ti.
6 – Pois é certo que o tal não honrará a seu pai ou à sua mãe; assim é que vós tendes feito vão o mandamento de Deus pela nossa tradição.
7 – Hipócritas, bem profetizou de vós outros Isaías, quando diz:
8 – Este povo me honra com os lábios, mas o seu coração está longe de mim.
9 – Em vão pois me honram, ensinando doutrinas e mandamentos que vêm dos homens.

É muito mais fácil observarem-se preceitos materiais do que preceitos morais. Os preceitos materiais se apoiam em formalidades exteriores, ritos vãos, ostentação, orgulho e hipocrisia. Ao passo que a observância dos preceitos morais parte do íntimo do indivíduo; sem íntimo regenerado, sem reforma interior não é possível praticá-los.

A observância dos preceitos morais satisfaz a consciência, e a observância dos preceitos materiais satisfaz a vaidade, as conveniências mundanas e o comodismo.

Os preceitos materiais constituem doutrinas e mandamentos que vêm dos homens; são moldados segundo as conveniências da matéria e na prática deles jamais o coração toma parte.

Quanto a honrar Jesus com os lábios, mas não o ter no coração, é justamente alguém querer esquivar-se à reforma íntima, dando, contudo, hipócritas demonstrações de seguir os ensinamentos dele. Isso acontece, ordinariamente, com os oradores que pregam em todos os lugares a doutrina de Jesus, porém não vivem de conformidade com o que ensinam aos outros; a semelhante proceder dá-se o nome de hipocrisia. E Jesus, que amava os humildes, os fracos, os pecadores e os ignorantes, insurgia-se contra os hipócritas e não os tolerava. E lhes condena as práticas religiosas materiais, com as quais julgavam ocultar dos olhos de Deus os vícios e os crimes, que não queriam extirpar de seus corações.

10 – E chamando a si as turbas lhes disse: Ouvi e entendei.

11 – *Não é o que entra pela boca o que faz imundo o homem, mas o que sai da boca, isso é o que faz imundo o homem.*

O uso da palavra é um dom divino, que devemos aproveitar para o bem. As palavras más que ferem nosso próximo, a maledicência promotora da desarmonia, da desconfiança, da suspeita e da calúnia que mancham as reputações alheias; toda a palavra que pode trazer perturbações a nosso próximo e até causar-lhe ruínas, isso é o que torna o homem imundo.

É um péssimo hábito querer alguém dirigir a vida dos outros ou se imiscuir nela pela palavra. Há certas ocasiões em que é preciso saber calar, para que se evitem males maiores. O silêncio é uma joia de inestimável valor, mas que raros encarnados sabem apreciar. A maioria gasta o tempo em conversas fúteis e mesmo de baixa qualidade, que não beneficiam nem a si nem ao próximo. É preciso que nós nos recordemos que constantemente irradiamos fluidos, os quais são criados e dirigidos pelo nosso pensamento. Pensamentos puros criam fluidos puros e conversas puras dão mais força a esses fluidos, que podem ir beneficiar grandemente todos aqueles a quem são dirigidos; e se a conversa for elevada beneficiará e fortalecerá a todos. Pensamentos impuros criam fluidos impuros que prejudicam quem os emite, e as palavras daí oriundas podem ir prejudicar os outros e voltarem a ferir quem as pronuncia, em virtude do choque de retorno, que faz com que o bem e o mal voltem a seus promotores.

12 – *Então, chegando-se a ele seus discípulos, lhe disseram: Sabes que os fariseus, depois que ouviram o que disseste, ficaram escandalizados?*

Os fariseus ficaram escandalizados por dois motivos: os ensinamentos que Jesus trazia eram novos e poucos estavam à altura de compreendê-los. Depois notaram que os ensinamentos de Jesus estavam em completo desacordo com o gênero de vida que eles, os fariseus, levavam, não só na parte material, como também na parte religiosa; porque por meio da religião que aparentavam servir, na realidade serviam a seus próprios interesses. Para seguirem os ensinamentos de Jesus, teriam de reformar radicalmente seus corações, seus costumes e suas instituições, o que os deixou abalados.

Na verdade, não se corrigem sem lutas os hábitos errôneos arraigados na alma desde inúmeras gerações; era preciso que os fariseus fizessem grande esforço para isso; Jesus convidava-os, mas eles o repeliam.

13 – *Mas ele, respondendo, lhes disse: Toda a planta que meu Pai celestial não plantou, será arrancada pela raiz.*

14 – *Deixai-os; cegos são e condutores de cegos; e se um cego guia a outro cego, ambos vêm a cair no barranco.*

As árvores que o Pai celestial não plantou são as religiões organizadas pelos homens com fins meramente lucrativos. São organizações mundiais que desfrutam do poder e do conforto materiais, desde o primeiro dia em que se tornaram religiões oficiais, isto é, protegidas dos governos. Onde quer que formos, sempre as encontraremos de braços dados com os poderosos e a amealharem o ouro da Terra. Jamais cuidaram de cultivar a espiritualidade dos povos; ao contrário, seus principais esforços tenderam sempre a conservar os povos na ignorância para auferirem maior proveito. Seus sacerdotes, cegos pelo brilho das coisas terrenas e afastados das leis divinas, dão péssimos exemplos ao povo; e mandam que seus adeptos observem fórmulas, rituais e práticas vãs, fazendo com que se percam na materialidade as almas que deveriam encaminhar para Deus.

À medida que a humanidade se for esclarecendo espiritualmente, irão desaparecendo tais religiões, até chegar a época em que estarão completamente extirpadas da face da Terra.

E também plantas que o Pai não plantou são os vícios, as paixões inferiores e o mal em suas variadas manifestações. O progresso espiritual dos homens fará com que estas plantas sejam arrancadas do coração de cada um dos filhos de Deus.

15 – E respondendo, Pedro lhe disse: Explica-nos essa parábola.
16 – E respondendo Jesus: Também vós outros estais sem inteligência?
17 – Não compreendeis que tudo o que entra pela boca desce ao ventre, e se lança depois num lugar excuso?
18 – Mas as coisas que saem da boca vêm do coração, e estas são as que fazem o homem imundo:
19 – Porque do coração é que saem os maus pensamentos, os homicídios, os adultérios, as fornicações, os furtos, os falsos testemunhos, as blasfêmias;
20 – Estas coisas são as que fazem imundo o homem. O comer porém com as mãos por lavar, isso não faz imundo o homem.

Jesus insiste na reforma íntima de cada um, deixando bem patente que de nada valem as cerimônias exteriores. É no íntimo do indivíduo que se gera o mal, o qual depois se concretiza em atos. Por conseguinte, sem reforma interior, jamais conseguiremos purificar nossos corações. E, sem coração purificado, jamais sairão da boca coisas que honrem e elevem a alma.

A Mulher Cananeia

21 – E tendo saído daquele lugar, retirou-se Jesus para as partes de Tiro e de Sidônia.
22 – E eis que uma mulher cananeia, que tinha saído daqueles confins, gritou, dizendo-lhe: Filho de David, tem compaixão de mim, que está minha filha miseravelmente atormentada do demônio.
23 – Mas ele não respondeu palavra. E chegando-se seus discípulos lhe pediam, dizendo: Despede-a porque vem gritando atrás de nós.
24 – E ele respondendo lhes disse: Eu não fui enviado senão às ovelhas que pereceram da casa de Israel.
25 – Mas ela veio e o adorou, dizendo: Senhor, valei-me.

26 – E, respondendo, lhe disse: Não é bom tomar o pão dos filhos e lançá-lo aos cães.
27 – E ela replicou: Assim é, Senhor, mas também os cachorrinhos comem das migalhas que caem da mesa de seus donos.
28 – Então respondendo Jesus, lhe disse: Ó mulher, grande é a tua fé; faça-se contigo como queres. E desde aquela hora ficou sã a sua filha.

A mulher cananeia simboliza todas as nações da Terra que um dia acorrerão a abraçar o Evangelho. Jesus pregou o Evangelho aos Israelitas e assim mesmo a uma diminuta parte deles. Ele veio plantar a semente do Evangelho; outros se encarregariam de cuidar dela, até que se tornasse uma árvore generosa, a cuja sombra descansaria a humanidade. Por isso é que ele diz que foi enviado somente às ovelhas perdidas da casa de Israel.

À primeira vista, parece que Jesus não tinha se apiedado da mulher cananeia, cuja filha estava obsidiada. Tal não era, porém, o pensamento do Mestre, cujo coração pulsava em uníssono com os corações dos sofredores que o chamavam. Com sua palavra, que parece envolver uma recusa, quis Jesus provar se aquela mulher tinha fé suficiente para merecer a graça que pedia. Pela sua resposta, a mulher demonstrou a grande fé que possuía. Jesus, então, sentiu-se à vontade para curar-lhe a filha, isto é, para afastar o espírito obsessor que a atormentava. É digno de notar-se, mais uma vez, que Jesus procura pacientemente despertar a fé nos corações dos que recorriam a ele; porque a fé é uma prova de regeneração e de obediência às leis divinas.

Em nossos dias, há muitos que se dirigem ao Espiritismo para se curarem. Contudo, cada um receberá segundo seu merecimento, em virtude das provas e das expiações pelas quais terá de passar, oriundas de existências anteriores. Entretanto, os que não se curarem, mas que procurarem as fontes espirituais cheios de fé, pelo menos conseguirão minorar seus padecimentos, pela graneie fortaleza moral que adquirirão.

A Segunda Multiplicação dos Pães

29 – E tendo Jesus saído dali, veio ao longo do mar de Galileia e, subindo a um monte, se assentou ali.
30 – Então concorreu a ele uma grande multidão de povo, que trazia consigo mudos, coxos, mancos e outros muitos; e lançaram-os a seus pés e ele os sarou.
31 – De sorte que se admiravam as gentes, vendo falar os mudos, andar os coxos, ver os cegos; e engrandeciam por isso ao Deus de Israel.
32 – Mas Jesus chamando a seus discípulos, disse: Tenho compaixão destas gentes, porque há já três dias que perseveram comigo, e não têm o que comer; e não quero despedi-los em jejum para que não desfaleçam no caminho.
33 – E os discípulos lhe disseram: Como poderemos nós pois achar neste deserto tantos pães que fartem tão grande multidão de gente?
34 – E Jesus lhes perguntou: Quantos pães tendes vós? E eles responderam: Sete e uns poucos de peixinhos.

35 – Mandou ele então à gente que se recostasse sobre a terra.
36 – E tomando os sete pães e os peixes, e dando graças, os partiu e deu aos seus discípulos e os discípulos os deram ao povo.
37 – E comeram todos e se fartaram. E dos fragmentos que sobejaram, levantaram sete alcofas cheias.
38 – E os que comeram foram quatro mil homens, fora meninos e mulheres.
39 – E despedida a gente, entrou Jesus em uma barca, e passou os limites de Magedan.

Jesus é o despenseiro divino. Compadeceu-se da humanidade que marchava na aridez da matéria e franqueou-lhe a despensa celeste, onde há pão espiritual para todas as almas famintas, luz para clarear todas as trevas, consolo para todas as aflições, esperanças para todos os desalentados. Jesus multiplica incessantemente sua palavra, de modo que nunca deixará de fartar as multidões que acorrem a ele, e sempre sobrará para os que vierem depois.

Como já foi explicado, o fenômeno da multiplicação dos pães pertence à categoria dos fenômenos de efeitos físicos. Jesus, que manejava com facilidade as leis fluídicas que regem nosso globo, fazia com que se materializassem em suas mãos os bocados de pão que, em seguida, eram dados ao povo. Nada há de anormal nesse fenômeno, que já tem sido reproduzido em sessões espíritas de efeitos físicos, guardando-se as devidas proporções, onde os espíritos, servindo-se de médiuns de efeitos físicos já têm materializado não só bocados de pão, como outros objetos.

Capítulo 16

O Fermento dos Fariseus

1 – Então se chegaram a Jesus os fariseus e os saduceus para o tentarem, e pediram-lhe que lhes fizesse ver algum prodígio do céu.

2 – Mas ele, respondendo, lhes disse: Vós, quando vai chegando a noite, dizeis: Haverá tempo sereno, porque está o céu rubicundo.

3 – E quando é de manhã: Hoje haverá tormenta, porque o céu mostra um avermelhado triste.

4 – Sabeis logo conhecer que coisa prognostica o aspecto do céu, e não podeis conhecer os sinais dos tempos? Esta geração perversa e adúltera pede um prodígio; e não se lhe dará outro prodígio, senão o prodígio do profeta Jonas. E deixando-os ali, se retirou.

5 – Ora seus discípulos, tendo passado à banda de além do estreito, esqueceu-lhes trazer pão.

6 – Jesus lhes disse: Vede e guardai-vos do fermento dos fariseus e dos saduceus.

7 – Mas eles discorriam lá entre si, dizendo: É que não trouxemos pão.

8 – E entendendo-o, Jesus lhes disse: Homens de pouca fé, porque estais considerando lá convosco que não tendes pão?

9 – Ainda não compreendeis, nem vos lembrais dos cinco pães para cinco mil homens, e quantos foram os cestos que tomastes?

10 – Nem dos sete pães para quatro mil homens, e quantas alcofas recolhestes?

11 – Porque não compreendeis que não é pelo pão que eu vos disse: Guardai-vos do fermento dos fariseus e dos saduceus.

12 – Então entenderam que não havia dito que se guardassem do fermento dos pães, senão da doutrina dos fariseus e dos saduceus.

Os que não querem compreender, seja por orgulho, por conveniência ou por comodismo, pedem sempre um sinal, qualquer coisa de material, que lhes fira os sentidos. Jesus nunca se iludiu e jamais perdeu tempo com eles. Esses indivíduos, uma vez conseguido o que desejam, apressam-se a arranjar inúmeras explicações absurdas para, apesar da evidência, conservarem e defenderem seus primitivos pontos de vista. Jesus, profundo conhecedor da alma humana, recusou-se a atendê-los, certo de que de nada adiantaria um ato material para convencê-los.

O mesmo acontece hoje com o Espiritismo. Quantos não se achegaram à fonte pura do Espiritismo exigindo provas materiais, esquecidos de abrirem seus corações à humildade, ao amor ao próximo, à obediência a Deus, ao respeito às leis divinas, à resignação e à paciência?

Quanto aos sinais dos tempos, com muito mais intensidade se fazem notar hoje: o Evangelho pregado a todas as nações; o Espiritismo intensificando o intercâmbio entre o mundo espiritual e o plano terrestre e fornecendo testemunhos convincentes; a ruína total das instituições humanas, cujas bases se assentavam no sombrio materialismo; tudo isso são sinais e prodígios a atestarem que não tardará a ser implantado na Terra um novo regime de conformidade com as leis divinas.

O fermento dos fariseus e dos saduceus procura por todos os meios e em todas as épocas envenenar o coração da humanidade. Os fariseus simbolizam o convencionalismo religioso; e os saduceus, o materialismo negativo. Esse fermento, no tempo de Jesus, era a religião tradicionalista, apegada às fórmulas vãs de um culto essencialmente material que desviava os homens do verdadeiro amor a Deus e ao próximo; era o paganismo com a adoração dos deuses falsos e de estátuas de barro; era o orgulho romano a entronizar a força e o direito do mais forte.

Hoje, como outrora, é imprescindível que o discípulo fiel se preserve do fermento corruptor que tenta levedar a massa humana. Pouco mudou em sua essência esse péssimo fermento. As religiões organizadas da Terra continuam esquecidas de guiarem a humanidade para Deus, perdidas que estão no culto das riquezas do mundo. A filosofia materialista, a ciência negadora das coisas espirituais, a falsa literatura que envenena as almas, tudo são fatores que corrompem os espíritos e agem como fermento destruidor. Da doutrina errônea dos fariseus e dos saduceus, que continua viva em nossos tempos sob diversas formas, o Espiritismo nos ensina a guardar-nos.

A Confissão de Pedro

13 – E veio Jesus para as partes de Cesareia de Felipe, e fez a seus discípulos esta pergunta, dizendo: Quem dizem os homens que é o Filho do homem?

14 – E eles responderam: Uns dizem que João Batista, mas outros que Elias e outros que Jeremias, ou algum dos profetas.

15 – Disse-lhes Jesus: E vós quem dizeis que eu sou?

16 – Respondendo Simão Pedro disse: Tu és o Cristo, Filho de Deus vivo.

17 – E respondendo, Jesus lhe disse: Bem-aventurado és, Simão, filho de Jonas, porque não foi a carne e o sangue quem te revelou mas sim meu Pai que está nos céus.

Jesus se tinha tornado o alvo das mais contraditórias afirmações. Sua palavra cheia de mansidão e portadora de profundos ensinamentos, as curas que realizava, a pureza de seus atos, tudo servia para acender discussões. Desejando desfazer as dúvidas que seus discípulos, por ventura, ainda alimentavam a seu respeito, faz-lhes a pergunta para, em seguida, esclarecê-los. Apoiados na lei da reencarnação, os discípulos respondem que diziam que talvez Jesus fosse a reencarnação do espírito de um dos grandes profetas do passado. Pedro, porém, inspirado pelo plano superior confirma que Jesus era o Cristo, isto é, o Enviado de Deus, que a humanidade esperava.

18 – Também eu te digo que tu és Pedro, e sobre esta pedra edificarei a minha igreja, e as portas do inferno não prevalecerão contra ela.

Pedro, depois de Jesus desencarnar, seria o ponto de partida para as futuras pregações evangélicas. E assim, depois da crucifixão, vamos encontrar Pedro em Jerusalém, como centro irradiador de forças espirituais e de ensinamentos para o Cristianismo nascente. E mais tarde, ao lado de Paulo em Roma, Pedro articula os trabalhos evangélicos que se desenvolviam na grande cidade, trabalhando fielmente até cair vítima da perseguição. Atendendo à sua fé franca e sincera e ao seu espírito ponderado e humilde com muita coragem de lutar, Jesus confia a Pedro a orientação dos primeiros passos do Cristianismo e a direção dos primeiros trabalhos da disseminação do Evangelho.

19 – E eu te darei as chaves do reino dos céus. E tudo o que ligares sobre a Terra será ligado também nos Céus; e tudo o que desatares sobre a terra será desatado também nos céus.

Jesus aqui nos ensina que há íntima relação entre as ações que praticamos no plano material com o espiritual. Todo o bem e todo o mal que praticarmos repercutirá no plano espiritual para onde iremos, quando desencarnarmos. Só não se liga ao plano espiritual a parte mecânica de nossa vida; porém, tudo o que envolve responsabilidade moral ou material de caráter elevado, lá se liga e encontra repercussão. Assim, cada um de nós encontrará no plano espiritual o resultado de nossas ações na Terra; cada um de nós será responsabilizado pela família que Deus nos confiou, pelo bom ou mau uso de nossa inteligência, pelo bom ou mau emprego do tempo, pelo bom ou mau uso do corpo e pelo bom ou mau destino que dermos aos bens terrenos. Só não se ligam ao plano espiritual as pequeninas futilidades sociais tais como: visitas, passeios, negócios, diversões, etc., que não envolvam responsabilidade moral. Por isso é muito importante que vigiemos cuidadosamente nossos atos a fim de que fiquemos ligados ao plano espiritual somente pelo bem. E envidemos todos os nossos esforços para desatarmos os laços de ódio, da materialidade, dos vícios e do mal, cuja repercussão no plano espiritual será de péssimas consequências para nós.

20 – Então mandou a seus discípulos que a ninguém dissessem que ele era o Cristo.

Ao recomendar Jesus a seus discípulos que não dissessem a ninguém que ele era o Cristo, é como se lhes dissesse: Minha pessoa não importa. O que importa é que ensinem a todos como observarem os preceitos divinos que lhes estou transmitindo. Não são as religiões nem os seus pregadores que salvam, mas sim as boas obras que cada um praticar.

Os médiuns e os Centros Espíritas, portanto, por cujo intermédio Deus distribui suas dádivas espirituais a seus filhos necessitados, assim também deverão responder: — Não somos nós que o fazemos, mas o Pai que está nos céus. Não apregoem nossas pessoas, nem nosso modesto Centro Espírita, mas sim louvem e agradeçam unicamente a Deus e procurem viver conforme os preceitos divinos do Evangelho.

21 – Desde então começou Jesus a declarar a seus discípulos que convinha ir ele a Jerusalém, e padecer muitas coisas dos anciãos e dos escribas e dos príncipes dos sacerdotes e ser morto e ressuscitar ao terceiro dia.

Mansamente Jesus começa a preparar os seus discípulos para os graves momentos que se aproximavam. Jesus sabia o que ia acontecer pela clarividência que possuía em alto grau. Embora sem a clareza com que Jesus percebia os acontecimentos futuros, há indivíduos que conseguem predizer com exatidão fatos que se desenrolarão mais tarde, consigo próprios ou com outras pessoas. São os chamados médiuns clarividentes, e essa faculdade mediúnica é muito rara.

22 – *E tomando-o Pedro de parte, começou a increpá-lo, dizendo: Deus tal não permita, Senhor; não sucederá isto contigo.*

23 – *Ele, voltando-se para Pedro, lhe disse: Tira-te de diante de mim, Satanás, que me serves de escândalo; porque não tens gosto das coisas que são de Deus, mas das que são dos homens.*

Diante das provas pelas quais teremos de passar, algumas bem rudes, nunca falta quem nos queira desviar delas. É preciso bom ânimo para repelir os conselhos que nos fariam fracassar espiritualmente e muita vigilância para não darmos ouvidos a tentações, que podem vir por meio de pessoas que nos são queridas.

Pedro, pelo seu muito amor a Jesus, quer que ele evite as provas que o aguardavam. Jesus não cede e, de ânimo forte, repele as insinuações de Pedro.

Os Discípulos de Jesus Devem Levar as suas Cruzes

24 – *Então disse Jesus a seus discípulos: Se alguém quer vir após de mim, negue-se a si, e tome a sua cruz e siga-me.*

Chegamos ao ponto em que Jesus nos recomenda a renúncia. Renunciar às comodidades terrenas para conseguirmos os bens espirituais é uma grande virtude, a qual servirá de base para o verdadeiro progresso de nosso espírito. Todavia, a mais proveitosa renúncia é aquela que fazemos em favor de nosso próximo. Quem sabe renunciar, negando-se a si mesmo para seguir a Jesus, é bondoso, tem muito interesse em bem cumprir seus deveres, dedica-se à Verdade e ao bem. Jamais se preocupa com sua felicidade pessoal, mas trabalha com ardor pela felicidade de todos; procura ocultar os seus dotes, pondo em relevo o que há de bom em quantos o rodeiam, a fim de vê-los animados, otimistas, felizes. E, finalmente, renunciar às coisas do mundo para seguir a Jesus é sufocar dentro de si próprio o sentimento do egoísmo, do orgulho, da concupiscência, da ambição e do ódio. É curvarmo-nos humildemente perante a soberana vontade de Deus, suportando com resignação os trabalhos e os sofrimentos de cada dia.

Esta advertência de Jesus é útil para os trabalhadores espirituais e para os médiuns. Os médiuns que bem querem empregar sua mediunidade e os trabalhadores do Evangelho que desejam, realmente, desempenhar a contento sua tarefa terão inúmeras vezes de renunciarem a suas aspirações materiais, diante de seus compromissos espirituais.

25 – *Porque o que quer salvar a sua alma, perde-la-á; e o que perder a sua alma por amor de mim, acha-la-á.*

26 – *Por que, de que aproveita ao homem ganhar todo o mundo, se vier a perder a sua alma? Ou que comutação fará o homem para recobrar a sua alma?*

Jesus simboliza na expressão salvar a alma aqui na Terra a procura ansiosa dos gozos que a matéria oferece e que desviam por completo o homem da espiritualidade. No afã de acumular fortuna e de gozar a vida, o homem se esquece de cuidar da parte divina que possui. Os gozos imorais, os vícios, a dedicação às coisas materiais como única finalidade da vida, perdem a alma, porque a fazem recair nos círculos das reencarnações dolorosas, até que o sofrimento a depure e desperte nela o desejo de trabalhar para sua elevação espiritual.

Perder a alma por amor de Jesus é lutar por espiritualizar-se, seguindo os preceitos evangélicos. Nesse caso, o que se perde em materialidade, ganha-se em espiritualidade. E quem procura espiritualizar-se, enriquece sua alma com as virtudes que a levarão às regiões luminosas do mundo espiritual.

27 – *Porque o Filho do homem há de vir na glória de seu Pai, com os seus anjos; e então dará a cada um a paga segundo as suas obras.*

Jesus vir na glória de seu Pai significa o triunfo dos ensinamentos que nos trouxe e a aplicação deles pela humanidade. Realmente esses ensinamentos aos poucos conquistarão a Terra; e a humanidade, mais compreensível e mais adiantada espiritualmente, os tomará por lei. Então o reino de Deus estará estabelecido na Terra, e Jesus resplandecerá gloriosamente no coração dos homens.

Os anjos são espíritos superiores, colaboradores de Jesus, aos quais está atribuída a tarefa de examinarem o estado espiritual de cada um de nós ao desencarnar. De acordo com o progresso que tivermos conquistado durante nossa encarnação e com as obras que tivermos praticado, eles determinarão o que deveremos fazer nas futuras encarnações que nos aguardam e nas quais colheremos os frutos de nossas obras.

28 – *Em verdade vos afirmo que, dos que aqui estão, há alguns que não hão de provar a morte antes que vejam vir o Filho do homem na glória de seu reino.*

Tantas vezes quantas um espírito tiver de se reencarnar, tantas vezes terá de experimentar a morte. A expressão morte, que Jesus aqui usa, simboliza a reencarnação, isto é, o tempo de vida que um espírito passa encarnado. E, para que consigamos não mais experimentar a morte, devemos viver conforme Jesus nos ensina, pois quem observa seus preceitos renasce para a Vida Eterna, isto é, para a vida livre na pátria espiritual, sem mais necessidade de descer ao cárcere da matéria. E a vida normal do espírito é a que ele vive no mundo espiritual, isento das vicissitudes da matéria.

Capítulo 17

A Transfiguração

1 – E seis dias depois toma Jesus consigo a Pedro e a Tiago e a João, seu irmão, e os leva à parte, a um alto monte:

2 – E transfigurou-se diante deles. E o seu rosto ficou refulgente como o sol, e as suas vestiduras se fizeram brancas como a neve.

3 – E eis que lhes apareceram Moisés e Elias falando com ele.

4 – E começando a falar, Pedro disse a Jesus: Senhor, bom é que nós estejamos aqui; se queres, façamos aqui três tabernáculos: um para ti, outro para Moisés, e outro para Elias.

5 – Estando ele ainda falando, eis que uma lúcida nuvem os cobriu. E eis que saiu uma voz da nuvem, que dizia: Este é aquele meu querido Filho em quem tenho posto toda a minha complacência; ouvi-o.

6 – E ouvindo isto, os discípulos caíram de bruços e tiveram grande medo.

7 – Porém Jesus se chegou a eles e tocou-os; e disse-lhes: Levantai-vos e não temais.

8 – Eles então, levantando os seus olhos, não viram mais do que tão somente a Jesus.

À medida que se aproxima o instante do desencarne de Jesus, mais ele se preocupa em fortalecer a fé e o bom ânimo de seus discípulos. E recorre a todos os meios para que eles possam, depois, desassombradamente espalharem a nova doutrina, fortificados pela lembrança das provas que o Mestre lhes dera.

Transfigurando-se diante de Pedro, Tiago e João e fazendo com que Moisés e Elias aparecessem ao seu lado, Jesus deu a seus discípulos uma prova segura e concreta da imortalidade da alma. Quando ele desencarnasse no alto da cruz, estes discípulos se recordariam da cena da transfiguração e não perderiam a fé. Foi tão real a materialização dos dois profetas ao lado de Jesus, que Pedro pede permissão para levantar os tabernáculos, um para cada um. Esta ideia foi afastada não só pela impossibilidade de executá-la, como também porque Jesus quer que seu tabernáculo seja o nosso próprio coração, purificado pela fiel observância de seus ensinamentos.

A voz que ouviram era um hino de glória, que os espíritos superiores entoavam em louvor ao Mestre.

Tomada em seu sentido simbólico, a transfiguração significa que as provas materiais, quando cumpridas de conformidade com as leis divinas, transfiguram o espírito, tornando-o puro e luminoso.

A transfiguração pertence à categoria dos fenômenos de efeitos físicos e já foi observada nas sessões experimentais de efeitos físicos, nas quais se assistiu a médiuns se transfigurarem e tornarem-se luminosos.

9 – *E quando eles desciam do monte, lhes pôs Jesus preceito, dizendo: Não digais à pessoa alguma o que vistes, enquanto o Filho do homem não ressurgir dos mortos.*

10 – *E os seus discípulos lhe perguntaram dizendo: Pois por que dizem os escribas que importa vir Elias primeiro?*

11 – *Mas ele, respondendo, lhes disse: Elias certamente há de vir, e restabelecerá todas as coisas.*

12 – *Digo-vos porém que Elias já veio, e eles não o conheceram, antes fizeram dele quanto quiseram. Assim também o Filho do homem há de padecer às suas mãos.*

13 – *Então conheceram os discípulos que de João Batista é que ele lhes falara.*

Conquanto tenham sido anunciados com antecedência os missionários que assentariam as bases da reforma espiritual do planeta, quando iniciaram seus trabalhos, não foram reconhecidos. E, além de tudo, foram perseguidos e combatidos. Jesus não escaparia à regra geral: sofreria também o combate e a perseguição que toda ideia nova acarreta a seus pregadores.

Jesus pedia a seus discípulos que guardassem sigilo, por causa da incompreensão dos homens da época, os quais ainda não estavam preparados para compreenderem tudo quanto Jesus fazia ou ensinava. Era preciso que o tempo lhes fosse aumentando o cabedal de conhecimentos espirituais, a fim de aprenderem o significado das palavras e dos atos de Jesus. Caso os discípulos espalhassem certas particularidades que o Mestre lhes mostrava, possivelmente surgiriam dúvidas, confusão e mesmo até o descrédito de sua missão.

Dizendo que Elias já viera, Jesus demonstra a seus discípulos a reencarnação dos espíritos, os quais se reencarnam periodicamente, não só para progredirem e saldarem o passado culposo, como também para desempenharem tarefas em benefício da coletividade.

A Cura de um Lunático

14 – *E depois que veio para onde estava a gente, chegou a ele um homem que, posto de joelhos diante dele, lhe dizia: Senhor, tem compaixão de meu filho, que é lunático, e padece muito; porque muitas vezes cai no fogo, e muitas na água.*

Este é um caso de possessão. Em nossos dias, é comum comparecerem aos Centros Espíritas infelizes irmãos, apresentando este gênero de loucura. Não são loucos; são simplesmente vítimas de espíritos desencarnados que os perseguem. O Espiritismo, demonstrando a causa de grande número de sofrimentos tidos por loucura, é o melhor remédio para os supostos loucos.

15 – *E tenho-o apresentado a teus discípulos, e eles o não puderam curar.*

16 – *E respondendo, Jesus disse: Ó geração incrédula e perversa, até quando hei de estar convosco? até quando vos hei de sofrer? Trazei-mo cá.*

17 – *E Jesus o ameaçou e saiu dele o demônio, e desde aquela hora ficou o moço curado.*

18 – Então se chegaram os discípulos a Jesus em particular e lhe disseram: Por que não pudemos nós lançá-lo fora?
19 – Jesus lhes disse: Por causa da vossa pouca fé. Porque na verdade vos digo que, se tiverdes fé como um grão de mostarda, direis a este monte: Passa daqui para acolá; e ele há de passar e nada vos será impossível.

O simples fato de alguém se intitular discípulo de Jesus não é o suficiente para adquirir a autoridade necessária para falar em nome dele. A autoridade espiritual se consegue por meio da moralidade. É preciso cultivar a fé viva, a pureza de pensamentos, de palavras e de atos, a fim de que os espíritos inferiores obedeçam irresistivelmente a quem os mandar.

Os discípulos ordenavam ao espírito obsessor que abandonasse a vítima; porém vacilavam na fé, duvidavam de si próprios, o que fornecia forças para o obsessor desobedecer-lhes.

O cultivo da fé, isto é, da confiança ilimitada na bondade divina desenvolve dentro de nós uma alta força magnética, que, convenientemente usada pela nossa vontade, é capaz de operar prodígios, sempre que for utilizada para beneficiar nosso próximo.

Não devemos, é claro, tomar ao pé da letra a figura de que Jesus se serve para exemplificar o poder da fé. Todavia, remover o mal, os vícios e os erros dos corações dos homens é tarefa talvez maior que mandar um monte se mova do lugar. Contudo, Jesus nos adverte de que, por pequenina que seja nossa fé, sempre conseguiremos influir favoravelmente no sentido de melhorar a nós e a nossos semelhantes.

20 – Mas esta casta de demônios não se lança fora, senão à força de oração e de jejum.

Aqui Jesus faz referência aos espíritos inferiores, refratários ao influxo do bem e que por isso exigem fervorosa oração e alto padrão de moralidade e dos que os doutrinam. A oração fervorosa é aquela que se faz ao Pai, cheia de amor pelo irmão infeliz, que ainda se compraz na ignorância. O jejum que Jesus recomenda é o jejum espiritual, que consiste na abstinência dos vícios, da imoralidade, e na renúncia a bem do próximo, jejum esse que dá forças ao doutrinador para lidar com os espíritos rebeldes.

21 – E achando-se eles juntos em Galileia, disse-lhes Jesus: O Filho do homem será entregue às mãos dos homens.
22 – E estes lhe darão a morte, e ressuscitará ao terceiro dia. E eles se entristeceram em extremo.

A missão de Jesus estava quase terminada aqui no plano terreno. Sua ação como encarnado findava, para que ele a recomeçasse no plano espiritual, onde trabalha e trabalhará até a consumação dos séculos, em benefício de seus pequeninos tutelados que somos todos nós.

Aproximava-se o momento de ele voltar para o Alto. Apesar de sua elevada hierarquia espiritual, Jesus pede forças ao Pai e não se esquece de fortificar seus discípulos.

Precisamos não nos esquecer de vigiar e de orar, pois nós também, de acordo com nosso adiantamento espiritual, teremos desses momentos supremos, nos quais demonstraremos nossa fé e nossa fortaleza moral e espiritual.

Jesus Paga o Tributo

23 – E tendo vindo para Cafarnaum, chegaram-se a Pedro os que cobravam o tributo das duas dracmas, e disseram-lhe: Vosso Mestre não paga o tributo das duas dracmas?

24 – Ele lhes respondeu: Paga. E depois que entrou em casa, Jesus o preveniu, dizendo: Que te parece, Simão? De quem recebem os reis da terra o tributo ou censo? de seus filhos ou de estranhos?

25 – E Pedro lhe respondeu: Dos estranhos. Disse-lhe Jesus: Logo estão isentos os filhos.

26 – Mas para que os não escandalizemos, vai ao mar e lança o anzol; e o primeiro peixe que subir, toma-o; e abrindo-lhe a boca, acharás dentro um stater; tira-o e dá-lho por mim e por ti.

De tudo Jesus procurava extrair lições proveitosas para seus aprendizes. Não deixava escapar nenhuma ocasião de ensiná-los a viverem na Terra, segundo as leis de Deus. Os mais pequeninos fatos da vida cotidiana forneciam-lhe o material para desenvolver os seus ensinamentos e os exemplos para ilustrá-los. Assim, conseguiu fazer de seu Evangelho não só um manual prático, que devemos observar em nossa vida diária de relação com nosso próximo, como também de respeito e de amor para com nosso Pai Celestial.

Nesta passagem em que se conta como Jesus paga o tributo, ele nos lega uma lição de fé no trabalho. Ele nos demonstra que, com o trabalho honesto e honrado de nossas mãos ou de nossa inteligência, granjearemos tudo quanto necessitamos para nossa subsistência, e para cumprirmos lealmente nossas obrigações e compromissos terrenos.

Ao serem Pedro e Jesus solicitados para pagarem o tributo, não tinham o dinheiro. E Pedro foi pescar. Com o trabalho de Pedro, foi pescado um peixe que, vendido, deu-lhes a quantia de que precisavam para o pagamento do imposto.

Em sua simbologia, este trecho do Evangelho nos recorda que, por mais aflitiva que seja nossa situação financeira, o trabalho é o recurso que o Pai nos deu para resolvermos satisfatoriamente a parte material de nossa existência terrena.

Capítulo 18

O Maior no Reino dos Céus

1 – Naquela hora chegaram-se a Jesus os seus discípulos, dizendo: Quem julgas tu que é maior no reino dos céus?
2 – E chamando Jesus a um menino, o pôs no meio deles.
3 – E disse: Na verdade vos digo que se não vos converterdes, e vos não fizerdes como meninos, não haveis de entrar no reino dos céus.
4 – Todo aquele pois, que se fizer pequeno como este menino, esse será o maior no reino dos céus.
5 – E o que receber em meu nome um menino, tal como este, a mim é que recebe.

A infância é o símbolo da pureza e da inocência. Para que sejamos grandes no reino dos céus, é preciso que nós nos tornemos puros e inocentes como as crianças.

Belíssima é a comparação que Jesus faz entre uma criança e uma alma que quer penetrar nas regiões felizes do Universo e ser grande diante de Deus, o Pai Celestial. Para isso, antes de tudo, deve tornar-se inocente e pura. E Jesus, que era a inocência e a pureza suprema, toma o coração infantil como sua representação na Terra.

6 – O que escandalizar, porém, a um destes pequeninos que creem em mim, melhor lhe fora que se lhe pendurasse ao pescoço uma mó de atafona, e que o lançassem ao fundo do mar.

Os que desviam seu próximo da crença em Deus, e do bem que promana da fé viva, e das consolações que se originam da certeza da imortalidade da alma, cometem um grande crime, porque se fazem agentes das trevas e trabalham para que o mal se perpetue na face da Terra. São péssimas as consequências que um tal proceder acarreta para os infelizes, que se entregam à ingrata tarefa de apagarem a luz que clareia o caminho das criaturas para Deus; rudes sofrimentos os aguardam no caminho do porvir.

7 – Ai do mundo por causa dos escândalos. Porque é necessário que sucedam escândalos; mas ai daquele homem por quem vem o escândalo.

Os escândalos do mundo se originam da ignorância espiritual em que vive a humanidade. Os crimes, os vícios, as paixões inferiores, as ambições desvairadas, as vinganças, os ódios, a desonestidade, tudo são escândalos. Enquanto os homens persistirem em alimentar estes escândalos, não se livrarão do cortejo de sofrimentos que os acompanham.

Em virtude de estarem os homens vivendo em completo desacordo com as leis divinas, é natural que sejam necessários os escândalos para que o sofrimento lhes faça aborrecer o caminho errado que tomaram. Quando todos se compenetrarem da inutilidade de viverem desrespeitando as leis de Deus e se regenerarem, cessarão os escândalos.

8 – Ora se a tua mão ou o teu pé te escandaliza, corta-o e lança-o fora de ti; melhor te é entrar na vida manco ou aleijado, do que tendo duas mãos ou dois pés, ser lançado no fogo eterno.

9 – E se o teu olho te escandalizar, tira-o e lança-o fora de ti; melhor te é entrar na vida com um só olho, do que, tendo dois, ser lançado no fogo do inferno.

Temos aqui a lei das causas e dos efeitos. Cada um é punido naquilo por que pecou. Se os órgãos do corpo, ao invés de servirem para o bem, são utilizados para o mal, deverão ser suprimidos do futuro corpo, no qual o espírito se reencarnará. Assim o espírito se penitenciará do erro cometido e aprenderá a servir-se nobremente dos instrumentos que o Senhor lhe emprestou para seu progresso. Pela aplicação dessa lei, os que consagram sua inteligência ao mal serão compelidos à idiotia; os que abusam do poder serão rebaixados à subalternidade; os que menosprezam o dom da saúde, terão de viver em organismos enfermos; enfim, cada um sofrerá em si próprio o efeito do erro cometido.

Quanto à expressão *fogo do inferno*, não a devemos tomar no sentido de "lugar de eternos suplícios"; porém, como sendo a intranquilidade que agita a alma e a faz penar até que não corrija o mal praticado. Uma vez que, pelo esforço e pela boa vontade, a alma se livra das manchas que lhe queimam a consciência, cessará o "fogo do inferno" que a consumia.

10 – Vede não desprezeis alguns destes pequeninos; porque eu vos declaro que os seus anjos nos céus incessantemente estão vendo a face de meu Pai, que está nos céus.

Por ínfima que seja a criatura, devemos tratá-la fraternalmente, pois é nossa irmã, filha de Deus nosso Pai comum, e a Providência Divina não a esquece. Esta ordem de Jesus é uma advertência para que jamais faltemos com o amor fraterno a quem quer que seja.

11 – Porque o Filho do homem veio a salvar o que havia perecido.

12 – Que vos parece? se tiver alguém cem ovelhas, e se se desgarrar uma delas, porventura não deixa as noventa e nove nos montes, e vai buscar aquela que se extraviou?

13 – E se acontecer achá-la, digo-vos em verdade que maior contentamento recebe ele por esta, do que pelas noventa e nove que não se extraviaram.

14 – Assim não é a vontade de vosso Pai, que está nos céus, que pereça um destes pequeninos.

Os espíritos são criados por Deus, nosso Pai, e devem progredir por seus próprios esforços. Durante sua evolução, é comum os espíritos fracassarem nas provas a que se submetem; desviam-se do caminho do bem e se perdem nas sendas da iniquidade. Deus não extermina os filhos extraviados; unicamente os envia aos mundos inferiores, onde aprenderão, à custa de trabalhos e de sofrimentos, a não mais praticarem o mal.

A Terra é, por enquanto, um mundo de exílio. Almas que fracassaram foram para cá enviadas. Como Deus não quer que nenhum de seus filhos pereça e quer que todos se tornem perfeitos, enviou Jesus para salvar os fracassados. E Jesus nos deu a lei moral, cuja observância nos redimirá. Essa lei é o Evangelho. Além de redimir os espíritos que faliram, o Evangelho converterá a Terra num mundo mais adiantado. Então a Terra deixará de ser um mundo de exílio, para se tornar um mundo de regeneração onde filhos regenerados subirão para o Pai, que os espera amorosamente.

O Perdão do Pecado de um Irmão

15 – *Portanto, se teu irmão pecar contra ti, vai, e corrige-o entre ti e ele só; se te ouvir, ganhado terás a teu irmão.*

16 – *Mas se te não ouvir, toma ainda contigo uma ou duas pessoas, pata que por boca de duas ou três testemunhas fique tudo confirmado.*

17 – *E se os não ouvir, dize-o à igreja; e se não ouvir a igreja, tem-no por um gentio ou um publicano.*

Obedeçamos sempre à lei da harmonia. Sem harmonia não pode haver compreensão nem progresso. Sem compreensão mútua gera-se a desarmonia, e retarda-se o progresso. Onde há harmonia não pode haver desavenças; e mesmo que elas apareçam, a compreensão as resolverá satisfatoriamente.

Pode acontecer originar-se entre duas pessoas, ou mais, uma desavença qualquer. Importa que essa desavença seja sanada o mais rápido possível, porque, muitíssimas vezes, as pessoas que se desavieram são irmãos que devem trilhar juntos o mesmo caminho nesta encarnação. E se uma desavença os separar, haverá retardamento do progresso espiritual dos dois.

É preciso que compreendamos ser preferível estarmos ligados a nossos irmãos pelos laços do amor fraterno, do que pelos laços do ódio. Os dois laços ligam; a diferença é que os laços do amor fraterno trazem felicidade, e os laços do ódio, sofrimento. E como Jesus visa a felicidade real de seus tutelados, ele aqui nos ensina a não pouparmos esforços para que não se estabeleçam laços de ódio entre nós e ninguém e, se porventura houverem, que sejam desfeitos imediatamente. E para isso usemos da compreensão, para que vivamos em harmonia.

18 – *Em verdade vos digo, que tudo o que vós ligardes sobre a Terra será ligado também no Céu; e tudo o que vós desatardes sobre a terra será desatado também no céu.*

É a lei da repercussão de nossos atos na vida espiritual, que iremos viver quando desencarnarmos. No mundo espiritual esperará por nós o resultado do bem e do mal que houvermos praticado aqui na Terra. E não só o resultado de nossos atos, como também estarão a aguardar-nos no limiar do mundo espiritual os nossos amigos e os inimigos.

O ódio e o amor são duas forças de atração e de ligação. Os que se amam atraem-se e ligam-se pelo amor, donde lhes advirá a felicidade. Os que se odeiam atraem-se e ligam-se pelo ódio, do qual se gerarão sofrimentos.

Eis porque Jesus, profundo conhecedor das leis que regem os destinos das almas, recomenda que perdoemos sempre, a fim de desatarmos os cruéis laços do ódio. E nos recomenda insistentemente que nos amemos uns aos outros, para que nos liguemos pela felicidade nos céus.

19 – Ainda vos digo mais: que se dois de vós se unirem entre si sobre a terra, seja qual for a coisa que pedirem, meu Pai, que está nos céus, lha fará.

20 – Porque onde se acham dois ou três congregados em meu nome, aí estou eu no meio deles.

Jesus aqui nos demonstra o valor da oração coletiva. Um pensamento para o bem será sempre reforçado por outro pensamento que tenda para o bem. Quando duas ou mais pessoas oram em conjunto, forma-se uma corrente espiritual de alto valor para as curas, pelo acúmulo de energias fluídico-magnéticas. Essas energias são aproveitadas pelos espíritos curadores para levarem alívio aos que sofrem, consolo aos aflitos, auxílio aos necessitados, esperança aos desanimados, forças aos enfraquecidos, luz aos que estão em trevas e conforto aos desamparados.

É verdade que nem sempre os doentes recebem as curas solicitadas; temos de levar em conta as provas e as expiações, que os doentes deverão suportar para o seu progresso espiritual e para a correção de faltas de existências passadas. Contudo, seja qual for o caso, o doente jamais deixará de ser beneficiado; se não o for pela cura, será contemplado com forças espirituais, que lhe suavizarão os padecimentos. Uma oração sincera feita em conjunto por diversas pessoas, ou por uma só pessoa isoladamente, nunca ficará sem a resposta dos planos superiores.

21 – Então, chegando-se Pedro a ele, perguntou: Senhor, quantas vezes poderá pecar meu irmão contra mim, que eu lhe perdoe? será até sete vezes?

22 – Respondeu-lhe Jesus: Não te digo que até sete vezes, mas que até setenta vezes sete.

Não há número definido de quantas vezes poderemos perdoar as ofensas, sejam elas quais forem, que nossos irmãos cometam contra nós. É preciso, para nossa felicidade aqui na Terra presentemente, e no mundo espiritual futuramente, que estejamos sempre prontos a perdoar tudo a todos, e em quaisquer momentos e circunstâncias.

Realmente, o fato de os homens não perdoarem reciprocamente as faltas que cometem uns contra os outros é a causa do maior número de sofrimentos que há na face de nosso planeta. As prisões regurgitam de infelizes, que não souberam perdoar, Procurando na vingança a reparação de um erro, um contendor desencarnou em lamentáveis condições, e o outro foi recolhido ao cárcere. E a tragédia continuará no além-túmulo, onde os dois culpados terão de executar prolongado trabalho, para corrigirem a falta que praticaram. E depois terão de sofrer dolorosa reencarnação para expiarem o crime; porque diante de Deus não há vítimas nem agressores; há dois de seus filhos, dois irmãos, que preferiram usar da violência em lugar de usarem do perdão mútuo. E, por não quererem perdoar, quantas famílias não estão divididas, quantos irmãos não se desprezam? Eis por que Jesus não se cansou de pregar o perdão ilimitado, que todos nós nos devemos uns aos outros, sejam quais forem os motivos de que se originaram os ressentimentos.

A Parábola do Credor Incompassivo

23 – *Por isso o reino dos céus é comparado a um homem rei, que quis tomar contas aos seus servos.*

24 – *E tendo começado a tomar as contas, apresentou-se-lhe um que lhe devia dez mil talentos.*

25 – *E como não tivesse com que pagar, mandou o seu senhor que o vendessem a ele a sua mulher e a seus filhos, e tudo o que tinha, para ficar pago da dívida.*

26 – *Porém, o tal servo, lançando-se-lhe aos pés, lhe fazia esta súplica, dizendo: Tem paciência comigo, que eu te pagarei tudo.*

27 – *Então o Senhor, compadecido daquele servo, deixou-o ir livre, e perdoou-lhe a dívida.*

28 – *E tendo saído este servo, encontrou um de seus companheiros, que lhe devia cem dinheiros e lançando-lhe a mão, o afogava, dizendo: Paga-me o que me deves.*

29 – *E o companheiro, lançando-se-lhe aos pés, o rogava, dizendo: Tem paciência comigo, que eu te satisfarei tudo.*

30 – *Porém, ele não quis; mas retirou-se, e fez que o metessem na cadeia, até pagar a dívida.*

31 – *Porém, os outros servos seus companheiros, vendo o que se passava, sentiram-no fortemente, e foram dar parte a seu Senhor de tudo o que tinha acontecido.*

32 – *Então o fez vir o seu servo, e lhe disse: Servo mau, eu te perdoei a dívida toda, porque me vieste rogar para isso.*

33 – *Não devias tu logo compadecer-te igualmente de teu companheiro, assim como também eu me compadeci de ti?*

34 – *E, cheio de cólera, mandou seu senhor que o entregassem aos algozes, até pagar toda a dívida.*

35 – *Assim também vos há de fazer meu Pai celestial, se não perdoardes do íntimo de vossos corações, cada um a seu irmão.*

Nosso desrespeito para com as leis divinas tornou-nos grandes devedores de Deus. E, no entanto, o Pai celestial está sempre pronto a perdoar-nos, por maiores que sejam nossos pecados para com ele. Deus, em sua misericórdia, não fulmina aquele que o nega; nem desampara o filho ingrato, que não lhe reconhece os benefícios. Tudo Deus perdoa e tolera, dando-nos, assim, o exemplo de como devemos proceder para com nossos irmãos.

A parábola acima ilustra muito bem o que se passa entre a humanidade: todos estamos sobrecarregados de imensos débitos para com a Providência Divina; todos, continuamente, lhe suplicamos o perdão. Todavia, somos incapazes de perdoar do fundo do coração a menor falta que alguém cometer contra nós. Queremos que Deus nos perdoe e nos tolere, mas não queremos perdoar, nem tolerar nossos semelhantes. Por meio desta tão singela e tão expressiva parábola o Mestre nos ensina que devemos cobrir com o manto do perdão e do amor os erros que são cometidos contra nós, porque, se assim não o fizermos, compareceremos com nossos erros descobertos na presença de Deus, o qual nos tratará exatamente como tivermos tratado nossos irmãos.

Capítulo 19

Acerca do Divórcio

1 – E aconteceu que, tendo Jesus acabado estes discursos, partiu de Galileia, e veio para os confins da Judeia, além do Jordão.
2 – E seguiram-no muitas gentes, e curou ali os enfermos.
3 – E chegaram-se a ele os fariseus, tentando-o, e dizendo: é por ventura lícito a um homem repudiar a sua mulher, por qualquer causa?
4 – Ele, respondendo, lhes disse: Não tendes lido que quem criou o homem, desde o princípio fê-los macho e fêmea? E disse:
5 – Por isso deixará o homem pai e mãe, e ajuntar-se-á com sua mulher, e serão dois numa só carne.
6 – Assim que já não são dois, mas uma só carne. Não separe logo o homem o que Deus ajuntou.

O casamento é uma instituição divina. Por meio do casamento, Deus providencia os corpos materiais para os espíritos encarnarem e progredirem; porque, como sabemos, é só pelo trabalho incessante que o espírito realiza, ora nos círculos materiais, ora nos espirituais, é *que se efetua* sua evolução.

No ambiente do lar, encontramos os elementos indispensáveis para novos surtos de progresso e de redenção. É também no aconchego do lar que ensaiamos nossos primeiros passos de amor para com nossos semelhantes. À medida que formos evoluindo, alargaremos o círculo de nosso amor, até que o amor que hoje dedicamos à nossa família, o dedicaremos à humanidade. Erram, por conseguinte, os que querem ver no casamento apenas a influência das leis materiais. Ao lado das leis materiais, quase que instintivas, funcionam também puras e santificantes leis morais. Se as leis do instinto ligam os corpos, as leis morais ligam as almas e determinam cinco espécies de casamentos, em nosso planeta, a saber:

Casamentos por Afinidade: Almas gêmeas, isto é, com o mesmo grau de evolução, unem-se para progredirem juntas. Dão-nos o exemplo do casamento perfeito. O lar é harmonioso. A vida exemplar que o casal vive constitui um modelo.

Casamentos de Provas: O casamento é uma prova de resignação, paciência, tolerância e fraternidade. Espíritos de diversos graus evolutivos reúnem-se no mesmo lar, onde se esforçam por viverem em harmonia, apesar da disparidade de gostos, de ideias e de inclinações, que os separam.

Casamentos de Expiação: Espíritos culpados, que erraram juntos em encarnações anteriores, reúnem-se no mesmo lar, para retificarem os erros do passado.

Casamentos de Resgate: O casamento é de resgate quando os membros da família procuram resgatar dívidas, que contraíram uns para com os outros, em encarnações anteriores. Assim, o homem que atirou à lama uma mulher, na encarnação seguinte, poderá pedir para vir a ser seu marido, para dignificá-la. A mulher, por cuja causa um homem se desviou, poderá, em futura encarnação, servir-lhe de arrimo, para ajudá-lo a voltar ao reto caminho. Os pais que se descuraram da educação moral dos filhos poderão pedir nova encarnação, em que lhes seja concedido trabalharem para a melhoria de seus filhos extraviados, resgatando, desse modo, o mal que lhes causaram.

Casamentos de Renúncia: O casamento é de renúncia quando um ou os dois cônjuges, embora não mais necessitando de encarnações terrenas, contudo se encarnam para apressarem o progresso de seus familiares, que se atrasaram no caminho da evolução.

Como vemos, além de formarem uma só carne, marido e mulher obedecem a sublimes leis morais, que não podem ser transgredidas impunemente.

7 – *Replicaram-lhe eles: Pois, por que mandou Moisés dar o homem à sua mulher carta de desquite, e repudiá-la?*

8 – *Respondeu-lhes: Porque Moisés, pela dureza de vossos corações, vos permitiu repudiar a vossas mulheres, mas ao princípio não foi assim.*

9 – *Eu pois vos declaro que todo aquele que repudiar sua mulher, se não é por causa da fornicação, e casar com outra, comete adultério, e o que se casar com a que o outro repudiou, comete adultério.*

Quando o egoísmo fala mais alto, endurecendo os corações dos cônjuges, estes facilmente desprezam as leis morais, que lhes presidia à união, e o casamento é, ordinariamente, rompido. Entretanto, ainda assim o Evangelho proíbe a união dos cônjuges com terceiros, dando desta maneira a entender, claramente, que os laços do casamento são indissolúveis aqui na Terra enquanto os dois cônjuges estiverem encarnados.

10 – *Disseram-lhe seus discípulos: Se tal é a condição de um homem a respeito de sua mulher, não convém casar-se.*

11 – *Ao que ele respondeu: Nem todos são capazes desta resolução, mas somente aqueles a quem isto foi dado.*

12 – *Porque há uns castrados, que nasceram assim do ventre de sua mãe; e há outros castrados, a quem outros homens fizeram tais; e há outros castrados, que a si mesmo se castraram por amor do reino dos céus. O que é capaz de compreender isto, compreenda-o.*

Ao ouvirem tão novos ensinamentos e tão contrários ao costume geral, os discípulos ficaram admirados. E Jesus lhes explica que, conquanto fossem poucos, já existem na Terra pessoas que compreendem quanto de sublime há no sagrado instituto da família.

Os que nasceram castrados são aqueles que se desviaram pelo sexo, em encarnações anteriores; e agora penetram na vida terrena, punidos naquilo por que pecaram.

Os que os homens castraram são aqueles que sofreram essa crueldade, comum no Oriente, ainda até há bem pouco tempo.

Finalmente, os que se castraram por amor do reino dos céus são aqueles que sabem dignificar as leis naturais do sexo, no sagrado instituto da família. E também aqueles que, não tendo conseguido constituir família, sabem manter-se em nobre e digna castidade.

Jesus Abençoa os Meninos

13 – *Então lhe foram apresentados vários meninos, para lhes impor as mãos, e fazer oração por eles. E os discípulos os repeliam com palavras ásperas.*

14 – *Mas Jesus lhe disse: Deixai os meninos, e não embaraceis que eles venham a mim; porque destes tais é o reino dos céus.*

15 – *E depois que lhes impôs as mãos, partiu dali.*

Destes tais é o reino dos céus significa que somente os que alcançaram a pureza e a inocência das crianças estão em estado de merecerem a felicidade, que se origina sempre de uma consciência sem mácula.

Estas palavras de Jesus também são uma ordem, para que as crianças sejam instruídas em seu Evangelho, desde pequeninas. Embaraçar as crianças e mesmo repeli-las para que não se acerquem de Jesus simboliza a indiferença dos pais em não cuidarem da educação evangélica de seus filhinhos. Proceder assim é um erro de lamentáveis consequências espirituais; porque os pais se esquecem de indicar aos filhos o caminho que facilmente os conduziria a Deus.

É muito comum depararmos com pais espíritas que militam nas fileiras do Espiritismo como médiuns ou como pregadores e não sabem encaminhar seus filhos para o caminho da espiritualidade e da evangelização, deixando-os entregues a si mesmos. O resultado é que os filhos inexperientes, privados do auxílio da experiência dos pais, desviam-se com facilidade, preparando colheitas de lágrimas e de sofrimentos para si próprios e para os pais que não souberam, ou não quiseram, guiá-los pelo caminho reto.

O Mancebo Rico

16 – *E eis que, chegando-se a ele um, lhe disse: Bom Mestre, que obras boas devo fazer, para alcançar a vida eterna?*

17 – *Jesus lhe respondeu: Porque me perguntas tu o que é bom? Bom só Deus o é. Porém, se tu queres entrar na vida, guarda os mandamentos.*

18 – *Ele lhe perguntou: Quais? E Jesus lhe disse: Não cometerás homicídio. Não adulterarás. Não cometerás furto. Não dirás falso testemunho.*

19 – *Honra a teu pai e à tua mãe, e amarás ao teu próximo como a ti mesmo.*

20 – *O mancebo lhe disse: Eu tenho guardado tudo isso desde a minha mocidade; que é que me falta ainda?*
21 – *Jesus lhe respondeu: Se queres ser perfeito, vai, vende o que tens, e dá-o aos pobres e terás um tesouro no céu; depois vem, e segue-me.*
22 – *O mancebo, porém, como ouviu esta palavra, retirou-se triste; porque tinha muitos bens.*

Para que, ao desencarnar, o espírito atinja as regiões superiores do mundo espiritual, não lhe basta somente guardar os mandamentos divinos. É preciso que, além de uma vida nobre e pura, tenha a coragem suficiente de se desprender das coisas da Terra.

Respondendo Jesus ao moço rico que se desfizesse do que possuía em benefício dos que nada tinham, mostrou-lhe que ainda lhe faltava a virtude da renúncia, isto é, pensar nos outros antes de pensar em si. E lhe demonstrando que precisava adquirir a virtude da renúncia, Jesus ensinou ao moço rico que o excessivo apego às riquezas da terra amarra a alma às regiões inferiores e não a deixa elevar-se para Deus.

Ao dizer Jesus que só Deus é bom, dá-nos uma lição de humildade, pois, por nós próprios nada somos, se a bondade divina não nos amparar.

23 – *E Jesus disse aos seus discípulos: Em verdade vos digo que um rico dificultosamente entrará no reino dos céus.*
24 – *Ainda vos digo mais: Que mais fácil é passar um camelo pelo fundo de uma agulha, do que entrar um rico no reino dos céus.*

O poder e os gozos materiais que a riqueza proporciona; o orgulho que alimenta nos corações; a sedução que exerce sobre as almas; tudo isso torna a prova da riqueza uma das mais difíceis, que um espírito tem de suportar no caminho da perfeição.

A riqueza é cheia de méritos para o futuro espiritual de uma alma, quando é bem empregada; porque a riqueza é uma das alavancas do progresso do mundo. Os ricos são os despenseiros dos bens materiais de Deus. E, como tal, devem zelar para que nada falte aos que nada possuem. E que não seja por meio da fria caridade, que se limita a distribuir apenas algumas moedas; mas, sim, pelo exercício da caridade ativa, que consiste em promover o trabalho, a instrução, o bem-estar e a moralização da família humana. E como, ordinariamente, o rico se esquece de seus deveres de mordomo, e usa, egoisticamente, só para si próprio, os bens que lhe foram confiados, torna-se difícil sua ascensão para Deus.

25 – *Ora os discípulos, ouvidas estas palavras, conceberam grande espanto, dizendo: Quem poderá logo salvar-se?*
26 – *Porém Jesus, olhando para eles, disse: Aos homens é isto impossível, mas a Deus tudo é possível.*

Na verdade, para Deus não é difícil que um rico se salve, porque existe a lei da reencarnação, a qual permite a cada um retificar os erros cometidos. Assim, aquele que empregou mal a riqueza, não está perdido, porque é vontade de Deus que não se perca nenhum de seus filhos; nas futuras encarnações, corrigirá os maus atos que praticou pelo emprego errôneo da riqueza. E então estará salvo.

27 – *Então, respondendo, Pedro lhe disse: Eis aqui estamos nós que deixamos tudo, e te seguimos; que galardão pois será o nosso?*

28 – *E Jesus lhes disse: Em verdade vos afirmo que vós, quando no dia da regeneração estiver o Filho do homem sentado no trono da sua glória, vós, torno a dizer, que me seguistes, também estareis sentados sobre doze tronos, e julgareis as doze tribos de Israel.*

Paupérrimos como eram, mesmo ao pouco que possuíam os apóstolos souberam renunciar, a fim de auxiliarem Jesus na grandiosa tarefa de regeneração da humanidade. É justo, pois, que continuem a ser no mundo espiritual os principais colaboradores de Jesus, na obra de evangelização que se processa no mundo.

Jesus simboliza nas doze tribos de Israel a humanidade e, no cargo de juiz que confere a cada apóstolo, a supremacia que conquistaram no trabalho evangélico.

29 – *E todo o que deixar, por amor do meu nome, a casa, ou os irmãos ou as irmãs ou o pai ou a mãe ou a mulher ou os filhos ou as fazendas, receberá cento por um, e possuirá a vida eterna.*

Os interesses espirituais deverão sempre ser colocados acima dos interesses materiais, e mesmo acima dos laços transitórios da família. Por mais que amemos a casa, os irmãos, as irmãs, o pai, a mãe, a mulher, o marido, os filhos e nossas riquezas, jamais consintamos que nos sirvam de embaraço em nosso caminho para a espiritualidade. Especialmente os médiuns e todos os que foram convocados para a luta no campo do Espiritismo, nunca deverão deixar que os obstáculos criados no ambiente doméstico, lhes façam esquecer de seus deveres sublimes. É comum os familiares de um médium servirem de tentação para desviá-lo do desempenho de suas responsabilidades mediúnicas. Às vezes, nossos entes queridos ainda não alcançaram o grau de compreensão espiritual que lhes possibilitaria avaliarem o que significa o trabalho na seara de Jesus. E, nesse estado de incompreensão, criam dificuldades de toda a sorte, perturbando o trabalho do discípulo fiel. É contra essa espécie de tentação que Jesus quer que nos precatemos. Ele aqui nos quer dizer que sejamos suficientemente fortes para não cedermos, colocando acima de tudo o trabalho divino que nos foi confiado.

30 – *Porém, muitos primeiros virão a ser os últimos, e muitos últimos virão a ser os primeiros.*

Nem sempre os que primeiro recebem as palavras de Jesus têm o ânimo suficientemente forte para perseverarem até o fim, na observância de seus ensinamentos. Há os que se desviam ou recebem as lições com indiferença, sendo-lhes necessário longo período retificador, antes de conquistarem o reino dos céus. E acontece que há os que recebem as palavras de Jesus por último e se esforçam de tal modo por segui-las, que facilmente alcançam e deixam para trás os que primeiro as ouviram. Vemos suceder a mesma coisa no Espiritismo: quantos há que ouvem as lições espíritas desde cedo e, no entanto, nenhum progresso espiritual conseguem; e quantos ingressam no Espiritismo já no fim de suas encarnações e ainda produzem ótimos frutos espirituais para suas almas.

Capítulo 20

A Parábola dos Trabalhadores e das Diversas Horas do Trabalho

1 – O reino dos céus é semelhante a um homem pai de família, que ao romper da manhã saiu e a assalariar trabalhadores para a sua vinha.
2 – E feito com os trabalhadores o ajuste de um dinheiro por dia, mandou-os para a sua vinha.
3 – E tendo saído junto da terceira hora, viu estarem outros na praça ociosos.
4 – E disse-lhes: Ide vós também para a minha vinha, e dar-vos-ei o que for justo.
5 – E eles foram. Saiu, porém, outra vez junto da hora sexta, e junto da nona; e fez o mesmo.
6 – E junto da undécima tornou a sair, e achou outros que lá estavam, e disse: Por que estais vós aqui todo o dia ociosos?
7 – E responderam-lhe eles: Porque ninguém nos assalariou. Ele lhes disse: Ide vós também para a minha vinha.
8 – Porém, lá no fim da tarde, disse o senhor da vinha ao seu mordomo: Chama os trabalhadores, e paga-lhes o jornal, começando pelos últimos, e acabando nos primeiros.
9 – Tendo chegado pois os que foram juntos da hora undécima, recebeu cada um o seu dinheiro.
10 – E chegando também os que tinham ido primeiro, julgaram que haviam de receber mais; porem também estes não receberam mais do que um dinheiro cada um.
11 – E ao recebê-lo, murmuravam contra o pai de família.
12 – Dizendo: Estes, que vieram últimos, não trabalharam senão uma hora, e tu os igualaste conosco, que aturamos o peso do dia e da calma.
13 – Porém ele, respondendo a um deles, lhe disse: Amigo, eu não te faço agravo; não convieste tu comigo num dinheiro?
14 – Toma o que te pertence, e vai-te; que eu de mim quero dar também a este último tanto como a ti.
15 – Visto isso, não me é lícito fazer o que quero? acaso o teu olho é mau, porque eu sou bom?

Incessantemente Deus convoca seus filhos para o cultivo das virtudes que lhes garantirão o salário divino. Nossas almas são parcelas da vinha de Deus, e cada um de nós é um trabalhador convidado a tratar da parcela que lhe coube. Uns começam mais cedo a cuidar de seus espíritos para o bem; outros começam mais tarde. E, no entanto, para os bons trabalhadores o salário é o mesmo, não importa a hora em que iniciarem o trabalho de se regenerarem.

Esta formosa parábola é um hino de esperança. Por meio dela, Jesus nos ensina que sempre é tempo de cuidarmos de nossas almas e de colaboramos com o Senhor na tarefa de evangelizar nossos irmãos menores. Quer estejamos no vigor da juventude, quer já tenhamos começado a sentir o cansaço da velhice, toda a hora é hora de trabalharmos para Deus e de merecermos o salário divino.

16 – *Assim serão os últimos os primeiros, e primeiros os últimos, porque são muitos os chamados, e poucos os escolhidos.*

Nem todos são escolhidos, porque nem todos estão preparados para arcarem com a responsabilidade que o Evangelho acarreta a quem o abraça.

Os chamados são a humanidade, porque o Evangelho é pregado a todos os povos. Contudo, dentre os que ouvem a palavra divina, poucos têm forças suficientes para viverem de conformidade com ela. Por isso Jesus diz que poucos são os escolhidos. À medida, porém, que cada um for adquirindo forças, por meio das experiências que terá durante sucessivas encarnações, irá sendo escolhido para testemunhar particularmente o Evangelho, embora o chamado seja geral.

O Pedido dos Filhos de Zebedeu

17 – *E subindo Jesus a Jerusalém, tomou de parte os seus doze discípulos e disse-lhes:*
18 – *Eis aqui vamos para Jerusalém, e o Filho do homem será entregue aos príncipes dos sacerdotes, e aos escribas, que o condenarão à morte:*
19 – *E entregá-lo-ão aos gentios para ser escarnecido e açoitado e crucificado, mas ao terceiro dia ressurgirá.*

Jesus caminha ao encontro de seu glorioso suplício. Deixa a Galileia para não mais tornar a ela em seu corpo carnal. O cenário risonho e florido das margens do Iago, o povo bom que o escutava carinhosamente, os sítios tranquilos em que orava, as crianças que o seguiam brincando, tudo vai ser substituído por Jerusalém, a cidade das controvérsias, das discussões, dos sacerdotes orgulhosos e dos rituais religiosos. Em viagem para a cidade fatal, Jesus não se esquece de prevenir os discípulos do que se vai passar. Assim ele os fortificava na fé, para que não vacilassem nos instantes supremos.

20 – *Então se chegou a ele a mãe dos filhos de Zebedeu, com seus filhos, adorando-o e pedindo-lhe alguma coisa.*
21 – *Ele lhe disse: Que queres? Respondeu ela: Dize que estes meus dois filhos se assentem no teu reino, um à tua esquerda e outro à tua direita.*
22 – *E respondendo, Jesus disse: Não sabeis o que pedis. Podeis vós beber o cálice que hei de beber? Disseram-lhe eles: Podemos.*
23 – *Ele lhes disse: É verdade que vós haveis de beber o meu cálice; mas pelo que toca a terdes assento à minha direita, ou à esquerda, não me pertence a mim o dar-vo-lo, mas isso é para aqueles para quem está preparado por meu Pai.*

Todos aqueles que aspiram a um lugar para o qual ainda não estão preparados demonstram orgulho, embora se sintam com a coragem necessária para suportarem os riscos que a conquista do posto que ambicionam acarreta. Mesmo que os filhos de Zebedeu bebessem o cálice do Mestre, ainda assim não teriam assento ao lado dele, por não estarem à altura da evolução espiritual de Jesus. Ao responder-lhes Jesus, que os lugares à sua direita ou à sua esquerda dependiam da vontade de Deus, quis dizer-lhes que esses lugares não se davam a qualquer um, mas unicamente aos que se tinham tornado dignos de ocupá-los.

Este episódio simboliza também o grande número de pedidos inconsiderados que continuamente sobem aos pés do Altíssimo. Destes pedidos, uns não podem ser atendidos por faltar-lhes merecimento; e outros, porque, se fossem atendidos, perturbariam a evolução espiritual dos que os formulam. Por isso, é muito conveniente que analisemos muito bem os pedidos que fizermos a Deus em nossas orações; devemos primeiro ver se merecemos o que pedimos e depois, se uma vez atendidos, o que pedimos não nos irá trazer perturbações.

24 – E quando os dez ouviram isto, se indignaram contra os dois irmãos.
25 – Mas Jesus os chamou a si e lhes disse: Sabeis que os príncipes das gentes dominam os seus vassalos e que os que são maiores exercitam o poder sobre eles.
26 – Não será assim entre vós outros; mas entre vós todo o que quiser ser o maior, esse seja o que vos sirva.
27 – E o que entre vós quiser ser o primeiro, esse seja o vosso servo.
28 – Assim como o Filho do Homem não veio para ser servido, mas para servir, e para dar a sua vida em redenção por muitos.

Estes versículos explicam claramente a resposta que Jesus dá aos filhos de Zebedeu. Quanto mais elevada é a situação de um espírito na hierarquia espiritual, tanto maiores são seus deveres, e mais extensa sua responsabilidade. Os altos postos espirituais requisitam de quem os ocupa extrema dedicação aos irmãos menores, os quais estão sob sua assistência direta. Os espíritos elevados renunciam a serem servidos, para servirem aos pequeninos, que a misericórdia do Pai colocou sob a proteção e a tutela deles. Tal é o exemplo que Jesus nos lega. Sua vida é um contínuo devotamento ao próximo; chegou a renunciar à própria personalidade e, por fim, deu a vida para remissão até dos mesmos que o levaram ao suplício da cruz.

Em nossos dias, os espíritas são os discípulos que vieram para servir. E no humilde labor evangélico, como médiuns abnegados, como doutrinadores amorosos e como instrutores carinhosos, passam desapercebidos das grandezas terrenas, mas edificando o reino de Deus no recesso dos corações sofredores, aos quais vieram servir.

Os Dois Cegos de Jericó

29 – E saindo eles de Jericó, seguiu a Jesus muita gente.

30 – E eis que dois cegos, que estavam sentados à estrada, ouviram que Jesus passava, e gritaram, dizendo: Senhor, Filho de David, tem compaixão de nós.
31 – E repreendia-os a gente que se calassem. Porém, eles cada vez gritavam mais, dizendo: Senhor, Filho de David, tem compaixão de nós.
32 – Então parou Jesus, e chamou-os, e disse: Que quereis que vos faça?
33 – Responderam eles: Que se nos abram, Senhor, os nossos olhos.
34 – E Jesus, compadecido deles, lhes tocou os olhos. E no mesmo instante viram, e o foram seguindo.

A cura destes dois cegos é um fenômeno material, perfeitamente enquadrado nas leis que regem as curas pelo fluido magnético curativo, que Jesus irradiava em alto grau e sabia manejar. Todavia, além da parte puramente material deste fato, devemos ver nele também a parte moral. Sentados à beira da estrada da vida, quantos cegos espirituais aguardam a passagem do Mestre para curá-los da cegueira espiritual em que vivem? O Espiritismo é o moderno enviado a percorrer os caminhos da Terra, abrindo os olhos das almas para contemplarem os resplendores da imortalidade.

Capítulo 21

A Entrada Triunfal de Jesus em Jerusalém

1 – Como eles, pois se avizinharam a Jerusalém, e chegaram a Bethfagé ao monte das Oliveiras, enviou então Jesus, dois de seus discípulos.

2 – Dizendo-lhes: Ide a essa aldeia que está defronte de vós, e logo achareis presa uma jumenta, e um jumentinho com ela; desprendei-a, e trazei-mos.

3 – E se alguém vos disser alguma coisa, respondei que o Senhor os há mister; e logo vo-los deixará trazer.

4 – E isto tudo sucedeu, para que se cumprisse o que tinha sido anunciado pelo profeta, que diz:

5 – Dizei à filha de Sião: Eis aí o teu rei, que vem a ti cheio de doçura, montado sobre uma jumenta, e sobre um jumentinho, filho do que está debaixo do jugo.

6 – E indo os discípulos, fizeram como Jesus lhes ordenara.

O fato aqui narrado pertence à categoria dos fenômenos de clarividência, ou visão a distância. A visão material é limitada; porém a visão da alma, isto é, a clarividência é ilimitada. Jesus, possuidor dessa faculdade, pôde divisar na aldeia a jumenta e o jumentinho e saber que seu proprietário não negaria o pedido que os discípulos lhe fariam. Agindo de acordo com as profecias, queria Jesus dar aos discípulos uma demonstração concreta de que ele era o Cristo a fim de que tivessem a coragem suficiente para pregarem o Evangelho a todos os povos, quando, depois de desencarnar, os incumbisse desse trabalho. No momento não prestavam atenção a esses pequeninos fatos; mas no futuro, relembrando a vida do Mestre, do que fez e do que falou, e comparando-a com as profecias dos profetas de Israel, compreenderiam claramente que Jesus era o Messias prometido; e cheios de fé e de esperança, espalhariam a boa-nova entre todas as nações.

7 – E trouxeram a jumenta e o jumentinho, e cobriram-nos com os seus vestidos, e fizeram-no montar em cima.

8 – Então da gente do povo, que era muita, uns estendiam no caminho os seus vestidos, e outros cortavam ramos de árvores, e juncavam com eles a passagem.

9 – E tanto as gentes que iam adiante, como as que iam atrás, gritavam, dizendo: Hosanna ao Filho de David; bendito o que vem em nome do Senhor; Hosanna nas maiores alturas.

10 – E quando entrou em Jerusalém, se alterou toda a cidade dizendo: Quem é este?

11 – E os povos diziam: Este é Jesus, o profeta de Nazaré de Galileia.

A fama de Jesus se tinha espalhado por toda parte. Ao saber de sua chegada, o povo acorreu para vê-lo e, numa manifestação espontânea de apreço, entoa-lhe louvores. Mais tarde, esses mesmos corações, guiados pelos sacerdotes interesseiros, pediriam a libertação de Barrabás e a condenação do Justo. É esta mais uma lição moral que Jesus legou à posteridade de seus discípulos: ensinou-os, pelo exemplo, a não confiarem na fragilidade dos corações humanos.

A Purificação do Templo

12 – *E entrou Jesus no templo de Deus, e lançava fora todos os que vendiam e compravam no templo; e pôs por terra as mesas dos banqueiros, e as cadeiras dos que vendiam pombas.*

13 – *E lhes disse: Escrito está: A minha casa será chamada casa de oração; mas vós a tendes feito covil de ladrões.*

14 – *E chegaram-se a ele cegos e coxos no templo, e os sarou.*

Jesus inicia a luta contra a classe parasitária dos sacerdotes e contra as religiões organizadas para explorarem o povo. E na mesma hora, à vista dos traficantes do altar, cura cegos e coxos, para ensinar aos sacerdotes que os bens divinos se recebem de graça e de graça devem ser distribuídos.

Em nossos dias os templos continuam impuros.

Os sacerdotes modernos, presos aos interesses materiais, das religiões organizadas com fins lucrativos, não compreendem esta lição do Evangelho. Houve, é certo, alguns poucos sacerdotes que assimilaram muito bem este trecho evangélico e tentaram pô-lo em prática, procurando corrigir a Igreja. Contudo, não o conseguiram, porque o terreno não estava preparado para isso. Mas as luzes espirituais começam a acender-se por todos os recantos do globo, clareando os caminhos do porvir e preparando grandes transformações religiosas. E os sacerdotes de boa vontade, e verdadeiros discípulos de Jesus, conseguirão limpar os altares das explorações e das abominações, depois do ano 2000, quando tudo será propício para as renovações e a regeneração no terreno religioso.

A Figueira Seca

15 – *E quando os príncipes dos sacerdotes e os escribas viram as maravilhas que ele tinha feito, e os meninos no templo, gritando, e dizendo: Hosanna ao Filho de David, se indignaram.*

16 – *E lhe disseram: Ouves o que dizem estes? E Jesus lhes respondeu: Sim; nunca lestes: Que da boca dos meninos, e dos que mamam, tiraste o perfeito louvor?*

17 – *E tendo-os deixado, retirou-se Jesus para fora da cidade, passando a Betânia, e ali ficou.*

Apesar das maravilhas que Jesus operou perante os sacerdotes, eles persistiram na negação, confirmando o provérbio: Não há pior cego do que aquele que não quer ver.

Os sacerdotes não queriam ouvir a palavra de Jesus, nem tomar conhecimento de seus atos benéficos, por dois motivos: primeiro, por causa do orgulho de casta; segundo, porque viram que a doutrina de Jesus contrariava os interesses deles; pois a casta sacerdotal sempre quis monopolizar e explorar as coisas divinas.

O perfeito louvor é o que sai da boca das crianças, porque, estando ainda na infância da carne, não sabem dissimular e falam espontaneamente o que seus coraçõezinhos sentem.

18 – *Mas pela manhã, quando voltava para a cidade, teve fome.*
19 – *E vendo uma figueira junto do caminho, se chegou a ela; e não achou nela senão unicamente folhas, e lhe disse: Nunca jamais nasça fruto de ti. E no mesmo ponto se secou a figueira.*
20 – *E vendo isto os discípulos, se admiraram, dizendo: Como se secou para logo?*
21 – *E respondendo, Jesus lhes disse: Na verdade vos digo que, se tiverdes fé, e não duvidardes, não só fareis o que acabo de fazer à figueira, mas ainda se disserdes a este monte: Tira-te, e lança-te no mar, assim se fará.*
22 – *E todas as coisas que pedirdes, fazendo oração com fé, haveis de conseguir.*

Aqui assistimos a uma aplicação de fluidos. Foi por meio de fluidos, que Jesus manipulava muito bem, que se secou a figueira. Com este ato, Jesus quis mostrar a seus discípulos quanto pode a fé.

A luta que mais tarde os discípulos travariam para a propagação do Evangelho exigiria deles uma fé inabalável. E Jesus, por todos os modos, procura aumentar-lhes e fortificar-lhes a fé.

A fé.

O que é a fé?

É a confiança que temos em Deus, nosso Pai. É o arrimo com o qual faremos a jornada através das reencarnações. É a alavanca com a qual removeremos as pesadas montanhas de ignorância que atravancam o mundo. É a lima com a qual desgastaremos as manchas acumuladas em nosso perispírito e que o impedem de brilhar.

O Espiritismo renova em nossos dias a fé em todos os corações. Demonstrando racionalmente a finalidade de nossa vida na Terra, ensinando-nos o que há por detrás do túmulo, revelando-nos a causa do sofrimento, e a Justiça que a ele preside, explicando de maneira clara e precisa os fenômenos até aqui tidos por milagres e patenteando aos olhos dos homens as leis que os regem, o Espiritismo faz com que seus adeptos tenham uma fé firme e inabalável, porque é uma fé racional.

O Batismo de João

23 – *E tendo ido ao templo, os príncipes dos sacerdotes e os anciãos do povo se chegaram a ele quando estavam ensinando, e lhe disseram: Com que autoridade fazes estas coisas e quem te deu este poder?*
24 – *Respondendo Jesus, lhes disse: Também eu tenho que vos fazer uma pergunta: se me responderdes a ela, então eu vos direi com que autoridade faço estas coisas.*

25 – Donde era o batismo de João? do céu ou dos homens? Mas eles faziam entre si este discurso, dizendo:

26 – Se nós lhe dissermos que do céu, dir-nos-á ele: Pois por que não crestes nele? E se lhe dissermos que dos homens, tememos as gentes; porque todos tinham a João na conta de um profeta.

27 – E respondendo a Jesus, disseram: Não o sabemos. Disse-lhes também ele: Pois nem eu vos digo com que poder faço estas coisas.

É fora de dúvida que, se Jesus curava os enfermos e ensinava o povo a viver de acordo com as leis divinas, o poder só lhe poderia ter sido dado por Deus, e a autoridade com que falava provinha também de Deus. Entretanto, os sacerdotes se recusavam a render-se à evidência e procuravam por todos os meios confundir Jesus.

Jesus não respondeu diretamente à pergunta, o que de nada adiantaria para aqueles corações endurecidos e cheios das vaidades do mundo. Limitou-se a dar-lhes um exemplo que os esclareceria, se quisessem entender; mas para isso era necessário tornarem-se humildes, e de melhores sentimentos, a fim de compreenderem os ensinamentos divinos.

O Espiritismo, revivendo em nossos dias o Cristianismo em sua pureza primitiva, sofre as mesmas arguições que sofreram Jesus e seus discípulos. As religiões organizadas fecham os olhos para os benefícios que o Espiritismo espalha e não querem ver que as lições da Doutrina Espírita conduzem a humanidade a Deus.

E os sacerdotes modernos, como os do tempo de Jesus, perguntam: Donde vem ao Espiritismo semelhante poder e autoridade?

A Parábola dos Dois Filhos

28 – Mas que vos parece? Um homem tinha dois filhos, e chegando ao primeiro, lhe disse: Filho, vai hoje, e trabalha na minha vinha.

29 – E respondendo, ele lhe disse: Não quero. Mas depois, tocado de arrependimento, foi.

30 – E chegando ao outro lhe disse do mesmo modo. E respondendo ele, disse: Eu vou, senhor e não foi.

31 – Qual dos dois fez a vontade do pai? Responderam eles: O primeiro. Jesus lhes disse: Na verdade vos digo que os publicanos e as meretrizes vos levarão a dianteira para o reino de Deus.

32 – Porque veio João a vós no caminho da justiça, e não o crestes; e os publicanos e as prostitutas o creram; e vós outros, vendo isto, nem ainda fizestes penitência depois, para o crerdes.

Esta parábola define muito bem as duas espécies de trabalhadores espirituais. O filho que disse não vou, e depois foi, personifica os filhos de Deus, que nunca cogitaram de trabalhar para o aprimoramento de suas almas e se entregaram às paixões inferiores, esquecidos de seus deveres para com o Pai Celestial. Mas um dia, tocados de arrependimento, voltam-se para Deus e procuram obedecer-lhe à vontade, trabalhando para o seu progresso espiritual e o de seus irmãos.

O filho que diz eu vou, e não foi, simboliza os sacerdotes, que vieram expressamente para cuidarem do bem espiritual da humanidade e, uma vez aqui chegados, esqueceram-se da missão divina de que estão investidos e somente se dedicam aos seus interesses materiais.

A Parábola dos Lavradores Maus

33 – *Ouvi outra parábola: Era um homem pai de família, que plantou uma vinha, e a cercou com uma sebe, e, cavando, fez nela um lugar, e edificou uma torre e depois a arrendou a uns lavradores e ausentou-se para longe.*

34 – *Estando próximo o tempo dos frutos, enviou os seus servos aos lavradores para receberem os seus frutos.*

35 – *Mas os lavradores, lançando a mão dos servos dele, feriram um, mataram outro, e a outro apedrejaram.*

36 – *Enviou ainda outros servos em maior número do que os primeiros, e fizeram-lhe o mesmo.*

37 – *E por último enviou-lhes seu filho, dizendo: Hão de ter respeito a meu filho.*

38 – *Porém, os lavradores vendo o filho, disseram entre si: Este é o herdeiro; vinde, matemo-lo, e ficaremos senhores da sua herança.*

39 – *E lançando-lhe as mãos, puseram o fora da vinha e mataram-o.*

40 – *Quando pois vier o senhor da vinha, que fará ele àqueles lavradores?*

41 – *Responderam-lhe: Aos maus destruirá rigorosamente; e arrendará a sua vinha a outros lavradores, que lhe paguem os frutos a seu tempo devidos.*

Jesus continua a profligar os sacerdotes que se esqueceram de seus deveres sagrados.

O pai de família é Deus. A vinha é a humanidade. Os lavradores aos quais a vinha foi arrendada são sacerdotes aos quais foi atribuído o dever de zelarem espiritualmente pelas almas encarnadas na Terra. Os servos enviados para receberem o fruto da vinha são os diversos missionários que, de tempos em tempos, Deus envia à Terra para indicarem novos rumos de progresso, e cujas revelações cumpria aos sacerdotes estudarem e ensinarem ao povo. Todavia, sempre aconteceu que o interesse da classe sacerdotal é manter o povo na ignorância, para melhor explorá-lo. E por isso os missionários sempre foram combatidos, perseguidos e mortos. O herdeiro é Jesus, que também foi morto. E depois dele, quantos não morreram nas fogueiras? Mas, um dia, o Pai tirará a vinha dos maus lavradores. É justamente o que estamos presenciando em nossos dias. As religiões organizadas do planeta, estacionadas em símbolos e formalidades, ritos e pompas exteriores, estão em completa decadência. E em lugar de todas elas surge o Espiritismo, que traz em seu seio os novos vinhateiros do Senhor.

42 – *Jesus lhes disse: Nunca lestes nas Escrituras: A pedra que foi rejeitada pelos que edificavam, essa foi posta por cabeça do ângulo? Pelo Senhor foi feito isto, e é coisa maravilhosa aos nossos olhos.*

43 – *Por isso é que eu vos declaro que tirado vos será o reino de Deus, e será dado a um povo que faça os frutos dele.*

Jesus foi rejeitado pelos sacerdotes de seu tempo, e seus ensinamentos, combatidos. O tempo, porém, demonstrou, e dia a dia mais demonstra, que é sobre seu Evangelho que se está erguendo o verdadeiro edifício religioso, que abrigará a humanidade.

Jesus, por conseguinte, é a pedra de cabeça do ângulo do maravilhoso edifício que se erguerá na Terra.

Como os sacerdotes dão poucos frutos para o reino de Deus, em virtude de mais se interessarem pelos bens terrenos, eles perdem, atualmente, o caráter de guias espirituais da humanidade. E ao Espiritismo é confiada a grande tarefa de produzir frutos para o reino de Deus.

44 – *O que cair, porém, sobre essa pedra far-se-á em pedaços; e aquele sobre que ela cair ficará esmagado.*

De nada valerão os ataques que se dirigem ao Evangelho. Dizendo Jesus que todos os adversários do Evangelho serão feitos em pedaços, quis dizer que serão destruídos. Mas esta destruição não se processará pela violência, porém, pelo amor. Porque, mais cedo ou mais tarde, através de sucessivas reencarnações, os adversários do Evangelho reconhecerão o erro em que laboravam e se converterão à verdadeira luz, isto é, tornar-se-ão seguidores da lei evangélica.

E os que tomarem conhecimento dos ensinamentos do Evangelho e, contudo, não os aplicarem em suas vidas, desprezando-os, serão esmagados. Isto significa que os que assim procedem procuram sofrimentos para muitas e muitas encarnações, até que se submetam e passem a viver de conformidade com os preceitos divinos.

45 – *E os príncipes dos sacerdotes e os fariseus, depois de ouvirem as suas parábolas, conheceram que deles é que falava Jesus.*

46 – *E quando procuravam prendê-lo, tiveram medo do povo, porque este o tinha na estimação de um profeta.*

Os sacerdotes perceberam que Jesus se referia a eles. Todavia, o orgulho, os preconceitos e os lucros que auferiam não os deixavam entrever que Jesus pregava a verdadeira religião.

O mesmo sucede hoje com o Espiritismo: apesar de reviver o puro Cristianismo, as religiões organizadas o combatem.

Capítulo 22

A Parábola das Bodas

1 – E respondendo, Jesus lhes tornou a falar segunda vez em parábolas, dizendo:
2 – O reino dos céus é semelhante a um homem rei, que fez as bodas a seu filho.
3 – E mandou os seus servos a chamar os convidados para as bodas, mas eles recusaram ir.
4 – Enviou de novo outros servos, com este recado: Dizei aos convidados: Eis aqui tenho preparado o meu banquete, os meus toiros e os animais cevados estão já mortos, e tudo pronto; vinde às bodas.
5 – Mas eles desprezaram o convite; e se foram, um para a sua casa de campo, e o outro para o seu tráfico.
6 – Outros, porém, lançaram mão dos servos que ele enviara, e depois de os haverem ultrajado, os mataram.
7 – Mas o rei, tendo ouvido isto, se irou; e, tendo feito marchar os seus exércitos, acabou com aqueles homicidas, e pôs fogo à sua cidade.
8 – Então disse aos seus servos: As bodas com efeito estão aparelhadas, mas os que estavam convidados não foram dignos de se acharem no banquete.
9 – Ide pois às saídas das ruas, e a quantos achardes, convidai-os para as bodas.
10 – E tendo saído os seus servos pelas ruas, congregaram todos os que acharam, maus e bons; e ficou cheia de convidados a sala do banquete das bodas.
11 – Entrou depois o rei para ver os que estavam à mesa, e viu ali um homem, que não estava vestido com veste nupcial.
12 – E disse-lhe; Amigo, como entraste aqui, não tendo vestido nupcial? Mas ele emudeceu.
13 – Então disse o rei aos seus ministros: Atai-o de pés e mãos e lançai-o nas trevas exteriores; aí haverá choro e ranger de dentes.
14 – Porque são muitos os chamados, e poucos os escolhidos.

O rei é Deus. As bodas do filho são a chegada do Evangelho à Terra. Os servos são os apóstolos e os demais missionários, que se encarnaram na Terra, para ensinarem as leis divinas. Os primeiros convidados são o povo hebreu, que já estava preparado para compreender as novas lições, Mas este povo repeliu o Mestre, e para o seio do Evangelho foram chamados todos os povos da Terra. Porém, não basta apenas ser chamado para que se entre no reino dos céus; é preciso revestir-se da veste nupcial. A veste nupcial simboliza a nova vida, que deve ser vivida de acordo com os preceitos de Jesus; torna-se necessário abandonar as antigas paixões, que eram senhoras da alma. Querer penetrar no reino dos céus, sem primeiro abjurar de todo o mal e reformar-se completamente para o bem, não é possível. E como são poucos os que se reformam segundo o Evangelho, poucos são os escolhidos, embora o Evangelho seja pregado a um grande número.

Aplicando-se esta parábola ao Espiritismo, vemos que os primeiros chamados para o seio dele foram os sábios e pessoas esclarecidas, porque lhes seria mais fácil compreenderem os fenômenos. Depois de intermináveis discussões a ciência repeliu o Espiritismo, e vimos então que ele se espalhou por todas as classes sociais, realizando o "muitos são os chamados". Mas, como o Espiritismo oferece a todos uma clara compreensão das leis divinas, é de esperar-se que muitos serão os escolhidos.

A Questão do Tributo

15 – *Então, retirando-se os fariseus, consultaram entre si, como o surpreenderiam no que falasse.*
16 – *E enviam-lhe seus discípulos juntamente com os herodianos, que lhe disseram: Mestre, nós sabemos que és verdadeiro, e que ensinas o caminho de Deus pela verdade, e não se te dá de ninguém, porque não fazes acepção de pessoas;*
17 – *Dize-nos pois, qual é o teu sentimento: é lícito dar tributo a César, ou não?*
18 – *Porém Jesus, conhecendo a sua malícia, disse-lhes: Por que me tentais, hipócritas?*
19 – *Mostrai-me cá a moeda do censo. E eles lhe apresentaram um dinheiro.*
20 – *E Jesus lhes disse: De quem é esta imagem e inscrição?*
21 – *Responderam eles: De César. Então lhes disse Jesus: Pois dai a César o que é de César, e a Deus o que é de Deus.*
22 – *E quando ouviram isto, se admiraram, e, deixando-o, se retiraram.*

Conquanto a questão do tributo fosse uma cilada, que armavam a Jesus, pois aos Judeus aborrecia pagá-lo, e nada podiam fazer contra os Romanos conquistadores, que o recebiam, Jesus aproveita o ensejo para legar uma lição aos encarnados. Como espíritos encarnados que somos, devemos respeitar as leis da Terra, sem que nos esqueçamos de cumprir as leis divinas.

Acerca da Ressurreição

23 – *Naquele dia vieram a ele os saduceus que dizem não haver ressurreição, e lhe fizeram esta pergunta:*
24 – *Dizendo: Mestre, Moisés disse que se morrer algum que não tenha filho, seu irmão se case com sua mulher, e dê sucessão a seu irmão.*
25 – *Ora entre nós havia sete irmãos; depois de casado faleceu o primeiro; e porque não teve filho, deixou sua mulher a seu irmão.*
26 – *O mesmo sucedeu ao segundo, e terceiro, até ao sétimo.*
27 – *E ultimamente, depois de todos, faleceu também a mulher.*
28 – *A qual dos sete, logo, pertencerá a mulher na ressurreição? porque todos foram casados com ela.*
29 – *E respondendo Jesus, lhes disse: Errais, não sabendo as Escrituras, nem o poder de Deus.*

30 – *Porque depois da ressurreição, nem as mulheres terão maridos, nem os maridos, mulheres, mas serão como os anjos de Deus no céu.*

A palavra ressurreição significa o ato de o espírito desencarnar e ressurgir pleno de vida no mundo espiritual. Os laços do sangue unem determinadas pessoas sob uma mesma família somente aqui na Terra. E então temos a relação de parentesco: pais e filhos, marido e mulher etc. Porém, no mundo espiritual cessam as relações transitórias de parentesco, para dar lugar apenas à relação fraternal; todos somos irmãos e filhos de um único Pai, que é Deus.

31 – *E sobre a ressurreição dos mortos, vós não tendes lido o que Deus disse, falando convosco.*
32 – *Eu sou o Deus de Abrahão, e o Deus de Isaac, e o Deus de Jacob? Ora Deus não o é de mortos, mas de vivos.*
33 – *E a gente do povo, ouvindo isto, estava admirada da sua doutrina.*

Jesus nos ensina que Deus não é pai de mortos, porque não existem mortos. Nós somos espíritos imortais, habitantes temporários da Terra, onde usamos um corpo de carne. Quando este corpo não servir mais para o nosso progresso, nós desencarnaremos, isto é, deixaremos o corpo e passaremos a viver no mundo espiritual, continuando nossa vida pela eternidade.

A morte não existe. O que chamamos morte é o simples fenômeno de se desatarem os laços que prendiam o espírito ao corpo. Uma vez desatados esses laços, o espírito passa para o mundo espiritual; e o corpo se desintegra, volvendo para o grande reservatório da natureza. Do outro lado do túmulo a vida continua plena, bela e cheia de magníficas oportunidades de elevação para Deus.

Dizendo Jesus que Deus é pai de Abrahão, de Isaac e de Jacob, quis dizer-nos que ele é o pai de todos, não importa quem seja o indivíduo, suas posses, sua cor, seu credo político ou religioso.

O Grande Mandamento

34 – *Mas os fariseus, quando ouviram que Jesus tinha feito calar a boca aos saduceus, se ajuntaram em conselho.*
35 – *E um deles, que era doutor da lei, tentando-o, lhe perguntou:*
36 – *Mestre, qual é o grande mandamento da lei?*
37 – *Jesus lhe disse: Amarás ao Senhor teu Deus, de todo o teu coração, e de toda tua alma, e de todo o teu entendimento.*
38 – *Este é o máximo e o primeiro mandamento.*
39 – *E o segundo, semelhante a este é: Amarás a teu próximo como a ti mesmo.*
40 – *Destes dois mandamentos depende toda a lei e os profetas.*

Jesus substitui o Decálogo, isto é, os dez mandamentos de Moisés, pelos dois simples e explícitos mandamentos acima.

Quem ama a Deus sobre todas as coisas presta culto em espírito e verdade unicamente a ele, que é nosso Pai, não adorando imagens de qualquer espécie e respeitando seu sagrado nome. Santifica não somente um dos dias da semana, mas todos os dias, todas as horas e todos os minutos, por meio de um viver reto e digno.

Quem ama ao próximo como a si mesmo, honra a seu pai e à sua mãe, não mata, não comete adultério, não levanta falso testemunho e não cobiça coisa alguma de quem quer que seja. Tinha pois razão Jesus, ao ensinar ao fariseu orgulhoso e tentador, que amar a Deus sobre todas as coisas e ao próximo como a si mesmo é um mandamento que resume admiravelmente toda a lei de Moisés e tudo o que disseram os profetas.

Cristo Filho de David

41 – Estando juntos os fariseus, lhes fez Jesus esta pergunta:
42 – Dizendo: Que vos parece a vós do Cristo? de quem é ele filho? Responderam-lhe: De David.
43 – Jesus lhes replicou: Pois como lhe chama David, em espírito, Senhor, dizendo:
44 – Disse o Senhor ao meu Senhor: Senta-te à minha direita, até que eu reduza os teus inimigos a servirem de escabelo de teus pés?
45 – Se pois David o chama seu Senhor, como é ele seu filho?
46 – E não houve quem lhe pudesse responder uma só palavra; e daquele dia em diante, ninguém mais ousou fazer-lhe perguntas.

Os sacerdotes explicam as Escrituras pelo lado material unicamente, isto é, ao pé da letra, sem lhe entenderem o significado espiritual. Daí a contradição que Jesus lhes aponta nos textos sagrados, e para a qual não puderam dar-lhe explicação.

Por parte da carne, Jesus podia descender de David; porém não pelo lado do espírito. Pelo lado espiritual Jesus é infinitamente superior a David, o qual, compreendendo isto, o chama de seu Senhor, em seus salmos inspirados.

Capítulo 23

Jesus Censura os Escribas e os Fariseus

1 – Então falou Jesus às turbas e aos seus discípulos.

Até aqui vimos o Mestre ensinando quais as regras que devem ser postas em prática pelos que, verdadeiramente, procuram a elevação espiritual. Agora Jesus inicia a censura aos escribas e aos fariseus, isto é, a todos os que se arvoram em guias religiosos dos homens. Nestas censuras, Jesus enumera os erros em que não devem incidir os ministros do Senhor. Aos espíritas, aos quais, nos tempos atuais, foi outorgado o trabalho máximo de reacender na Terra a chama sagrada do Cristianismo e de reviver a era apostólica, oferecem estas censuras ensejo para profunda meditação. Impõe-se aos espíritas, mormente aos de responsabilidades definidas no campo do Espiritismo, muita vigilância para não incidirem nos mesmos erros dos escribas, fariseus e seus modernos seguidores e tão asperamente censurados por Jesus. Este capítulo patenteia a nossos olhos a hipocrisia dos supostos guias religiosos da humanidade, não importa a que credo pertençam.

2 – Dizendo: Na cadeira de Moisés se assentaram os escribas e os fariseus.

O povo hebreu foi monoteísta desde sua origem. A missão sublime dessa raça foi a de trazer à Terra o culto de um Deus único, Supremo Criador do Universo.

A crença num Deus Uno constituiu a base da religião dos israelitas. Moisés assenhoreou-se dessa crença, deu-lhe forma, estabeleceu leis e fundou o Mosaísmo, que se tornou a religião oficial de Israel.

Moisés deu a seu povo duas espécies de leis: as leis espirituais, que tratavam das relações do culto devido a Deus; e as leis materiais, que regiam a nação politicamente.

Aos poucos, as leis espirituais foram esquecidas e substituídas por um sistema de práticas exteriores, em que não transparecia mais o antigo espírito religioso. Os escribas e os fariseus, encarregados de zelarem pela lei, isto é, pela religião de Moisés, moldaram-na de acordo com suas conveniências, de sorte que a lei existia para os outros, que não para eles.

Tal sucede com o catolicismo, que sobrecarregou o Cristianismo de tanta materialidade, apagando dele até o mais leve traço dos ensinamentos simples e puros de Jesus.

É mister que os Espíritas vigiem sem cessar e zelem muito bem pela Doutrina Espírita, a fim de que ela prossiga sempre iluminando as consciências e purificando os corações, segundo o Evangelho, jamais deixando que nela se imiscuam práticas que lhe alterem a pureza e a simplicidade primitivas.

3 – Observai pois, e fazei tudo quanto eles vos disserem; porém não obreis segundo a prática das suas ações; porque dizem e não fazem.

Jesus nos previne contra os eloquentes pregadores do Evangelho, cujas palavras facilmente fluem de seus lábios, mas cujo comportamento não confirma o que pregam. Daí deriva a grande responsabilidade dos que pregam: é bom pregar pela palavra, porém sempre secundada pelo exemplo.

4 – Porque atam cargas pesadas e incomportáveis, e as põem sobre os ombros dos homens mas nem com o seu dedo as querem mover.

É grande o número dos que ditam deveres aos outros; reduzidíssimo o número dos que traçam normas de boa conduta para si próprios.

Há muitos que pregam e se esquecem de viver conforme pregam.

O essencial para que cada um consiga o seu progresso espiritual é cumprir rigorosamente seus deveres e observar os preceitos divinos, consubstanciados no Evangelho, que tão bem sabem pregar aos outros.

5 – E fazem todas as suas obras para serem vistos dos homens por isso trazem as suas largas tiras de pergaminho, e grandes franjas.

Não é a prática de uma caridade espetacular, nem o uso de distintivos ou de trajes religiosos, o que demonstra aos olhos de Deus um homem verdadeiramente religioso.

O homem verdadeiramente religioso traz por único distintivo um coração puro e uma consciência tranquila. Tolera o modo de pensar dos outros, por não se julgar o único detentor da verdade. Cultiva a pureza de pensamentos, de palavras e de atos. Exteriormente não usa distintivos, nem fardamentos ou vestes que indiquem a religião que professa.

Ao passo que poderá passar por religioso aos olhos dos homens, mas não o é aos olhos de Deus, quem não tem o coração puro nem a consciência tranquila; quem faz o bem por calculado interesse; quem não cultiva a pureza de pensamentos nem de palavras nem de atos; quem é intolerante; para estes, não adianta o uso de emblemas ou de vestes religiosas; enganam os homens, mas não enganam a Deus.

6 – E gostam de ter nos banquetes os primeiros lugares, e nas sinagogas as primeiras cadeiras.
7 – E que os saúdem na praça, e que os homens os chamem mestres.

Os ministros religiosos, esquecidos de que seus lugares são junto dos sofredores que enxameiam pela Terra, procuram aliança com os grandes e com os poderosos e se esforçam por tirar o máximo proveito material do cargo que ocupam. Evidentemente não são mais ministros do Senhor, mas ministros das coisas da Terra.

A verdadeira religiosidade se expressa pela humildade posta a serviço do próximo, e não pelo orgulho, o qual exige ser servido. É prova de orgulho e presunção querer alguém intitular-se mestre das coisas divinas. Mesmo os que desempenham cargos religiosos, qualquer que seja a religião a que pertençam, são simples espíritos em aprendizado na escola terrena.

8 – Mas vós não queirais ser chamados mestres; porque um só é o vosso Mestre, e vós todos sois irmãos.

9 – E a ninguém chameis pai vosso sobre a terra; porque um só é vosso Pai, que está nos céus.

10 – Nem vos intituleis mestres; porque um só é vosso Mestre, o Cristo.

Aqui Jesus nos ensina a lei da fraternidade universal: temos por Pai, Deus; e por irmãos, a humanidade, da qual fazemos parte, constituindo uma grande e única família, cujos membros se encontram em diversos graus de evolução. E, nesta nossa escola milenária, temos por Mestre a Jesus. É um erro, por conseguinte, dar-se o título de Mestre ou de pai a ministros religiosos.

11 – O que dentre vós é o maior, será vosso servo.

Servir, tornar-se servo dos outros para poder ser o maior aos olhos de Deus, é não poupar esforços para facilitar a todos a conquista da felicidade espiritual, dando provas de renúncia e desprendimento. Tal é o médium que não poupa sacrifícios para levar o socorro de sua mediunidade aos sofredores, que o solicitam.

12 – Porque aquele que se exaltar será humilhado; e o que se humilhar será exaltado.

O indivíduo que se orgulha das altas posições que ocupa na Terra desperta humilhado no mundo espiritual, porque honras, títulos, fortuna, tudo aqui fica. Ao passo que o indivíduo que viveu sem orgulho e sem vaidades, cultivando a mais doce fraternidade, ao desencarnar é bem recebido no mundo espiritual, onde nada terá do que se envergonhar.

As moedas terrenas, que tanto orgulho alimentam nos corações da maioria de seus possuidores, não têm curso no mundo espiritual. Nesse mundo, para o qual seremos transladados mais cedo ou mais tarde, a única moeda corrente são as boas ações, as virtudes da alma. Logo, é tolice alguém se orgulhar dos bens materiais que possui, e cuja perda pelo desencarne o poderá humilhar. É sabedoria praticar boas ações, ser humilde de coração, manso, compassivo, fraterno, não se ensoberbecer pelo que possui na Terra, nem pelos seus talentos, a fim de não sofrer decepções ao passar para o estado de espírito, livre da matéria, em que cada um será exaltado ou humilhado, segundo o bom ou mau emprego do tempo e dos bens que lhe forem confiados na Terra.

13 – Mais ai de vós, escribas e fariseus hipócritas; que fechais o reino dos céus diante dos homens; pois nem vós entrais, nem aos que entrariam deixais entrar.

14 – Ai de vós, escribas e fariseus hipócritas; porque devorais as casas das viúvas, fazendo largas orações por isso levareis um juízo mais rigoroso.

Todas as religiões têm os seus escribas e fariseus hipócritas que fecham a porta dos céus a si e aos outros. São aqueles que, vivendo em completo desacordo com a doutrina que professam e pregam, contribuem para que a descrença se espalhe entre os homens, fazendo da religião um meio de explorar o próximo, e não o de encaminhá-lo para Deus.

15 – Ai de vós, escribas e fariseus hipócritas; porque rodeais o mar e a terra, por fazerdes um prosélito; e depois de o terdes feito, o fazeis em dobro mais digno do inferno do que vós.

Jesus clama contra as religiões organizadas, cujos sacerdotes, por quaisquer meios, procuram atrair adeptos, não para esclarecê-los, ampará-los e indicar-lhes o reto caminho que os conduziria a Deus; mas para conservá-los na ignorância e ainda aumentá-la, com o único fito de explorá-los materialmente.

Este versículo é digno de ser bem meditado pelos espíritas ansiosos de proselitismo. Dada a grande responsabilidade que há em fazer prosélitos, é bom que os espíritas se abstenham de insistir neste ponto. Quando procurados, deverão ajudar em tudo o que lhes for possível e pregarem a Verdade, sempre que houver oportunidades favoráveis; mas nunca deverão insistir para com alguém que siga o Espiritismo. Muitas vezes, os espíritas são procurados por irmãos, os quais necessitam de um auxílio, recebem o que pedem e se afastam. Isto acontece porque são irmãos que ainda não estão suficientemente preparados para assimilarem ensinamentos mais adiantados sobre espiritualidade.

16 – Ai de vós, condutores cegos, que dizeis: Todo o que jura pelo templo, isso não é nada; mas o que jurar pelo outo do templo fica obrigado ao que jurou.
17 – Estultos e cegos; pois qual é mais; o ouro ou o templo que santifica o outo?
18 – E todo o que jurar pelo altar, isso não é nada; mas qualquer que jurar pela oferenda que está sobre ele, está obrigado ao que jurou.
19 – Cegos; pois qual é mais, a oferenda ou o altar que santifica a oferenda?
20 – Aquele pois que jura pelo altar, jura por ele e por tudo quanto sobre ele está.
21 – E todo o que jurar pelo templo, jura por ele e pelo que habita nele;
22 – E o que jura pelo céu, jura pelo trono de Deus, e por aquele que está sentado nele.

Há indivíduos que, sem vontade firme de arcarem com a responsabilidade total que uma religião lhes acarreta, procuram adaptá-la às suas conveniências e ao seu comodismo; e assim aceitam a parte que lhes convém na religião e desprezam a outra. Por exemplo: vemos católicos que aceitam o catolicismo, mas excluem dele a parte da confissão; outros que excluem dele as missas; e outros que não aceitam seus sacerdotes. No Espiritismo acontece o mesmo; há espíritas que só aceitam a parte científica do Espiritismo; outros que desprezam a mediunidade, olhando-a com grande desconfiança. E há também espíritas que misturam as religiões, tais como aqueles que frequentam a Igreja, aceitando e praticando certos ritos católicos, tais como: batizarem-se e casarem-se na Igreja chegando alguns ao absurdo de mandarem dizer missas pelos seus desencarnados. Isto não é aceitar, e muito menos praticar uma determinada religião; mas sim é uma demonstração de grande comodismo, de muito preconceito e de muita preocupação pelas conveniências sociais. Os que assim agem aceitam a oferta e não o altar; o ouro do templo, e não o templo: é evidente que semelhantes indivíduos são hipócritas, que torcem as religiões segundo suas necessidades do momento.

Quando a humanidade ensaiava os primeiros passos no caminho da espiritualidade, a religião tinha de, necessariamente, revestir-se de um aspecto material. Assim, vemos todos os povos primitivos santificarem as coisas materiais e procurarem adquirir bens à custa de ofertas materiais à divindade. Não só ofereciam coisas materiais, como também julgavam que somente em determinados lugares consagrados é que se podia prestar culto ao Senhor. Moisés, condutor do povo hebreu, ainda muito próximo da animalidade, dá ao seu povo normas materiais, por cujo meio começaria a dirigir-se a Deus. Com o decorrer do tempo, o povo se esclareceria e passaria a adorar a Deus em espírito e verdade, abolindo do culto todos os traços de práticas materiais. Entretanto, os sacerdotes encarregados de educarem religiosamente o povo não acompanharam a evolução da inteligência humana e, por todos os modos, procuraram manter o povo nos princípios materiais da religião, o que acontece até hoje, não só por comodismo, como, principalmente, para acumularem riquezas e desfrutarem do poder.

Aqui Jesus condena a hipocrisia do clero, que torce a religião de conformidade com suas conveniências, procurando tirar dela o máximo proveito material.

Essas práticas absurdas de quererem os homens alcançar os favores divinos por meio de oferendas materiais persistem até nossos dias. As coisas divinas não se vendem, não se trocam e não se compram; e também não são privilégio de nenhuma religião e de nenhum indivíduo. As coisas divinas são adquiridas por meio de um trabalho perseverante para aperfeiçoarmos nossa alma, pelo amor ao próximo e pela pureza de pensamentos, palavras e atos.

23 – Ai de vós, escribas e fariseus hipócritas; que dizimais a hortelã, o endro e o cominho, e haveis deixado as coisas que são mais importantes da lei, a justiça, a misericórdia e a fé; estas coisas eram as que vós devíeis praticar, sem que entretanto omitísseis aquelas outras.

Ávidos das coisas materiais, os sacerdotes, não só os antigos como também os modernos, não ensinam aos povos a prática da justiça, da misericórdia e da fé, isto é, não ensinam a observância dos preceitos divinos. E tratam apenas de aumentar seu patrimônio terreno, usando para isso da religião. O resultado é viver o povo imerso na ignorância das coisas divinas e, por conseguinte, afastado de Deus.

Nos tempos atuais, vem o Espiritismo, o Consolador prometido, esclarecer os povos no que toca às coisas divinas, deixando de lado as coisas materiais, porque os que pregam o Espiritismo e trabalham por ele não precisam viver dele.

24 – Condutores cegos, que coais um mosquito, e engolis um camelo.

Há os que professam hipocritamente uma religião, dando excessivo apreço às coisas de somenos importância, tais como: pompas, o aparato exterior, as fórmulas vãs, mas fecham os olhos quanto à observância das leis divinas, à reforma íntima do caráter, que é o que mais importa.

25 – *Ai de vós, escribas e fariseus hipócritas; porque alimpais o que está por fora do copo e do prato; e por dentro estais cheios de rapinas e de imundícies.*
26 – *Fariseu cego: purifica primeiro o interior do copo e do prato, para que também o exterior fique limpo.*
27 – *Ai de vós escribas e fariseus hipócritas; porque sois semelhantes aos sepulcros caiados que parecem por fora formosos aos homens, e por dentro estão cheios de ossos de mortos, e de toda a asquerosidade.*
28 – *Assim também vós outros por fora vos mostrais na verdade justos aos homens, mas por dentro estais cheios de hipocrisia e iniquidade.*

Aqui Jesus profliga a desarmonia reinante entre o exterior e o interior, isto é, entre o que os sacerdotes aparentam ser e o que trazem no íntimo. Essa desarmonia também se nota na maioria dos adeptos de qualquer doutrina religiosa. Dessa desarmonia se origina a hipocrisia, um dos defeitos da alma, que Jesus combateu acerrimamente. No afã de parecerem justos aos olhos dos homens, tratam só do exterior, isto é, observam apenas a parte material da religião cumprindo todas as formalidades prescritas. Todavia, não cumprem a parte moral, que trata da reforma íntima das suas almas. Aos olhos dos homens podem parecer justos; aos olhos de Deus, não. Encobrem assim a falta de virtude e a avidez com que buscam os bens terrenos, com que se entregam aos gozos inferiores, aos vícios, às vinganças, à maledicência, desrespeitando a Deus e ao próximo.

Os médiuns deverão ter o máximo cuidado de cultivarem a harmonia entre o exterior e o interior, a fim de não merecerem estas mesmas censuras de Jesus. Os médiuns são os sacerdotes do Espiritismo. Por isso deverão cumprir a parte material da doutrina, e não se esquecerem da parte moral, que é o cumprimento das virtudes; assim darão o bom exemplo. Há necessidade de educarem o *eu interior*, isto é, o coração, para fazê-lo sentir com sinceridade, não só os preceitos do Evangelho, como também o sofrimento do próximo, para levar-lhe o amparo; e não se esquecerem de que os pensamentos deverão ser sempre puros; as palavras, honestas; e os atos, bons. Não basta ser assíduo às sessões e aos trabalhos espirituais, que constituem o exterior; é absolutamente necessário a reforma íntima, a melhoria do caráter, e o viver de acordo com o que ensina a Doutrina Espírita trazendo-se assim limpo também o interior.

Rapinas são os pensamentos de cobiça, de ambição, de inveja, de ódio, e quaisquer pensamentos malévolos. Imundícies são os pensamentos de vícios e de gozos inferiores. Esses pensamentos que constituem o interior, o hipócrita os encobre com a falsa piedade e com a meticulosa observância da religião diante do público. Deus não leva em conta a observância exterior; mas sim a observância interior, que consiste em cada um vigiar e trabalhar para ter o coração puro e a consciência tranquila.

É bom notar que não é somente entre os sacerdotes que se encontram túmulos caiados. Em todas as religiões e em todas as classes sociais eles existem e simbolizam os homens justos na aparência, porém cuja hipocrisia esconde o mal, que dissimuladamente praticam, e os vícios nos quais se comprazem.

29 – *Ai de vós, escribas e fariseus hipócritas, que edificais os sepulcros dos profetas, e adornais os monumentos dos justos.*

Periodicamente baixaram à Terra missionários encarregados de instruírem o povo nas leis divinas, promovendo-lhe o progresso espiritual. O primeiro obstáculo com o qual defrontaram foi o endurecimento do povo, que a princípio não aceitou os ensinamentos deles.

Todos os ensinamentos novos encontram sérios adversários, não só porque a humanidade se compraz no comodismo que aqueles ensinamentos vieram quebrar, como também porque há grupos organizados, os quais exploram habilmente a ignorância, o endurecimento e o comodismo do povo. Assim, contrariado em seus hábitos viciosos e instigado por seus condutores, ordinariamente o povo acabou sacrificando os que lhe vieram trazer ensinamentos superiores. Contudo, a evolução continua, e as lições novas abrem caminho até serem aceitas.

30 – *E dizeis: Se nós houvéramos vivido nos dias de nossos pais, não teríamos sido seus companheiros no sangue dos profetas;*
31 – *E assim dais testemunho contra vós mesmos, de que sois filhos daqueles que mataram os profetas.*
32 – *Acabai pois de encher a medida de vossos pais.*
33 – *Serpentes, raça de víboras, como escapareis vós de serdes condenados ao inferno?*

Na realidade, como já compreendia os ensinamentos que os profetas do passado tinham trazido, o clero já não instigaria o povo a matá-los. Todavia, Jesus faz ver aos sacerdotes o erro em que incidiam não seguindo os ensinamentos recebidos, pois, uma vez que os entendiam e ensinavam, deveriam segui-los. É verdade que não sacrificavam mais os profetas; porém, a todos os momentos, agiam ao contrário do que os missionários do *Senhor* tinham ensinado. Agora, o erro não tinha desculpas, porque estava sendo cometido com pleno conhecimento de causa. Dessa maneira, acompanhavam seus pais nos mesmos erros do passado, senão contra os profetas, pelo menos contra os mandamentos divinos. Assim agiam pior do que seus antepassados. Estes sacrificavam os profetas, movidos pela ignorância; seus descendentes praticavam o mal todos os dias, apesar de saberem que estavam desrespeitando as leis de Deus. Portanto, não poderiam salvar-se dos sofrimentos que atraíam para si, não só no presente como também nas encarnações futuras.

Analisando-se o panorama religioso atual, nota-se a mesma coisa. Se o clero e o povo de hoje não sacrificam Jesus, vivem, contudo, tão afastados de seus exemplos e ensinamentos, repetindo os erros que os profetas e Jesus vieram combater.

34 – *Por isso eis que estou eu que vos envio profetas e sábios e escribas, e deles matareis e crucificareis a uns, e deles açoitareis a outros nas vossas sinagogas, e os perseguireis de cidade em cidade.*

35 – *Para que venha sobre vós todo o sangue dos justos, que se tem derramado sobre a terra, desde o sangue do justo Abel, até ao sangue de Zacarias, filho de Baraquias, a quem vós destes a morte entre o templo e o altar.*

36 – *Em verdade vos digo, que todas estas coisas virão a cair sobre esta geração.*

Jesus, zelando pelo progresso espiritual dos espíritos, que se encarnam aqui na Terra, tem enviado continuamente elevados espíritos, que trouxeram proveitosas lições à humanidade. E porque conclamassem os rebeldes e os endurecidos ao cumprimento de seus deveres; e porque verberassem os vícios dos homens, eram os abnegados apóstolos, missionários e instrutores cruelmente perseguidos. E como a humanidade, uma vez esclarecida, é plenamente responsável pelos seus atos, terá de prestar contas de todos os crimes que cometeu contra os mensageiros do Senhor.

37 – *Jerusalém, Jerusalém, que matas os profetas, e apedrejas os que te são enviados, quantas vezes quis eu ajuntar teus filhos, do modo que uma galinha recolhe debaixo das asas os seus pintos, e tu o não quiseste!*

38 – *Eis aí vos ficará deserta a vossa casa.*

39 – *Porque eu vos declaro que desde agora, não me tornareis a ver até que digais: Bendito seja o que vem em nome do Senhor.*

Jerusalém, tomada em sentido particular, simboliza o povo hebreu, cuja principal missão consistia em trabalhar pela espiritualização da humanidade. Povo mais adiantado em espiritualidade, cumpria-lhe receber em primeiro lugar os ensinamentos divinos, assimilá-los, praticá-los e depois espalhá-los pelo mundo. Por isso, desde Moisés até os apóstolos, vemos a longa série de missionários que se encarnaram naquela nação, quase que ininterruptamente, trazendo sempre revelações e guiando o povo para um estágio espiritual superior. Mas os missionários não eram ouvidos e acabavam sendo massacrados, em virtude de contrariarem o interesse material dos poderosos e dos que viviam do altar.

Jerusalém, tomada em sentido geral, simboliza a humanidade, à qual, periodicamente, Jesus tem mandado missionários para instruí-la nas leis divinas e para espiritualizá-la. Esses missionários se encarnaram em todos os países; porém eles, em sua maioria, foram sacrificados, por causa do grande apego da humanidade às conveniências mundanas, à vida profana, aos vícios e às paixões inferiores e, sobretudo, por irem de encontro aos grupos religiosos que exploram os povos.

Ao verificar os crimes cometidos contra seus emissários Jesus prediz grandes sofrimentos para a humanidade, até o dia em que se convença do caminho errado que tomou e procure, com humildade, viver mais dignamente de conformidade com as leis divinas.

Capítulo 24

O Sermão Profético;
O Princípio de Dores

1 – E tendo saído Jesus do templo, se ia retirando. E chegaram a ele os seus discípulos para lhe mostrarem a estrutura do templo.

2 – Mas ele, respondendo, lhes disse: Vedes tudo isto? Na verdade vos digo que não ficará aqui pedra sobre pedra que não seja derribada.

As grandezas do mundo, por mais sólidas que aparentem ser, o tempo as destruirá. Civilizações milenárias desapareceram, cidades populosas se transformaram em pó, e monumentos gigantescos se desfizeram em cacos. Tudo o que é matéria, ou que repousa em bases materiais, mais cedo ou mais tarde terá de sofrer as transformações próprias da matéria. Tal não acontece com os bens espirituais. Os bens espirituais são indestrutíveis; constituem patrimônio da alma, a qual acompanham pela eternidade. Os bens materiais são instrumentos com os quais cada um de nós trabalhará para conseguir os bens espirituais. É por isso que Jesus não ensinou aos homens outra coisa, a não ser como conquistar os bens espirituais.

3 – E estando ele assentado no monte das Oliveiras, se chegaram a ele seus discípulos à puridade, perguntando-lhe: Dize-nos, quando sucederão estas coisas? e que sinal haverá de tua vinda, e da consumação do século?

Com o afirmar-lhes que do templo não ficaria pedra sobre pedra, compreenderam os discípulos que Jesus lhes predizia uma grande transformação que nosso planeta sofreria. E, ávidos de saber, perguntam-lhe quando teriam lugar os acontecimentos. É a essa transformação que Jesus se refere neste capítulo, e cujos sinais precursores enumera à seus discípulos.

Sabemos que os mundos, de um modo geral, se dividem em cinco classes: primitivos, de expiação e de provas, de regeneração, felizes e divinos. Os mundos, como os indivíduos, também progridem e de uma classe inferior passam para uma superior. A Terra já foi um mundo primitivo; pertence agora à classe dos mundos de provas e de expiações e está prestes a passar para a classe dos mundos de regeneração. Todavia, a passagem de uma classe para outra não se opera sem profundos abalos, por vezes penosos, porque é necessário que se destrua tudo o que não for compatível com o grau de progresso que a Terra alcançou. As instituições retardatárias deverão desaparecer, e os indivíduos que não se enquadrarem na nova ordem das coisas deverão desencarnar e deixar definitivamente o planeta. Eles irão encarnar-se em outros mundos, cujos ambientes estejam de acordo com o grau de desenvolvimento espiritual que já possuem e onde recomeçarão o trabalho de aperfeiçoamento.

Agora, por alto, Jesus descreve os principais pontos pelos quais reconheceremos que são chegados os tempos da prestação de contas. Por certo, não será de uma hora para outra que tudo acontecerá; porém, a transformação se processará, gradual e lentamente.

4 – E respondendo, Jesus lhes disse: Vede, não vos engane alguém.

Jesus recomenda vigilância e análise de tudo, a fim de que os que querem acompanhar a evolução da Terra, e prepararem-se para um mundo melhor, não se iludam pelas aparências, nem interpretem de um modo errôneo os ensinamentos recebidos.

5 – Porque virão muitos em meu nome, dizendo: Eu sou o Cristo; e enganarão a muitos.

Em sua marcha evolutiva, a humanidade se defrontará com numerosos problemas espirituais. Aparecem então os pretensos salvadores, que com teorias absurdas, posto que engenhosas, desviam o povo do reto caminho traçado por Jesus em seu Evangelho. Esses falsos Cristos aparecem não só no terreno religioso, como também no terreno científico. Assim é que temos visto as religiões organizadas, encerradas em suas pompas e práticas exteriores ou no rigorismo da letra, não oferecerem a seus adeptos a compreensão exata das leis divinas, entravando temporariamente o progresso espiritual deles. E a ciência, por meio de suas orgulhosas negações, contribuir para que o sombrio materialismo fechasse a porta do mundo espiritual a grande número de almas.

6 – Haveis pois de ouvir guerras e rumores de guerras. Olhai, não vos turbeis; porque importa que assim aconteça, mas não é este ainda o fim.

Para que a humanidade progrida não são necessárias as guerras. A evolução se processa gradativamente, sem provocar abalos e sem produzir ruínas. Entretanto, como os homens não querem obedecer à lei do progresso, e se apegam em demasia às instituições e às ideias do passado, produzem-se os atritos, os quais, incentivados pelo egoísmo humano, degeneram em conflitos, donde advém o caráter penoso das transições.

7 – Porque se levantará nação contra nação, e reino contra reino, e haverá pestilências, e fomes, e terremotos em diversos lugares.

A instituição da fraternidade universal é um dos mais belos aspectos da lei da evolução. As guerras, com seu sinistro cortejo de pestes e de fome, originam-se do fato de os homens não obedecerem à lei da fraternidade. E os terremotos parecem advertir aos homens da fragilidade das coisas terrenas.

8 – E todas estas coisas são princípios das dores.

9 – *Então vos entregarão à tribulação, e vos matarão; e sereis aborrecidos de todas as gentes por causa do meu nome.*

Realmente, depois da partida de Jesus acelera-se a decadência do Império Romano. Começa o longo período das guerras, que culminou na espantosa catástrofe a que acabamos de assistir. Os discípulos também sofrem cruéis perseguições; a princípio, por parte dos pagãos; depois, pelas religiões oficiais. E, ainda hoje, os que procuram seguir os ensinamentos do Mestre e pregar o Evangelho a seus irmãos, se não sofrem a perseguição física, não escapam à perseguição moral.

10 – *E muitos serão escandalizados, e se entregarão de parte à parte, e se aborrecerão uns aos outros.*

Os que ainda não desenvolveram dentro de si próprios a fé viva e a vontade sincera de viverem de acordo com o Evangelho, ao primeiro embate das perseguições e das tentações do mundo não resistirão e abandonarão o caminho. Não nos esqueçamos de que a vida do verdadeiro cristão é uma luta incessante contra suas próprias imperfeições. Os pais cristãos devem ensinar a seus filhos, desde muito cedo, a travarem essa luta. Quanto mais tarde essa luta contra as imperfeições for iniciada, tanto mais difícil será a vitória, por causa dos hábitos errôneos que se contraem. Por esse motivo, o Espiritismo proclama que não bastam afirmações doutrinárias, exige de seus adeptos uma luta tenaz contra as inclinações inferiores e prega a renúncia às comodidades, em benefício do próximo. Assim o Espiritismo é frequentemente abandonado, o que não sucede com as religiões dogmáticas, as quais contam com maior número de adeptos, porque elas nada exigem, a não ser o preenchimento de fórmulas, em que nem o coração nem a inteligência tomam parte.

11 – *E levantar-se-ão muitos falsos profetas, e enganarão a muitos.*

Os falsos profetas pululam por toda a parte, e em todos os setores das atividades humanas, procurando sempre desviar as criaturas de Deus e interpretando os mandamentos divinos segundo suas conveniências. Com a autoridade que adquiriram no campo científico, os falsos profetas da ciência pretendem negar as coisas espirituais. E os falsos profetas religiosos, sacerdotes de religiões formalísticas e materializadas, adaptando as leis divinas aos seus interesses, enganam os seus adeptos. No campo do Espiritismo também temos os falsos profetas, constituídos pelos médiuns interesseiros e ambiciosos, desviados do reto caminho, seduzidos pelo brilho das coisas terrenas e corrompidos pela moeda; vendem sua mediunidade, preferindo auferir com ela proveitos materiais e não espirituais.

12 – *E porquanto multiplicar-se-á a iniquidade, se resfriará a caridade de muitos.*
13 – *Mas o que perseverar até o fim, esse será salvo.*

A fim de que cada um possa ser julgado por suas próprias obras, haverá plena liberdade e grandes facilidades, não só para a prática do bem, como para a prática do mal. E como a maioria se inclinará para a prática do mal, a iniquidade se ostentará como que triunfante. E muitos, percebendo que o mal aumenta na face da Terra, perderão a fé e renegarão o Evangelho do Mestre. Aqueles, todavia, que persistirem na fé e na fiel observância dos ensinamentos de Jesus, certos de que na ocasião oportuna o Senhor manifestará sua justiça, serão salvos, isto é, terão o direito de viverem na Terra regenerada, tranquila e feliz.

14 – *E será pregado este Evangelho do reino por todo o mundo, em testemunho a todas as gentes; e então chegará o fim.*

E quando o Evangelho tiver sido pregado a todos os povos, de maneira que ninguém possa alegar ignorância, então Deus fará sua justiça. Parece-nos que já estamos vivendo esse tempo: qual é a parte do mundo em que ainda não penetrou o Evangelho? E o Espiritismo começou a acelerar ainda mais a pregação do Evangelho pelo mundo todo. E as calamidades às quais estamos assistindo, provocando o desencarne violento de milhares de espíritos, como que estão separando os que devem ficar e os que devem partir.

O Sermão Continua, A Grande Tribulação

15 – *Quando vós pois virdes que a abominação da desolação que foi predita pelo profeta Daniel, está no lugar santo; o que lê entenda.*

O lugar santo é aqui o símbolo das religiões organizadas do planeta, as quais se transformaram em instrumento de opressão dos povos.

A abominação da desolação significa os atos reprováveis cometidos pelos ministros dessas religiões, que se tornaram verdadeiros lobos, de pastores que deveriam ser.

As religiões que se entregam à abominação persistirão durante todo o tempo da transição. Surgindo o Espiritismo, preparador dos tempos novos, esta nova doutrina esclarecerá definitivamente a humanidade. E, uma vez esclarecida, a humanidade abandonará paulatinamente as religiões erradas, as quais desaparecerão da face da Terra, cessando assim as abominações que se cometem à sombra dos altares.

16 – *Então; os que se acham na Judeia, fujam para os montes.*
17 – *E o que se acha no telhado, não desça a levar coisa alguma de sua casa.*
18 – *E o que se acha no campo, não volte a tomar a sua túnica.*

Nestes três versículos, Jesus fala simbolicamente. Sair da Judeia e fugir para os montes significa que se desejarmos ingressar no mundo novo, que será inaugurado, devemos abandonar a excessiva preocupação da vida material e voltarmos a um viver mais simples e mais espiritualizado. Não descer do telhado para levar coisa alguma de sua casa significa que não devemos levar para o novo mundo as ideias do passado, porque, nesse mundo que se inaugurará, novos problemas e novas ideias nos aguardam. Não voltar do campo para buscar a túnica significa que devemos ser vigilantes, para que, quando os tempos novos chegarem, estejamos preparados; pois, se não o estivermos, não haverá mais oportunidade para que nós nos preparemos.

19 – Mas ai das que estiverem pejadas, e das que criarem naqueles dias.

Tomando a infância como o símbolo da inocência, Jesus nos adverte de que, nos últimos tempos, o desvairamento dos homens nos caminhos tenebrosos do mal não pouparia sequer as criancinhas inocentes nem o sagrado estado das mães. Realmente, foi isso a que assistimos em nossos dias, quando as terríveis forças das trevas bombardeavam cidades, destruindo lares e maternidades.

20 – Rogai pois que não seja a vossa fuga em tempo de inverno ou em dia de sábado.

Isto é, devemos orar e vigiar para que, quando tivermos de passar pelas duras provas, estejamos preparados para suportá-las cristãmente, tirando delas o máximo proveito para o burilamento de nossos espíritos. As provas, leves ou penosas, são para todos, e não será pelo fato de estarmos estudando e começando a compreender o Evangelho que ficaremos isentos delas.

Em nossa fuga em dia de sábado ou em tempo de inverno, Jesus simboliza o chamado do Altíssimo, que pode dar-se quando menos o esperamos ou em dias de adversidade.

Nos tempos antigos, principalmente na época de Jesus, em que não havia comodidades para as viagens, o inverno era a estação imprópria para empreendê-las. E o sábado, dado que toda a nação hebraica o guardava, era um dia em que dificilmente alguém podia aparelhar-se para viajar. Por conseguinte, o viajor que não se aparelhasse de antemão, depararia com grandes dificuldades.

Assim, o indivíduo que descura do seu preparo espiritual, deixando-o para depois, poderá ser surpreendido na ocasião menos adequada para seu espírito e, além de perder a oportunidade, seu sofrimento será muito grande.

Aqui Jesus adverte também os médiuns de que não se descuidem de estarem sempre alertas para o bom desempenho de seu medianato. Jamais saberemos quando se apresentará a oportunidade de darmos o supremo testemunho de fé, de renúncia e de amor a Deus e ao próximo. Roguemos pois que, sejam quais forem as circunstâncias com que nos defrontarmos, nunca recuemos no cumprimento de nossas tarefas mediúnicas e do preparo de nossas almas.

21 – Porque será então a aflição tão grande, que, desde que há mundo até agora, não houve, nem haverá outra semelhante.

Dado que nos últimos tempos a humanidade passará pelas mais ásperas provas, para que o Altíssimo proceda à seleção dos espíritos, é muito natural que a aflição reinará em toda a face do planeta, provocada pelos próprios homens. Para que cada um tivesse mérito se fosse escolhido e não se queixasse se fosse repelido, os homens teriam plena liberdade de usar o seu livre-arbítrio como melhor entendessem.

22 – E se não se abreviassem aqueles dias, não se salvaria pessoa alguma; porém, abreviar-se-ão aqueles dias em atenção aos escolhidos.

As calamidades provocadas pela maldade dos homens serão tantas, que, se não houver a intervenção da Providência Divina, nada será respeitado na Terra. Mas a Providência Divina estará vigilante e no momento oportuno porá um paradeiro à loucura dos homens, para que não sejam tragados na voragem os espíritos a caminho da regeneração.

23 – Então, se alguém vos disser: Olhai, aqui está o Cristo, ou, ei-lo acolá; não lhe deis crédito.
24 – Porque se levantarão falsos cristos e falsos profetas, que farão grandes prodígios e maravilhas tais, que (se fora possível) até os escolhidos se enganariam.
25 – Vede que eu vê-lo adverti antes.
26 – Se pois vos disserem: Ei-lo lá está no deserto, não saiais; ei-lo cá no mais retirado da casa, não lhe deis crédito.

No meio da desordem geral, todos buscarão um recurso para se salvarem. E então aparecerão salvadores, cujo único intuito é tirarem proveito da situação. Os mais absurdos sistemas serão inventados para tirarem a humanidade do caos em que se precipitou. Todavia, os escolhidos, isto é, os espíritos evangelizados não se enganarão, por uma razão muito simples: porque sabem que a salvação está no Evangelho, cujos preceitos deverão servir de base a toda reforma útil que se fizer nas instituições humanas. É evidente que os que se enganarem deverão queixar-se de si próprios, uma vez que o Evangelho aí está para adverti-los sobre o verdadeiro modo de viverem segundo a vontade divina.

Quanto à salvação, não virá personificada num homem. Mas, sim, será o produto do esforço de todos os espíritos do bem, encarnados e desencarnados, para o completo triunfo do Evangelho.

27 – Porque do modo que um relâmpago sai do oriente, e se mostra até ao ocidente, assim há de ser também a vinda do Filho do homem.
28 – Em qualquer lugar onde estiver o corpo, aí se hão de ajuntar também as águias.

Aqui Jesus nos adverte de que sua vinda não se dará em determinado lugar. Com isto nos quer dizer que seus ensinamentos, depois de tanto tempo esquecidos, seriam novamente pregados à humanidade, em espírito e verdade.

E Jesus atualmente está entre os homens, por meio do Espiritismo, o qual prega o Evangelho e concita a todos a lutarem pela implantação do reino de Deus. Com a rapidez de um relâmpago, o Espiritismo se espalhou pelo mundo, despertando a atenção dos homens para o Cristianismo puro, tal qual o fundou Cristo e seus apóstolos.

O corpo é a doutrina de Jesus que, pregada pelo Espiritismo de um modo racional, conclama em torno de si as águias, isto é, os espíritos já esclarecidos e regenerados.

O Sermão Continua. A Vinda do Filho do Homem

29 – E logo depois da aflição daqueles dias, escurecer-se-á o sol, e a lua não dará a sua claridade, e as estrelas cairão do céu, e as virtudes do céu se comoverão.

30 – E então aparecerá o sinal do Filho do homem no céu; e então todos os povos da Terra chorarão, e verão ao Filho do homem, que virá sobre as nuvens do céu com grande poder e majestade.

31 – E enviará os seus anjos com trombetas e com grande voz, e ajuntarão os seus escolhidos desde os quatro ventos, do mais remontado dos céus até às extremidades deles.

32 – Aprendei pois o que vos digo, por uma comparação tirada da figueira; quando os seus ramos estão já tenros, e as folhas têm brotado, sabeis que está perto o estio.

33 – Assim também, quando vós virdes tudo isto, sabeis que está perto às portas.

Estando os homens preocupados unicamente em salvaguardar seus interesses materiais, e completamente esquecidos do estudo e da observância das leis divinas, as trevas espirituais se tornarão espessas na face do planeta. Quando estas trevas espirituais se tornarem mais densas, de novo os homens verão brilhar nos céus o sinal salvador. Esse sinal já refulge nas sombras da Terra, iluminando o caminho para os que choram na escuridão espiritual: é o Espiritismo, o qual reafirma na Terra o poder e a majestade de Jesus.

Estamos em plena fase evangelizadora; passada ela, proceder-se-á à seleção dos espíritos; os endurecidos no mal e rebeldes à lei divina serão enviados a mundos inferiores, compatíveis com seus estados, onde reiniciarão o trabalho de aperfeiçoamento de suas almas; os em vias de regeneração poderão continuar no plano terrestre; e a Terra passará a ser um planeta de paz, ordem e espiritualidade.

Quando começarmos a perceber os sinais que Jesus aqui enumera, é porque estaremos às portas das grandes transformações morais e materiais que farão nosso planeta se colocar num plano superior na categoria dos mundos. Não aleguemos ignorância. Se bem analisarmos as condições em que se encontra a Terra atualmente, facilmente perceberemos que estamos vivendo os dias decisivos.

34 – Na verdade vos digo, que não passará esta geração sem que se cumpram todas estas coisas.

Isto é, a geração que hoje escuta minhas palavras, estará encarnada na Terra, quando tiverem lugar os acontecimentos que predigo.

35 – Passará o céu e a terra, mas não passarão as minhas palavras.

Sendo os ensinamentos de Jesus uma lei moral universal emanada de Deus, as coisas materiais poderão desaparecer, sem que suas palavras deixem de prevalecer para os espíritos.

Encerrando estes sombrios presságios, é oportuno transcrever aqui uma página de Emmanuel em seu livro "Há dois mil anos", em que este instrutor reproduz as palavras de Jesus, ditadas num ambiente espiritual, logo depois de sua partida da Terra:

"Entre a Manjedoura e o Calvário, tracei para minhas ovelhas o eterno e luminoso caminho... O Evangelho floresce agora, como a seara imortal e inesgotável das bênçãos divinas. Não descansemos, contudo, meus amados, porque tempo virá na Terra, em que todas as suas lições serão espezinhadas e esquecidas. Depois de longa era de sacrifícios para consolidar-se nas almas, a doutrina da redenção será chamada a esclarecer o governo transitório dos povos; mas o orgulho e a ambição, o despotismo e a crueldade hão de reviver os abusos nefandos de sua liberdade! O culto antigo, com suas ruínas pomposas, buscará restaurar os templos abomináveis do bezerro de ouro. Os preconceitos religiosos, as castas clericais, os falsos sacerdotes restabelecerão novamente o mercado das coisas sagradas, ofendendo o amor e a sabedoria de Nosso Pai, que acalma a onda minúscula no deserto do mar, como enxuga a mais recôndita lágrima da criatura, vertida no silêncio de suas orações, ou na dolorosa serenidade de sua amargura indizível!... Soterrando o Evangelho na abominação dos lugares santos, os abusos religiosos não poderão, todavia, sepultar o clarão de minhas verdades, roubando-as ao coração dos homens de boa vontade!... Quando se verificar o eclipse da evolução de meus ensinamentos, nem por isso deixarei de amar intensamente o rebanho de Minhas ovelhas tresmalhadas. Das esferas de luz, que dominam todos os círculos das atividades terrestres, caminharei com meus rebeldes tutelados, como outrora, entre os corações impiedosos e empedernidos de Israel, que escolhi um dia, para mensageiro das verdades divinas, entre as tribos desgarradas da imensa família humana! Quando a escuridão se fizer mais profunda nos corações da Terra, determinando todos os progressos humanos para o extermínio, para a miséria e para a morte, derramarei a minha luz sobre toda a carne, e todos os que vibrarem com o meu reino, e confiarem nas minhas promessas, ouvirão as nossas vozes e apelos santificadores! Dentro das suaves revelações do Consolador, pela Sabedoria e pela Verdade, meu verbo se manifestará novamente no mundo, para as criaturas desnorteadas no caminho escabroso. Sim, amados meus, porque o dia chegará, no qual todas as mentiras humanas hão de ser confundidas pela claridade das revelações do céu. Um sopro poderoso de Verdade e Vida varrerá toda a Terra, que pagará, então, à evolução de seus institutos, os mais pesados tributos de sofrimento e de sangue... Exausto de receber os fluidos venenosos da ignomínia e da iniquidade de seus habitantes, o próprio planeta protestará contra a impenitência dos homens, rasgando as entranhas em dolorosos cataclismas... As impiedades terrestres formarão pesadas nuvens de dor, que rebentarão no instante oportuno, em tempestade de lágrimas na face escura da Terra. E, então, das claridades de minha misericórdia, contemplarei meu rebanho desditoso, e direi como os meus emissários: Oh, Jerusalém, Jerusalém!... Mas, Nosso Pai, que é a sagrada expressão de todo o amor e sabedoria, não quer que se perca uma só de suas criaturas transviadas nas tenebrosas sendas da impiedade!... Trabalharemos com amor na oficina dos séculos porvindouros, reorganizaremos todos os elementos destruídos, examinaremos detidamente todas as ruínas, buscando o material passível de novo aproveitamento e, quando as instituições terrestres reajustarem sua vida na fraternidade e no bem, na paz e na justiça, depois da seleção natural dos espíritos, e dentro das convulsões renovadoras da vida, organizaremos para o mundo um novo ciclo evolutivo, consolidando, com as divinas verdades do Consolador, os progressos definitivos do homem espiritual.".

O Sermão Continua. Exortação à Vigilância

36 – *Mas daquele dia, nem daquela hora, ninguém sabe, nem os anjos dos céus, senão só o Pai.*
37 – *E assim como foi nos dias de Noé, assim será também a vinda do Filho do homem.*
38 – *Porque assim como nos dias antes do dilúvio estavam comendo e bebendo, casando-se e dando-se em casamento, até ao dia em que Noé entrou na arca.*
39 – *E não o entenderam enquanto não veio o dilúvio, e os levou a todos, assim será também na vinda do Filho do Homem.*
40 – *Então, de dois que estiverem no campo, um será tomado, e outro será deixado.*
41 – *De duas mulheres que estiverem moendo em um moinho, uma será tomada e outra será deixada.*
42 – *Velai pois, porque não sabeis a que hora há de vir vosso Senhor.*
43 – *Mas sabeis que, se o pai de família soubesse a que hora havia de vir o ladrão, vigiaria, sem dúvida, e não deixaria minar a sua casa.*
44 – *Por isso estais vós também apercebidos; porque não sabeis em que hora tem de vir o Filho ao homem.*

Neste trecho Jesus nos recomenda a máxima vigilância. Não deixemos para amanhã nossa reconciliação com as leis divinas. Amanhã poderá ser muito tarde. Só Deus, Nosso Pai, sabe quando se dará a depuração do planeta e quando cada um de seus filhos será chamado ao mundo espiritual. Por isso, é necessário que estejamos sempre preparados, para que possamos ser contados no número dos escolhidos. Sejamos trabalhadores previdentes e não sigamos o exemplo dos que se entregam exclusivamente aos gozos e aos vícios e às mil e uma distrações que a matéria proporciona, esquecidos de cuidarem de suas almas, corrigindo suas imperfeições. Estes serão apanhados desprevenidos, de surpresa, e o despertar deles para a realidade que não quiseram ver lhes será doloroso. Preparemo-nos, por conseguinte, o melhor que pudermos, sem perda de tempo, porque, ao se aferirem os valores espirituais dos aprendizes do Evangelho, será aproveitado quem demonstrar boa aplicação das lições recebidas. A vigilância e o preparo devem ser contínuos, em virtude de ninguém saber quando soará sua hora.

A Parábola dos Dois Servos

45 – *Quem crês que é o servo fiel e prudente, a quem seu senhor pôs sobre a sua família, para que lhes dê de comer a tempo?*

46 – Bem-aventurado aquele servo a quem seu senhor achar nisto ocupado quando vier.
47 – Na verdade vos digo que ele o constituirá administrador de todos os seus bens.

Há servos fiéis e servos infiéis. Jesus distingue as duas espécies, enumerando as boas qualidades de uma e as más qualidades da outra.

O servo fiel a Deus é o que trata carinhosamente de seu progresso espiritual, sem se esquecer de ajudar a todos os seus irmãos, na medida de suas posses e de seu adiantamento espiritual. Se é bafejado pelos bens terrenos, transforma esses bens em fonte de benefícios. Se é possuidor de grande inteligência, coloca-a ao serviço de iluminação e de instrução de seus irmãos menos evoluídos. Sabendo que seu corpo e sua alma são patrimônios divinos, cuida carinhosamente do corpo, não deixando que ele se arruíne pelos vícios, nem pelos desregramentos; cuida de sua alma, livrando-a das imperfeições, das más paixões, do mal e da ignorância, dedicando-se ao estudo e à prática das leis divinas. Como médium, faz da sua mediunidade um sacerdócio, usando-a amorosamente a favor de todos os que lhe batem às portas, sem jamais esperar um agradecimento sequer.

Em quaisquer circunstâncias em que estejamos, lembremo-nos sempre de que somos servos do Senhor a cuidar do seu patrimônio. Temos uma alma e um corpo para zelar. Temos familiares, pais, mães, irmãs, esposa e filhos, pelos quais somos responsáveis. Enxameiam por toda a parte os sofredores aos quais devemos alívio, consolo e amparo; e também encontraremos, por toda a parte, ignorantes necessitados de luz.

No leito do sofrimento, à míngua de humano socorro, curtindo pacientemente nossas dores, ou no esplendor da saúde e dos bens materiais, sejamos servos fiéis de Deus, esforçando-nos por servi-lo. As oportunidades de servir a Deus não faltam a ninguém; mesmo os que estão atravessando dolorosos períodos de sofrimento podem fazer de suas dores um meio de servir a Deus, dando a seus irmãos o exemplo da fé, da resignação, da paciência e da esperança.

48 – Mas se aquele servo, sendo mau, disser no seu coração: Meu senhor tarda em vir.
49 – E começar a maltratar os seus companheiros, e a comer e beber com os que se embriagam.
50 – Virá o senhor daquele servo no dia em que ele o não espera, e na hora em que ele não sabe.
51 – E removê-lo-á e porá a sua parte com os hipócritas; ali haverá choro e ranger de dentes.

Vejamos agora as características do servo infiel. Há muitas maneiras de sermos servos infiéis; por isso, é preciso muito cuidado e atenção. Os que se entregam aos vícios, a hipocrisias, a maldades; os que se comprazem na ignorância, os que semeiam a descrença, os que murmuram e se revoltam contra a situação em que se encontram; os que pensam unicamente em si, esquecidos dos que os rodeiam; os que colocam a inteligência ao serviço do mal, os que usam da fortuna para estimularem seus apetites e paixões inferiores; os que pelo mau comportamento dão péssimo exemplo a seu próximo; os pregadores que somente pregam o Evangelho com os lábios e vivem em desarmonia com o que pregam; os médiuns que usam de sua mediunidade para fins puramente materiais; todos esses são servos infiéis. A todos são concedidas oportunidades valiosas de serem servos fiéis; mas o excessivo apego às coisas da Terra, despertando e alimentando o egoísmo no coração da maioria, transforma-os em servos infiéis, e maus.

Há outra espécie de servos infiéis, e são aqueles que fazem questão de acumularem fortuna primeiro e saciarem-se dos gozos que a matéria pode proporcionar, para depois cuidarem da alma. Esses agem levianamente, pois, como poderão saber se lhes será facultado o tempo de se tornarem servos fiéis?

Outros servos infiéis são aqueles que se riem e motejam, quando se lhes chama a atenção para as coisas espirituais, movidos por falsa superioridade.

Os servos infiéis também serão chamados ao mundo espiritual quando menos o esperarem, e o sofrimento lhes fará chorar e ranger os dentes, até que aprendam a cuidar fielmente dos patrimônios que a Providência Divina lhes confiou.

Capítulo 25

O Sermão Profético Continua. A Parábola das Dez Virgens

1 – Então será semelhante o reino dos céus a dez virgens que, tomando as suas lâmpadas, saíram a receber o esposo e a esposa.
2 – Mas cinco dentre elas eram loucas, e cinco prudentes.
3 – As cinco, porém, que eram loucas, tomando as suas lâmpadas, não levaram azeite consigo.
4 – Mas as prudentes levaram azeite nas suas vasilhas, juntamente com as lâmpadas.
5 – E tardando o esposo, começaram a toscanejar todas, e assim vieram a dormir.
6 – Quando à meia-noite se ouviu gritar: Eis aí vem o esposo, saí a recebê-lo.
7 – Então se levantaram todas aquelas virgens, e prepararam as suas lâmpadas.
8 – E disseram as fátuas às prudentes: Dai-nos do vosso azeite, porque as nossas lâmpadas se apagam.
9 – Responderam as prudentes, dizendo: Para que não suceda talvez faltar-nos ele a nós e a vós, ide antes aos que o vendem, e comprai o que haveis mister.
10 – E enquanto elas foram a comprá-lo, veio o esposo; e as que estavam apercebidas entraram com ele às bodas e fechou-se a porta.
11 – E por fim vieram também as outras virgens, dizendo: Senhor, Senhor, abre-nos.
12 – Mas ele, respondendo, lhes disse: Na verdade vos digo que não vos conheço.
13 – Vigiai pois, porque não sabeis o dia nem a hora.

As dez virgens representam a humanidade. As cinco virgens loucas simbolizam a parte da humanidade que não cuida de adquirir os bens espirituais, cogitando apenas das coisas terrenas. As cinco virgens prudentes simbolizam a outra parte da humanidade que trabalha por adquirir os bens imperecíveis da alma. O azeite que as prudentes levavam e as loucas não são as virtudes que devemos cultivar, tais como: a humildade, a bondade, a tolerância, o amor a Deus e ao próximo, a caridade, a fé etc.

A chegada do esposo é a era de paz e de felicidade, que chegará com a transformação da Terra que, de um mundo de expiações e de provas, se tornará um planeta de regeneração.

Recusando-se as virgens prudentes a darem do seu azeite significa que cada um de nós deve aparelhar-se com as virtudes evangélicas, porque não as podemos pedir aos outros, pois é preciso que nós nos esforcemos para que elas floresçam em nossos corações. É necessário, portanto, vigiar e trabalhar sem desfalecimentos, para que, quando se inaugurar o novo ciclo evolutivo da humanidade, estejamos preparados para ingressar no mundo melhor, acompanhando a lei da evolução.

A Parábola dos Dez Talentos

14 – Porque assim é como um homem que, ao ausentar-se para longe, chamou os seus servos, e lhes entregou os seus bens.

15 – E deu a um cinco talentos, e a outro dois, e a outro deu um, a cada um segundo a sua capacidade, e partiu logo.

16 – O que recebera pois cinco talentos foi-se, e entrou a negociar com eles, e ganhou outros cinco.

17 – Da mesma sorte também o que recebera dois ganhou outros dois.

18 – Mas o que havia recebido um, indo-se com ele, cavou na terra, e escondeu ali o dinheiro de seu senhor.

19 – E passando muito tempo, veio o senhor daqueles servos e chamou-os a contas.

20 – E chegando-se a ele o que havia recebido os cinco talentos, apresentou-lhe outros cinco talentos, dizendo: Senhor, tu me entregaste cinco talentos, eis aqui tens outros cinco mais que lucrei.

21 – Seu senhor lhe disse: Muito bem, servo bom e fiel, já que foste fiel nas coisas pequenas, dar-te-ei a intendência das grandes; entra no gozo de teu senhor.

22 – Da mesma sorte apresentou-se também o que havia recebido dois talentos, e disse: Senhor, tu me entregaste dois talentos, eis aqui tens outros dois que ganhei com eles.

23 – Seu senhor lhe disse: Bem está, servo bom e fiel, já que foste fiel nas coisas pequenas, dar-te-ei a intendência das grandes; entra no gozo de teu senhor.

24 – E chegando também o que havia recebido um talento, disse: Senhor, sei que és um homem de rija condição; segas onde não semeaste, e recolhes onde não espalhaste;

25 – E temendo me fui, e escondi o teu talento na terra; eis aqui tens o que é teu.

26 – E respondendo, seu senhor lhe disse: Servo mau e preguiçoso, sabias que sego onde não semeei, e que recolho onde não tenho espalhado;

27 – Devias logo dar o meu dinheiro aos banqueiros, e, vindo eu, teria recebido certamente com juro o que era meu.

28 – Tirai-lhe pois o talento, e dai-o ao que tem dez talentos;

Das parábolas de Jesus, devemos extrair a essência, isto é, os ensinamentos morais que elas encerram. Nesta parábola dos dez talentos, o homem que os distribui é Deus, e os servos são os espíritos que se encarnam na Terra. Ao encarnar-se, segundo o progresso que já realizou, cada espírito traz uma tarefa a cumprir em benefício de seus semelhantes. A uns é adjudicada uma tarefa de repercussão ampla, a outros apenas no seio da família, mas todos os espíritos trazem responsabilidades definidas.

Os servos que fizeram com que os talentos se multiplicassem representam os homens que sabem cumprir a vontade divina, bem empregando os dons que a Misericórdia do Pai lhes concedeu.

O servo que deixou improdutivo o talento simboliza os homens que usam mal os dons recebidos do Senhor.

29 – *Porque a todo o que já tem, dar-se-lhe-á, e terá em abundância; e ao que não tem, tirar-se--lhe-á até o que parece que tem.*
30 – *E ao servo inútil lançai-o nas trevas exteriores; ali haverá choro e ranger de dentes.*

Ao que tem se multiplicará, isto é, receberá todo o auxílio de que necessita para que possa aumentar as virtudes que possui, adquiridas pelo sábio uso dos dons de Deus.

Ao que não tem, tirar-se-lhe-á, isto é, como não se esforçou por acrescentar nada aos dons que Deus lhe emprestou, aquilo que parecia ser dele, mas que na realidade não era mais do que um empréstimo que o Senhor lhe fizera ao encarnar-se, lhe será tirado.

O servo mau é a personificação de todas as pessoas que possuem conhecimento das leis divinas e que podiam trabalhar em benefício de seus irmãos menos evoluídos. O trabalho em benefício deles poderia ser realizado quer pelos dons da inteligência, instruindo-os, espiritualizando-os, moralizando-os; quer pelos dons materiais, promovendo-lhes o bem-estar ou suavizando-lhes o sofrimento. Usando, porém, apenas para satisfação de seu egoísmo os dons divinos de que são depositários, tornam-se servos infiéis, que expiarão em reencarnações de sofrimentos a incúria, a preguiça e a má vontade de que deram provas.

A Vida Eterna e o Castigo Eterno

31 – *Mas quando vier o Filho do homem na sua majestade, e todos os anjos com ele, então se assentará sobre o trono de sua majestade;*
32 – *E serão todas as gentes congregadas diante dele, e separará uns dos outros, como o pastor aparta os cabritos das ovelhas;*
33 – *E assim porá as ovelhas à direita, e os cabritos à esquerda.*
34 – *Então dirá o rei aos que hão de estar à sua direita: Vinde, benditos de meu Pai, possuí o reino que vos está preparado desde o princípio do mundo;*

Jesus aqui se refere à época em que o Evangelho estará conhecido por todos os povos da Terra. Quando os povos estiverem esclarecidos, de modo que ninguém possa alegar ignorância das leis divinas, serão iniciados os trabalhos de purificação de nosso planeta, com vistas a passá-lo para categoria superior.

As ovelhas simbolizam os espíritos já evangelizados, livres do egoísmo e do orgulho, dos vícios e do costume de praticarem o mal.

Os cabritos simbolizam os espíritos que não sentem o desejo de observarem os preceitos evangélicos, que se comprazem no mal e na ignorância.

Tomando-se em sentido particular, a separação a que Jesus alude é feita diariamente. Logo que um espírito desencarna, é levado automaticamente para as regiões do mundo espiritual a que tiver feito jus, pelo modo pelo qual aplicou sua vida na Terra. Irá para regiões elevadas e felizes, ou para regiões baixas e de sofrimento, conforme seu merecimento.

Tomando-se em sentido geral, essa separação marcará uma nova era na evolução de nosso planeta, sendo desterrados daqui os espíritos rebeldes às leis divinas, permanecendo apenas os evangelizados, que não mais sofrerão perseguições e perturbações e explorações por parte dos malvados e ignorantes. Estes irão para outros planetas, de acordo com seu grau evolutivo, onde reencarnarão e recomeçarão o aprendizado do bem.

O reino que está preparado desde o princípio do mundo é a felicidade de que gozarão os regenerados à luz do Evangelho.

35 – Porque tive fome, e destes-me de comer; tive sede, e destes-me de beber; era hóspede, e recolhestes-me;

36 – Estava nu, e cobristes-me; estava enfermo, e visitastes-me; estava no cárcere, e viestes ver-me.

Aqui Jesus enumera os deveres materiais e morais que devemos cumprir uns para com os outros, principalmente os mais favorecidos para os que o são menos. É a aplicação da lei da fraternidade em todo o seu esplendor.

Dar de comer ao que tem fome, não somente por meio da esmola, como também lhe proporcionando trabalho, em que ganhe honestamente o seu pão de cada dia.

Dar de beber ao que tem sede, isto é, instruí-lo nas leis divinas, combatendo-lhe a ignorância e iluminando-lhe a alma, sequiosa de saber.

Era hóspede e recolhestes-me, isto é, jamais desamparai quem quer que seja e sempre estendei mão amiga a todos os necessitados, nunca fazendo acepção de pessoas.

Estava nu e cobristes-me, isto é, compadecei-vos da situação penosa em que alguém se encontrar e tudo fazei para ajudá-lo nas ásperas provas pelas quais passa.

Estava enfermo e visitastes-me. Visitar os enfermos é uma virtude cristã, que muito aproveita ao enfermo, e a quem a pratica, principalmente se houver o cuidado de visitar os enfermos desamparados, levando-lhes o conforto das palavras amigas e consoladoras. Tal proceder fortifica a alma contra as tentações e concorre para diminuir o orgulho que ordinariamente se traz no coração. E aproveita ao enfermo, por despertar nele a paciência, a resignação e a coragem.

Estava no cárcere e viestes ver-me. Visitar os encarcerados é outra virtude cristã. Geralmente, os irmãos encarcerados erraram dolorosamente, e o conforto das visitas que lhe forem feitas poderá contribuir para despertar neles o desejo de regeneração e a reconciliação com as leis divinas.

Como vemos, Jesus aqui ensina aos felizes o que devem fazer aos infelizes e como deverão agir todas as pessoas que, de fato, querem ser humildes de coração.

37 – Então responderão os justos, dizendo: Senhor, quando é que nós te vimos faminto e te demos de comer; ou sequioso e te demos de beber?
38 – E quando te vimos hóspede, e te recolhemos; ou nu, e te vestimos?
39 – Ou quando te vimos enfermo, ou no cárcere, e te fomos ver?
40 – E respondendo, o rei lhe dirá. Na verdade vos digo, que quantas vezes vós fizestes isto a um destes meus irmãos mais pequeninos, a mim é que o fizestes.

Há mil e uma maneiras de Jesus bater à nossa porta. Amigo devotado e arrimo dos sofredores de todo o mundo Jesus faz deles o seu representante na Terra. Por isso é que ele diz que, quando fazemos o bem seja a quem for, é a ele, diretamente, que o fazemos.

Um doente a quem confortamos, um preso a quem visitamos, um ignorante a quem esclarecemos, um irmão a quem aconselhamos para o bem, um desamparado a quem estendemos mão amiga, tudo são meios de cumprirmos com os preceitos de Jesus e de lhe demonstrarmos que estamos aproveitando as lições, que nos trouxe com o sacrifício da própria vida. Entretanto, esse bem que fizermos deverá ser desinteressado, sem que esperemos em troca dele a mínima recompensa, feito com tanta naturalidade a ponto de não nos vangloriarmos por tê-lo praticado. É o bem pelo bem, sem qualquer móvel interesseiro, unicamente em obediência a Jesus.

41 – Então dirá também aos que hão de estar à sua esquerda: Apartai-vos de mim, malditos para o fogo eterno que está aparelhado para o diabo e para os seus anjos;
42 – Porque tive fome e não me destes de comer; tive sede, e não me destes de beber;
43 – Era hóspede, e não me recolhestes; estava nu e não me cobristes, estava enfermo e no cárcere e não me visitastes.
44 – Então eles também lhe responderão, dizendo: Senhor, quando é que nós te vimos faminto, ou sequioso, ou hóspede, ou nu, ou enfermo, ou no cárcere, e deixamos de te assistir?
45 – Então lhe responderá ele, dizendo: Na verdade vos digo que quantas vezes o deixastes de fazer a um destes meus pequeninos, a mim o deixastes de fazer.
46 – E irão estes para o suplício eterno, e os justos para a vida eterna.

Os que não querem seguir as leis divinas encontram sempre uma desculpa de sua má vontade. O orgulho, a vaidade, os preconceitos sociais, a avidez das coisas da Terra, os gozos materiais, o comodismo, o excessivo pensar em si mesmo desviam a alma do cumprimento dos preceitos evangélicos. Por isso há verdadeira necessidade de vigilância e oração, para não repelirmos aqueles que Jesus nos envia para socorrermos em seu nome.

Diabo, fogo e suplícios eternos não existem. São simples figuras que Jesus usava e que estavam de acordo com a compreensão dos ouvintes daquela época. Não há entidades eternamente votadas ao mal, nem encarregadas de martirizar os outros. O que há são espíritos que erraram juntos e não souberam perdoar e se prejudicam reciprocamente, até o dia em que se perdoem e resolvam corrigir os erros, o que os tornará felizes e purificados.

O suplício e o fogo eternos são símbolos de que Jesus se servia para indicar que o sofrimento esperava por aqueles que não cumpriam com as leis divinas de amor ao próximo. Esses sofrimentos não são eternos, e depende unicamente dos sofredores o livrarem-se deles, em mais ou menos tempo, segundo a vontade de cada um.

Capítulo 26

A Consulta dos Sacerdotes e dos Escribas

1 – E aconteceu isto, que tendo Jesus acabado todos estes discursos, disse a seus discípulos:
2 – Vós sabeis que daqui a dois dias se há de celebrar a Páscoa, e o Filho do homem será entregue para ser crucificado.

Por meio de sua clarividência, Jesus percebe que se aproxima o momento supremo do testemunho. É fenômeno digno de notar-se que todos aqueles que consagram um pouco do seu tempo ao cultivo espiritual de suas almas entreveem, ainda que vagamente, a ocasião em que passarão pelas provas decisivas para o seu progresso. Parece que a alma adquire a presciência do que lhe vai acontecer e prepara-se, fortificando-se pela oração e pela vigilância, para suportar os acontecimentos.

3 – Então se ajuntaram os príncipes dos sacerdotes e os magistrados do povo no átrio do príncipe dos sacerdotes, que se chama Caifaz;
4 – E tiveram conselho para prenderem a Jesus com engano, e fazerem-no morrer.

Começam os preparativos para o sacrifício de Jesus. Até aqui ele pregou as leis da fraternidade, do amor a Deus e ao próximo e ensinou como socorrer espiritualmente aos deserdados do mundo. Agora ele exemplificaria como perdoar aos inimigos, como orar pelos que perseguem e caluniam, como cada um deverá carregar pacientemente sua cruz e como ser obediente aos desígnios do Altíssimo.

No sacrifício de Jesus não há fatalidade; se ele o quisesse poderia evitá-lo. Ele tinha seu livre-arbítrio, e dependia apenas dele aceitar ou repelir a prova que o Altíssimo lhe oferecia.

Diariamente vemos pessoas rejeitarem as provas que lhes estão destinadas; é verdade que o que devemos, embora o resgate seja protelado momentaneamente, voltará mais tarde, às vezes em circunstâncias desfavoráveis; as consequências dos atos de vidas anteriores não podem ser preteridas indefinidamente; um dia terão de ser resolvidas.

Com muito mais facilidade Jesus poderia livrar-se, tanto mais que ele nada devia de existências anteriores; estava em suas mãos afastar o sofrimento que se avizinhava. Entretanto, preferiu sujeitar-se à vontade de Deus, a fim de beneficiar pelo exemplo aos sofredores da Terra. Depois do sacrifício de Jesus, os que sofrem haurem forças em seu exemplo para suportarem resignadamente seus próprios padecimentos; os que são caluniados e perseguidos aprenderam a orar pelos seus perseguidores e caluniadores;

os que são maltratados, humilhados, escarnecidos, vilipendiados e sacrificados tomam Jesus por modelo, perdoam e esquecem. Se o Altíssimo não nos tivesse dado Jesus por Mestre e exemplificador de suas leis, que modelo teríamos aqui na Terra para nos basearmos com relação aos que nos causarem males e danos?

Não sendo o sacrifício de Jesus uma fatalidade, uma vez que estava em suas mãos aceitá-lo ou não, gerou-se ele, todavia, a incompreensão dos homens, os quais combateram as ideias que Jesus nos veio trazer. Houve e haverá em todos os tempos grupos de interessados em que as ideias novas não triunfem para tirarem proveito da situação. Estes grupos iniciam os movimentos contrários e recebem reforços dos ignorantes, dos comodistas e dos que temem qualquer mudança no regime em que vivem. Foi o que sucedeu com Jesus e seu Evangelho. Mas o Altíssimo dispõe de infinitos meios para fazer brilhar a Verdade. E, quando os perseguidores julgaram que os ensinamentos de Jesus estavam mortos, eles ressurgiram com redobrado vigor e espalharam-se pela Terra com a rapidez de relâmpago.

5 – *Mas diziam eles: Não se execute isto no dia da festa, para que não suceda levantar-se algum motim no povo.*

O povo amava Jesus. Convivendo com os humildes, granjeara no seio da classe sofredora inúmeros amigos. E como sua prisão nada tinha que a justificasse, os sacerdotes temiam o protesto popular que dela resultaria.

O Jantar em Betânia

– *Ora estando Jesus em Betânia, em casa de Simão, o leproso.*

É de notar-se a humildade de Jesus, hospedando-se em casa de um leproso. Pela lei de Moisés, eram os leprosos declarados impuros. Jesus, não fazendo caso das convenções humanas, leva ao mísero leproso o conforto de sua presença.

Este versículo encerra uma profunda lição, digna de ser posta em prática por todos os que, realmente, querem observar o Evangelho. Jesus preferia a amizade e a companhia dos que passavam pelas provas e sofriam suas expiações, abandonados e esquecidos dos homens. Ninguém melhor do que ele conhecia a lei de causa e efeito; portanto, sabia perfeitamente por que cada um sofria; contudo, não se arvorava em juiz, mas em amigo, ajudando os sofredores a bem carregarem suas cruzes. Neste ponto Jesus era muito diferente da maioria da humanidade, a qual procura sempre a companhia e a amizade dos influentes e dos ricos, dos sãos e dos poderosos, desprezando os que lhe são inferiores, quer em saúde, quer em riqueza, quer em poder, Semelhante proceder é contrário à lei da fraternidade, que manda não fazermos acepção de pessoas. Hoje, graças às revelações do Espiritismo, sabemos que o sofrimento pelo qual cada um passa é justo; é a expressão da justiça do Altíssimo, que dá a cada um segundo suas obras de encarnações passadas. Se é justo o que cada um sofre, nem por isso devemos afastar-nos do sofredor, o qual, para reabilitar-se, não pode prescindir de nossos amparo e auxílio fraternal. Se o Espiritismo nos mostra a causa, o Evangelho nos diz que é nosso dever ajudar a cada um dos sofredores da Terra a bem cumprirem suas penas.

6 – *Chegou-se a ele uma mulher que trazia uma redoma de alabastro cheia de precioso bálsamo, e o derramou sobre a cabeça de Jesus, estando recostado à mesa.*
7 – *E vendo isto os seus discípulos, se indignaram, dizendo: Para que foi este desperdício?*
8 – *Porque podia isto vender-se por bom preço, e dar-se este aos pobres.*
9 – *Mas Jesus sabendo isto, disse-lhes: Porque molestais vós esta mulher? que, no que fez, me fez uma boa obra.*
10 – *Porque vós outros sempre tendes convosco os pobres, mas a mim nem sempre me tereis.*
11 – *Porquanto derramar ela este bálsamo sobre o meu corpo, foi ungir-me para ser enterrado.*
12 – *Em verdade vos digo que onde quer que for pregado este Evangelho, que o será em todo o mundo, publicar-se-á também, para memória sua, a ação que esta mulher fez.*

O ato de a mulher ungir os pés de Jesus com seu bálsamo precioso traduz um sentimento de gratidão. Mulher pecadora, sentindo-se reanimada pelas palavras do Mestre, e fortificada para começar o resgate de suas faltas, não encontrou outro meio de expressar o reconhecimento de que estava possuída, senão perfumando aquele que a tinha tirado da lama.

Tal acontece com os espíritos que atravessam várias encarnações, atolando-se cada vez mais no lodo das paixões inferiores. Um dia, tocados pelos ensinamentos do Mestre, deixam a má vida e, felizes e reanimados para o bem, elevam a Jesus uma prece de profundo agradecimento. Semelhante prece é qual um bálsamo precioso, vertido de corações que pulsam de amor por Aquele que lhes indicou o Caminho, a Verdade e a Vida.

O Preço da Traição

13 – *Então se foi ter um dos doze, que se chamam Judas Iscariotes, com os príncipes dos sacerdotes.*
14 – *E lhes disse: Que me quereis vós dar; e eu vo-lo entregarei? E eles lhe assinaram trinta moedas de prata.*
15 – *E desde então buscava oportunidade para o entregar.*

Não resta a menor dúvida de que não foi o desejo de possuir as trinta moedas de prata o que levou Judas a trair o Mestre. O motivo que influiu no ânimo de Judas para que agisse mal foi político. Os judeus, nessa época, viviam sob o jugo romano. Os patriotas israelitas ansiavam por recuperar a liberdade perdida. Judas pertencia ao grupo dos que, por meio de uma revolução, queriam libertar a Judeia. Iludido pela simpatia que Jesus desfrutava no seio do povo, e pela boa acolhida que Jerusalém lhe tributara, Judas não via em Jesus um missionário celeste, mas um chefe de partido. Judas quis precipitar os acontecimentos políticos, entregando o Mestre à prisão; julgava que houvesse reação, os partidários se reuniriam, e se faria a tão ambicionada revolta contra os Romanos.

A Última Páscoa. A Santa Ceia

16 – E no primeiro dos dias em que se comiam os pães asmos, vieram ter com Jesus os seus discípulos, dizendo: Onde queres tu que te preparemos o que se há de comer na Páscoa?

17 – E disse Jesus: Ide à cidade, à casa de um tal, e dizei-lhe: O meu tempo está próximo, em tua casa quero celebrar a Páscoa com meus discípulos.

18 – E fizeram os discípulos como Jesus lhes havia ordenado, e prepararam a Páscoa.

19 – Chegada pois a tarde, pôs-se Jesus à mesa com os seus doze discípulos.

A Páscoa é uma cerimônia anual de agradecimentos a Deus e remonta à mais alta antiguidade. Foi instituída por Moisés em memória da saída do povo hebreu do Egito, onde eram escravos. O Cristianismo recebeu esta herança do Judaísmo, porém, não mais comemora por meio dela a partida das terras do Egito; mas sim, atualmente, relembra, pela Páscoa, a ressurreição de Jesus. É uma festa de alegria e de esperanças e essencialmente familiar, como o Natal. É quando a família cristã recorda a gloriosa materialização do Mestre ante seus discípulos, depois de ter desencarnado na cruz, provando que a morte não existe e que depois do túmulo a vida continua eterna e mais bela ainda.

Jesus mandou seus discípulos à casa dum tal, isto é, de quem melhor os acolhesse; não havia preferências; onde fossem bem acolhidos, ali celebrariam a Páscoa. Assim também os ensinamentos de Jesus se dirigem à humanidade, sem preferências por determinada seita. Todavia, germinam apenas na alma de quem preparou seu coração para bem recebê-los.

O meu tempo está próximo é mais um aviso que Jesus faz a seus discípulos. Indiretamente quis avisá-los de que sua missão estava quase terminada aqui na Terra.

20 – E estando eles comendo, disse-lhes: Em verdade vos afirmo que um de vós me há de entregar.

Como já sabemos, Jesus percebia o que se estava tramando a seu respeito por meio da clarividência, faculdade que possuía em alto grau. Para ele nada havia encoberto, pois podia ver em quadros fluídicos o desenrolar dos acontecimentos. Judas, que já tinha dado os passos necessários para entregar o Mestre, emitia pensamentos que o denunciavam; e Jesus via os quadros formados pelos pensamentos de Judas a respeito da traição.

A clarividência é uma faculdade da alma, que está sempre em relação com o progresso espiritual já conseguido pela alma. Quanto maior for o adiantamento espiritual de um espírito, tanto maior será sua clarividência.

A clarividência de Jesus lhe permitia ler no perispírito de cada sofredor que o procurava o resultado das reencarnações passadas e o que pensava para o futuro. Desse modo, ele verificava se o sofredor merecia ou não a cura que solicitava.

A clarividência é o estado normal dos espíritos desencarnados; quando encarnados, só excepcionalmente ela se manifesta, por exemplo no caso de Jesus. A matéria embota essa faculdade da alma; e para que o espírito a possua, estando encarnado, é necessário muita renúncia, muito desprendimento das coisas materiais, extrema dedicação a seus semelhantes e muita pureza de pensamentos.

21 – E eles, muito cheios de tristeza, cada um começou a dizer: Porventura sou eu, Senhor?

22 – E ele, respondendo, lhes disse: O que mete comigo a mão no prato, esse é o que me há de entregar.

Jesus aqui nos dá um belíssimo exemplo de amor, tolerância e perdão. Apesar de saber que um de seus discípulos o trairia, nem por isso deixa de tratar bem a todos, sem fazer distinção. O próprio discípulo culpado é admitido à sua mesa com carinho e benevolência.

Os discípulos se entristeceram quando ouviram a afirmação de Jesus, porque conheciam o ódio que os sacerdotes lhe votavam. E, por isso, recearam que fossem compelidos a atraiçoarem o Mestre, embora não o quisessem. E, perguntado, Jesus lhe responde que era um daqueles em quem confiara.

23 – O Filho do homem vai certamente, como está escrito dele, mas ai daquele homem por cuja intervenção há de ser entregue o Filho do homem; melhor fora ao tal homem não haver nascido.

24 – E respondendo Judas, o que o entregou, disse: Sou eu, porventura, Mestre? Disse-lhe Jesus: Tu o disseste.

Jesus lhes explica que não recuaria ante o suplício. Entretanto, advertia o traidor de que seu erro lhe acarretaria grandes sofrimentos para o futuro. E assim foi: durante muitos séculos, Judas se reencarnou na Terra, afrontando inúmeros perigos e tormentos, sempre lutando pela sagrada causa de Jesus, até se reabilitar da falta praticada. Sua falta se originou da falsa interpretação que deu à missão de Jesus.

25 – Estando eles, porém, ceiando tomou Jesus o pão, e o benzeu, e partiu-o e deu-o a seus discípulos, e disse: Tomai e comei; este é o meu corpo.

26 – E tomando o cálice, deu graças, e deu-lhos, dizendo: Bebei dele todos.

27 – Porque este é o meu sangue dó novo testamento, que será derramado por muitos para remissão de pecados.

Na antiga lei de Moisés, quando se consumava o sacrifício da Páscoa, comiam-se as carnes das vítimas sacrificadas e aspergia-se o povo com o sangue delas. De acordo com a lei, todos os que eram aspergidos purificavam-se. Era uma cerimônia material, adequada aos espíritos da época, os quais ainda não tinham evolução suficiente para compreenderem as coisas unicamente espirituais. Jesus, que seria a vítima da nova doutrina que viera trazer à Terra, simbolicamente oferece sua carne e seu sangue aos seus discípulos, demonstrando-lhes que, pelo seu sacrifício, seu Evangelho seria consolidado nos corações das criaturas. De então por diante, o sangue das vítimas não mais remiria nem purificaria; mas os homens alcançariam a remissão de seus erros, por meio da fiel observância dos preceitos evangélicos.

28 – Mas digo-vos: que desta hora em diante não beberei mais deste fruto da vida, até aquele dia em que o beberei de novo convosco no reino de meu Pai.
29 – E cantando o hino, saíram para o monte das Oliveiras.

Com a prisão do Mestre e seu consequente sacrifício, a vida em comum que todos tinham vivido ficaria rompida. O Mestre subiria para sua luminosa esfera espiritual, e os discípulos se espalhariam pelo mundo, pregando o Evangelho e dando cumprimento à missão de que estavam revestidos. Somente depois de terem concluído seu trabalho aqui na Terra é que voltariam a reunir-se a Jesus, na pátria espiritual.

Notemos aqui a perfeita confiança de Jesus no Pai Celestial; apesar de saber que rudes provas se aproximavam, não deixa de elevar, em cânticos, seu pensamento a Deus.

Pedro é Avisado

30 – Então lhes disse Jesus: A todos vós serei esta noite uma ocasião de escândalo. Está pois escrito: Ferirei o pastor, e as ovelhas do rebanho se porão em desarranjo.
31 – Porém, depois que eu ressurgir, irei adiante de vós para a Galileia.

Conquanto fosse grande o amor que os discípulos votavam ao Mestre, a prisão dele os desorientaria. O desespero tomaria conta dos apóstolos, porque lhes faltava o que ainda falta à humanidade de hoje: a fé na Providência Divina. Como ainda não tinham compreendido a missão essencialmente espiritual de Jesus, os discípulos se perturbariam. Sabedor disso, Jesus os reanima, prometendo-lhes que se encontrariam na Galileia, depois de tudo consumado. A promessa se cumpriu como se cumpriram em todos os tempos as promessas de Jesus.

Os aprendizes do Evangelho devem começar por desenvolver em seus corações a fé, que lhes dará a tranquilidade quanto ao futuro e serenidade ante todos os acontecimentos da vida. Essa fé é a confiança na Providência Divina e nas promessas do Evangelho. Dada a pequenez de nossos espíritos, e os erros de nossas vidas anteriores, ainda não somos possuidores de uma fé firme; temos, por isso, muita necessidade de adquiri-la, de cultivá-la e de desenvolvê-la. A fé se adquire pelo trabalho material e pelo espiritual. Assim, diremos ao nosso corpo o que ele precisa para servir de bom instrumento à alma; e daremos à alma os meios adequados à sua elevação espiritual. E por meio desses trabalhos, sempre compatíveis com nossas forças, acalentaremos a fé em nosso íntimo.

32 – E respondendo Pedro, lhe disse: Ainda quando todos se escandalizarem a teu respeito, eu nunca me escandalizarei.

33 – Jesus lhe replicou: Em verdade te digo, que nesta mesma noite, antes que o galo cante, me
hás de negar três vezes.
34 – Pedro lhe disse: Ainda que seja necessário morrer eu contigo, não te negarei. E todos os mais
discípulos disseram o mesmo.

Pedro deveria passar pela prova de extrema fidelidade ao Mestre. A clarividência de Jesus lhe demonstra que Pedro falharia na hora decisiva.

Esta passagem encerra uma advertência aos que procuram edificar dentro de si o reino dos céus. Devemos ter o máximo cuidado com nossas promessas: nem sempre as afirmações verbalísticas traduzem o que realmente temos dentro de nós próprios. Daí, quando se apresenta a ocasião, desmentirmos com atos o que tínhamos afirmado com palavras.

Jesus em Gethsemani

35 – Então foi Jesus com eles a uma granja, chamada Gethsemani, e disse a seus discípulos:
Assentai-vos aqui, enquanto eu vou acolá e faço oração.

Jesus não despreza o socorro da oração para fortificar-se e não falhar ante a prova. É mais um exemplo que nos lega. Quando nosso coração se confranger pelo rigor da prova a que formos submetidos, recordemos sua Divina Figura em Gethsemani e, como ele, digamos também: Pai, seja feita tua vontade. Demonstraremos assim nossa humildade a Deus e a confiança que nele depositamos, o único que nos poderá amparar.

36 – E tendo tomado consigo a Pedro e aos dois filhos de Zebedeu, começou a entristecer-se e
angustiar-se.
37 – Disse-lhes então: A minha alma está numa tristeza mortal; demorai-vos aqui, e vigiai
comigo.

Notemos que, na hora difícil, Jesus buscou o conforto de seus amigos e recursos na oração. É mais um exemplo que nos legou de como nos devemos comportar, quando percebemos a aproximação das provas. Conquanto ele já fosse um espírito evoluído, angustiou-se também; mas não se desesperou, nem se isolou, nem se lamentou. Fazendo-se acompanhar de amigos, ele nos ensina que uma pessoa que se isola não pode progredir. O progresso só é possível quando há auxílio mútuo. Somente quando orava e quando se entregava à meditação é que Jesus ficava só; fora disso, gostava de estar na companhia dos apóstolos e de quantos o procuravam.

38 – E adiantando-se uns poucos de passos, se prostrou com o rosto em terra, fazendo oração, e
dizendo: Pai meu, se é possível, passa de mim este cálice; todavia não se faça nisto a minha
vontade, mas sim a tua.

Quanto mais evoluído for um espírito, tanto mais saberá obedecer à vontade divina. A rebeldia é própria de espíritos pouco evoluídos espiritualmente.

Jesus aqui nos ensina que acima de nossa vontade, acima de nossas conveniências, acima de nossos interesses, está a soberana vontade de Deus, diante da qual nos devemos curvar humildemente. Notemos aqui a humildade de Jesus perante o Pai e sua extrema obediência a seus desígnios.

O desejo de todos nós, encarnados, é nunca sermos atingidos pelo sofrimento e pelas desilusões da vida. Todavia, se Deus determinar coisas contrárias ao que esperamos e desejamos, lembremo-nos do exemplo de obediência que Jesus nos deu e como ele digamos: Não se faça a nossa, mas a tua vontade, Pai.

39 – *Depois veio ter com seus discípulos, e os achou dormindo, e disse a Pedro: Visto isso, não pudestes uma hora vigiar comigo?*

Por duas razões os discípulos dormiam: uma porque não percebiam a gravidade da situação; e outra porque, nos momentos decisivos de suas provas, cada espírito estará só diante do Pai.

Não podemos dividir com outros as responsabilidades de nossos triunfos ou de nossos fracassos. Cada um de nós será plenamente responsável pela maneira pela qual se comportará. Não importa que tenhamos sido bem ou mal orientados por terceiros; nós, e ninguém mais, responderemos por nossos atos; é para isso que Deus nos concedeu o livre-arbítrio.

40 – *Vigiai e orai, para que não entreis em tentação. O espírito na verdade está pronto, mas a carne é fraca.*

Oração e vigilância é a recomendação suprema de Jesus. Ninguém sabe quando será provado. O espírito poderá ter se preparado muito, quando estava no mundo espiritual, antes de se encarnar; porém, depois de encarnado, sofre a influência da matéria que o reveste e do esquecimento temporário em que mergulhou; por isso, caso se descuide e não se socorra do plano espiritual por constantes orações, facilmente poderá falhar.

41 – *De novo se retirou segunda vez, e orou, dizendo: Pai meu, se este cálice não pode passar sem que eu o beba, faça-se a tua vontade.*

Acima de tudo, Jesus procura ser um fiel intérprete da vontade divina. Para isto, reveste-se de humildade, mostrando a Deus que estava pronto a obedecê-lo, assim nos ensinando também a obedecer.

Conquanto seu desejo fosse que as coisas se passassem de outra maneira, nem por isso deixa de submeter-se aos decretos do Altíssimo, exemplificando-nos a submissão ante o poder supremo. Se ele o quisesse, poderia evitar as provas dolorosas; entretanto, permanece no seu posto, aguardando serenamente os acontecimentos. Era um espírito evoluído; no entanto, vale-se da prece no momento em que suas forças poderiam falhar; não podendo encontrar consolo e conforto junto dos discípulos que dormiam, encontra o bálsamo confortador e fortificador na prece dirigida ao Pai.

42 – E veio outra vez, e também os achou dormindo; porque estavam carregados os olhos deles.
43 – E deixando-os de novo, foi orar terceira vez, dizendo as mesmas palavras.
44 – E então veio ter com seus discípulos, e lhes disse: Dormi, descansai, eis aqui está chegada a hora em que o Filho do homem será entregue nas mãos dos pecadores.
45 – Levantai-vos, vamos, eis aí vem chegando o que me há de entregar.

A oração que Jesus dirigiu ao Altíssimo: preparou-o para o doloroso transe e, cheio de bom ânimo, acorda os discípulos e tranquilamente aguarda o que devia acontecer.

Como já dissemos, os discípulos dormiram porque, no instante agudo de nossas provas e expiações, estaremos sozinhos diante de Deus, a fim de demonstrarmos o aproveitamento das lições e a experiência que a vida nos ministrou. Nossos amigos, os encarnados e os desencarnados, poderão acompanhar-nos até o lugar onde passemos pelas provas e pelas expiações, mas não poderão suportá-las conosco. Só a nós compete sofrê-las. E se formos vencedores, o mérito é nosso; se falharmos, a culpa será exclusivamente nossa.

Jesus É Preso

46 – Estando ele ainda falando, eis que chega Judas, um dos doze, e com ele uma grande multidão de gente com espadas e varapaus, que eram os ministros enviados pelos príncipes dos sacerdotes e pelos anciãos do povo.
47 – Ora o traidor tinha-lhes dado este sinal, dizendo: Aquele a quem eu der um ósculo, esse é que é: prendei-o.
48 – E chegando-se logo a Jesus lhe disse: Deus te sabe, Mestre. E deu-lhe um ósculo.
49 – E Jesus lhe disse: Amigo, a que vieste? Ao mesmo tempo se chegaram os outros a ele, e lançaram mão de Jesus, e o prenderam.

Jesus agora vai exemplificar com os atos o que até então tinha pregado. Seu sacrifício é a exemplificação de seus ensinamentos no Sermão da Montanha. A mesma serenidade que Jesus demonstrou ao curar os enfermos, ao discutir com os orgulhosos sacerdotes, ao ensinar o povo, é também por ele demonstrada ao deparar com seus algozes. Notemos a mansidão com que ele os recebe: a Judas, que o entrega, chama de amigo e não esboça um gesto de violência sequer.

Jesus sabia que o Pai Celestial recebe com amor o filho justo e com justiça o filho rebelde, concedendo-lhe todos os meios de se reabilitar e de se elevar na escala da perfeição. E Jesus como filho mais velho e irmão devotado distribui a seus irmãos menores sempre o bem, e jamais usou de violências para com os que não o compreendiam, nem para os que o perseguiam.

50 – E senão quando um dos que estavam com Jesus, metendo a mão à espada que trazia, a desembainhou, e, ferindo a um servo do sumo pontífice, lhe cortou uma orelha.
51 – Então lhe disse Jesus: Mete a tua espada no seu lugar; porque todos os que tomarem espada morrerão à espada.

Plenamente consciente de sua missão de instruir seus irmãos menos evoluídos, Jesus não perde as oportunidades. Ao gesto de violência que o discípulo executou para defendê-lo, o Mestre lhe responde com o ensinamento profundo do choque de retorno: Quem com ferro fere, com ferro será ferido, ou – o que fizeres aos outros, isso mesmo te estará reservado. Com isto Jesus nos ensinou que, cedo ou tarde, receberemos o reflexo das ações que tivermos praticado contra nosso próximo: reflexo bom se foi o bem; e reflexo de sofrimento se foi o mal.

É comum observarmos e conhecermos pessoas que fazem de suas vidas terrenas um longo período de iniquidades, parecendo sempre felizes e que tudo lhes corre sempre bem. Todavia, se pudéssemos acompanhar essas mesmas pessoas através de várias reencarnações futuras, veríamos que se tornariam vítimas das mesmas iniquidades, que cometeram contra seus irmãos.

O bem jamais ficará sem recompensa, e o mal nunca deixará de ser castigado, seja qual for a espécie dele, a situação e a ocasião em que foi cometido.

52 – Acaso cuidas tu que eu não possa rogar a meu Pai, e que ele me não porá aqui logo prontas mais de doze legiões de anjos?
53 – Como se cumprirão logo as escrituras que declaram que assim deve suceder?

Dizendo Jesus que se quisesse receberia auxílio contra os que o perseguiam, quis demonstrar aos homens que podemos escapar da justiça terrena, mas jamais poderemos iludir a justiça divina. É verdade que Jesus não estava no caso de um espírito em provas ou em expiação, não tendo culpas a resgatar; fora declarado culpado unicamente pelos sacerdotes. Ele recusou livrar-se dos homens porque, como Missionário celeste que era, não quis renunciar à sua missão. Ele compreendia que, se não se submetesse, o seu Evangelho de Amor, Renúncia, Sacrifício, Bondade, Tolerância, Humildade, Perdão e Submissão às leis divinas e humanas não teria valor para a posteridade.

54 – Na mesma hora disse Jesus àquele tropel de gente: Vós viestes armados de espadas e de varapaus para me prender, como se eu fora um ladrão; todos os dias assentado entre vós estava eu ensinando no templo, e não me prendestes.
55 – Mas tudo isto assim aconteceu, para que se cumprissem as escrituras dos profetas. Então todos os discípulos o deixaram, e fugiram.

Jesus repreende ternamente seus perseguidores, dizendo-lhes: Como me prendeis de noite, se passei o dia a ensinar-vos?

Se os homens não se entregassem tanto à materialidade da vida terrena, e consagrassem alguns momentos ao cultivo espiritual de suas almas, teriam nas Escrituras

Sagradas excelentes lições que lhes pouspariam muitos erros de consequências desastrosas, não só para si, como para a coletividade.

Os discípulos fugiram porque só nesse instante é que conheceram a missão puramente espiritual de Jesus, mas não tiveram a coragem de se colocarem ao seu lado, testemunhando o compromisso de discípulos fiéis, que tinham assumido para com o Mestre.

Do mesmo modo, há grande número de adeptos do Espiritismo e de outras correntes espiritualistas que não se sentem com coragem de romper com as conveniências sociais, com os interesses materiais e com amizades que os desviam do dever espiritual; por isso, ao terem de dar o testemunho supremo, quando mais claramente deviam proclamar os princípios espirituais a que se filiam, desertam das fileiras da espiritualidade, ou se retraem medrosamente.

Jesus Perante o Sinédrio

56 – Mas os que tinham preso a Jesus o levaram à casa de Caifaz, príncipe dos sacerdotes, onde se haviam congregado os escribas e os anciãos.

57 – E Pedro o ia seguindo de longe, até ao pátio do príncipe dos sacerdotes. E tendo entrado para dentro, estava assentado com os oficiais de Justiça, para ver em que parava o caso.

Caifaz era o sumo sacerdote daquele ano; em sua casa ia começar o simulacro do julgamento de Jesus.

Pedro procura ser fiel até o fim e segue Jesus para mais tarde negá-lo. É mais uma lição que o Evangelho guarda: não basta seguir a Jesus, ou a uma determinada doutrina; nas horas amargas da existência, é preciso demonstrar fidelidade aos princípios esposados.

58 – Entretanto, os príncipes dos sacerdotes e todo o conselho, andavam buscando quem jurasse algum falso testemunho contra Jesus, a fim de o entregarem à morte.

São os próprios sacerdotes e ministros da justiça, encarregados do julgamento e por isso no dever de serem imparciais, os que procuram aliciar as testemunhas falsas. Recorriam mais uma vez aos ardis de que a hipocrisia usa para mascarar seus propósitos. Ao ato ilegal que praticavam, queriam dar as aparências legais.

59 – Mas não o acharam, sendo assim que foram muitos os que se apresentaram para jurar falso. Mas por último chegaram duas testemunhas falsas.

Não era possível encontrar na vida de Jesus qualquer falta, por menor que fosse, que servisse de pretexto a um Julgamento, quanto mais a uma condenação. Por fim acharam dois homens que tinham ouvido as lições de Jesus, porém não se tinham dado ao trabalho de extrair os ensinamentos morais e espirituais que elas continham. Essas duas falsas testemunhas iniciam a série imensa dos que, através dos séculos, falsearam os ensinamentos de Jesus.

60 – E depuseram: Este disse: Posso destruir o templo de Deus, e reedificá-lo em três dias.

Ao pronunciar tais palavras, evidentemente Jesus se referia à destruição de seu corpo físico. O templo em que o espírito habita é o corpo. Como a morte não existe, destruído que seja o corpo carnal, o espírito passa a viver com seu corpo etérico, o perispírito. Os homens daquele tempo não o compreenderam e, por isso, julgaram que se tratava do templo de pedra de Jerusalém.

61 – Então, levantando-se o príncipe dos sacerdotes lhe disse: Não respondes nada ao que estes depõem contra ti?

Os sacerdotes forçavam Jesus a dar-lhes uma resposta, pois, por ela, o condenariam. Jesus preferiu calar, uma vez que sabia que seria condenado de qualquer forma.

62 – Porém, Jesus estava calado. E o príncipe dos sacerdotes lhe disse: Eu te conjuro pelo Deus vivo que nos digas se tu és o Cristo Filho de Deus.

63 – Respondeu-lhe Jesus: Tu o disseste; mas eu vos declaro que vereis daqui a pouco ao Filho do homem assentado à direita do poder de Deus, e vir sobre as nuvens do céu.

Jesus aqui nos ensina a sermos fiéis aos princípios que pregamos. Nunca devemos deixar de afirmar os nossos nobres ideais, sempre que preciso for, e em quaisquer circunstâncias e diante de quem quer que seja. É esta uma lição para os adeptos do Espiritismo e de várias correntes espiritualistas, muitos dos quais preferem negar seus ideais dizendo-se adeptos da religião dogmática oficial, cada vez que seus interesses estão em jogo. Assistimos então a pregadores espíritas, a médiuns com longos anos de serviço e a muitos outros fiéis do Espiritismo e do Espiritualismo que, ao se apresentarem oportunidades de proclamarem diante do mundo fidelidade à Doutrina, preferem seguir as conveniências sociais, casando-se e batizando seus filhos na igreja dogmática, e assistindo a missas e mandando dizê-las pelos seus desencarnados. Desprezam assim a sagrada ocasião do testemunho e destroem, num momento destes, todo o seu trabalho espiritual, pois não souberam baseá-lo na exemplificação e na coragem de romperem com o passado de ignorância.

O exemplo de Jesus se reveste de alta significação para a posteridade de seus discípulos. Os sacerdotes, vendo que não conseguiram fazê-lo falar, tentam obrigá-lo a desmentir o que tinha pregado, Mas o Mestre, em voz bem alta para que todos o ouvissem, dá testemunho de sua doutrina.

"Vereis daqui a pouco o Filho do homem assentado à direita do poder de Deus, e vir sobre as nuvens do céu." Esta frase é um símbolo de que Jesus se serve para mostrar que suas palavras se espalhariam, em breve, pelo mundo todo e nas nuvens, isto é, pelos planos espirituais próximos à Terra, dos quais desceriam espíritos para provarem as verdades que ele pregava. E hoje o Espiritismo, restabelecendo o intercâmbio entre encarnados e desencarnados, faz com que vejamos e compreendamos a glória e o podei de Jesus, estendendo sua mão amiga e protetora aos seus pequeninos tutelados da Terra.

64 – Então o príncipe dos sacerdotes rasgou as suas vestiduras, dizendo: Blasfemou; que necessidade temos já de testemunhas? eis aí acabais de ouvir agora uma blasfêmia.
65 – Que vos parece? E eles, respondendo, disseram: É réu de morte.
66 – Então uns lhe cuspiram no rosto, e o feriam a punhadas, e outros lhe deram bofetadas no rosto.
67 – Dizendo: Adivinha-nos, Cristo, quem é que te deu?

Estes versículos nos revelam três coisas: A primeira é a incompreensão espiritual dos homens daquela época. Apesar de os sacerdotes constituírem a parte da nação que estudava as escrituras, tomavam os ensinamentos ao pé da letra; e assim fizeram com os ensinamentos de Jesus. Não foram capazes de compreender que Jesus falava no sentido espiritual, descobrindo aos homens os bens imperecíveis da alma e ensinando como conquistá-los.

A segunda é a intolerância característica das religiões dogmáticas; embora não o compreendessem, deveriam tolerá-lo; mas a maldade que traziam nos corações não o deixou.

A terceira é o modelo que de então por diante os homens teriam para perdoar seus ofensores. Até aquele momento os homens conheciam apenas a lei de Moisés, olho por olho, dente por dente. Com o sacrifício de Jesus, os homens começariam a reconhecer a lei do perdão e do amor, pregada e exemplificada por ele, ao retribuir com a mansidão e com o perdão aos que o magoavam.

Pedro Nega a Jesus

68 – Pedro, entretanto, estava assentado fora do átrio, e chegou a ele uma criada dizendo: Tu também estavas com Jesus, o Galileu.
69 – Mas ele o negou diante de todos, dizendo: Não sei o que dizes.
70 – E saindo ele à porta, viu-o outra criada, e disse para os que ali se achavam: Este também estava com Jesus Nazareno.
71 – E segunda vez negou com juramento, dizendo: Juro que tal homem não conheço.
72 – E daí a pouco chegaram-se uns que ali estavam, e disseram a Pedro: Tu certamente és dos tais, porque até a tua linguagem te dá bem a conhecer.
73 – Então começou a fazer imprecações, e a jurar que não conhecia tal homem. E imediatamente cantou o galo.
74 – E Pedro se lembrou das palavras que lhe havia dito Jesus: Antes de cantar o galo, três vezes me negarás. E tendo saído pata fora, chorou amargamente.

A negação de Pedro é uma séria e profunda advertência a todos os que trabalham no campo evangélico.

Durante três anos Pedro se preparou, sob a orientação de Jesus, para o divino ministério do apostolado. O Mestre jamais cessara de lhe recomendar, bem como aos demais discípulos, que vigiassem e orassem, porque não sabiam quando, como e onde seriam provados. Diante da última advertência que Jesus lhe faz, Pedro jura fidelidade. Conhecendo a fragilidade das promessas humanas, Jesus se limitou a sorrir. E ainda o avisa de que dentro em breve o negaria. A Pedro, tal coisa se lhe afigura impossível. No entanto, no horto não pôde assistir ao Mestre na sua hora de agonia, e depois o nega publicamente. Por conseguinte, tenhamos cuidado todos nós que somos aprendizes do Evangelho. Na estrada que conduz a Cristo, não faltarão oportunidades de dar-lhe o testemunho; mas também as ocasiões de atraiçoá-lo e de negá-lo são numerosas.

Este episódio também nos dá um exemplo do que é uma consciência educada. Logo que errou, Pedro percebeu o seu erro. Sua consciência, educada nos princípios evangélicos, imediatamente o adverte. E Pedro se arrepende e chora, mas levanta-se decidido a corrigir o erro, sem demora, lutando pela causa de Jesus.

Se Pedro não tivesse a consciência educada, somente muito tempo depois, ou talvez só no mundo espiritual, é que ele iria compreender o erro, quando lhe seria extremamente difícil corrigi-lo.

Em nosso estudo do Evangelho e do Espiritismo, procuremos educar nossa consciência para que ela se possa manifestar e ser ouvida por nós, demonstrando-nos sempre os erros, assim que os tenhamos cometido. Desse modo, teremos o tempo suficiente para corrigi-los, sem sofrermos consequências dolorosas, e daremos provas de que estamos aproveitando os ensinamentos recebidos.

Capítulo 27

O Suicídio de Judas

1 – E chegada que foi a manhã, todos os príncipes dos sacerdotes e os anciãos do povo entraram em conselho contra Jesus, para o entregarem à morte.

2 – E preso o levaram, e o entregaram ao governador Pôncio Pilatos.

3 – Então Judas, que havia sido o traidor, vendo que fora condenado Jesus, tocado de arrependimento tornou a levar as trinta moedas de prata aos príncipes dos sacerdotes e aos anciãos.

4 – Dizendo: Pequei, entregando o sangue inocente. Mas eles lhe responderam: A nós que se nos dá? viras tu lá o que fazias.

5 – E depois de lançar as moedas no templo, retirou-se e foi-se pendurar num laço.

6 – Mas os príncipes dos sacerdotes, tomando o dinheiro, disseram: Não é lícito deitá-lo na arca das esmolas, porque é preço de sangue.

7 – Tendo pois deliberado em conselho sobre a matéria, compraram com ele o campo de um oleiro, para servir de cemitério aos forasteiros.

8 – Por esta razão se ficou chamando aquele campo, até ao dia de hoje, Haceldama, isto é, campo de sangue.

9 – Então se cumpriu o que foi anunciado pelo profeta Jeremias, que diz: E tomaram as trinta moedas de prata, preço do que foi apreçado, a quem puseram em preço com os filhos de Israel.

10 – E deram-as pelo campo de um oleiro, assim como me ordenou o Senhor.

Naquela época a Judeia estava sob o jugo romano, e por isso a pena de morte só podia ser aplicada por uma autoridade romana. Então levaram Jesus a Pôncio Pilatos, para obterem a condenação dele.

Judas ficou desesperado porque jamais tinha pensado que seu gesto pudesse causar a morte do Mestre. Ele conhecia a inocência de Jesus e a pureza de sua vida. Desse momento em diante é que Judas começou a compreender o caráter essencialmente espiritual da missão de Jesus. E, sinceramente arrependido, confessa publicamente o seu crime.

Mas era tarde. O Mestre já estava nas mãos de seus algozes, os quais eram inflexíveis.

O suicídio de Judas lhe custou séculos de sofrimentos nas zonas inferiores do mundo espiritual, porque tentou corrigir um erro com outro erro. Todavia, ajudado espiritualmente por Jesus e seus companheiros de apostolado, depois de inúmeras reencarnações na Terra, dedicadas ao trabalho de fazer triunfar o Evangelho, Judas conseguiu reabilitar-se; e hoje está irmanado com Jesus em sua esfera esplendorosa.

Já vimos como Jesus verberou os escribas e os fariseus pela grande hipocrisia deles, dizendo-lhes: Ai de vós, escribas e fariseus hipócritas, que coais um mosquito e engolis um camelo. É o que vemos aqui. Guardar as moedas devolvidas por Judas era um crime; mas não lhes parecia um crime condenar a Jesus, sabendo que ele era inocente, tanto que para condená-lo procuraram testemunhas falsas. E, comprando o campo de um oleiro com o preço da traição, os sacerdotes queriam abafar a voz da consciência, que os acusava do crime cometido. Assim, praticando uma obra de caridade para com os forasteiros, tentavam enganar a Deus e a si próprios.

11 – Foi apresentado, pois, Jesus ao governador e o governador lhe fez esta pergunta, dizendo: Tu és o rei dos judeus? Respondeu-lhe Jesus: Tu o dizes.

Para que os sacerdotes conseguissem do poder romano a condenação de Jesus, dão à sua prisão o caráter de estarem abafando zelosamente uma insurreição, da qual Jesus seria o chefe; por isso o acusam de se intitular rei.

Interpelado diretamente por Pilatos, Jesus responde afirmativamente. Contudo, sua realeza era de ordem espiritual; e essa realeza abrangia o povo judeu e toda a humanidade.

12 – E sendo acusado pelos príncipes dos sacerdotes e pelos anciãos, não respondeu coisa alguma.
13 – Então lhe disse Pilatos: Tu não ouves de quantos crimes te fazem cargo?
14 – E não lhes respondeu palavra alguma, de modo que se admirou o governador em grande maneira.

Mesmo nos momentos mais difíceis de sua exemplificação, o Mestre não atraiçoa os ensinamentos ministrados. Ele tinha ensinado que não devemos resistir aos que nos fizerem mal. Ora, condenando-o inocentemente, os sacerdotes lhe estavam fazendo mal. E Jesus, provando que era possível praticar o que tinha ensinado, não se revolta contra eles.

15 – Ora, o governador tinha por costume, no dia de festa soltar aquele preso que os do povo quisessem.
16 – E naquela ocasião tinha ele um preso afamado, que se chamava Barrabás.
17 – Estando pois eles todos juntos, disse-lhes Pilatos: Qual quereis vós que eu vos solte? Barrabás ou Jesus que se chama o Cristo?
18 – Porque sabia que por inveja é que lho haviam entregado.

Vemos aqui Pilatos servindo aos interesses subalternos do mundo material, desprezando as sublimes realidades espirituais. Pilatos sabe quais são os verdadeiros motivos pelos quais os sacerdotes exigiam a condenação de Jesus; sabe que aquele homem simples que estava em sua frente sem temer a morte era um inocente pois, mesmo seus acusadores não sabiam de que crime o acusar; sabe que a doutrina de mansidão e amor que Jesus pregava, não continha nenhuma ameaça ao poderoso governo de Roma. E no entanto, temeroso de contrariar os orgulhosos sacerdotes, que poderiam comprometê-lo diante de César em Roma, propõe-lhes que escolham entre um inocente e um criminoso.

19 – *Entretanto, estando ele assentado no seu tribunal, mandou-lhe dizer sua mulher: Não te embaraces com a causa desse justo; porque hoje em sonhos foi muito o que padeci por seu respeito.*

Os sonhos premonitórios são comuns. É provável que, durante o sono, a mulher de Pilatos tenha sido informada espiritualmente do caráter de Jesus e, acordando, quisesse impedir o marido de cometer o erro de condenar um inocente.

20 – *Mas os príncipes dos sacerdotes e os anciãos do povo persuadiram aos do povo que pedissem a Barrabás, e que fizessem morrer a Jesus.*
21 – *E fazendo o governador esta pergunta, lhes disse: Qual dos dois quereis vós que eu vos solte? E responderam eles: Barrabás.*

Dado o estado de baixa moralidade em que ainda vivemos na Terra, é mais fácil aos homens escolherem o mal do que o bem.

A escolha de Barrabás em detrimento de Jesus é um exemplo disso. Porém, à medida que os homens elevarem o seu padrão de moralidade, melhor compreenderão o bem. E por fim acabarão por sacrificarem Barrabás e escolherem a Jesus, isto é, aprenderão a praticar o bem e evitar o mal.

22 – *Disse-lhes Pilatos: Pois que hei de fazer de Jesus, que se chama o Cristo?*
23 – *Responderam todos: Seja crucificado. O governador lhes disse: Pois que mal ele tem feito? E eles levantaram mais o grito, dizendo: Seja crucificado.*
24 – *Então Pilatos, vendo que nada aproveitava, mas que cada vez era maior o tumulto, mandando vir água, lavou as mãos à vista do povo, dizendo: Eu sou inocente do sangue deste justo: vós lá vos avinde.*
25 – *E respondendo todo o povo, disse: O seu sangue caia sobre nós e sobre nossos filhos.*

Vemos aqui Pilatos servir de simples instrumento da intriga que os sacerdotes tramaram para perder a Jesus. O poder romano, conquanto exercesse pleno domínio sobre os povos tributários de Roma, jamais se imiscuía em seus usos e costumes internos, uma vez que não contrariassem os interesses de Roma; limitava-se sempre a examinar o caso e aprovar a resolução que os dignatários da nação lhes pediam. Assim, apesar de Roma ser a senhora, dava ao povo dominado a sensação de uma liberdade ilusória. Por conseguinte, em virtude da política exterior que Roma observava em relação aos povos conquistados, não estava nas mãos de Pilatos salvar Jesus, mesmo que o quisesse. Contudo, Pilatos compreendeu imediatamente porque a casta sacerdotal queria sacrificar Jesus e faz uma tentativa de salvá-lo. Vendo que nada conseguiria, pois os interessados na morte de Jesus podiam facilmente ir buscar a sentença condenatória diretamente em Roma, Pilatos lava as mãos.

Lavando as mãos e dizendo que estava inocente do sangue do Justo, Pilatos dá a entender que não arcaria com a responsabilidade moral de condená-lo, fazendo-a recair inteiramente sobre os acusadores. Estes, compreendendo os escrúpulos de Pilatos em aplicar uma sentença de morte contra um homem em quem não achou crime, declaram-se os únicos responsáveis, dizendo: Caia seu sangue sobre nós e nossos filhos.

26 – Então lhes soltou Barrabás; e depois de fazer açoitar a Jesus, entregou-lho para ser crucificado.

Este é um exemplo do que se passa, comumente, nos mundos inferiores: a virtude sacrificada e o mal em liberdade. Contudo, à medida que a humanidade se moraliza, notamos que se preza mais a virtude, e se combate o mal com mais intensidade. E quando a humanidade estiver regenerada, o mal estará vencido.

27 – Então os soldados do governador, tomando a Jesus para o levarem ao pretório, fizeram formar à roda dele toda a corte.
28 – E despindo-o, lhe vestiram um manto carmezim.
29 – E tecendo uma coroa de espinhos, lha puseram sobre a cabeça, e na sua mão direita uma cana. E ajoelhando diante dele, o escarneciam, dizendo: Deus te sabe, rei dos judeus.
30 – E cuspindo nele, tomaram uma cana, e lhe davam com ela na cabeça.
31 – E depois que o escarneceram, despiram-lhe o manto, e vestiram-lhe os seus hábitos, e assim o levaram para o crucificarem.

E Jesus foi desamparado pelos poderes da Terra e entregue aos soldados romanos, os quais fizeram cair sobre ele o desprezo que nutriam pelo povo dominado.

Mais uma vez Jesus exemplifica os seus ensinamentos. Ele tinha ensinado que quem se humilha será exaltado. E pacientemente sofre a humilhação, certo de que esses mesmos que o humilhavam haveriam de glorificá-lo em futuras reencarnações, quando estivessem esclarecidos.

Quando a humanidade souber seguir este exemplo de Jesus, grande paz e felicidade reinarão sobre a Terra, em todos os lares, em todos os corações. A vingança, essa paixão funesta, causadora de infortúnios sem conta, não infelicitará a Terra. E o ódio que faz com que se retribua o mal com o mal estará vencido. No lugar da vingança, haverá compreensão. Deixemos a Deus o cuidado de fazer justiça. As reencarnações transformarão as vítimas e os agressores em irmãos; e o ódio cederá o lugar ao amor. As humilhações, as injustiças que sofrermos hoje, por parte de irmãos ainda não esclarecidos espiritualmente e imersos na ignorância, serão reparadas mais tarde. Demos tempo ao tempo, que tudo se corrigirá, sem que haja necessidade de cometermos violências.

A cruz se tornou o símbolo da redenção humana. Espiritualmente falando, todos nós temos nossa cruz para carregar, através da existência. As provas e as expiações constituem a cruz bendita de nosso aprimoramento moral. Se Jesus tivesse evitado a cruz de seu martírio, não teria legado à humanidade o Código Divino; e sua obra, sem alicerces sólidos, teria caído no esquecimento. Do mesmo modo, se não aceitarmos com resignação e coragem, paciência e mansidão ao dificuldades e os sofrimentos que a vida nos reservar, nosso progresso espiritual não se efetuará, e perderemos grande parte do resultado de nossas reencarnações. Lembremo-nos sempre de que não viemos à terra para gozar, mas para burilar nosso espírito, mediante a cruz de provas e expiações que nos tocar.

A Crucifixão

32 – E ao sair da cidade acharam um homem de Cirene, por nome Simão; a este constrangeram a que levasse a cruz dele padecente.

Vejamos a lição moral que poderemos extrair do fato de obrigarem o homem de Cirene ajudar Jesus.

Ensina-nos este episódio que não estamos desamparados na face da Terra. Se nos faltarem amigos encarnados, jamais deixaremos de receber a assistência espiritual de nossos amigos desencarnados. Por isso, por mais penosa que seja nossa situação, ou por mais abandonados que se nos afigure estarmos, sempre há de aparecer uma mão amiga, que nos socorra em nossas necessidades.

De nossa parte, lembremo-nos de que é um de nossos deveres de cristãos auxiliarmos os que passam por suas provas e sofrem suas expiações.

E, quando observarmos os preceitos do Evangelho, o peso de nossa cruz se tornará mais leve. Auxiliares preciosos que muito nos ajudarão carregar nossas cruzes são a obediência e a resignação à vontade divina. Jamais nos esqueçamos disso.

33 – E vieram a um lugar que se chama Gólgota, que é o lugar do Calvário.
34 – E lhe deram a beber vinho misturado com fel. E tendo-o provado não o quis beber.
35 – E depois que o crucificaram, repartiram as suas vestiduras, lançando sortes; para que se cumprisse o que tinha sido anunciado pelo profeta, que diz: Repartiram entre si as minhas vestiduras, e sobre a minha túnica lançaram sortes.
36 – E assentados o guardavam.

A cruz era um suplício romano reservado aos escravos e aos casos em que se queria agravar a morte com a ignomínia. Aplicando-a a Jesus, tratavam-no como um salteador, um bandido, ou um desses inimigos de baixa condição, aos quais os romanos não concediam a honra de morrerem pelo gládio.

Gólgota era um local fora de Jerusalém, porém perto das muralhas da cidade. A palavra gólgota significa caveira e parece que corresponde à nossa palavra descalvado; designava, provavelmente, um outeiro nu, tendo a forma de um crânio. Não se sabe com exatidão onde fica hoje esse local. Com certeza era ao norte ou ao nordeste da cidade, na alta planície desigual que se estende entre as muralhas e os dois vales do Cedron e do Hinon, região sem atrativos e triste.

Os próprios condenados tinham de levar o instrumento de seu suplício, a cruz. Segundo o costume israelita, quando chegavam ao local da execução, ofereciam aos padecentes um vinho muito forte e aromatizado. Esse vinho embebedava imediatamente e por um sentimento de piedade era dado aos condenados para atordoá-los. Parece que, habitualmente, as mulheres caridosas de Jerusalém traziam aos infelizes condenados esse vinho da última hora; quando nenhuma delas vinha, mandavam comprá-lo. Jesus apenas provou-o e não quis bebê-lo.

A cruz se compunha de duas vigas ligadas em forma de T; era baixa, tanto que os pés dos condenados quase tocavam a terra; começavam por erguê-la; depois pregavam nela o condenado, atravessando-lhe as mãos com pregos; frequentemente pregavam também os pés; e outras vezes amarravam-nos com cordas. Um pedaço de madeira, como suporte, era pregado na haste da cruz, mais ou menos no meio, e passava entre as pernas do condenado, sobre o qual ele se apoiava. Sem isto as mãos se rasgariam, e o corpo cairia. Outras vezes deixavam um pedaço de tábua horizontal na altura dos pés do condenado, no qual ele se sustinha.

O principal horror do suplício da cruz consistia em que o condenado podia viver neste horrível estado três ou quatro dias, no escabelo da dor. A hemorragia das mãos cessava logo e não era mortal. A verdadeira causa da morte era a posição antinatural do corpo, a qual causava uma perturbação atroz na circulação do sangue, fortes dores de cabeça e do coração e por fim a rigidez dos membros. Os crucificados de forte compleição chegavam a morrer de fome. O fito principal deste cruel suplício não era de matar diretamente o condenado por meio de lesões determinadas, mas de expor o escravo à execração pública, pregado pelas mãos de que ele não soubera fazer bom uso, e de deixá-lo apodrecer na cruz. (Renan-Vie de Jesus .)

As roupas dos condenados pertenciam aos soldados, encarregados de executá-los. E, quando não chegavam a um acordo sobre a partilha, recorriam ao jogo de dados.

Depois do sacrifício de Jesus, o caminho do Gólgota passou a simbolizar o período de lutas e de sofrimentos suportados pelo espírito para sua completa purificação. E o Gólgota, o ponto supremo do sacrifício no qual a alma se emancipa da matéria.

A mistura que Jesus provou é o símbolo do amargor da vida terrena experimentado por todos os espíritos encarnados que se entregam à árdua tarefa de seu aperfeiçoamento moral.

37 – *E puseram-lhe também sobre a cabeça esta inscrição, que declarava a causa de sua morte:* ESTE É JESUS REI DOS JUDEUS.

Mal sabiam que a irônica sentença que tinham pregado no topo da cruz do Senhor, era a expressão de uma verdade profunda, que o tempo, dia a dia, mais demonstra. Sim, Jesus era rei; não somente rei dos judeus, mas de toda a humanidade. À medida que a humanidade progride, mais cresce entre os homens a realeza de Jesus, realeza inteiramente espiritual.

Quando o Mestre na luminosa paisagem da Galileia transmitia seus ensinamentos aos seus discípulos e ao povo humilde que o escutava, era na verdade a lei divina, que compete aos homens observar, o que Jesus lhes ditava. Quem poderia supor que aquelas palavras que a brisa levava eram eternas? Quem poderia supor que ali nas margens do lago de Genezareth, cercado de pescadores, estava o Governador Espiritual da Terra, legando aos homens, em seu Sermão da Montanha, as verdadeiras leis, únicas que tornarão o mundo feliz? E reis e imperadores terrenos não se curvaram ante os suaves ensinamentos de Jesus? Era pois bem verdade que Jesus era rei, embora sua realeza não fosse deste mundo.

38 – *Ao mesmo tempo foram crucificados com ele dois ladrões: um da parte direita e outro da parte esquerda.*

Jesus finaliza aqui o seu exemplo de humildade e de amor aos simples, aos pequeninos, aos pecadores e aos transviados. Nasce na manjedoura entre rústicos pastores; escolhe seus discípulos entre rudes pescadores e desencarna na cruz, junto de malfeitores. Por todo o Evangelho, vemos o Mestre dando mão amiga aos que caíram.

39 – *E os que iam passando blasfemavam dele, movendo as suas cabeças.*
40 – *E dizendo: Ah, tu o que destróis o templo de Deus, e o reedificas em três dias, salva-te a ti mesmo; se és Filho de Deus, desce da cruz.*
41 – *Da mesma sorte, insultando-o também os príncipes dos sacerdotes, com os escribas e anciãos, diziam:*
42 – *Ele salvou a outros, a si mesmo não se pode salvar; se é o rei de Israel, desça agora da cruz, e creremos nele.*
43 – *Confiou em Deus: livre-o lá agora, se é seu amigo; porque ele disse: Eu pois sou o Filho de Deus.*
44 – *E os mesmos impropérios lhe diziam também os ladrões que haviam sido crucificados com ele.*

A ignorância e a má-fé sempre interpretaram mal os ensinamentos de Jesus. Estes insultadores são os primeiros da longa procissão deles que se estenderia pelos séculos vindouros, uns explorando a doutrina de Jesus; outros cometendo crimes à sombra e em nome dela; outros negando-a; outros dizendo não a compreender. Contudo, a doutrina de Jesus jamais deixou de servir de farol para a vida eterna aos que a estudaram com o firme propósito de viverem de conformidade com ela.

45 – *Mas desde a hora sexta até a hora nona se difundiram trevas sobre toda a terra.*

Os acontecimentos que se passam na Terra repercutem no plano espiritual, donde projetam seus efeitos espirituais sobre o planeta. A crucificação de Jesus foi um dos pontos culminantes da história espiritual da humanidade. Em vista disso, não devemos estranhar que se processassem fenômenos espirituais de relevância em toda a atmosfera do planeta, principalmente sobre Jerusalém. Estes fenômenos poderão ter sido facilmente percebidos por pessoas portadoras de mediunidade.

A própria natureza parece ressentir-se dos pensamentos dos encarnados, sofrendo-lhes a influência, e como que se sintoniza com eles; o dia se torna alegre se a maioria dos encarnados emitir pensamentos alegres; sombrio, se os pensamentos da maioria forem de tristeza e de desânimo; revoltado, se os pensamentos forem malévolos e de revolta. É fácil ver como nos dias de Natal e Ano-Bom tudo é alegre, festivo, jovial; é porque a humanidade, nestes dias, esquece das tristezas, e pobres e ricos procuram alegrar-se com o pouco ou com o muito que lhes coube na vida; procuram esquecer as mágoas e perdoam os ressentimentos em nome do Divino Remissor de todos os pecados. Se durante os trezentos e sessenta e cinco dias do ano nós nos esforçássemos por conservar a mesma disposição de ânimo que temos pelo Natal, o ano inteiro apresentaria dias alegres, festivos, luminosos.

E os videntes viram as pesadas nuvens compostas de negros fluidos emitidos pela ignomínia dos homens cobrirem o céu espiritual de Jerusalém.

46 – E perto da hora nona deu Jesus um grande brado, dizendo: Eli, Eli, lamma sabachthani? isto é, Deus meu, Deus meu, porque me desamparaste?

47 – Alguns, porém, dos que ali estavam, e que ouviram isto, diziam: Este chama por Elias.

48 – E logo, correndo um deles, tendo tomado uma esponja, a ensopou em vinagre, e a pôs sobre uma cana, e lha dava a beber.

49 – Porém os mais diziam: Deixa, vejamos se vem Elias a livrá-lo.

50 – E Jesus, tornando a dar outro grande brado, rendeu o espírito.

A humanidade ainda não pode compreender o triunfo da humildade. No tempo de Jesus, como nos dias de hoje, compreende-se o triunfo do orgulho, e não o da humildade. O triunfo do orgulho reclama a força dos exércitos, armas, massacres. E quando o orgulho triunfa, o faz por meio de montes de cadáveres, irmãos sacrificados, viúvas e órfãos ao desamparo, cidades saqueadas e destruídas, para que um homem ou um povo se apresentem triunfantes.

O triunfo da humildade é diferente.

A humildade triunfa quando se sacrifica e seu triunfo não é notado no mundo, que não o sabe ver nem avaliar. Se o indivíduo leva sua humildade ao ponto de desencarnar por um ideal, que mais tarde beneficiará a humanidade e se tornará patrimônio comum, é tido por um louco, um visionário. É o caso sublime do sacrifício de Jesus. Ninguém via que era a humildade que triunfava, e em seu triunfo a única sacrificada era ela própria.

O orgulho triunfa clareando seu caminho com incêndios e maldições, para depois se apagar nas sombras dolorosas do mundo espiritual. A humildade triunfa sacrificando-se e abençoando seus algozes, para despertar nos esplendores da pátria celeste.

Rodeado da turba que o escarnecia, que o insultava, que demonstrava completa cegueira espiritual em relação a seus ensinos, estando próximo o desencarne e vislumbrando o triunfo de seu Evangelho, que era o seu próprio triunfo, Jesus se recorda do salmo de David, o rei profeta, e começa a recitá-lo. Era uma piedosa maneira de não deixar os motejadores sem uma resposta esclarecedora que, talvez, abrandasse a dureza daqueles corações, se a quisessem ouvir; e também um modo claro de confirmar, mais uma vez, que era ele o Enviado Celeste, pelo qual há tantos Séculos Israel esperava e que os profetas anunciaram. Mas suas forças lhe faltaram, e Jesus apenas pôde pronunciar as primeiras palavras do salmo; em seguida desencarnou.

51 – E eis que se rasgou o véu do templo em duas partes de alto a baixo; e tremeu a terra, e partiram-se as pedras.
52 – E abriram-se as sepulturas; e muitos corpos de santos, que eram mortos, ressurgiram.
53 – E saindo das sepulturas depois da ressurreição de Jesus, vieram à cidade santa, e apareceram a muitos.
54 – Mas o centurião, e os que com ele estavam de guarda a Jesus, tendo presenciado o terremoto, e os sucessos que aconteciam, tiveram grande medo e diziam: Na verdade este homem era Filho de Deus.

Os fenômenos aqui descritos são de natureza mediúnica. Dada a grande repercussão que o sacrifício de Jesus causou no mundo espiritual, abalaram-se profundamente as colônias espirituais vizinhas à Terra. E as pessoas videntes puderam ver grande número de desencarnados; e onde houve possibilidades, produziram-se fenômenos de efeitos físicos.

Filhos de Deus somos todos nós; mas aqui o centurião quer designar particularmente Jesus, um Filho de Deus feito homem, que sacrificava sua vida material em benefício de ensinamentos, que ficariam para a eternidade.

55 – Achavam-se também ali, vendo de longe, muitas mulheres que desde a Galileia tinham seguido a Jesus, subministrando-lhe o necessário.
56 – Entre as quais estavam Maria Madalena e Maria mãe de Tiago e de José, e a mãe dos filhos de Zebedeu.

Enquanto o Mestre não inicia a sua missão, viveu a vida comum dos homens de bem, no lar de seus pais, repartindo o tempo entre o trabalho manual de carpinteiro na modesta oficina e a meditação e sua consequente preparação espiritual para a tarefa que o trouxera à Terra. Tão logo chega a hora de se dedicar ao trabalho divino, vêmo-lo mudar-se para Cafarnaum, uma das aldeias situadas nas margens do lago Tiberíades.

Em virtude da alta espiritualidade que já tinha conquistado; e por saber dar às coisas da Terra o seu justo valor; e por não acalentar nenhuma ilusão terrena; e por dedicar-se exclusivamente a seus ensinamentos, exemplificando-se com a renúncia e perfeita independência das coisas materiais, Jesus muito pouco necessitava das coisas da Terra; delas usava o indispensável para manter a vida. O lago generoso fornecia-lhe o peixe, base da alimentação de todos os habitantes da aldeia; e os pomares, que se multiplicavam por quase todos os quintais, ofereciam-lhe os frutos deliciosos; de roupas, precisava apenas uma túnica, numa época em que as roupas das famílias eram tecidas em casa, por não existir ainda a indústria; e, nos pés, usava sandálias, único calçado que havia. Era isto o que as mulheres da Galileia lhe ministravam e que representava tudo o de que necessitava. Hospedava-se em casa de Simão Pedro, que era casado, o qual tratava de Jesus como de um filho, e cuja família repartia com Jesus as bênçãos, as alegrias e as tristezas, que experimentava sob o humilde teto.

A vida simples, a alimentação frugal, não criar ilusões fora das possibilidades do momento, nem ambições desmedidas, procurar dar a cada coisa o seu justo valor, usar de tudo mas não abusar de nada, não complicar a vida com vaidades, que no fundo não passam de tolices, tudo isso torna o espírito independente da matéria e lhe facilita a entrada em planos espirituais superiores.

A Sepultura de Jesus

57 – *E quando foi pela tarde veio um homem rico de Arimateia, por nome José, que também era discípulo de Jesus.*
58 – *Este chegou a Pilatos, e lhe pediu o corpo de Jesus. Pilatos mandou então que se lhe desse o corpo.*
59 – *Tomando pois o corpo, amortalhou-o José num asseado lençol.*
60 – *E depositou-o no seu sepulcro, que ainda não tinha servido, o qual ele tinha aberto numa rocha. E tapou a boca do sepulcro com uma grande pedra que para ali revolveu, e retirou-se.*
61 – *E Maria Madalena e a outra Maria estavam ali sentadas defronte do sepulcro.*

Conquanto Jesus pregasse sua doutrina ao povo, aos pequeninos com os quais os mais bem aquinhoados da fortuna não se misturavam, sua doutrina era discutida e analisada pelas classes cultas da Judeia, entre cujos membros contava com grande número de admiradores; José de Arimateia era um destes.

Caso ninguém reclamasse o corpo, este seria atirado à vala comum, ou, como normalmente acontecia, apodreceria na cruz. Os discípulos, aterrados e desorientados, não se atreviam a se apresentar para reclamar o corpo do Mestre e Companheiro, temendo consequências funestas. José de Arimateia, que gozava de influência junto ao governo, e querendo prestar uma singela homenagem a quem lhe trouxera os ensinamentos da vida eterna, reclamou o corpo para dar-lhe uma sepultura decente, no que foi atendido.

62 – *E no outro dia, que é o seguinte ao parasceve, os príncipes dos sacerdotes e os fariseus acudiram juntos à casa de Pilatos.*
63 – *Dizendo: Senhor, lembramo-nos de que aquele embusteiro, vivendo ainda, disse: Eu hei de ressurgir depois de três dias.*
64 – *Dá logo ordem que se guarde o sepulcro até ao dia terceiro; para não suceder que venham seus discípulos e o furtem, e digam à plebe: Ressurgiu dos mortos; e desta sorte virá o último embuste a ser pior do que o primeiro*
65 – *Pilatos lhes respondeu: Vós aí tendes guardas, ide, guardai-o como entendeis.*
66 – *Eles, porém, retirando-se, trabalharam por ficar seguro o sepulcro, selando a campa e pondo-lhe guardas.*

Sepultado Jesus, lembraram-se os sacerdotes das contínuas afirmações dele, de que ressurgiria dos mortos logo depois de três dias. Ficaram, pois, com receio e mandaram que se guardasse o túmulo para que os discípulos nada pudessem fazer. Todavia, Jesus não se referia ao ressurgir dos mortos no sentido carnal, mas sim em espírito.

Como hoje sabemos, no fenômeno do desencarne, sempre decorre algum tempo antes que se desliguem todos os laços que prendem o espírito ao corpo. Depois de liberto o espírito, ainda temos de considerar que lhe é preciso mais algum tempo, até que se ambiente no mundo espiritual para o qual voltou. Para a maioria dos espíritos, a transição acarreta perturbações, por vezes prolongadas. Nos espíritos altamente evoluídos, a tradição é de consequências mínimas. Eis porque Jesus dizia que ressurgiria depois de três dias. É como se tivesse dito: Depois de três dias estarei livre das consequências provindas de meu desencarne e, portanto, em condições de me materializar perante meus discípulos.

Atendendo às solicitações dos sacerdotes, Pilatos lhes entrega o túmulo de Jesus, autorizando-os a agirem como entendessem. E eles tomam todas as providências para que o corpo não pudesse desaparecer.

Considerações em Torno do Desaparecimento do Corpo de Jesus

O mistério impenetrável que constituiu durante dezenove séculos o desaparecimento do corpo de Jesus só pôde ser desvendado em nossos dias, por meio dos ensinamentos e revelações trazidas pelo Espiritismo.

Antes de estudarmos como o fato ocorreu de acordo com as lições que o Espiritismo nos ministrou, analisemos se havia ou não necessidade de que o corpo do Mestre desaparecesse.

Havia dois grupos interessados na posse do corpo de Jesus: o grupo dos sacerdotes, e o grupo constituído pelos discípulos.

Os discípulos ainda nada tinham resolvido, quando os sacerdotes se apoderaram do túmulo e, por conseguinte, do corpo de Jesus.

Mas eis que os dois grupos interessados são avisados simultaneamente de que o corpo desaparecera.

Teriam os discípulos furtado o corpo?

Não.

Os quatro evangelistas nos dizem que os discípulos se espantaram ao receberem a notícia. Amedrontados e semidispersos, desconhecidos e quase perseguidos em Jerusalém, eram incapazes de uma ação que requeria coragem, uma vez que os sacerdotes tinham tomado todas as providências para que o corpo não caísse nas mãos dos discípulos; a pena de morte aguardava aqueles que tal ousassem. E, mesmo que os discípulos se apoderassem do corpo, onde o esconderiam?

A sinceridade e o entusiasmo com que os discípulos se entregaram à pregação do Evangelho provam que não foram eles os autores do desaparecimento do corpo. Se tivessem sido eles, não se atreveriam a pregar o Evangelho, por saberem que era uma impostura dizerem que o Mestre ressuscitara, já que sabiam o destino que tivera o corpo. E, se o fizessem, lhes faltaria a sinceridade e a fé que demonstraram em todas as circunstâncias afirmando sempre que falavam em nome de Jesus ressuscitado.

Teriam os sacerdotes furtado o corpo?

Não.

Os sacerdotes tinham o máximo interesse em conservar o corpo no túmulo, a fim de apresentá-lo como prova contra os discípulos, quando estes se dispusessem a pregar a doutrina do Mestre. E sobretudo os sacerdotes alimentavam o secreto desejo de, depois de decorridos os três dias, mostrarem o corpo ao povo, provando assim que eles realmente tinham condenado um impostor, pois não ressuscitara como prometera. E se os sacerdotes tivessem consumido o corpo, logo que os discípulos iniciassem as pregações, estes seriam confundidos, pois os sacerdotes não deixariam de lhes mostrar onde estava o corpo e dizer-lhes como o tinham tirado do túmulo.

Consideremos agora por que o corpo deveria desaparecer.

1º — Tanto os discípulos como os sacerdotes tomavam as palavras de Jesus ao pé da letra; entendiam-lhe apenas a parte material, sem procurar extrair delas o ensinamento moral ou espiritual que continham.

2º — Como não formavam uma ideia concreta de como o espírito sobrevive à matéria, julgavam que a ressurreição da qual Jesus lhes falava se processaria mediante o corpo de carne.

3º — Se os discípulos vissem o corpo se dissolvendo no sepulcro e o espírito do Mestre materializado ao lado deles, e como não saberiam explicar o fenômeno que hoje o Espiritismo explica muito bem, tomariam o Mestre por uma visão e não creriam no que tinham visto. Dariam mais crédito ao corpo que eles sentiam apodrecer no sepulcro, do que ao espírito imortal do Mestre, que se tinha tornado visível para eles. E, diante do corpo que se desfazia, julgariam que tudo estava consumado e não mais cuidariam de pregar a palavra divina.

Assim, o desaparecimento do corpo de Jesus trouxe duas grandes vantagens:

1ª — Fortificou a fé dos discípulos, que não sabendo o destino do corpo, e vendo o Mestre materializado perante eles, não mais duvidaram da missão divina de Jesus nem de seus ensinamentos nem da tarefa que lhes era confiada.

2ª — Os sacerdotes ficaram sem um documento para contradizer os ensinos dos discípulos de Jesus e, portanto, não puderam semear a confusão no seio do Cristianismo nascente.

Estas foram as razões pelas quais os Diretores Espirituais do planeta resolveram que o corpo desaparecesse. Mais tarde, quando não houvesse mais perigo para o Evangelho, a verdade seria restabelecida, com a explicação racional do ocorrido.

E o Espiritismo vem restabelecer a verdade. Para compreendermos como se processou o desaparecimento do corpo de Jesus de dentro do túmulo cavado na rocha, e fechado por pesada pedra, e selado pelos sacerdotes, e guardado por soldados romanos, temos de recordar o que é possível fazer-se por meio da mediunidade de efeitos físicos. Sabemos que, utilizando-se desse tipo de mediunidade, os espíritos podem retirar de dentro de um recipiente hermeticamente fechado, qualquer coisa que ali se ache ou colocar dentro dele o que se queira. A mediunidade de efeitos físicos já nos mostrou médiuns que foram retirados de verdadeiras jaulas de ferro e transportados pelos espíritos para outros cômodos fechados da casa, e mesmo para locais distantes de onde se realizavam as experiências. Quanto a objetos grandes ou pequenos, leves ou pesados, o transporte deles pelos espíritos é comum em experiências desse gênero. Bem sabemos que os médiuns não precisam estar no local onde se apresenta o fenômeno; podem estar muito longe dele e completamente inconscientes de estarem servindo de instrumentos a fenômenos de efeitos físicos; pois fornecem apenas os fluidos dos quais os espíritos precisam para realizar o trabalho designado. Assim sendo, mediante a mediunidade de efeitos físicos que os espíritos utilizaram em alto grau, puderam transportar o corpo de Jesus para algum túmulo distante e desconhecido, onde se desfez, e cuja matéria voltou ao grande reservatório da natureza.

Teria sido isto uma fraude?

Não.

Simplesmente foi uma medida muito acertada para se evitarem consequências desastrosas e imprevisíveis para o futuro do Evangelho. Os espíritos agiram para com os homens daquele tempo, como os adultos agem para com as crianças: nem tudo se lhes explica integralmente, e muita coisa se oculta delas, para daí não provirem males; mas, quando alcançam a idade adulta, tudo se lhes pode revelar. E como hoje a humanidade já está em condições de compreender tudo, o Espiritismo veio trazer-lhes a solução do problema.

Capítulo 28

A Ressurreição

1 – Mas na tarde do sábado, ao amanhecer o primeiro dia da semana, vieram Maria Madalena e a outra Maria ver o sepulcro.

2 – E eis que tinha havido um grande terremoto. Porque um anjo do Senhor desceu do céu, e chegando revolveu a pedra, e estava sentado sobre ela.

3 – E o seu aspecto era como um relâmpago, e a sua vestidura como a neve.

4 – E de temor dele se assombraram os guardas, e ficaram como mortos.

Certas de que o corpo do Mestre ainda se encontrava no sepulcro, as mulheres o foram visitar. E não sabendo explicar o fato de estar a pedra fora do lugar, atribuíram a sua remoção a um terremoto. Para que elas pudessem testemunhar que o corpo já não se achava no túmulo, e assim mais facilmente acreditassem no Mestre redivivo, a pedra foi removida mediunicamente, pela mediunidade de efeitos físicos. Quanto ao anjo, era um espírito que se tinha materializado ali, para avisar as mulheres que reunissem os discípulos dispersos e desorientados e partissem para a Galileia, onde receberiam as últimas instruções do Senhor.

5 – Mas o anjo, falando primeiro, disse às mulheres: Vós outras não tenhais medo; porque sei que vindes buscar a Jesus que foi crucificado.

6 – Ele já aqui não está; porque ressuscitou, como tinha dito; vinde e vede o lugar onde o Senhor estava posto.

7 – E ide logo, e dizei aos seus discípulos que ele ressuscitou, e ei-lo aí vai adiante de vós para a Galileia; lá o veteis; olhai que eu vo-lo disse antes.

Se o emissário do Senhor fosse explicar a ambas as mulheres como é que os fatos se tinham passado com referência ao corpo de Jesus, e lhes dissesse que o Mestre vivia, embora sem aquele corpo, é fora de dúvida que elas não o entenderiam e lançariam a confusão entre os discípulos, ainda sem saberem que rumo e resolução tomar. Por isso, foi mais fácil ao mensageiro celeste mostrar-lhes o sepulcro vazio e dizer-lhes que o Mestre tinha ressuscitado, e que deveriam ir encontrá-lo na Galileia.

8 – E saíram logo do sepulcro com medo, e ao mesmo tempo com grande gozo, e foram, correndo, dar a nova aos seus discípulos.

9 – E eis que lhes saiu Jesus ao encontro dizendo: Deus vos salve. E elas se chegaram a ele, e se abraçaram com os seus pés, e o adoraram.

10 – Então lhes disse Jesus: Não temais; ide, dai as novas a meus irmãos para que vão a Galileia, que lá me verão.

Ao verem a sepultura vazia e ao ouvirem as palavras da boca de uma criatura angélica, a certeza de que o Mestre era vivo se apodera das mulheres, que se apressam, cheias de júbilo, a desempenhar a incumbência. Para reforçar-lhes mais a convicção com que deveriam falar aos discípulos, aparece-lhes Jesus para confirmar as palavras de seu mensageiro.

A Mentira dos Judeus

11 – Ao tempo que elas iam, eis que vieram à cidade alguns guardas, e noticiaram aos príncipes dos sacerdotes tudo o que havia sucedido.
12 – E tendo-se congregado com os anciãos, depois de tomar em conselho, deram uma grande soma de dinheiro aos soldados.
13 – Intimando-lhes esta ordem: Dizei que vieram de noite os seus discípulos, e o levaram furtado, enquanto nós estávamos dormindo;
14 – E se chegar isto aos ouvidos do governador, nós lha faremos crer, e atenderemos à vossa segurança.
15 – Eles, porém, depois de receberem o dinheiro, o fizeram conforme as instruções que tinham. E esta voz, que se divulgou entre os judeus, dura até ao dia de hoje.

Os israelitas julgavam que o Messias viria na pessoa de um poderoso príncipe, que libertaria a nação do jugo dos romanos, dando-lhes a primazia entre os povos. Por isso, grande número deles não acreditou que aquele Humilde Sacrificado na cruz fosse o Salvador.

E os sacerdotes, desapontados por não possuírem mais o corpo com o qual queriam confundir os discípulos, fizeram com que circulasse o boato de que o corpo tinha sido furtado enquanto os soldados dormiam.

Jesus Aparece aos seus Discípulos na Galileia

16 – Partiram pois os onze discípulos para Galileia, para cima de um monte onde Jesus lhes havia ordenado que se achassem.

Na Galileia, onde Jesus começara o seu apostolado e onde ministrara as primeiras lições a seus discípulos, queria o Mestre tê-los junto de si, pela última vez, para transmitir-lhes as derradeiras instruções sobre o futuro do Evangelho.

17 – E vendo-o o adoraram; ainda que alguns tiveram sua dúvida.

Conquanto o tivessem visto, ainda houve incrédulos. Idêntico fato se passa atualmente com o Espiritismo: apesar de todas as provas, ainda há quem o negue.

O aparecimento de Jesus a seus discípulos, depois do seu desencarne, foi necessário para solidificar-lhes a fé, que até então era vacilante. Seus discípulos receberam seus ensinamentos; testemunharam-lhe as obras; depois assistiram à sua prisão e ao seu suplício; viram-no expirar, pregado na cruz; ajudaram a carregar seu cadáver para o túmulo; não podiam alimentar dúvidas: O Mestre tinha morrido. Em seguida, no dia predito pelo Mestre, ele lhes aparece radiante de vida; fala com eles; dá-lhes ordens; na verdade, o Mestre Amado tinha ressuscitado. E depois, diante deles, parte para a elevada esfera espiritual donde viera e donde continuaria a zelar pelos seus ensinamentos. Então era bem certo o que ele lhes tinha ensinado: não havia a morte; todos deixariam o corpo de carne e reviveriam no corpo espiritual e ascenderiam aos céus. A morte tinha sido vencida; a imortalidade da alma estava comprovada. Eis porque foi preciso que Jesus expirasse na cruz. Era mister que todos os discípulos o vissem realmente morto e que o vissem triunfar da morte para crerem em seus ensinamentos e se disporem a evangelizar a humanidade. E uma vez que os fatos provaram a Verdade, com a certeza absoluta gravada nos corações, partiram os discípulos a espalhar a Boa Nova por todos os caminhos da Terra.

18 – E chegado Jesus, lhes falou, dizendo: Tem-se-me dado todo o poder no Céu e na Terra;

O sacrifício de Jesus em prol do esclarecimento espiritual de seus irmãos pequeninos assegurou-lhe o cargo de Protetor Espiritual do nosso globo.

19 – Ide pois e ensinai todas as gentes, batizando-as em nome do Pai, e do Filho, e do Espírito Santo;

Ensinai a todos em nome do Pai, isto é, em nome de Deus, nosso Pai comum. E do Filho, isto é, em meu nome, porque sou o Mestre. E em nome do Espírito Santo, isto é, em nome dos espíritos do bem. Batizai a todos, isto é, fazei com que o maior número possível de criaturas tome conhecimento do Evangelho e se redimam aplicando minhas lições no viver de cada dia.

20 – Ensinando-as a observar todas as coisas que vos tenho mandado; e estai certos de que eu estou convosco todos os dias, até a consumação dos séculos.

Quando Jesus diz a seus discípulos que devem ensinar a todas as gentes a observar os seus preceitos, recorda-lhes os seguintes pontos:

1º – Pregar e praticar. Jamais desmentir com os atos o que se pregar com as palavras. O exemplo é o melhor dos mestres e o mais eloquente dos pregadores.

2º – Jamais pregar o Evangelho com segundas intenções, isto é, procurando, por meio dele, explorar o próximo. Mas que o pregador seja impulsionado apenas pelo amor aos pequeninos ignorantes da Terra e pelo sentimento do Bem.

3º – Todos os que pregam têm o dever de se fortificarem pela oração e pela vigilância, a fim de exemplificarem o que pregam por meio de uma ação construtiva.

4º – Não se iludam os pregadores sinceros; dificilmente terão amigos; lembrem-se de que são os divulgadores da Verdade, a qual nem sempre agrada aos nossos irmãos terrenos.

5º – Através dos séculos, nos dias luminosos ou no meio das trevas da ignorância, onde quer que se encontre um discípulo sincero, por mais humilde e pequenino que seja, junto dele estará um Mensageiro de Jesus, animando, amparando, fortificando e inspirando o trabalhador de boa vontade, o discípulo fiel.

Capítulo 29

Introdução. A Ascensão

1 – No meu primeiro discurso falei na verdade, ó Teófilo, de todas as coisas que Jesus começou a fazer e a ensinar.

O livro "Atos dos Apóstolos" é o primeiro capítulo da longa história do Cristianismo. Tem sido chamado, algumas vezes, de "O Evangelho do Espírito Santo". Nós o chamaremos de "O Evangelho da Mediunidade". Nele vemos a mediunidade em ação, a mediunidade dos Apóstolos, de Paulo, e de seus colaboradores, pela qual se organiza o Cristianismo, logo após o Pentecoste, sob a legião fulgurante dos Espíritos do Bem denominada Espírito Santo. Nele se descreve como um rebento do judaísmo se tornou uma religião mundial e como o Evangelho, nascido numa insignificante vila do Oriente, alcançou Roma, a capital do Império Romano, o mundo de então. Constitui o segundo volume da obra de Lucas, continuação de seu Evangelho. Lucas dedicou-o também a Teófilo, do qual nada se sabe, apesar das pesquisas dos historiadores; talvez tenha sido amigo e protetor de Lucas, simpatizante ou adepto do Cristianismo nascente; contudo não há como identificá-lo. Lucas, o autor, é mencionado em três cartas de Paulo, que o chama de "o médico amado": não era judeu mas gentio, provavelmente um sírio de Antioquia; encontrou-se com Paulo em Trôade, em sua segunda viagem missionária, por volta do ano 53, e tornou-se fiel companheiro até sua prisão em Roma, depois da qual o perdemos de vista.

O livro "Atos dos Apóstolos" não glorifica materialmente nenhum de seus personagens: mostra-nos como eles exemplificam a afirmação de Jesus **"... Quem quiser ser meu discípulo, negue-se a si mesmo e siga-me"**. E negando-se a si mesmos, eles lançam os fundamentos inamovíveis do Evangelho que um dia – edifício sublime que se está construindo aos poucos – abrigará a humanidade inteira.

É de notar-se a alta semelhança que há entre o começo do Espiritismo com o do Cristianismo, do qual o Espiritismo é o ramo mais avançado: a descida do Espírito Santo veio com um estrondo (Atos 2-2); a chegada do Espiritismo, com as pancadas na modesta casa das irmãs Fox, em Hydesville, nos Estados Unidos. As pregações de Pedro, suas explicações e as dos outros Apóstolos e discípulos e as de Paulo como que se reproduzem nos atuais Centros Espíritas, com a mesma simplicidade, com a mesma fé, com o mesmo entusiasmo; eram eles professores e pregadores; pregadores do Evangelho e professores de moral cristã, tais quais os espíritos militantes de hoje. E, cotejando-se atentamente a narrativa de Lucas e a obra de Allan Kardec, podemos afirmar, em alto e bom som, que o Espiritismo é a volta do Cristianismo em sua pureza do tempo de Paulo, do tempo dos Apóstolos.

2 – Até o dia em que, dando preceito pelo Espírito Santo aos apóstolos que elegeu, foi assunto acima;

Espírito Santo é o nome pelo qual se designa a legião dos Espíritos santificados na Luz e no Amor, que cooperam com o Cristo desde os primeiros tempos da humanidade. Esta legião, chefiada por Jesus, luta pela implantação total do Reino de Deus na face da Terra; e os preceitos que ela dá são as inspirações para o bem, que todos nós recebemos continuamente. É uma legião que aumenta incessantemente, porque à medida que nós nos moralizamos passamos a fazer parte dela, como cooperadores do Cristo.

Jesus, que se fazia visível, parte para sua esfera espiritual e tiveram a impressão de que ele subia aos céus.

3 – Aos quais também se manifestou a si mesmo vivo com muitas provas depois de sua paixão, aparecendo-lhes por quarenta dias e falando-lhes do Reino de Deus.

4 – E comendo com eles, lhes ordenando que não saíssem de Jerusalém mas que esperassem a promessa do Pai, que ouvistes, (disse ele) da minha boca.

Depois do seu desencarne no alto da cruz, Jesus precisava consolidar a fé nos corações de seus discípulos, para que eles não fraquejassem ante as lutas de disseminação do Evangelho. E para isso nada melhor do que se mostrar radiante de vida àqueles mesmos que o tinham visto morrer: com a certeza da imortalidade gravada no íntimo de seus corações, nada temeriam. E de fato, nada temeram; e arrojadamente, vivendo mil martírios, difundiram pelo mundo o Evangelho, que está construindo na Terra o Reino de Deus, do qual lhes falava Jesus.

A aparição de Jesus a seus discípulos depois de sua crucificação é um fenômeno que o Espiritismo explica muito bem, pela mediunidade de efeitos físicos. Nas sessões espíritas de materializações, tornam-se visíveis Espíritos que agem como se estivessem encarnados. Os Espíritos não necessitam dos alimentos grosseiros da Terra; mas, para que não pairasse a menor sombra de dúvidas entre os discípulos, até esse ato elementar da vida humana Jesus perfez diante deles. Quanto à questão do corpo de Jesus, tão debatida, já a explicamos devidamente no capítulo anterior, "A Ressurreição".

A promessa que o Pai fez por meio de Jesus é a vinda do Consolador: **"E eu rogarei ao Pai e ele vos dará outro Consolador, para que fique eternamente convosco". "Mas o Consolador que é o Espírito Santo, a quem o Pai enviará em meu nome, ele vos ensinará todas as coisas e vos fará lembrar de tudo o que vos tenho dito." "Quando porém vier o Consolador, aquele Espírito de Verdade que procede do Pai, ele dará testemunho de mim."**

Realmente, antes de Jesus partir, deixou inaugurada a era da comunicação consciente entre os vivos e os mortos, isto é, entre os encarnados e os desencarnados. Para isso ele recomenda a seus discípulos que não saiam de Jerusalém, sem ter recebido as últimas instruções do Alto, ou seja, o Consolador, conforme a promessa do Pai.

O Consolador consistiria no intercâmbio entre os dois planos, que Jesus iniciava: o plano denso da matéria em que estamos encarnados e o plano espiritual onde habitam os Espíritos desencarnados, para onde também iremos após nosso desencarne. E a legião do Espírito Santo, por meio dos médiuns, relembraria constantemente aos homens os ensinamentos de Jesus, concitando-os a transformar a Terra num mundo de Paz e de Felicidade. Com esse contínuo intercâmbio, os homens aprenderiam todas as coisas e baniriam da face da Terra o medo da morte e caminhariam a passos largos rumo à Espiritualidade Superior. Todavia, ao perder o Cristianismo a simplicidade dos primeiros tempos, as vozes do Consolador foram abafadas durante séculos e ressurgem agora, em nossos dias, com o advento do Espiritismo, que mais não é do que a promessa do Pai, o Consolador, que reata o intercâmbio consciente com o plano espiritual e dá testemunho de Jesus.

5 – *Porque João na verdade batizou em água mas vós sereis batizados no Espírito Santo, não muito depois destes dias.*

João, postado nas margens do rio Jordão, na Palestina, batizava em água; pregando as alvoradas do Reino dos Céus, dirigia enérgico convite a todos, que se preparassem para o luminoso dia da redenção. Seduzidos por suas palavras vibrantes de fé, muitos dos ouvintes se arrependiam da vida delituosa que levavam e confessavam as faltas, afirmando-lhe que não tornariam a cometê-las. E João batizava-os, isto é, lavava-os, dando a entender que o arrependimento sincero, seguido do firme propósito de não mais reincidir no erro, limpa o Espírito, como a água limpa o corpo.

O batismo do Espírito Santo é o ato de se receber a mediunidade; quem a recebe se coloca à disposição dos Espíritos do Senhor nos trabalhos de evangelização, que se desenvolvem no plano terrestre; é um batismo de renúncia, devotamento, abnegação e humildade. Todos são chamados ao sagrado batismo do Espírito Santo, porque não há ninguém que não possa trabalhar para o advento do Reino dos Céus.

Jesus avisa seus discípulos que seriam batizados no Espírito Santo, ou seja, receberiam a mediunidade e então estariam prontos para o trabalho.

6 – *Portanto, os que se haviam congregado lhe perguntavam dizendo: Senhor, dar-se-á caso que restituas neste tempo reino a Israel?*

Israel estava sob o jugo romano. Há muito que os israelitas tinham perdido a liberdade. Até mesmo a memória do reino de Israel já se diluía num passado distante. Mas os judeus não abandonavam a esperança de reconstruir o reino com o esplendor que lhe dera Salomão; e, mais ainda, pensavam que, refeito o reino, dominariam a Terra inteira. Esta esperança se baseava na vinda do Messias, que lhes seria enviado segundo as profecias dos antigos profetas de Israel. E como vissem (os que estavam com Jesus) que ele triunfara da morte, possivelmente lhes restituiria o reino terreno, com o qual sonhavam; daí a pergunta.

7 – *E ele lhes disse: Não é da vossa conta saber os tempos nem momentos que o Pai reservou ao seu poder;*

Os desígnios do Pai são imperscrutáveis. Quem poderá sondar os pensamentos do Altíssimo? A nós, seus filhos, cumpre acatar-lhe a vontade e obedecer-lhe. Só ele sabe o que convém ao Universo e a cada um de nós.

8 – *Mas recebereis a virtude do Espírito Santo, que descerá sobre vós e me sereis testemunhas em Jerusalém e em toda a Judeia e Samaria e até às extremidades da Terra.*

A virtude do Espírito Santo é a mediunidade da qual os discípulos seriam dotados: e, usando-a como um instrumento de trabalho, levariam a Luz aos quatro cantos da Terra.

O Espiritismo, como o Consolador prometido que é, usa da mediunidade como sua principal ferramenta de trabalho, trazendo do mundo espiritual para o mundo terreno as luzes da Espiritualidade Superior; e dá testemunho de Jesus, pregando-lhe o Evangelho.

9 – *E tendo dito isto, vendo-o eles, se foi elevando; e o recebeu uma nuvem que o ocultou de seus olhos.*

Quando Jesus percebeu que seus discípulos estavam possuídos da fé sincera e ativa, partiu para sua esfera de onde continua o seu labor em prol de nosso crescimento espiritual.

10 – *E como estivessem olhando para o céu quando ele ia subindo, eis que a puseram ao lado deles dois varões com vestiduras brancas.*

11 – *Os quais também lhe disseram: Varões galileus, que estais olhando para o céu? Este Jesus, que separando-se de vós foi assunto ao céu, assim virá do mesmo modo que o haveis visto ir ao céu.*

Estes dois varões com vestes brancas são dois Espíritos de elevada categoria espiritual, que se tornaram visíveis junto deles para nos trazer mais uma promessa de Jesus: a de que mais tarde o veríamos voltar a nós. Podemos entender esta promessa de dois modos:

1º – Jesus vem até nós por meio da reviviscência de seus ensinamentos, operada pelos Espíritos das esferas superiores que nos encaminham ao aprendizado do Evangelho.

2º – Tão logo a humanidade esteja totalmente evangelizada e conhecedora das leis divinas que regem nosso planeta, haverá clima propício para que Jesus nos visite periodicamente, tornando-se visível a nós, como o esteve durante esses quarenta dias a seus discípulos.

O Espiritismo trabalha ativamente para que a volta de Jesus se dê pelos dois modos; pelo primeiro, mediante a pregação incessante de seu Evangelho; pelo segundo, dando a conhecer aos homens as leis espirituais que ligam os dois planos: o espiritual e o material.

12 – *Então voltaram para Jerusalém, desde o monte que se chama do Olival, que está perto de Jerusalém, na distância da jornada de um Sábado.*
13 – *E tendo entrado em certa casa, subiram ao quarto de cima, onde permaneciam Pedro e João, Tiago e André, Filipe e Tomé, Bartolomeu e Mateus. Tiago filho de Alfeu, Simão o Zeloso e Judas irmão de Tiago.*
14 – *Todos estes perseveravam unanimemente em oração com as mulheres e com Maria, mãe de Jesus, e com os irmãos dele.*

Para Jesus se despedir daqueles que durante três anos foram seus companheiros constantes, reuniu-os em local tranquilo, fora de Jerusalém. E cumprindo suas ordens, depois da despedida os discípulos voltaram à cidade.

Os discípulos, hospedados em casa amiga, preparam-se para o trabalho que os espera, recorrendo à prece para se fortalecerem. É um exemplo para quem se inicia na sagrada tarefa da mediunidade: ter seus momentos diários de oração para que não fraqueje ante o trabalho que o aguarda na seara do Senhor. Junto com os discípulos estavam aqueles que mais de perto tinham convivido com Jesus: sua mãe, seus familiares e as mulheres que habitualmente o seguiam.

Matias É Escolhido Apóstolo em Lugar de Judas

15 – *Naqueles dias, levantando-se Pedro no meio dos irmãos (e montava a multidão dos que ali se achavam juntos a quase cento e vinte pessoas) disse:*

Vemos aqui que o trabalho evangélico se desenvolvia promissoramente: cerca de cento e vinte pessoas compareciam às pregações dos discípulos, que já se tinham instalado em Jerusalém, deixando envoltos em recordações felizes os dias transcorridos com Jesus, nas margens do lago da Galileia. É mais um grande exemplo que eles nos legam; ao chegar a nossa hora de trabalhar na seara do Senhor, precisamos ser fiéis a Deus e servi-lo, abraçando com boa vontade a tarefa, qualquer que ela seja e onde ela se apresentar.

Jerusalém, que passa a ser o cenário dos trabalhos dos Apóstolos, é citada pela primeira vez na Bíblia em Josué 10,1-27; era uma cidade dos jebusitas, quando Davi a conquistou por volta do ano 1.000 a.C., fazendo dela a capital do seu reino. O maior engrandecimento da cidade se deve ao rei Salomão (1015 a 975 a.C.) que a cercou de muralhas e a dotou do famoso templo e de suntuosos palácios, ocupando a colina do Moria e a colina Oriental; esse perímetro, um pouco dilatado por Ezequias (678 a 710 a.C.), Menassés (712 a 698 a.C.), permaneceu quase invariável até o tempo dos Macabeus (175 a 135 a.C.) . Foi Herodes, o Grande (37 a.C. e 4 d.C.) quem alargou a cidade, dando-lhe os vastos contornos que tinha no tempo de Jesus. Desde então Jerusalém foi tomada e saqueada dezenas de vezes e passou por transformações que lhe modificaram totalmente o aspecto. A cidade antiga desapareceu. Raro se encontram alguns vestígios contemporâneos de Jesus. Tomada pelas tropas de Tito, em agosto do ano 70, Jerusalém foi tão profundamente destruída que o historiador Flávio Josefo escreveu que "... os visitantes mal poderiam acreditar que ela algum dia tivesse sido habitada...". Apenas se conservaram três torres do palácio real. Reedificada no ano 135 pelo imperador Adriano, recebeu o nome de Elia Capitolina, em homenagem ao seu reedificador, Elio Adriano, e ao deus júpiter Capitolino, ao qual foi consagrada. Conheceu então novo esplendor, que atingiu o apogeu com o imperador Constantino. No ano 614, os persas a destroem completamente; em 629, Heráclito conquista-lhe as ruínas: em 638, Jerusalém rende-se ao califa Omar, depois de um cerco de quatro meses; em 1516, passa para o domínio dos turcos até à primeira grande guerra, quando em 1917 cai em poder do exército inglês. Com Roma, formou o eixo propulsor do Cristianismo.

16 – Varões irmãos, é necessário que se cumpra a escritura que o Espírito Santo predisse por boca de Davi, acerca de Judas, que foi o condutor daqueles que prenderam Jesus;

Pedro era o ponto de apoio de todos; em torno de sua figura venerável, reuniram-se os discípulos e os que participavam da lida deles; dirigindo-se aos presentes, lembra-lhes o que os profetas de Israel anunciaram no tocante aos acontecimentos que culminaram com a crucificação de Jesus e o papel que Judas Iscariotes desempenhara neles.

17 – O qual estava entre nós alistado no mesmo número e a quem coube a sorte deste ministério.

Judas Iscariotes era um dos doze discípulos que participaria com eles do ministério da difusão do Evangelho.

18 – E este possuiu de fato um campo do preço da iniquidade; e depois de se pendurar rebentou pelo meio e todas suas entranhas se derramaram.

19 – E tão notório se fez a todos os habitantes de Jerusalém este sucesso, que se ficou chamando aquele campo, na língua deles, de Haceldama, isto é, campo de sangue.

Judas se arrependeu de seu ato de entregar o Mestre aos sacerdotes; devolveu-lhes o dinheiro que recebera pela traição. Os sacerdotes tiveram aquele dinheiro por maldito e com ele compraram um campo que servisse de cemitério aos forasteiros, ou seja, aos que não pertenciam à nação judaica. É a hipocrisia com que age o clero organizado: o dinheiro devolvido por Judas era impuro, mas não era uma impureza a condenação dum inocente. Tomado de remorsos, e compreendendo que não mais podia salvar o Mestre, Judas se suicida, perdendo assim uma excelente oportunidade de corrigir o seu erro, com o entregar-se desassombradamente ao serviço do Evangelho. Hoje já não devemos pensar em Judas como um traidor e sim como um Espírito luminoso, cooperador direto de Jesus; porque, depois de seu desencarne violento em Jerusalém, Judas se reencarnou inúmeras vezes, lutando em cada reencarnação pelo triunfo do Evangelho, até obter o perdão de sua própria consciência.

20 – *Porque escrito está no livro dos salmos: "Fique deserta a habitação deles e não haja quem habite nela e receba outro o seu bispado".*

Para justificar o que ia propor, Pedro cita as passagens do salmo 68, versículo 26, e do salmo 108, versículo 8, de Davi, o rei profeta.

21 – *Convém pois que destes varões, que tem estado juntos na nossa companhia todo o tempo em quo entrou e saiu entre nós o Senhor Jesus;*
22 – *Começando desde o batismo de João até o dia em que foi assunto acima dentre nós, que um dos tais seja testemunha conosco de sua ressurreição.*

Além dos doze escolhidos por Jesus, outros homens o acompanharam durante os três anos que dedicou à pregação do Evangelho; testemunharam-lhe os ensinamentos. É dentre eles que Pedro pede que indiquem um para substituir Judas Iscariotes.

23 – *E propuseram dois: a José, que era chamado Barsabás, o qual tinha por sobrenome o Justo e a Matias.*
24 – *E orando disseram: Tu, Senhor, que conheces os corações de todos, mostra-nos destes dois um a que tiveres escolhido.*

Depois de ter trocado ideias, separaram dois. E como achassem difícil eleger um dentre os dois, oram ao Altíssimo que os guie na eleição, pois só o Pai sabe o que há no coração de seus filhos.

25 – *Para que tome o lugar deste ministério e apostolado, do qual pela sua prevaricação caiu Judas para ir a seu lugar.*
26 – *E a seu respeito lançaram sortes e caiu a sorte sobre Matias e foi contado com os onze apóstolos.*

O cargo a ser preenchido era importantíssimo, pois se tratava, nada mais e nada menos, de tomar o lugar dum discípulo escolhido pelo próprio Jesus; daí a responsabilidade que os onze sentiam pesar em seus ombros. E, para que a vontade de nenhum deles se manifestasse ainda que ligeiramente a favor de um ou de outro, submeteram os dois nomes a um sorteio, do qual resultou a nomeação de Matias.

Capítulo 30

A Descida do Espírito Santo

1 – E quando se completavam os dias de Pentecoste, estavam todos juntos num mesmo lugar.

Pentecoste é uma palavra grega que significa quinquagésimo dia. Os judeus, depois que partiram do Egito, gastaram quarenta e nove dias até o Monte Sinai; e, no quinquagésimo dia, Moisés recebeu o Decálogo; em memória disto, institui-se a festa de pentecoste, que no Cristianismo tomou um novo sentido: comemora a descida do Espírito Santo, ou seja, a recepção da mediunidade pelos Apóstolos no quinquagésimo dia após a ressurreição de Jesus e também o início das lutas pela divulgação do Evangelho, as quais se prolongam até hoje e ainda estão longe de terminar.

2 – E de repente veio do céu um estrondo, como o vento que assoprava com ímpeto e encheu toda a casa onde estavam assentados.

É um fenômeno provocado pela mediunidade de efeitos físicos, já muito reproduzido nas sessões espíritas de estudo. Para que não pairasse a menor sombra de dúvida no ânimo dos discípulos, os Espíritos do Senhor lançam mão de todos os recursos para fortifica-los.

3 – E lhes apareceram repartidas umas como línguas de fogo, que repousaram sobre cada um deles.

As línguas de fogo que eles viram repousar sobre cada um deles eram Espíritos brilhantes, que não se mostraram visíveis de todo, mas apenas o suficiente para serem percebidos; e como brilhasse a parte que os discípulos puderam ver, interpretaram-na como língua de fogo. É um fenômeno que também pertence à mediunidade de efeitos físicos, frequentemente observado nas sessões espíritas atuais.

4 – E foram todos cheios do Espírito Santo e começaram a falar em diversas línguas, conforme o Espírito Santo lhes concedia que falassem.

É a mediunidade de incorporação. Os Espíritos serviram-se dos corpos dos discípulos, os quais eram médiuns, e deram suas comunicações, tal qual se passa hoje, nas sessões espíritas. Cheios do Espírito Santo significa que, com sua mediunidade, os Apóstolos se tornaram instrumentos dos Espíritos do Bem, os quais daí por diante os secundariam na sementeira do Evangelho. Nas sessões espíritas, sérias, de estudo, é frequente os médiuns transmitirem mensagens em várias línguas, embora só conheçam a de seu país. É fenômeno comum.

5 – E acharam-se habitando em Jerusalém, judeus, varões, religiosos de todas as nações que há debaixo do céu.

6 – E tanto que correu esta voz, acudiu muita gente e ficou pasmada porque os ouvia a eles falar cada um na sua própria língua.

7 – Estavam pois todos atônitos e se admiravam dizendo: Porventura não se está vendo que todos estes que falam são galileus?

8 – E como assim os temos ouvido nós falar cada um na nossa língua em que nascemos?

9 – Partos e médos elamitas e os que habitam na Mesopotâmia, a Judeia e a Capadócia, o Ponto e a Ásia.

10 – A Frígia e a Panfília, o Egito e várias partes da Líbia, que é comarca a Cirene, e os que são vindos de Roma.

11 – Também judeus e prosélitos, cretenses e arábios, todos os temos ouvido falar nas nossas línguas as maravilhas de Deus.

Naqueles dias, Jerusalém transbordava de peregrinos judeus vindos de todas as partes do mundo para assistir às festividades do Pentecoste. Além disso, Jerusalém era uma cidade cosmopolita, abrigando gente de todas as nações então conhecidas. E como os Espíritos, tendo tomado os discípulos, falassem em voz alta, os transeuntes acorreram a ver o que era; e alguns de outras terras se admiraram de ouvir aqueles homens da Galileia falar corretamente suas línguas. A mesma admiração se nota ainda hoje quando o médium transmite comunicações em língua estranha para ele.

Pregando o Evangelho em todas as línguas, os Espíritos nos demonstram que se cumprirá a profecia de Jesus de que sua palavra será ouvida por todas as nações da Terra.

12 – Estavam pois todos atônitos e se maravilhavam, dizendo uns para os outros: Que quer isto dizer?

13 – Outros porém, escarnecendo, diziam: É porque estes estão cheios de mosto.

Estamos aqui diante de duas classes de pessoas: uma que, ao se defrontar com o fenômeno, pergunta o que é e põe-se seriamente a estudá-lo para compreendê-lo e descobrir-lhe as causas. Outra que se não dá nem mesmo ao trabalho de perguntar o que é; ante o fenômeno, tece considerações infantis, desairosas, e passa. Estas duas classes de pessoas acompanham o desenvolvimento dos trabalhos evangélicos até os nossos dias e vemo-las com a mesma atitude perante o Espiritismo: há os que o estudam para compreendê-lo e há os que, sem nunca tê-lo estudado ou mesmo lido algo sério a respeito, escarnecem dele.

O Discurso de Pedro no Dia de Pentecoste

14 – Porém Pedro em companhia dos onze, posto em pé, levantou a sua voz e lhes falou assim: Varões de Judeia e todos os que habitais em Jerusalém, seja-vos isto notório e com ouvidos atentos percebei as minhas palavras.

A figura de Pedro se ergue venerável dentre os onze e este seu discurso é a primeira preleção evangélica que se faz depois da partida de Jesus; com ele, cheio de majestade e de belezas espirituais, Pedro inaugura os serviços de evangelização da humanidade.

15 – *Porque estes não estão tomados de vinho, como vós cuidais, sendo a hora terceira do dia.*

Pedro lhes diz que aqueles não podiam estar bêbados como julgavam, pois era muito cedo ainda, a hora terceira, isto é, nove horas da manhã.

16 – *Mas isto é o que foi dito pelo profeta Joel:*

Joel é um dos chamados profetas menores; de sua vida nada se sabe; seu livro se compõe somente de três capítulos e é notável pela sua profecia sobre a mediunidade, que desabrocharia por toda a parte: "Depois disto acontecerá também o que vou dizer; Eu derramarei o meu espírito sobre toda a carne; e os vossos filhos e as vossas filhas profetizarão, os vossos velhos serão instruídos por sonhos e os vossos mancebos terão visões". (Joel 2-28)

17 – *E acontecerá nos últimos dias, diz o Senhor, que eu derramarei do meu Espírito sobre toda a carne e profetizarão vossos filhos e vossas filhas e os vossos mancebos verão visões e os vossos anciãos sonharão sonhos.*

18 – *E certamente naqueles dias derramarei do meu Espírito sobre os meus servos e sobre as minhas servas e profetizarão.*

O Espírito do Senhor que se derrama por toda a carne é a mediunidade que se está espalhando cada dia mais, por todos os lares, por todas as classes sociais, por todas as nações, cumprindo-se assim a profecia de Joel: e os servos e as servas do Senhor que profetizarão são os médiuns por meio dos quais os Espíritos relembrarão à humanidade as lições de Jesus. Pedro percebeu que se iniciava o cumprimento dessa profecia e, chamando a atenção dos homens para o novo ciclo espiritual que a Terra ia viver, põe-na como frontispício de sua primeira pregação.

"Os últimos dias" é o período que antecede à purificação da Terra e nós o estamos vivendo atualmente; ele se prolongará até o fim do terceiro milênio, quando a humanidade estará evangelizada e trilhando o caminho seguro da regeneração.

A Terra já foi um planeta primitivo; atestam-no os vestígios de populações animalescas a guiarem-se unicamente pelo instinto. Eram Espíritos recém-saídos do reino animal, a ensaiar os primeiros passos na forma humana. Evoluindo a Terra e oferecendo condições à vinda de Espíritos mais adiantados, para ela foram transferidos Espíritos intelectualmente mais evoluídos, porém atrasados moralmente, falidos de outros planos do Universo; os quais em meio rude, grosseiro e selvagem, onde dominava a força da matéria, tentariam curar-se das chagas morais, até que um dia, redimidos pelas provas e expiações terrenas, retornassem ao seio de seus entes queridos, que os aguardavam em esferas distantes e felizes; e enquanto na Terra trabalhassem por sua própria burilação, promoveriam o progresso de suas populações. E a Terra ascendeu ao segundo grau na escala do Universo: o de planeta de provas e de expiações. Os Altos Dirigentes Espirituais da Terra preparam-na agora a fim de que ela alcance o terceiro grau na escala dos mundos: o de regeneração. É de notar-se, que a Terra já não é mais uma estação de provas e de expiações, e também não é ainda um orbe de regeneração; entre um e outro grau, medeia um intervalo de tempo, ao qual denominaremos de "período de reajuste", no qual estamos agora; durante ele, conceder-se-á a máxima liberdade aos terrenos, para que cada um deles possa demonstrar o que realmente é; aqueles que revelarem disposições de respeitar as leis divinas e se enquadrar nelas terão o direito de continuar sua evolução na Terra regenerada e feliz; e os que não demonstrarem nem a mais leve sombra dessas disposições serão exilados para os globos primitivos, onde contribuirão para o progresso deles e se livrarão de suas mazelas morais. Vale notar também que o exílio para os Espíritos rebeldes às leis divinas está em franco desenvolvimento; e à medida que forem desencarnando processa-se sua baldeação para os mundos que os aguardam. Dado à grande quantidade de Espíritos que há nas colônias espirituais terrenas, e que na Terra deverão reencarnar-se para a oportunidade do reajuste, é fácil compreender-se que a purificação da Terra e sua consequente subida ao terceiro grau não se darão de um momento para outro, como um estouro ou um relâmpago; todavia, ao raiar do terceiro milênio tudo estará concluído.

19 – *E farei ver prodígios em cima no céu e sinais embaixo na Terra, sangue e fogo e vapor de fumo.*
20 – *O Sol se converterá em trevas e a Lua em sangue, antes que venha o grande e ilustre dia do Senhor.*

Joel profetiza os sofrimentos pelos quais a humanidade passará até sua final evangelização. Em sua visão profética, ele antevê as dores, que envolveriam a Terra, simbolizadas no sangue e no fogo, no vapor de fumo e nas trevas.

A evangelização da humanidade se processará por meio do sofrimento porque são raros os encarnados que aceitam o Evangelho de boa vontade; a imensa maioria aceita-o premida pela dor e pelas desilusões do mundo.

"O grande e ilustre dia do senhor" é o dia pelo qual todos os corações nobres anseiam, o dia em que se dará por finda a evangelização da humanidade, passando a Terra para a categoria dos mundos regenerados.

21 – *E isto acontecerá: todo aquele que invocar o nome do Senhor será salvo.*

Invocar o nome do Senhor apenas com os lábios não adianta; é preciso senti-lo no coração, vivendo de conformidade com o Evangelho. Quem pautar sua vida segundo os ensinamentos do Evangelho será salvo pela conquista do direito de permanecer na Terra, regenerada e feliz.

22 – *Varões israelitas, ouvi estas palavras: A Jesus Nazareno, varão aprovado por Deus entre vós, com virtudes e prodígios e sinais que Deus obrou por ele no meio de vós, como também vós o sabeis;*

23 – *A este, depois de vos ser entregue pelo decretado conselho e presciência de Deus, crucificando-o por mãos de iníquos, lhe tirastes a própria vida;*

Pedro chama a atenção dos ouvintes para a vida, as obras e a morte de Jesus, tudo ainda bem vivo na memória de todos.

24 – *Ao qual Deus ressuscitou, soltas as dores do inferno, porquanto era impossível que por este fosse retido.*

Para eles, discípulos, Jesus não morrera, porquanto o tiveram junto deles pleno de vida durante muitos dias, depois de seu desencarne na cruz.

25 – *Porque Davi diz dele: Eu via sempre ao Senhor diante de mim, porque ele está à minha direita, para que eu não seja comovido;*

26 – *Por amor disto se alegrou o meu coração e se regozijou a minha língua, além do que também a minha carne repousará em esperança;*

27 – *Porque não deixarás a minha alma no inferno, nem permitirás que o teu Santo experimente corrupção.*

28 – *Tu me fizeste conhecer os caminhos da vida e me encherás de alegria, mostrando-me a tua face.*

Estes versículos são trechos do salmo 15 de Davi, o rei profeta, que Pedro lhes cita para mostrar-lhes que as Escrituras confirmam o que ele lhes dizia.

29 – *Varões irmãos, seja-me permitido dizer-vos ousadamente do patriarca Davi, que ele morreu e foi sepultado e o seu sepulcro se vê entre nós até o dia de hoje.*

O rei Davi era tido na mais alta conta pelos israelitas; contudo Pedro lhes demonstra que, apesar de sua grandeza, ele também pagou seu tributo à morte.

30 – *Sendo pois ele um profeta e sabendo que com juramento lhe havia Deus jurado que do fruto dos seus lombos se assentaria um sobre seu trono;*

No salmo 131, Davi profetiza que, de sua descendência, um se assentaria no seu trono, o que devemos entender em seu trono espiritual, porquanto, em seu reinado de quase quarenta anos, ele manteve também os poderes espirituais; estes é que passariam para seu descendente, no caso, Jesus, ao qual chama de "meu Senhor", reconhecendo-lhe intuitivamente a superioridade espiritual.

31 – *Prevendo isto, falou da ressurreição de Cristo que nem foi deixado no inferno, nem sua carne viu a corrupção.*

32 – *A este Jesus ressuscitou Deus, do que todos nós somos testemunhas.*

Pedro lhes recorda a profecia de Davi por este versículo do salmo 15: e lhes afirma que ela se tinha cumprido, uma vez que todos eles viram Jesus ressuscitado e o tiveram em sua companhia durante vários dias, depois de sua morte na cruz. Era natural pois que os discípulos confirmassem o cumprimento desta profecia.

33 – Assim que, exaltado pela destra de Deus e havendo recebido do Pai a promessa do Espírito Santo, derramou sobre nós a esse, a quem vós vedes e ouvis.

O Espírito Santo, que eles estavam vendo e ouvindo e que foi derramado sobre eles, eram os Espíritos do Senhor incorporados nos médiuns pelos quais davam as comunicações que os pasmavam.

34 – Porque Davi não subiu ao céu mas ele mesmo diz: O Senhor disse ao meu Senhor: Assenta--te à minha direita.

35 – Até que eu ponha a teus inimigos por escabelo de teus pés.

Pedro lhes cita mais este versículo do salmo 109 em que Davi prediz a vitória do Messias.

36 – Saiba logo toda a casa de Israel, com a maior certeza, que Deus o fez não só Senhor mas também Cristo, a este Jesus, a quem vós crucificastes.

Uma vez que tudo se tinha passado de acordo com as predições dos profetas contidas nas Escrituras, que eram do conhecimento de todos, não havia do que duvidar: aquele Jesus que fora crucificado era o Cristo, o Messias prometido.

As Primeiras Conversões

37 – Depois que eles ouviram estas coisas ficaram compungidos no seu coração e disseram a Pedro e aos mais apóstolos: Que faremos nós, varões irmãos?

Compreenderam que Pedro estava com a verdade e humildemente lhes pedem que lhes indiquem o caminho que deveriam seguir dali por diante.

38 – Pedro então lhes respondeu: Fazei penitência e cada um de vós seja batizado em nome de Jesus Cristo para remissão de vossos pecados e recebereis o dom do Espírito Santo.

Fazer penitência é cada um arrepender-se de seus erros, tratar de corrigi-los e esforçar-se para jamais reincidir neles. Batizar-se em nome de Jesus é aceitar-lhe os ensinamentos e viver de conformidade com eles. Receber o dom do Espírito Santo é desenvolver a mediunidade e converter-se em instrumento do bem.

39 – Porque para vós é a promessa e para vossos filhos e para todos os que estão longe, quantos chamar a si o Senhor nosso Deus.

A promessa do Espírito Santo, ou seja, da recepção da mediunidade, é para todos sem distinção de classes sociais, de raças ou de religiões. E por isso vemos a mediunidade desabrochar no seio de todas as famílias, amorosamente chamadas pelo Altíssimo para as realidades da Espiritualidade Superior.

40 – Com outras muitíssimas razões testificou ainda isso e os exortava dizendo: Salvai-vos desta geração depravada.

Pedro os exorta a que se não entreguem tanto à materialidade da vida terrena, que deprava a alma. Salvar-nos da geração depravada é cuidar também de nosso Espírito, para que nos libertemos do vaivém das reencarnações terrenas, sempre dolorosas.

41 – E os que receberam a sua palavra foram batizados e ficaram agregadas naquele dia perto de três mil pessoas.

O batismo dos apóstolos consistia na aposição das mãos na cabeça do converso: era um passe espiritual que se lhe transmitia em nome do Senhor.

42 – E eles perseveravam na doutrina dos apóstolos e na comunicação da fração do pão e nas orações.

Perseveravam na doutrina dos apóstolos porque estudavam o Evangelho e se esforçavam por viver de acordo com o que aprendiam. Quanto à comunicação da fração do pão, era um ato que praticavam em memória da última ceia de Jesus; quando ele partiu o pão e o deu a seus discípulos.

43 – E a toda pessoa se lhe infundia temor; eram também obrados pelos apóstolos muitos prodígios e sinais em Jerusalém e em todos geralmente havia um grande medo.

Os muitos prodígios e sinais eram feitos pelos discípulos por meio da mediunidade e consistiam nos trabalhos comuns das sessões espíritas atuais. Hoje, como naqueles tempos, ainda há muita gente que tem medo dos fenômenos espirituais provocados pela mediunidade; todavia, tão logo estudem o Espiritismo e desenvolvam sua mediunidade, o medo desaparece e se tornam trabalhadores entusiastas .

44 – E todos os que criam estavam unidos e tudo o que cada um tinha era possuído em comum por todos.

Vindos da Galileia, os discípulos se estabeleceram em Jerusalém, atentos ao dever de pregar e difundir o Evangelho; é provável que habitassem no mesmo bairro, perto uns dos outros e que se auxiliassem mutuamente. Nos trabalhos doutrinários reuniam-se, o que lhes dava um aspecto de viverem em comunidade.

45 – Vendiam suas fazendas e os seus bens e os distribuíam por todos, segundo a necessidade que cada um tinha.

É um exemplo de renúncia que nos legaram os primeiros cristãos: sempre que se nos deparar ocasião, renunciemos a um pouquinho do que temos, às nossas comodidades, a algumas horas de nosso conforto, em benefício daqueles que são ainda mais necessitados do que nós.

46 – E todos os dias perseveravam unanimemente no templo e partindo o pão pelas casas, tomavam a comida com regozijo e simplicidade de coração.

47 – Louvando a Deus e achando graça para com todo o povo. E o Senhor aumentava cada dia mais o número dos que se haviam de salvar, encaminhando-os à unidade da sua mesma corporação.

Inicialmente os discípulos ensinavam num dos pórticos do Templo, seguindo o exemplo de Jesus que, quando se achava em Jerusalém abrigava-se sob as arcadas externas e dali falara aos ouvintes, agrupados em semicírculo para ouvi-lo. Comumente convidavam os apóstolos a ir expor o Evangelho em casas particulares, onde também partiam o pão e davam-no a comer, depois de abençoá-lo. A cerimônia de fraccionar o pão foi abandonada aos poucos; contudo, ainda subsistem vestígios dela em seitas religiosas que se derivaram do primitivo Cristianismo. O número dos convertidos ao Evangelho aumentava diariamente, não só pela simplicidade com que os apóstolos o explicavam, como também porque o povo cansara-se das religiões dogmáticas oficiais, que lhe deslumbravam os sentidos mas não lhe tocavam o coração. E hoje o Espiritismo, revivendo o Cristianismo em sua prisca pureza, anuncia o Evangelho com a mesma singeleza, endereçando-o aos corações. E o número de seus adeptos cresce sem cessar.

Capítulo 31

Cura de um Coxo; Discurso de Pedro no Templo

1 – Pedro pois e João iam ao Templo à oração à hora de Noa.
2 – E era para ali trazido um certo homem que era coxo desde o ventre de sua mãe; ao qual punham todos os dias à porta do Templo, chamada a Especiosa, para que pedisse esmola aos que entravam no Templo.
3 – Este, quando viu a Pedro e a João, que iam entrar no Templo, fazia sua rogativa para receber sua esmola.

A hora de Noa corresponde às quinze noras; o Templo, de vastas proporções, tinha inúmeras portas, cada qual com seu nome e nelas postavam os pedintes: este era um coxo de nascença e conhecidíssimo na cidade.

4 – E Pedro pondo nele os olhos juntamente com João, lhe disse: Olha para nós.
5 – E ele os olhava com atenção, esperando receber deles alguma coisa.

Pedro pede ao coxo que o fite com atenção para que se estabelecesse entre eles um liame fluídico de simpatia e de confiança, tão necessário para que se produza uma cura por meios espirituais.

6 – E Pedro disse: Não tenho prata nem ouro; mas o que tenho, isso te dou; em nome de Jesus Cristo Nazareno, levanta-te e anda.

Observemos a firmeza com que Pedro ordena ao coxo que se levante e caminhe; essa segurança provinha de sua fé viva e operante em Jesus, ao invocá-lo, com humildade, para que a cura se efetue.

O Espiritismo, demonstrando-nos a lei da causa e efeito, das relações entre Espírito e Matéria, desenvolve em nosso íntimo a fé racional, ativa e realizadora, como a dos Apóstolos.

7 – E tomando-o pela mão direita, o levantou e no mesmo ponto foram consolidadas as bases dos seus pés e as suas plantas.

A mediunidade curadora de Pedro é o meio do qual o Altíssimo se serve para a cura do coxo. Atualmente esse tipo de mediunidade é comum nos Centros Espíritas onde, pelo passe e pela água fluida, consegue-se grande alívio aos sofredores.

8 – E dando um salto se pôs em pé e andava; e entrou com eles no Templo, andando e saltando e louvando a Deus.

9 – E todo o povo o viu andando e louvando a Deus.

O coxo não foi ingrato; compreendeu que recebera uma graça de Deus e louvou-o e agradeceu-o em altas vozes diante de todos, tomado de júbilo e de gratidão.

10 – E conheciam que ele era o mesmo que se assentava à porta Especiosa do Templo, à esmola; e ficaram cheios de espanto e como fora de si, pelo que àquele lhe havia acontecido.

Como não podia deixar de ser, o fato chamou a atenção de todos que de longa data o viam a esmolar na cidade.

11 – E tendo aferrado de Pedro e de João, todo o povo correu para eles de tropel ao pórtico que se chama de Salomão, atônitos.

O pórtico de Salomão era o local onde habitualmente Jesus ficava a ensinar, quando vinha a Jerusalém. Os discípulos seguiram o mesmo costume e por isso o povo, sem hesitar, correu para lá, certo de encontrá-los.

12 – E vendo isto Pedro disse ao povo: Varões israelitas, porque vos admirais disto, ou porque pondes os olhos em nós, como se por nossa virtude ou poder tivéssemos feito andar a este?

Vejam a humildade de Pedro e de João. Eles não se dão como os autores da cura para a qual, Pedro esclarece, eles não tinham nem virtude nem poder. É um exemplo para os médiuns atuais: jamais se gabem do que o Altíssimo perfaz por meio deles; pois, por acréscimo de misericórdia do Pai, funcionam como simples instrumentos mas a virtude e o poder pertencem a Deus.

13 – O Deus de Abrão e o Deus de Isac e o Deus de Jacó, o Deus de nossos pais glorificou a seu filho Jesus a quem vós sem dúvida entregastes e negastes perante a face de Pilatos, julgando ele que se soltasse.

14 – Mas vós negastes ao Santo e ao Justo e pedistes que se vos desse um homem homicida.

15 – E assim matastes o autor da vida, a quem Deus ressuscitou dos mortos, que nós somos testemunhas.

Os povos daquele tempo eram politeístas; somente os judeus eram monoteístas. Para não haver dúvidas quanto aos poderes de Jesus, Pedro adverte os israelitas de que o poder e a virtude de Jesus emanavam daquele Deus Uno que eles adoravam desde os tempos do patriarca Abraão; relembra-os de que o negaram diante da autoridade romana ainda que esta o quisesse salvar, trocando-o por Barrabás. Embora o tenhais matado, somos testemunhas de que ele vive, afirma Pedro.

Nós, mediante os ensinamentos do Espiritismo, temos os meios de explicar as aparições de Jesus a seus discípulos, após sua morte. Eles, porém, não os tinham e restava-lhes afirmar que Jesus ressuscitara dentre os mortos.

16 – *E na fé do seu nome confirmou seu mesmo nome a este, que vós tendes visto e conheceis; e a fé, que há por meio dele, foi a que lhe deu esta inteira saúde, à vista de todos nós.*

Da esfera divina de Jesus emanam ininterruptamente fluidos a nosso favor ou ao de nossos irmãos necessitados. Foi o que Pedro fez: pela fé em Jesus, dirigiu para o paralítico a corrente benéfica que lhe restituiu a saúde. Notem que Pedro não se arroga a responsabilidade da cura, mas a Jesus do qual recebera a permissão para efetuá-la.

17 – *E agora, irmãos, eu sei que o fizestes por ignorância, como também os vossos magistrados.*

A ignorância é a causa de todos os males que afligem a humanidade e de serem repudiados os grandes vultos que a vieram beneficiar; e retarda a aceitação das nobres ideias que a vêm esclarecer, como atualmente se dá com o Espiritismo. Todavia, depois de muitas lutas, a ignorância cede lugar à luz e o mundo avança mais um pouco na senda do progresso.

18 – *Porém Deus, o que já dantes anunciou por boca de todos os profetas que padeceria o seu Cristo, assim o cumpriu.*

Uma das coisas que mais infelicita a família humana é a falta do perdão e do amor fraterno entre seus membros. Para ensinar-nos como devemos amar-nos uns aos outros e perdoar qualquer ofensa, seja qual for, que cometerem contra nós, é que Jesus veio à Terra, padecendo o que sobre ele fora profetizado.

19 – *Portanto, arrependei-vos e convertei-vos para que os vossos pecados vos sejam perdoados.*

O arrependimento consiste em abandonar nossos velhos maus hábitos: os vícios, a cupidez, a inveja, os ciúmes, a ambição excessiva, a maledicência, o orgulho, o egoísmo, a intransigência, a ira, o rancor, a vingança, o adultério e outros mais que enfeiam nossa alma e a tornam escura, trevosa.

O convertimento é o ato pelo qual aceitamos o Evangelho e passamos a viver de acordo com suas lições.

O perdão de nossos pecados, nós o conseguiremos mediante uma vida reta, moralizada, e corrigindo os erros que tivermos cometido para com nosso próximo.

20 – *Para que quando vierem os tempos do refrigério diante do Senhor e enviar aquele Jesus Cristo, que a vós vos foi pregado.*

Por tempo de refrigério devemos entender a época em que a humanidade, inteiramente regenerada, viverá segundo os ensinamentos de Jesus. Então a Terra terá conquistado mais um grau na escala evolutiva, o de planeta de regeneração, donde entreverá as claridades dos mundos felizes.

21 – *Ao qual é certamente necessário que o céu receba até aos tempos da restauração, os quais Deus falou por boca dos seus santos profetas, desde o princípio do mundo.*

Tendo deixado conosco o Evangelho, Jesus voltou à sua esfera esplendorosa, a continuar seu trabalho para a completa espiritualização de seus tutelados terrenos. Por "tempos da restauração" entendemos a época que verá a Terra regenerada pela aplicação em todas as atividades humanas dos ensinamentos de Jesus, o que se dará por volta do fim do terceiro milênio.

22 – Moisés sem dúvida disse: Porquanto o Senhor vosso Deus vos suscitará um profeta dentre vossos irmãos, semelhante a mim; a este ouvireis em tudo o que ele vos disser.

Moisés, poderoso médium inspirado, abre a longa série das profecias sobre a missão de Jesus; citando-o Pedro lhes lembra que ele não só lhes predisse a vinda de Jesus, como também lhes recomendou que o ouvissem em tudo quanto lhes dissesse.

23 – E isto acontecerá: toda alma que não ouvir aquele profeta, será exterminada do meio do povo.

O Evangelho será difundido até que se torne conhecido de todos; uma vez este alvo atingido, haverá um expurgo terreno: os que se reajustarem às leis divinas aqui continuarão a evoluir normalmente; os que não se reajustarem a elas e permanecerem impermeáveis ao bem serão transferidos para outras moradas da casa do Pai, mais condizentes com seus caracteres. E a Terra, banidos os rebeldes, gozará de paz.

24 – E todos os profetas desde Samuel e quantos depois falaram, anunciaram estes dias.

Os profetas que se seguiram a Moisés não se cansaram de bater na mesma tecla. Tornando-se a Bíblia um livro não apenas dum povo e sim duma humanidade, suas profecias já não se dirigem a um povo mas a uma humanidade, em nosso caso, a terrena. Estamos caminhando celeremente para os "tempos da restauração"; que se precatem todos aqueles que aqui quiserem permanecer.

25 – Vós sois os filhos dos profetas e do testamento que Deus ordenou a nossos pais, dizendo a Abraão; E na tua semente serão abençoadas todas as famílias da Terra.

O povo judeu, que começa a aparecer na História com o patriarca Abraão, teve por missão implantar na Terra o monoteísmo, ou seja, fez-nos conhecer o Deus Único, o Pai Celeste; assim percebemos que constituímos uma só família e todos somos irmãos, dado que fomos criados pelo mesmo Pai.

26 – Deus ressuscitando o seu filho, vô-lo enviou primeiramente a vós, para que vos abençoasse a fim de que cada um se aparte da sua maldade.

O Evangelho nos ensina como apartar-nos da maldade; no fundo, ele não é um livro místico mas sim um regulamento, uma norma de conduta; um regulamento que precisamos respeitar para não nos indispor com as suas leis divinas e uma norma de conduta que devemos adotar em nossa vida de relação para com Deus, para com nosso próximo e para com nossa consciência. Nasceu no seio do povo judeu, o qual já possuía condições de compreendê-lo: daí se espalhou para o mundo.

Capítulo 32

Pedro e João Perante o Sinédrio

1 – *Estando eles falando ao povo, sobrevieram os sacerdotes e o magistrado do Templo e os saduceus.*

2 – *Doendo-se de que eles ensinassem o povo e de que anunciassem na pessoa de Jesus a ressurreição dos mortos.*

3 – *E lançaram mão deles e os meteram na prisão até ao outro dia, porque era já tarde.*

O fato se deu junto à porta Especiosa do Templo, depois das três horas da tarde; e atraiu a atenção dos sacerdotes, do magistrado encarregado de manter a ordem no Templo e dos saduceus que ali se achavam. Os saduceus pertenciam a uma seita judaica que negava a imortalidade da alma, porém afirmava a existência de Deus. O drama da paixão e a atuação de Jesus entre eles ainda viviam muito bem na memória de todos. E, como queriam sufocar o movimento evangélico, doeram-se ao verificar que os Apóstolos o continuavam vigorosamente. Como o dia declinava, prenderam Pedro e João no cárcere que havia no próprio Templo. É o início da grande perseguição a todos os que fazem o bem em nome de Jesus; ela perdura até nossos dias, pois não vemos o Espiritismo perseguido por pregar o Evangelho em sua primitiva pureza e tentar mitigar o sofrimento humano?

4 – *Porém muitos daqueles que tinham ouvido a pregação creram nela; e chegou o seu número a cinco mil pessoas.*

A verdade triunfa sempre; tal qual os aprendizes do Evangelho cujo número aumenta, assim o Espiritismo se espalha ininterruptamente por toda a Terra.

5 – *E aconteceu que no dia seguinte se juntaram em Jerusalém os principais deles, os anciões e os escribas.*

6 – *E Anaz, príncipe dos sacerdotes e Caifaz e João e Alexandre e todos os que eram da linhagem sacerdotal.*

7 – *E mandando-os apresentar no meio, lhes perguntavam: Com que poder, ou em nome de quem, fizestes isso?*

O mesmo tribunal que condenara Jesus reúne-se para apreciar o caso dos discípulos. Eram sacerdotes materialistas, apegados aos bens terrenos e apenas usufruindo das vantagens materiais que o sacerdócio lhes proporcionava, esquecidos de seus compromissos espirituais. É evidente que seriam incapazes de uma apreciação correta do fato, dado o interesse que tinham em não esclarecer o povo a fim de não perder a autoridade e as posições que ocupavam. A pergunta que fizeram aos discípulos revela a maldade que lhes ia no coração: será que eles não sabiam que o bem, sob qualquer forma que se apresente ou seja praticado, promana sempre de Deus, sua fonte suprema? E praticar o bem em nome de Jesus é praticá-lo segundo as leis do Pai Celeste, que Jesus nos revelou. Tal sucede hoje com o Espiritismo; espalhando luzes e consolações a quantos lhe batem à porta, é combatido e perseguido pelas religiões organizadas, cujos sacerdotes e ministros para usufruir das vantagens materiais de seus cargos mantêm o povo na ignorância.

8 – Então Pedro, cheio do Espírito Santo, lhes respondeu: Príncipes do povo e vós anciãos, ouvi-me:

Pedro, por meio de sua mediunidade, é inspirado pela legião dos Espíritos do bem para responder ao tribunal. Assim, todo o médium, sinceramente dedicado aos trabalhos espirituais, encontrará sempre no Evangelho a resposta adequada a dar a seus detratores.

9 – Se a nós hoje se nos pede razão do benefício feito a um homem enfermo, com que virtude este foi curado.

10 – Seja notório a todos vós e a todo o povo de Israel que em nome de Jesus Cristo Nazareno, a quem vós crucificastes, a quem Deus ressuscitou dos mortos, no tal nome que digo é que este se acha em pé diante de vós, já são.

É como se Pedro lhes dissesse "Pedem-nos conta da graça que fizemos a este homem: todavia ela não foi feita por nós, que agimos apenas como intermediários. A cura lhe veio de Deus, por autoridade de Jesus Cristo, o qual está vivo no mundo espiritual, após o suplício a que o condenaram na Terra". Eis uma lição de humildade que Pedro nos dá: se como médiuns tivermos a ventura de beneficiar alguém, jamais nos atribuamos o mérito, o qual pertence a Jesus, nosso Supremo Inspirador.

11 – Esta é a pedra que foi removida por vós, arquitetos, que foi posta pela primeira fundamental do ângulo.

Os sacerdotes rejeitaram Jesus. O tempo, porém, demonstra que é sobre o Evangelho que se está erguendo o verdadeiro edifício religioso que abrigará a humanidade; e hoje o Espiritismo apressa-lhe a construção, do qual Jesus é a pedra fundamental.

12 – E não há salvação em nenhum outro, porque do céu abaixo nenhum outro nome foi dado aos homens pelo qual nós devamos ser salvos.

A salvação a que Pedro se refere é a nossa redenção pela observância das leis divinas. Nós somos Espíritos criados por Deus, nosso Pai, e devemos progredir por nossos próprios esforços. Durante nossa evolução é comum o fracasso, desviando-nos do caminho do bem e perdendo-nos pelas sendas da iniquidade. Ora, Deus não quer que nenhum de seus filhos pereça e quer que todos ingressemos em seu reino de paz, de luz e de felicidade; e para isso enviou seu filho, Jesus, a apontar-nos o Caminho, a Verdade e a Vida. Quanto à autoridade de Jesus em vista à nossa salvação, ouçamos o que nos diz Emanuel, em seu livro "O Consolador", em resposta à pergunta nº 238: "Antes de tudo, precisamos compreender que Jesus não foi um filósofo, nem poderá ser classificado entre os valores propriamente humanos, tendo-se em conta os valores divinos de sua hierarquia espiritual, na direção das coletividades terrícolas. Enviado de Deus, ele foi a representação do Pai junto ao rebanho de filhos transviados do seu amor e de sua sabedoria e cuja tutela lhe foi confiada nas ordenações sagradas da vida no Infinito. Diretor angélico do orbe, seu coração não desdenhou a permanência direta entre os seus tutelados míseros e ignorantes...".

É pois Jesus nosso tutor compassivo que amorosamente nos ensina o segredo da salvação, ou seja, da nossa felicidade espiritual.

13 – E vendo eles pois a firmeza de Pedro e de João, depois de saberem que eram homens sem letras e idiotas, se admiravam e conheciam ser os que haviam estado com Jesus.

Os discípulos, Jesus os escolheu dentre as classes mais humildes da população; assimilaram as lições e procuraram vivê-las; substituíram a falta de letras pela grandeza do coração; e, usando a mediunidade, estendiam mão amiga aos necessitados e despertavam o povo para as realidades espirituais. Tal é o papel dos médiuns em nossos dias: simples e humildes de coração, iletrados por vezes, repetem com bom ânimo as lutas dos primeiros discípulos.

14 – Vendo também estar com eles o homem que havia sido curado, não podiam dizer nada em contrário.
15 – Mandaram-lhes pois que saíssem fora da junta; e conferiam entre si.
16 – Dizendo: Que faremos a estes homens? Porquanto foi por eles feito na verdade, um milagre notório a todos os habitantes de Jerusalém; é manifesto e não o podemos negar.

Não podiam negar o fato, já que a prova estava ali, de pé diante deles; a luz brilhava a seus olhos, todavia procuravam abafá-la. É o que acontece em nossos dias: o Espiritismo dá provas luminosas das verdades espirituais, mas trabalham por sufocá-lo.

17 – Todavia para que se não divulgue mais no povo, ameacemo-los que para o futuro não falem mais a homem algum neste nome.
18 – E chamando-os, lhes intimaram que absolutamente não falassem mais, nem ensinassem em nome de Jesus.

Os ensinamentos de Jesus não convinham ao clero organizado porque sentia que estava distanciado da lei divina; aceitá-los seria mudar o estado de coisas em que se comprazia; daí proibir aos Apóstolos propagá-los. Também as religiões organizadas de hoje, se aceitassem a Revelação Espírita, teriam de reformar-se desde a raiz, o que absolutamente não lhes convém.

19 – Então Pedro e João respondendo lhes disseram: Se é justo diante de Deus ouvir-vos a vós antes que a Deus, julgai vós;

Nosso dever para com Deus, o Pai, está acima de quaisquer convenções humanas; e não é justo atender primeiro a elas, quando convocados ao serviço divino pela Espiritualidade Superior. Lembremo-nos de que, sejam quais forem as circunstância, mesmo calcando afeições queridas, é preciso ser fiel a Deus e servi-lo.

20 – Porque não podemos deixar de falar das coisas que temos visto e ouvido.

Durante três anos, Os discípulos receberam os ensinamentos de Jesus; testemunharam-lhe as obras; assistiram à sua prisão e ao seu suplício; viram-no expirar pregado na cruz; ajudaram a carregar o seu cadáver para o túmulo; e, no dia predito, ele se lhes mostra radiante de vida; fala-lhes; dá-lhes ordens; e diante de todos sobe aos céus. Como pois poderiam deixar de falar das coisas que viram, ouviram e viveram? Devemos aqui admirar a franqueza dos discípulos; diante do testemunho, não tergiversam, não patuam com as trevas, mas confirmam a fé que lhes morava no coração. É este mais um exemplo que nos legaram: proclamemos bem alto as verdades do Espiritismo, para que o maior número possível de criaturas se beneficie dele.

21 – Eles então, ameaçando-os, os deixaram ir livres, não achando pretexto para os castigar, por medo do povo, porque todos celebravam o milagre que se fizera neste fato que tinha acontecido.
22 – Porquanto já tinha mais de quarenta anos o homem em que havia sido feito aquele prodígio de saúde.

Notemos o coração duro dos sacerdotes: o bem que o homem coxo obtivera por meio dos discípulos não influiu na decisão deles, mas sim apenas o medo do povo; e em lugar de agradecimentos, receberam ameaças. É o caso do Espiritismo: espalha luzes e conforto, mas é combatido pelos agentes das trevas.

23 – Mas depois de postos em liberdade, vieram aos seus e lhes referiram quanto lhes haviam dito os príncipes dos sacerdotes e os anciãos;
24 – Os quais, tendo-os ouvido levantaram unanimemente a voz a Deus e disseram: Senhor, tu és o que fizeste o céu e a Terra, o mar e tudo o que há neles;
25 – O que pelo Espírito Santo, por boca de nosso pai Davi, teu servo, disseste: Porque bramaram as gentes e meditaram projetos vãos?
26 – Levantaram-se os reis da Terra e os príncipes se ajuntaram em conselho contra o Senhor e contra o seu Cristo?
27 – Porque verdadeiramente se ligaram nesta cidade contra o teu santo filho Jesus, ao qual ungiste. Herodes e Pôncio Pilatos, com os gentios e com o povo de Israel.

28 – Para executarem o que o teu poder e o teu conselho determinaram que se fizesse.

Ouvindo o relato de Pedro e de João, os restantes discípulos não proferem impropérios, nem se zangam contra seus perseguidores; mas, recordando trechos das Sagradas Escrituras, tecem um hino de louvor a Deus, sem cuja vontade nada se faz no Universo. Assim, não dando abrigo em seus corações a ódios e rancores, justificam-se e animam-se para as lutas que os aguardavam na sementeira do Evangelho.

Atualmente, na difusão do Espiritismo, seus trabalhadores sofrem também perseguições, embora não cruentas como as sofreram os primeiros cristãos, em cujos exemplos se devem inspirar.

29 – Agora, pois, Senhor, olha para as suas ameaças e concede a teus servos que com toda a liberdade falem a tua palavra.

Os discípulos entregam ao Altíssimo os inimigos do Evangelho; para si apenas pedem a graça de trabalhar no campo do Senhor. Do mesmo modo, hoje, devemos assim proceder: deixemos que o Senhor cuide dos que nos combatem e nós de nossas tarefas na seara de Deus.

30 – Estendendo a tua mão a sarar as enfermidades e a que se façam maravilhas e prodígios em nome de teu santo filho Jesus.

Humildemente se reconhecem como simples instrumentos da vontade divina, pedindo ao Senhor que estenda sua mão para curar as enfermidades e que tudo fosse feito por amor de Jesus. Seguindo esse exemplo, lembremo-nos de que somos meros intermediários nas curas, nas maravilhas e nos prodígios que perfizermos; a nossa parte nisso tudo é a nossa boa vontade; o resto é de Deus.

31 – E tendo eles assim orado, tremeu o lugar onde estavam congregados e todos foram cheios do Espírito Santo e anunciavam a palavra de Deus confiadamente.

Fortificando a fé de seus seareiros, o Altíssimo jamais deixa de responder às orações sinceras. Aqui se descreve um fenômeno mediúnico de efeitos físicos e um de incorporação, dado que os discípulos são tomados pelos Espíritos do bem, isto é, da legião do Espírito Santo.

Este versículo nos mostra uma sessão espírita em todo seu esplendor: os assistentes oram, o plano espiritual responde e os Espíritos se comunicam.

A Comunidade dos Bens entre os Primeiros Cristãos

32 – E da multidão dos que criam o coração era um e a alma uma; e nenhum dizia ser sua coisa alguma daquelas que possuía, mas tudo entre eles era comum.

Embora paupérrimos, auxiliavam-se mutuamente: quem possuía alguma coisa não deixava faltar nada ao que nada possuía. Começa o desenvolvimento do altruísmo entre os homens: pensar nos outros antes pensar em si.

33 – E os Apóstolos com grande valor davam testemunho da ressurreição de Jesus Cristo nosso Senhor; e havia muita graça em todos eles.

Pela expressão "com grande valor" percebe-se que a perseguição já se tinha desencadeado contra o Cristianismo nascente; todavia ninguém vacila; e com bom ânimo prosseguem na tarefa. O Espiritismo também, assediado pelas trevas, luta valorosamente para a implantação na Terra das verdades espirituais.

34 – E não havia nenhum necessitado entre eles, porque todos quantos eram possuidores de campos, ou de casas vendendo isso, traziam o preço do que vendiam.

35 – E o punham aos pés dos Apóstolos. Repartia-se pois por eles em particular segundo a necessidade que cada um tinha.

Estes dois versículos nos revelam que os discípulos, em Jerusalém, lá se tinham organizado, embora modestamente, para prestar duas espécies de assistência; a assistência espiritual, pregando o Evangelho; e a assistência social, socorrendo, na medida do possível, a pobreza que lhes batia às portas. E quem dispunha de alguma coisa, contribuía para a caixa assistencial.

36 – E José, a quem os Apóstolos davam o sobrenome de Barnabé (que quer dizer filho da consolação), levita natural de Chipre.

37 – Como tivesse um campo, o vendeu e levou o preço e o pôs ante os pés dos Apóstolos.

A nova doutrina, o Cristianismo, conquistava adeptos até entre a classe sacerdotal. Barnabé era um levita, ou seja, um sacerdote do Templo, e abraçou o Evangelho sem hesitação e colocou a serviço dele os seus próprios bens. Do mesmo modo, o Espiritismo conquista seguidores em todas as classes sociais.

Capítulo 33

Ananias e Safira

1 – Um varão pois, por nome Ananias, com sua mulher Safira, vendeu um campo.

2 – E com fraude usurpou certa porção do preço do campo, consentindo-o sua mulher; e levando uma parte, a pôs aos pés dos apóstolos.

3 – E disse Pedro: Ananias, porque tentou Satanaz o teu coração para que tu mentisses ao Espírito Santo e reservasses parte do preço do campo?

4 – Porventura não te era livre ficar com ele e ainda, depois de vendido, não era teu o preço? Como pudeste logo em teu coração fazer tal? Sabe que não mentiste aos homens mas a Deus.

5 – E Ananias, ouvindo porém estas palavras, caiu e expirou. E infundiu-se um grande temor em todos os que isto ouviram.

6 – Levantando-se pois uns mancebos, o retiraram dali para fora e o enterraram.

7 – E passado que foi quase o espaço de três horas entrou também sua mulher, não sabendo o que tinha acontecido.

8 – E Pedro lhe disse: Dize-me, mulher, se vendestes vós por tanto a herdade? E ela disse: Sim, por tanto.

9 – Pedro então disse para ela: porque vos haveis por certo concertado para tentar o Espírito do Senhor? Eis aí estão à porta os pés daqueles que enterraram o teu marido e te levarão a ti.

10 – No mesmo ponto caiu a seus pés e expirou. E aqueles moços, entrando, a acharam morta e a levaram e enterraram junto a seu marido.

11 – E difundiu-se um grande temor por toda a igreja e entre todos os que ouviram este sucesso.

O episódio de Ananias e Safira é bem significativo e cheio de excelentes ensinamentos. Entusiasmado pela obra assistencial que os discípulos desenvolviam, o casal resolve ajudá-los com o produto da venda de um campo que possuía. Realizam a venda e, uma vez da posse do dinheiro, arrependem-se e já não levam aos discípulos o total recebido, mas apenas uma parte. Pedro recebe a intuição de que eles não estavam sendo sinceros; e adverte-os de que, assim agindo, cediam às sugestões das trevas; querendo fugir à responsabilidade que assumiram, enganariam aos homens mas não a Deus. É o caso de muitas pessoas que hipocritamente vivem duas vidas: uma diante dos homens, aparentemente austera e moralizada; e outra, às escondidas, satisfazendo a seus instintos inferiores. Uma multidão de testemunhas invisíveis — os Espíritos desencarnados — os espreita e na primeira oportunidade os desmascara.

Não vamos nem de leve supor que o Apóstolo fulminasse o casal. Emissário do bem que Pedro era, jamais lhe passa pela cabeça prejudicar Ananias e sua mulher: simplesmente os admoesta. O casal compreendeu que cometera uma falta e, mordido pelo remorso e pela acusação de sua consciência e pela vergonha, não resiste e desencarna de súbito. Estes casos de desencarne repentino não são raros; quantas pessoas que, diante de uma desgraça, a uma fatalidade, a uma dor moral, sem forças para resistir ao choque, desencarnam, sem a intervenção de quem quer que seja.

Tenhamos cuidado com os compromissos que assumirmos perante a Espiritualidade. Assim como Ananias era livre de ficar com o produto da venda de seu campo, nós também somos livres de tomar ou não compromissos espirituais; todavia, uma vez assumidos esses compromissos, temos de honrá-los, custem-nos o que custarem. Tais os médiuns, pregadores, doutrinadores e outros tarefeiros do Espiritismo: pensem bem, meçam suas forças antes de se comprometer; porque, se se furtarem ao compromisso (não vamos dizer que acabem como este casal), contudo arcarão com dolorosas consequências.

12 – E pelas mãos dos Apóstolos se faziam muitos milagres e prodígios entre a plebe; e estavam todos unânimes no pórtico de Salomão.

Os milagres e os prodígios que se faziam pelas mãos dos discípulos repetem-se comumente hoje por meio do passe, da água fluida e da prece; é a mediunidade em ação. O pórtico de Salomão era o local preferido pelos discípulos no Templo, onde se reuniam para ensinar o Evangelho.

13 – E nenhum dos outros ousava ajuntar-se com eles; mas o povo lhes dava grandes louvores.
14 – E cada vez se aumentava mais a multidão dos homens e mulheres que criam no Senhor.

As lições de Jesus difundiam-se rapidamente e sem cessar conquistavam adeptos mormente entre as classes humildes, às quais traziam o conforto que elas não encontravam na religião dominante. Do mesmo modo o Espiritismo em nossos dias: espalha-se e traz para seu seio os humildes de coração de todas as classes sociais; quanto àqueles que não o aceitam, geralmente o fazem movidos por preconceitos ou interesses subalternos.

15 – De maneira que traziam os doentes para as ruas e os punham em leitos e enxergões a fim de que, ao passar Pedro cobrisse sequer com a sua sombra alguns deles e ficassem livres de suas enfermidades.
16 – Assim mesmo concorriam enxames deles das cidades vizinhas a Jerusalém, trazendo os seus enfermos e os vexados dos Espíritos imundos; os quais todos eram curados.

Os doentes beneficiam-se da mediunidade curadora dos discípulos. Todos nós irradiamos fluidos: benéficos, quando nossos pensamentos são bons; e deletérios, quando nossos pensamentos são maldosos ou impuros. A irradiação de fluidos benéficos age positivamente sobre todos os que estiverem ao nosso redor. Era o que Pedro fazia ao passar: com sua poderosa irradiação de fluidos puros, curava os doentes que os recebiam.

Os vexados de Espíritos imundos eram os obsidiados, ou seja, pessoas perseguidas por Espíritos inferiores. A irradiação pura dos fluidos de Pedro repelia tais Espíritos que deixavam suas vítimas em paz. Estes mesmos trabalhos são comuns nos Centros Espíritas de hoje, onde constituem a caridade espiritual.

Os Apóstolos São Milagrosamente Tirados da Prisão e Dão Testemunho Perante o Sinédrio. O Conselho de Gamaliel

17 – *Mas levantando-se o príncipe dos sacerdotes e todos os que com ele estavam (que é a seita dos saduceus) se encheram de inveja e de ciúmes.*

18 – *E fizeram prender os Apóstolos e mandaram metê-los na cadeia pública.*

A missão dos reformadores é inçada de tropeços e perigos, mormente para os Apóstolos que lançavam as bases de um novo ciclo evolutivo para a humanidade. Por isso não é de estranhar que fossem alvo da perseguição por parte dos que se beneficiavam com a antiga ordem das coisas.

19 – *Mas o anjo do Senhor, abrindo de noite as portas do cárcere e tirando-os para fora, lhes disse:*

20 – *Ide e apresentando-vos no Templo pregai ao povo todas as palavras desta vida.*

Assistimos aqui a três fenômenos mediúnicos: um de efeitos físicos, um de materialização e um de voz direta: a abertura da porta é efeito físico; a aparição do anjo, materialização; a fala do anjo, voz direta. Os Apóstolos são libertados da cadeia e exortados a que persistissem na sementeira do Evangelho por meio da mediunidade. Tais fenômenos já se reproduziram inúmeras vezes em sessões espíritas de estudos: nada têm de milagrosos e obedecem a leis naturais que paulatinamente os homens vão descobrindo.

O Plano Espiritual auxilia sempre os trabalhadores de boa vontade, embora nem sempre ostensivamente: especialmente para os discípulos, esse auxílio se tornava muito necessário para que não vacilassem na rude tarefa que tinham pela frente.

21 – *Os quais, tendo ouvido isto, entraram ao amanhecer no Templo e se punham a ensinar. Mas chegando o príncipe dos sacerdotes e os que com ele estavam, convocaram o conselho e a todos os anciãos dos filhos de Israel; e enviaram ao cárcere para que fossem ali trazidos.*

22 – *Mas tendo lá ido os ministros e como, aberto o cárcere, os não achassem depois de voltarem, deram a notícia.*

23 – *Dizendo: Achamos sim o cárcere fechado com toda a diligência e os guardas postos diante das portas mas, abrindo-as, não achamos ninguém dentro.*

24 – *Quando porém ouviram esta novidade, o magistrado do Templo e os príncipes dos sacerdotes estavam perplexos sobre o que teria sido feito deles.*

Obedientes à ordem recebida, os discípulos compareceram ao Templo a ensinar o Evangelho; é um exemplo que legam, aos atuais trabalhadores da seara, os espíritas;

quaisquer que sejam as dificuldades, é preciso pregar as palavras da vida. Os sacerdotes convocam o conselho a fim de julgá-los e, pasmados, verificam que tudo ia bem na prisão, só que os dois prisioneiros não se encontravam dentro dela.

25 – Mas ao mesmo tempo chegou um que lhes deu esta notícia: olhai que aqueles homens, que metestes no cárcere, estão postos no Templo e doutrinando ao povo.

26 – Então foi o magistrado com seus ministros e os trouxe sem violência, porque temiam que o povo os apedrejasse.

Sem receio dos homens mas obedientes a Jesus, os discípulos pregavam. Para que assim fossem notados e para que os sacerdotes temessem o povo, certamente o número dos ouvintes interessados lá devia ser grande.

27 – E logo que os trouxeram, os apresentaram ao conselho e o príncipe dos sacerdotes lhes fez a seguinte pergunta:

28 – Dizendo: Com expresso preceito vos mandamos que não ensinásseis neste nome; e não obstante isto, eis aí tendes enchido a Jerusalém da vossa doutrina; e quereis lançar sobre nós o sangue desse homem.

Os sacerdotes sentem que a nova doutrina toma conta dos corações, que o povo lá os acusa da condenação injusta de Jesus e, usando de ameaças, procuram sufocar o Cristianismo que nascia.

29 – Mas Pedro e os Apóstolos, dando a sua resposta, disseram: Importa mais obedecer a Deus do que aos homens.

Compreendendo o alcance da tarefa de que estavam incumbidos, os discípulos respondem a seus perseguidores que nada mais faziam do que obedecer a Deus, cuja vontade deve ser atendida em primeiro lugar. Assim hoje os espíritas: difundindo o Evangelho, trabalhando como médiuns, pregando o Espiritismo, quebrando preconceitos, arrostando perseguições, obedecem a Deus e não aos homens.

30 – O Deus de nossos pais ressuscitou a Jesus, a quem vós destes a morte, pendurando-o num madeiro.

Jesus venceu a morte; provou-nos que ela não existe: depois de seu desencarne na cruz, mostra-se a seus discípulos, com os quais convive e dá-lhes instruções; e assim, confiantemente, eles afirmavam que ele ressuscitara dentre os mortos. Essa é uma das tarefas do Espiritismo em nossos dias: provar que a morte não existe e que ressuscitaremos; ao entregar ao túmulo nosso corpo de carne, ressuscitaremos no mundo espiritual, onde passaremos a viver; e sempre que se nos deparar ocasião favorável, poderemos mostrar-nos a nossos amigos e familiares que aqui continuam.

31 – A este elevou Deus com a sua destra por Príncipe e por Salvador, para dar o arrependimento a Israel e a remissão dos pecados.

Deus eleva os humildes e abate os orgulhosos. A humildade de Jesus, sua obediência aos desígnios divinos, seu sacrifício para trazer-nos o Evangelho, que nos redimirá de nossos pecados, lhe asseguraram posição de Príncipe Espiritual de nosso planeta e nosso Salvador, por cujo meio atingiremos os planos elevados da Espiritualidade.

32 – *E nós somos testemunhas destas palavras e também o Espírito Santo, que Deus deu a todos os que lhe obedecem.*

Os discípulos, convencidos da Verdade, anunciavam-na ao mundo. O Espírito Santo é o dom da mediunidade, o qual se espalha cada vez mais entre os homens; e coube ao Espiritismo estudá-lo, anotar-lhe as leis e ensinar-nos como usá-lo.

33 – *Quando isto ouviram enraiveceram-se e formavam tenção de os matar.*

Incapazes de resistir aos argumentos da Verdade, os sacerdotes pensam em sacrificar os discípulos, como tinham feito a Jesus. Este é o mal das religiões que se cristalizaram e que resistem ao progresso: em lugar de estudar, analisar, verificar o que há de exato, de bom nas novas revelações espirituais, que chegam progressivamente, e depois esclarecer o povo, amedrontam-se com a Verdade, receosos que ela lhes abale os interesses materiais, e trabalham por sufocá-la.

34 – *Mas levantando-se no Conselho um fariseu por nome Gamaliel, doutor da lei, homem de respeito em todo o povo, mandou que saíssem para fora aqueles homens, por um breve espaço.*

Gamaliel presidiu ao sinédrio por diversas vezes; homem íntegro, suas palavras eram muito acatadas; seu pequeno discurso, que vamos estudar, é um modelo de bom senso e de tolerância. Foi preceptor de Paulo de Tarso.

35 – *E lhes disse: Varões israelitas, atendei por vós, reparando o que haveis de fazer acerca destes homens.*

Isto é, tenham cuidado com o julgamento que vocês vão proferir contra estes homens, para que não cometam uma nova injustiça.

36 – *Porque há uns tempos a esta parte que se levantou um certo Teodas, que dizia ser ele um grande homem, a quem se acostou o número de quatrocentas pessoas, com pouca diferença; o qual foi morto e todos aqueles que o acreditavam, foram desfeitos e reduzidos a nada.*

37 – *Depois deste, levantou-se Judas Galileu, nos dias em que se fazia o andamento do povo e levou-o após si mas ele pereceu e foram dispersos todos quantos a ele se acostaram.*

Teodas e Judas Galileu eram fanáticos que fomentaram revoltas entre o povo contra o jugo romano e se puseram a cometer tropelias; combatidos, foram desfeitos.

38 – *Agora pois enfim vos digo: não vos metais com estes homens e deixai-os; porque se este conselho, ou esta obra, vem dos homens ela se desvanecerá;*

39 – Porém se vem de Deus, não podereis desfazê-la, porque não pareça que até a Deus resistis. E eles seguiram o seu conselho.

Gamaliel compreendia que toda obra que não conta com o apoio do Plano Espiritual, mais cedo ou mais tarde, se desvanece. Este mesmo conselho se aplica ao Espiritismo: se ele fosse apenas obra dos homens, não teria resistido ao tempo; entretanto, a pujança com que ele cresce, o consolo que espalha, os ensinamentos do Mestre que revivem, tudo está a atestar que é uma obra de Deus e por isso não se desvanecerá.

40 – E tendo chamado os Apóstolos, depois de os haverem feito açoitar lhes mandaram que não falassem mais no nome de Jesus e os soltaram.

41 – Porém eles saíam por certo gozosos de diante do Conselho, por terem sido achados dignos de sofrer afrontas pelo nome de Jesus.

42 – E todos os dias não cessavam de ensinar e de pregar a Jesus Cristo, no templo e pelas casas.

Os Apóstolos foram postos em liberdade, não sem antes sofrerem a pena do açoite com a qual o sinédrio quis amedrontá-los para que não mais pregassem o Evangelho. Todavia, como eles tinham a Verdade gravada em seus corações, desprezam ameaças e continuam as pregações, não só no Templo, no pórtico de Salomão, mas também nas casas quando chamados. É mais um exemplo que legaram aos espíritas; sejam quais forem as dificuldades que as trevas lhes antepuserem, é necessário não recuar ante a tarefa de esclarecer a humanidade.

Capítulo 34

A Instituição dos Diáconos

1 – Naqueles dias porém, crescendo o número dos discípulos, se moveu uma murmuração dos gregos contra os hebreus, pelo motivo de que as suas viúvas eram desprezadas no serviço de cada dia.

O número dos necessitados que procuravam valer-se da obra assistencial dos discípulos crescia sem cessar, acarretando-lhes cada vez mais trabalho: não é de admirar, portanto, que houvesse falhas, contra as quais reclamavam os que se sentiam menos atendidos. O serviço de cada dia consistia não só nas pregações evangélicas mas também na distribuição da sopa e de alimentos aos pobres, dentre os quais dedicavam especial atenção às viúvas desamparadas.

2 – Pelo que os doze, convocando a multidão dos discípulos, disseram: Não é justo que nós deixemos a palavra de Deus e que sirvamos às mesas.
3 – Portanto irmãos, escolhei de entre vós a sete varões de boa reputação, cheios do Espírito Santo e de sabedoria, aos quais encarreguemos desta obra.
4 – E nós atenderemos de contínuo à oração e à administração da palavra.

Os discípulos, compreendendo a extensão da tarefa que lhes cabia, buscam cooperadores. A expressão "sirvamos às mesas" é que nos faz deduzir, logicamente, que os discípulos distribuíam sopas e alimentos aos pobres, além de atenderem aos doentes; e, como isso lhes tomasse quase todo o tempo, pouco podiam cuidar do Evangelho. Assim propunham que se lhes elegessem sete auxiliares, dentre os que os acompanhavam; assíduos, de bom comportamento e dedicados à obra de Jesus, ficariam encarregados da assistência social, enquanto que eles empregariam melhor o seu tempo em ensinar o Evangelho.

5 – E aprouve este arrazoamento a toda a junta. E eles escolheram a Estevão, homem cheio de fé e do Espírito Santo e a Filipe e a Próspero e a Nicanor e a Timão e a Pármenas e a Nicolau, de Antioquia.

Dentre os escolhidos sobressaía Estevão, por ser cheio do Espírito Santo, o que significa que ele era um médium bem desenvolvido. Quanto a Nicolau, de Antioquia, nos deixa entrever que o Evangelho já tinha transposto os limites de Jerusalém e outros núcleos já se tinham formado fora da Palestina. Estamos no ano 33 da Era Cristã.

6 – A estes apresentaram diante dos Apóstolos e, orando, puseram as mãos sobre eles.

Os Apóstolos consagraram os sete escolhidos apondo-lhes as mãos, isto é, transmitindo-lhes um passe espiritual e orando por eles.

7 – E crescia a palavra do Senhor e se multiplicava muito o número dos discípulos em Jerusalém; uma grande multidão de sacerdotes obedecia também à fé.

Os sacerdotes eram numerosíssimos em Jerusalém; os serviços do Templo ocupavam diariamente grande porção deles; e muitos, tocados pelos ensinamentos evangélicos, aderiam à nova fé. O mesmo se passa hoje com o Espiritismo: correspondendo ao anseio espiritual da humanidade, crescem-lhe continuamente os adeptos.

Estevão, o Primeiro Mártir

8 – Mas Estevão, cheio de graça e de fortaleza, fazia grandes prodígios e milagres entre o povo.

Estevão era um médium bem desenvolvido; por meio de sua mediunidade, os Espíritos do bem atendiam aos necessitados de todos os matizes que o procuravam.

9 – E alguns da sinagoga, que se chama dos libertinos e dos cirenenses e dos alexandrinos e dos que vieram da Cilicia e da Ásia, se levantaram a disputar com Estevão.
10 – E não podiam resistir à sabedoria e ao Espírito que nele falava.

É preciso notar que Estevão não foi discutir com eles na sinagoga deles e sim eles que vieram à humilde instituição que os Apóstolos fundaram em Jerusalém, à procura da discussão. Como Estevão se firmava no Evangelho para suas pregações e para dar-lhes as respostas, não tinham como argumentar, uma vez que se apoiavam apenas na letra da lei de Moisés.

11 – Então subornaram a alguns que disseram que eles lhe haviam ouvido dizer palavras de blasfêmia contra Moisés e contra Deus.
12 – Amotinaram enfim o povo e os anciões e os escribas; e conjurados o arrebataram e o levaram ao Conselho.
13 – E produziram falsas testemunhas, que dissessem: Este homem não cessa de produzir palavras contra o lugar santo e contra a lei.
14 – Porque nós o ouvimos dizer que esse Jesus Nazareno há de destruir esse lugar e há de trocar as tradições que Moisés nos deixou.
15 – E fixando nele os olhos todos aqueles que estavam assentados no Conselho, viram o seu rosto como o rosto de um anjo.

Percebendo seus interesses ameaçados pela nova doutrina que ensinava aos homens paz, tolerância, amor, perdão e sobretudo a renúncia ao egoísmo e ao orgulho, a classe sacerdotal movimenta-se para perder Estevão. Assim como fizeram com Jesus, prendem Estevão sob alegações de falsas testemunhas, visando condená-lo. Na verdade, Jesus nada disse contra a lei de Moisés; simplesmente afirmara que viera mostrar como cumpri-la. O mesmo faz o Espiritismo em nossos dias: não veio para combater religiões e sim para reviver o Evangelho em sua pureza original e indicar-nos novos caminhos evolutivos.

Estevão, que intimamente perdoava a seus ofensores, tinha o rosto transfigurado pela irradiação do amor, o que seus acusadores percebiam.

Capítulo 35

1 – Então o sumo sacerdote disse: Pois com efeito, são assim estas coisas?

Interrogando-o, irônica e hipocritamente, o sumo sacerdote tenta dar um aspecto legal à condenação de Estevão, já de antemão preparada.

2 – Respondeu ele: Varões irmãos e pais, escutai. O Deus da glória apareceu a nosso pai Abraão, quando estava em Mesopotâmia, antes de assistir em Caran.

3 – E lhe disse: Sai de teu país e de tua parentela e vem para a terra que eu te mostrar.

4 – Então saiu ele da terra dos caldeus e veio morar em Caran. E de lá, depois que morreu seu pai, Deus o fez passar a esta terra, na qual vós agora habitais.

5 – E não lhe deu herança nela, nem ainda o espaço dum pé; mas prometeu dar-lhe posse dela a ele e depois dele à sua posteridade, quando ainda não tinha filho.

6 – E Deus lhe disse que a sua descendência seria habitadora em terra estranha e que a reduziriam à servidão e a maltratariam pelo espaço de quatrocentos anos;

7 – Mas eu julgarei a gente a quem eles houverem servido, disse o Senhor; e depois disto sairão e me servirão neste lugar.

8 – E lhe deu o testemunho da circuncisão; e assim gerou a Isaque e o circuncidou passados oito dias; e Isaque gerou a Jacó e Jacó aos doze patriarcas.

9 – E os patriarcas, movidos de inveja, venderam a José, para ser levado ao Egito; mas Deus era com ele.

10 – E o livrou de todas as suas tribulações e lhe deu graça e sabedoria diante de Faraó, rei do Egito, o qual o fez governador do Egito e de toda a sua casa.

11 – Veio depois fome por toda a terra do Egito e de Canaã e uma grande tribulação; e os nossos pais não achavam o que comer.

12 – E tendo Jacó ouvido dizer que havia trigo no Egito, enviou a primeira vez a nossos pais;

13 – E na segunda foi conhecido José de seus irmãos e foi descoberta a Faraó a sua linhagem.

14 – E enviando José mensageiro, fez ir a seu pai Jacó e a toda sua família que constava de setenta e cinco pessoas.

15 – E Jacó desceu ao Egito e morreu ele e nossos pais.

16 – E foram transladados a Siquem e postos no monumento que Abraão tinha comprado com moeda de prata aos filhos de Hemor, filho de Siquem.

17 – E chegado ao tempo da promessa que Deus havia jurado a Abraão, cresceu o povo e se multiplicou no Egito.

18 – Até que se levantou outro rei no Egito, que não conhecia a José.

19 – E este, usando de astúcia contra a nossa nação, apertou a nossos pais para que expusessem a seus filhos, a fim de que não vivessem.
20 – Naquele mesmo tempo nasceu Moisés e foi agradável a Deus e se criou três meses na casa de seu pai.
21 – Depois, como ele fosse exposto, a filha do Faraó o levantou e o criou como seu filho.
22 – Depois foi Moisés instruído em toda a literatura dos Egípcios e era poderoso em palavras e obras.
23 – E depois que ele completou o tempo de quarenta anos, lhe veio ao coração o visitar a seus irmãos, os filhos de Israel.
24 – E como visse a um que era injuriado, o defendeu; e vingou o que padecia a injúria, matando o egípcio.
25 – E ele cuidava que seus irmãos estavam capacitados de que por sua mão os havia de livrar Deus; mas eles não o entenderam.
26 – Porém no dia seguinte, pelejando eles, se lhes manifestou e os reconciliava em paz, dizendo: Varões, irmãos sois, por que vos maltratais um ao outro?
27 – Mas o que fazia injuria a seu próximo o repeliu, dizendo: Quem te constituiu a ti príncipe e juiz sobre nós?
28 – Dar-se-á caso que tu me queiras matar, assim como mataste ontem aquele egípcio?
29 – Porém Moisés, ouvindo esta palavra, fugiu e esteve como estrangeiro na terra de Madian, onde houve dois filhos.
30 – E cumpridos quarenta anos, lhe apareceu no deserto do monte Sinai um anjo na chama de uma sarça que ardia.
31 – E vendo isto Moisés, se admirou de uma tal visão; e chegando-se ele para a examinar, se dirigiu a ele a voz do Senhor, a qual dizia:
32 – Eu sou o Deus de teus pais o Deus de Abraão, o Deus de Isaque e o Deus de Jacó. Moisés, porém, espantado, não ousava olhar.
33 – E o Senhor lhe disse: Tira os sapatos dos teus pés, porque o lugar em que estás é uma terra santa.
34 – Considerando bem, tenho visto a aflição do meu povo que reside no Egito e tenho ouvido os seus gemidos e baixei a livrá-los. Vem, pois, agora para eu te enviar ao Egito.
35 – A este Moisés, ao qual desprezaram, dizendo: Quem te fez a ti príncipe e juiz? a este enviou Deus por príncipe e redentor, por mão do anjo que lhe apareceu na sarça.
36 – Este os fez sair, obrando prodígios e milagres na terra do Egito e no mar Vermelho e no deserto, por espaço de quarenta anos.
37 – Este é aquele Moisés que disse aos filhos de Israel: Deus vos suscitará dentre vossos irmãos um profeta como eu; a ele ouvireis.
38 – Este é o que esteve entre a congregação do povo no deserto com o anjo que lhe falava no monte Sinai e com os nossos pais; que recebeu palavras de vida, para nô-las dar a nós.
39 – A quem nossos pais não quiseram obedecer, antes o repeliram, e com os seus corações se tornaram ao Egito.

40 – *Dizendo a Arão: Faze-nos deuses que vão adiante de nós; porque no tocante a este Moisés que nos tirou da terra do Egito, nós não sabemos o que foi feito dele.*
41 – *E por aqueles dias fizeram um bezerro e ofereceram sacrifício ao ídolo e se alegraram nas obras de suas mãos.*
42 – *Mas Deus se apartou e os abandonou a que servissem a milícia do céu, como está escrito no livro dos profetas: Por ventura oferecestes-me vós, casa de Israel, algumas vítimas e sacrifícios, pelo espaço de quarenta anos no deserto?*
43 – *E recebestes a tenda de Moloch e a estrela de vosso deus Renfam, figuras que vós fizestes para as adorar. Pois eu vos farei ir para lá de Babilônia.*
44 – *O tabernáculo do testemunho esteve com os nossos pais no deserto assim como Deus lhe ordenou, dizendo a Moisés que o fizesse conforme o modelo que tinha visto.*
45 – *E nossos pais, depois de o terem recebido, o levaram debaixo da conduta de Josué à possessão dos gentios, aos quais lançou Deus fora da presença de nossos pais, até aos dias de Davi.*
46 – *O qual achou graça diante de Deus e pediu o achar tabernáculo para o Deus de Jacó.*
47 – *Mas Salomão lhe edificou a casa.*

A resposta que Estêvão dá a seus juízes é uma admirável síntese da história de Israel, desde o início deste povo com o patriarca Abrãao, na Mesopotâmia, região da Ásia Menor, entre os rios Tigre e Eufrates. Mesopotâmia significa terra entre rios e é nessa região que se pensa ter começado a civilização. Dali, da cidade de Ur, na Caldeia, nasce a história de Israel com o patriarca Abrão. A região hoje é desolada e deserta e nela os arqueólogos têm encontrado documentos que comprovam os relatos bíblicos. Estêvão recorda os pontos culminantes do povo hebreu até Salomão, o rei magnífico, que construiu o grande Templo: assim tenta demonstrar a seus ouvintes a intervenção da Espiritualidade Superior nos principais acontecimentos em seu caminho evolutivo, bem como que a profecia da vinda de Jesus já datava de Moisés.

48 – *Porém o Excelso não habita em feituras de mãos, como diz o profeta.*
49 – *O céu é o meu trono e a terra, o estrado dos meus pés. Que casa me edificareis vós? diz o Senhor; ou qual é o lugar do meu repouso?*
50 – *Não fez por ventura a minha mão todas estas coisas?*

A presença de Deus enche o Universo e pôr isso, em toda e qualquer parte, ele pode ser adorado. Ele não se confina nos templos de pedra feitos pelas mãos dos homens. Todavia, o mais belo templo que podemos oferecer ao Senhor, nosso Deus e nosso pai, é a nossa consciência pura, imaculada.

51 – *Homens de dura cerviz e de corações e ouvidos incircuncisos, vós sempre resistis ao Espírito Santo; assim como obraram vossos pais, assim o fazeis vós também.*
52 – *A qual dos profetas não perseguiram vossos pais? E mataram eles aos que de antemão anunciaram a vinda do Justo, do qual vós agora fostes traidores e homicidas;*

Na verdade, os homens sempre resistiram ao Espírito Santo, essa legião encarregada de acender a Luz Espiritual em nosso planeta. Senão, vejamos: já no deserto, o povo pede a Arão que lhe faça deuses, rebelando-se assim contra a Luz que Moisés lhe trazia. Vieram os profetas reveladores da Luz e tiveram por prêmio a morte, por terem chamado a atenção do sacerdócio organizado à compreensão de seus deveres espirituais. Veio Jesus e não teve melhor sorte; sacrificam-no também, tentando sufocar-lhe o Evangelho. Vieram em seguida as perseguições aos cristãos, os suplícios, o circo, as feras. E não pararam aí: durante a Idade Média e até os tempos bem próximos de nós, ainda era a fogueira a consumir os missionários da Verdade. E agora, atualmente, temos o Espiritismo perseguido e caluniado. E tudo por quê? Por trazer Luz à humanidade. Próximos, contudo, estão os dias em que a Luz brilhará por todos os lados e em toda a parte, banindo daqui definitivamente as trevas.

53 – *Vós que recebestes a lei por ministério dos anjos e a não guardastes.*

De fato, os sacerdotes tem por dever guiar a humanidade para a Luz e não o fazem porque se dedicam aos bens terrestres; e onde há interesses materiais, não há espiritualidade, pelo que não podem exemplificar o Evangelho. Este versículo serve de advertência também para os espíritas, especialmente para aqueles que têm responsabilidades definidas no campo doutrinário: receberam a revelação superior do Espiritismo e devem guardá-la pelo exemplo e pelo mais puro desinteresse, o que conseguirão pela humildade e pela renúncia às coisas frívolas da vida.

54 – *Ao ouvir porém tais palavras, enraiveciam-se dentro de seus corações e rangiam com os dentes contra ele.*

Os sacerdotes compreenderam que estavam errados e, como não lhes convinha deixar a posição cômoda em que se acastelavam, enfureceram-se. É o que fazem atualmente os adversários do Espiritismo: nada podendo contra ele, atacam-no furiosamente.

55 – *Mas como ele estava cheio do Espírito Santo, olhando para o céu, viu a glória de Deus e a Jesus que estava em pé à destra de Deus. E disse: Eis estou eu vendo os céus abertos e o Filho do homem, que está em pé à mão direita de Deus.*

A luta que Estevão sustentava era pela sagrada causa do Evangelho e por isso a legião do Espírito Santo o amparava. E para que ele mais confiança tivesse, à sua visão espiritual se apresenta o Mestre, em toda sua glória, como a dizer-lhe: Não temas a luta pelo Evangelho, porque eu venci a morte.

56 – *Então eles, levantando uma grande grita, taparam os seus ouvidos e todos juntos remeteram a ele com fúria.*

Desde a primeira pregação evangélica que Jesus fez às margens luminosas do lago de Genezareth até os dias de hoje, não foram poucos os que arremeteram contra o Evangelho, tapando os ouvidos às suas sublimes lições.

57 – E tendo-o lançado para fora da cidade, o apedrejaram; e as testemunhas depuseram os seus vestidos aos pés de um moço que se chamava Saulo.

Segundo a lei de Moisés, o apedrejamento era sempre feito fora da cidade, para onde, do tribunal, o acusado era arrastado. Deparamos aqui, pela primeira vez, com Saulo que se tornará mais tarde Paulo, o apóstolo dos gentios. Quando do apedrejamento de Estêvão, Paulo andaria pelos seus trinta anos de idade. Dos personagens dos primeiros tempos do Cristianismo, Paulo é um dos que mais conhecemos, tanto pela sua vida íntima, como pela influência que exerceu na difusão do Evangelho. Raríssimos gênios do Cristianismo excederam a Paulo na rapidez do pensamento, na flexibilidade da mente e na ousada originalidade de pensar; era um cidadão romano da raça judaica, nascido em Tarso, centro de cultura grega; estas três culturas, a romana, a grega e a judaica, contribuíram para formar o homem que ele foi.

58 – E apedrejaram a Estêvão que invocava a Jesus e dizia: Senhor Jesus, recebe o meu espírito.
59 – E posto de joelhos, clamou em voz alta, dizendo: Senhor não lhes imputes este pecado. E tendo dito isto, dormiu no Senhor. E Saulo era consentidor na sua morte.

Seguindo o exemplo do Mestre e consciente da vida espiritual que o aguardava, Estêvão perdoa a seus algozes e roga a Deus por eles: desencarna com a consciência tranquila, sentindo em seu íntimo que, na propagação do Evangelho, cumprira o seu dever. Saulo era consentidor na sua morte, porque era membro do sinédrio, doutor da lei, e detinha todos os poderes para perseguir os seguidores do Mestre, cujo número aumentava a olhos vistos. O zelo de Saulo pela lei de Moisés fez dele um fanático, um instrumento adequado e dócil nas mãos do sacerdócio organizado para cercear pela violência o desenvolvimento do Cristianismo que nascia.

Dividem-se em duas classes os Espíritos encarnados que sofreram as torturas das perseguições dos primeiros tempos cristãos: uma delas, composta de Espíritos devedores, falidos nas reencarnações anteriores e que, abraçando o Cristianismo, se submeteram aos suplícios para resgate do passado culposo; a outra, constituída de Espíritos já redimidos, nada devendo do passado, os quais se prontificaram na Espiritualidade a vir colaborar na implantação do Evangelho, lançando os fundamentos do Cristianismo; tais Espíritos não ignoravam as duras consequências com que arcariam ao se defrontar com as trevas.

Capítulo 36

O Evangelho em Samaria

1 – Naquele dia pois se moveu uma grande perseguição na igreja que estava em Jerusalém e foram todos dispersos pelas províncias da Judeia e de Samaria, exceptuando os Apóstolos.

A morte de Estevão foi o sinal para que se desencadeasse cruenta perseguição ao Cristianismo nascente. E essa perseguição deve ter sido tão intensa que obrigou a fugir de Jerusalém todos os seus aderentes; todavia ela produziu frutos de real valor por espalhar em outras terras as sementes da Luz porquanto os adeptos, para onde iam, as semeavam. Em Jerusalém ficaram apenas os Apóstolos e seus mais diretos auxiliares, porque sobre seus ombros pesava a responsabilidade das obras assistenciais, que não podiam ser abandonadas.

2 – E uns homens timoratos trataram de enterrar a Estevão e fizeram um grande pranto sobre ele.

Era costume que vinha desde os tempos dos patriarcas o choro sobre os mortos; para isso havia as carpideiras que se encarregavam de penteá-los e sepultá-los; foi o que fizeram com Estevão.

3 – Mas Saulo assolava a igreja, entrando pelas casas e tirando com violência homens e mulheres, os fazia meter no cárcere.

Em sua sanha contra os aprendizes do Evangelho, Saulo nada respeitava, levando a desolação e a morte até ao recesso dos lares.

4 – Portanto, os que haviam sido dispersos iam de uma parte para outra, anunciando a palavra de Deus.

Uma ideia não se combate pela violência. Para combater uma ideia é necessário que se lhe contraponha uma outra melhor. Toda ideia perseguida ganha novas forças e se propaga com rapidez; é o que vemos aqui: os fugitivos acendendo a luz do Evangelho por onde passavam.

5 – E Filipe, descendo a uma cidade de Samaria, lhes pregava a Cristo.

Este Filipe não é o apóstolo; é um dos diáconos escolhidos para servir às mesas (6,1-7).

6 – E os povos estavam atentos ao que Filipe lhes dizia, escutando-o com o mesmo ardor e vendo os prodígios que fazia.

Filipe era médium; e, por meio de sua mediunidade, os Espíritos do bem aliviavam os necessitados, tal qual se faz hoje nos Centros Espíritas. Ardoroso na pregação do Evangelho, transmitia a seus ouvintes o entusiasmo que o possuía, o que lhe valeu a denominação de Filipe, o evangelista.

7 – Porque os Espíritos imundos de muitos possessos saíam dando grandes gritos.

Os Espíritos imundos eram Espíritos obsessores: e os possessos eram pessoas obsidiadas, ou seja, perseguidas por tais Espíritos. Filipe doutrinava-os com sua palavra, sua alta moralidade, obrigando-os a se afastar de suas vítimas. Nas épocas de renovação espiritual da humanidade, multiplicam-se os casos de obsessão, como prova da imortalidade da alma. Foi o que aconteceu no tempo de Jesus e dos Apóstolos: a Providência Divina permitiu as manifestações dos Espíritos para chamar a atenção dos homens para as coisas espirituais. Nos tempos modernos, em que o Espiritismo por sua vez intensifica os trabalhos de espiritualização do mundo, novamente se manifestam os Espíritos, provando as verdades espirituais. E as manifestações mais comuns são as obsessões que despertam a curiosidade do povo para os problemas da Alma. Vemos então que a obsessão é uma doença espiritual, causada por um ou mais Espíritos obsessores; e por isso deve ser tratada espiritualmente. Quando se manifesta um caso de obsessão, o melhor é procurar um Centro Espírita, cujos diretores possuam a necessária experiência para cuidar deste gênero de enfermidade.

8 – E muitos paralíticos e coxos foram curados.

É a mediunidade curadora que Filipe usava a benefício dos sofredores.

9 – Pelo que se originou uma grande alegria naquela cidade. Havia porém nela um homem pôr nome Simão, o qual antes tinha ali exercitado a magia, enganando ao povo samaritano, dizendo que ele era um grande homem:
10 – A quem todos davam ouvidos, desde o menor até o maior, dizendo: Este é a virtude de Deus, à qual se chama grande.
11 – E eles o atendiam, porque com suas artes mágicas por muito tempo os havia dementado.

O povo se alegrou com os benefícios desinteressados que passou a receber por meio do Evangelho, ali levado por Filipe. Quanto a Simão, concluímos que era um médium, usando de sua mediunidade para satisfação de seus interesses materiais. Ele simboliza o médium interesseiro, abundante ainda hoje no campo do Espiritismo, esquecido de que a mediunidade é um dom sagrado da Espiritualidade Superior; o médium o recebe de graça para iluminação e consolo da humanidade, e de graça deve ser exercido.

12 – *Porém depois que creram o que Filipe lhes anunciava do reino de Deus, iam-se batizando homens e mulheres, em nome de Jesus Cristo.*

O batismo era uma cerimônia exterior pela qual se demonstrava abandonar as crenças antigas, passando-se a viver de acordo com a novo doutrina que se abraçava. Todas as seitas que se constituíram ao influxo das palavras evangélicas o adotaram. O Espiritismo não o adota, por ser o batismo uma cerimônia do passado, inútil no presente.

13 – *Então creu o mesmo Simão e depois que foi batizado, andava unido a Filipe. Vendo também os prodígios e grandíssimos milagres que se faziam, todo cheio de pasmo se admirava.*

Simão não se converte pelo coração, pelo sentimento; curva-se simplesmente diante dos fatos que ele não sabe explicar. Tal sucede com grande número de adeptos do Espiritismo: não o sentem no coração; correm simplesmente atrás de fenômenos, ante os quais travam discussões estéreis.

14 – *Os apóstolos porém, que se achavam em Jerusalém, tendo ouvido que Samaria recebera a palavra de Deus, mandaram-lhes lá a Pedro e a João.*

Apesar da perseguição, os Apóstolos continuam firmes em Jerusalém, velando para que a luz do Evangelho não se extinguisse; e, à medida que o aceitam em outras regiões, supervisionam a obra que se realiza; daí decorrem suas frequentes viagens.

15 – *Os quais, como chegaram, fizeram oração por eles a fim de receberem o Espírito Santo.*
16 – *Porque ele ainda não tinha descido sobre nenhum, mas somente tinham sido batizados em nome do Senhor Jesus.*
17 – *Então punham as mãos sobre eles e recebiam o Espírito Santo.*

Chamavam os Apóstolos não só para que verificassem a obra evangélica que se realizava fora de Jerusalém, também para que transmitissem o Espírito Santo, ou seja, a mediunidade que desabrochava entre os novos profitentes; no princípio acreditavam que só os Apóstolos, os que tiveram contato direto com Jesus, é que podiam comunicar este dom.

18 – *E quando Simão viu que se dava o Espírito Santo por meio da imposição das mãos dos Apóstolos, lhes ofereceu dinheiro.*
19 – *Dizendo: Dai-me também a mim este poder que, qualquer a quem eu impuser as mãos, receba o Espírito Santo. Mas Pedro lhe disse:*
20 – *O teu dinheiro pereça contigo; uma vez que tu te persuadiste que o dom de Deus se podia adquirir com dinheiro.*
21 – *Tu não tens parte, nem sorte alguma que pretender neste ministério; porque o teu coração não é reto diante de Deus.*
22 – *Faze pois penitência desta tua maldade e roga a Deus que, se é possível, te seja perdoado este pensamento do teu coração.*

23 – *Porque eu vejo que tu estás num fel de amargura e preso em laços de iniquidade.*

24 – *E respondendo Simão, disse: Rogai por mim ao Senhor, para que não venha sobre mim nenhuma coisa das que haveis dito.*

O interesse de Simão era fazer da mediunidade uma fonte de renda; Pedro, que lhe percebe as intenções, concita-o a extirpar do coração tão indigno desejo, que poderá conduzi-lo a sofrimentos.

Não julguemos que a mediunidade nos foi concedida para simples passatempo, ou para satisfação de nossos caprichos; em nenhuma circunstância, façamos dela o nosso ganha-pão. Infeliz do médium que utiliza sua mediunidade visando interesse terreno! Mal-aventurado de quem procurar trocar por dinheiro os dons de Deus! A mediunidade é coisa santa e com ela suavizaremos as dores alheias; é a melhor maneira de praticarmos a caridade espiritual: cooperando com os Espíritos curadores, o médium concorre para o alívio daqueles que sofrem; e, como instrumento dos Espíritos educadores, contribui para o adiantamento moral da humanidade. Ao desenvolver nossa mediunidade, lembremo-nos de que ela nos foi concedida para:

a) facilmente conquistar a Perfeição;
b) suavemente corrigir pesados erros de encarnações anteriores;
c) servir de guias a irmãos mais atrasados.

Daremos de graça o que de graça recebermos: jamais trocaremos por algumas moedas o que a misericórdia de Deus quiser fazer a qualquer um de seus filhos, por nosso intermédio.

25 – *E eles, depois de terem testemunhado com efeito e anunciado a palavra do Senhor, tornavam já para Jerusalém e pregavam por muitos lugares dos samaritanos.*

Naqueles tempos viajava-se comumente a pé; assim estavam indo Pedro e João, o que lhes permitia pregarem o Evangelho por todo o trajeto.

Filipe e o Eunuco

26 – *E o anjo do Senhor falou a Filipe, dizendo: Levanta-te e vai contra o meio-dia, em direitura ao caminho que vai de Jerusalém a Gaza; esta se acha deserta.*

27 – *E ele, levantando-se, partiu. E eis que um varão etíope, eunuco, valido de Candace, rainha da Etiópia o qual era superintendente de todos os seus tesouros, tinha vindo a Jerusalém para fazer a sua adoração.*

28 – *E voltava já, assentado sobre o seu coche e ia lendo o profeta Isaías.*

29 – *Então disse o Espírito a Filipe: Chega e ajunta-te a este coche.*

30 – *E correndo logo Filipe, ouviu que o eunuco lia o profeta Isaías e lhe disse: Crês porventura que entendes o que estás lendo?*

31 – *Ele lhe respondeu: Como o poderei eu entender, se não houver alguém que me explique? E rogou a Filipe que montasse e se assentou com ele.*

Através de sua mediunidade, Filipe estava em contato com seu guia ou protetor espiritual, o qual lhe sugeriu a tarefa. Ordenou-lhe que fosse em direção do sul, a caminho de Gaza, para se encontrar com o eunuco que voltava a seu país. Como sua nação, a Etiópia, tinha adotado a lei de Moisés, era oportuno que ela ficasse ao par da vinda do Senhor. Mostrando-lhe Filipe que se tinha cumprido o que Isaías profetizava, o eunuco levaria para sua terra as notícias de Jesus, preparando assim o terreno para o Evangelho.

32 – Ora a passagem da Escritura que lia, era esta: Como a ovelha foi levado ao matadouro; e como cordeiro mudo diante do que o tosquia, assim ele não abriu a sua boca.

33 – No seu abatimento o seu juízo foi exaltado. Quem poderá contar a sua geração, pois que a sua vida será tirada da Terra?

34 – E respondendo o eunuco a Filipe, disse: Rogo-te que me digas de quem disse isto o profeta? de si mesmo ou algum outro?

35 – E abrindo Filipe a sua boca e principiando por esta Escritura, lhe anunciou a Jesus.

Isaías é o primeiro dos chamados profetas maiores; era filho de Amós, da tribo de Judá, e exerceu o seu ministério em Jerusalém durante quarenta anos, de 740 a 701 a.C.; suas profecias referentes ao nascimento, à vida e à morte de Jesus são de uma realidade impressionante. Comentando os versículos acima, Filipe demonstrou-lhe que aquelas profecias se cumpriram na pessoa de Jesus.

36 – E continuando eles o seu caminho, chegaram a um lugar onde havia água e disse o eunuco: eis aqui está água: que embaraço há, para que eu não seja batizado?

37 – E disse Felipe: Se crês de todo o coração, bem podes. E ele, respondendo disse: Creio que Jesus Cristo é filho de Deus.

38 – E mandou parar o coche; e desceram os dois à água, Felipe e o eunuco, e o batizou.

O ministro da rainha, para provar-lhe que abraçava a nova lei, o Evangelho, requer-lhe a cerimônia tradicional do batismo. (Sobre o batismo, ver nosso comentário ao versículo 12 deste capítulo; também aos versículos 13 a 17 do capítulo 3 "João Batista".)

39 – E tanto que eles saíram da água, arrebatou o Espírito do Senhor a Filipe e o eunuco não o viu mais. Porém continuava o seu caminho de prazer.

Estamos diante de um fenômeno de transporte, que se obtém pela mediunidade de efeitos físicos. É raríssimo em se tratando de transportar pessoas; relativamente comum quanto a pequenos objetos, principalmente flores, como acontece nas sessões experimentais para estudos da mediunidade.

40 – Mas Filipe se achou em Azot e indo passando, pregava o Evangelho em todas as cidades, até que veio a Cesareia.

Azot não era longe do ponto em que Filipe foi separado do eunuco; e semeando a palavra pela orla marítima, chegou a Cesareia onde fixou residência.

Capítulo 37

A Conversão de Saulo no Caminho de Damasco

1 – Saulo, pois, respirando ainda ameaças e morte contra os discípulos do Senhor, se apresentou aos príncipes dos sacerdotes.

2 – E lhes pediu cartas para as sinagogas de Damasco, com o fim de levar presos a Jerusalém quantos achasse desta profissão, homens e mulheres.

Sabedor de que nas cidades vizinhas era pregado o Evangelho por aqueles que escaparam da perseguição em Jerusalém, Saulo resolveu estender sua ação a essas cidades; desejava não só acabar com os novos núcleos, mas também apanhar os fugitivos.

3 – E indo ele seu caminho, foi coisa factível que se avizinhasse a Damasco; e subitamente o cercou uma luz vinda do céu.

4 – E caindo em terra ouviu uma voz que lhe dizia: Saulo, Saulo, por que me persegues?

É nas proximidades de Damasco que Saulo recebe o convite de Jesus, para que ele se torne um trabalhador de sua seara. Saulo viu e ouviu o Mestre, como ele próprio o refere na sua primeira carta aos Coríntios, capítulo 15, versículo 8. Notemos aqui a brandura de Jesus: continuando a ser perseguido nas pessoas de seus discípulos e nas dos seus aprendizes, não acusa Saulo, o seu principal perseguidor; apenas lhe pergunta qual o motivo de semelhante perseguição. É esta mais uma lição para nós, espíritas: embora não soframos perseguições sangrentas, contudo a campanha das trevas contra a Luz é intensa. Todavia, não nos revoltemos; limitemo-nos a perguntar docemente: Por que nos perseguem? Por que querem apagar a luz com que o Espiritismo veio iluminar o mundo?

5 – Ele disse: Quem és tu, Senhor? E ele lhe respondeu: Eu sou Jesus, a quem tu persegues; dura coisa é para ti recalcitrar contra o aguilhão.

Desde o seu encontro com Estêvão que Saulo é convidado a banhar-se nas claridades do Evangelho; tudo o levava a abraçar a sagrada causa de Jesus: seu conhecimento profundo da lei de Moisés e por isso mesmo de todas as profecias atinentes ao advento do Senhor; e o movimento renovador que se notava no seio do povo, ansioso por algo mais elevado em matéria de religião. Mas Saulo recalcitrava contra o aguilhão, ou seja, não atendia ao chamado. Acontece o mesmo com o Espiritismo: suas claridades renovadoras convocam todos os homens a encetarem a caminhada rumo a formas mais elevadas da vida, mas recalcitram. Os portadores de mediunidade, em lugar de desenvolver sua mediunidade e por-se ao serviço do Senhor, tudo fazem para fugir do trabalho divino ao qual os aguilhões os compelem.

6 – *Então, tremente e atônito, disse: Senhor, que queres tu que eu faça?*

Este encontro é decisivo para Saulo; ele compreende de relance onde está a Verdade; e, compreendendo, não resiste mais ao aguilhão; entrega-se de corpo e alma à revelação maior, ao Evangelho; e não discute: pede ao Mestre que ordene e ele lhe obedecerá.

7 – *E o Senhor lhe respondeu: Levanta-te e entra na cidade e aí se te dirá o que te convém fazer. A este tempo aqueles homens que o acompanhavam, estavam espantados, ouvindo sim a voz mas sem ver ninguém.*

Aqueles mesmos que Saulo ia prender serão os que lhe mostrarão o que lhe será conveniente fazer, isto é, iniciá-lo-iam nos trabalhos do Evangelho, por ordem do Senhor.

É de notar que só Saulo vê Jesus: os companheiros que lhe compunham a comitiva nada veem, conquanto percebam que se passava algo de insólito. É esta uma grande lição para nós: quando agraciados por uma compreensão superior da vida, não esperemos que os que nos rodeiam nos compreendam de imediato; entretanto, é mister esclarecê-los na medida que nos puderem compreender.

8 – *Levantou-se pois Saulo da terra e tendo os olhos abertos não via nada. Eles, porém, levando-o pela mão, o introduziram em Damasco.*

9 – *E ali esteve três dias sem ver e não comeu nem bebeu.*

A cegueira temporária de Saulo fez com que ele reentrasse em si mesmo, meditasse sobre seu passado e se preparasse para o futuro de lutas que o aguardava e gravasse no imo de seu ser a figura inolvidável de Jesus, que se lhe mostrara na estrada de Damasco; e imerso em profunda meditação, consumiu três dias na mais rigorosa disciplina espiritual.

Quando formos chamados a servir na seara do Senhor e assim convocados para as tarefas da Espiritualidade Superior, reentremos em nós mesmos, meditemos profundamente, submetamo-nos à rigorosa disciplina espiritual e depois abracemos a tarefa, dispostos a desempenhá-la o melhor que nos for possível.

10 – *Ora em Damasco havia um discípulo, que tinha por nome Ananias; e o Senhor, numa visão, lhe disse: Ananias. E ele acudiu dizendo: Eis-me aqui, Senhor.*

11 – *E o Senhor lhe tomou: Levanta-te e vai ao bairro que se chama Direito e busca em casa de Judas a um de Tarso, chamado Saulo; porque ei-lo aí está orando.*

12 – *(E viu um homem por nome Ananias, que entrava e que lhe impunha as mãos para recobrar a vista.)*

Ananias era médium; por meio de sua mediunidade, recebe o aviso para ir em busca de Saulo que se acha hospedado na estalagem de Judas, onde se recolhera ao chegar cego a Damasco. Imerso em oração, Saulo tem uma visão mental e compreende que alguém o virá socorrer em nome do Senhor. Notemos o poder da oração; as orações sinceras nunca ficam sem resposta do Plano Superior.

13 – Respondeu pois Ananias; Senhor, eu tenho ouvido dizer a muitos a respeito deste homem, quantos males fez aos teus santos em Jerusalém;
14 – E este tem poder dos príncipes dos sacerdotes de prender a todos aqueles que invocam o teu nome.

Saulo era conhecido como um perseguidor feroz; sua fama se espalhara por toda a parte; os discípulos e demais aprendizes do Evangelho temiam-no; custava-lhes crer em sua conversão, o que só aconteceu depois de seus rigorosos testemunhos em prol da sagrada causa.

15 – Mas o Senhor lhe disse: Vai, porque este é para mim um vaso escolhido para levar o meu nome diante das gentes e dos reis e dos filhos de Israel.
16 – Porque eu lhe mostrarei quantas coisas lhe é necessário padecer pelo meu nome.

Ao convocar Saulo para os trabalhos evangélicos, Jesus mais uma vez nos dá uma lição de perdão e de misericórdia: perdoava-lhe a cruel perseguição que ele movera contra o Evangelho e usava de misericórdia para com ele, não o deixando perder o resto dos seus dias nas teias escuras do mal, concedendo-lhe oportunidade de redimir-se dos males que causara. Mas para isso era preciso que ele contribuísse com seus esforços, com suas dores, com suas lutas para que triunfasse a doutrina redentora.

E foi o que Saulo fez.

Tirou o Evangelho de Jerusalém e, por meio de lutas acerbas, universalizou-o.

Atualmente os espíritas são os vasos escolhidos para levar as verdades espirituais a todos; cumpre-lhes esforçarem-se, lutarem, renunciarem, para que bem possam atender as inspirações da Espiritualidade Superior no arrotear da grande seara; e assim fazendo cooperam com o Senhor e corrigem erros de encarnações anteriores.

17 – E foi Ananias e entrou na casa; e pondo as mãos sobre ele, disse: Saulo irmão, o Senhor Jesus que te apareceu no caminho por onde vinhas, me enviou para que recobres a vista e fiques cheio do Espírito Santo.
18 – E no mesmo ponto lhe caíram dos olhos umas como escamas e assim recuperou a vista: e levantando-se foi batizado.
19 – E depois que tomou alimento, ficou então com as forças recobradas. Alguns dias porém, esteve com os discípulos que se achavam em Damasco.

É digna de nota a humildade de Ananias e a singeleza de suas palavras: apresenta-se em nome de Jesus para cumprir a ordem que dele recebera; conquanto soubesse da ação nefasta de Saulo, envolve-o numa vibração de amor e carinho e transmite-lhe o passe benéfico que lhe restitui a vista. Dizendo-lhe que ficava cheio do Espírito Santo é como se lhe dissesse que daquela hora em diante estava à disposição dos Espíritos do Senhor para os labores da evangelização. Ao se desfazerem os pesados fluidos que lhe tolhiam a visão, Saulo tem a impressão de lhe cair dos olhos umas como que escamas. Quanto ao batismo, ver nossos comentários ao versículo 12, capítulo 36, e capítulo 3, versículos 13 a 17.

Imerso em profunda meditação, há três dias que Saulo não se alimenta: reacendendo-se-lhe a esperança e tendo já traçado em seu íntimo novo programa de vida, alimenta-se e põe-se de pé para o bom combate. Fica em Damasco alguns dias e estuda o Evangelho no grupo presidido por Ananias.

O Perseguidor É Perseguido

20 – E logo pregava nas sinagogas a Jesus, que este era o Filho de Deus.

Com o mesmo ardor com que antes se consagrara a Moisés, Saulo agora se dedica a Jesus, ansioso por levar a Boa-Nova a todos os homens. Tal acontece conosco ao ser iluminados pelo Espiritismo: somos possuídos do sublime entusiasmo de esclarecer a humanidade.

21 – E pasmavam todos os que o ouviam e diziam: Pois não é este o que perseguia em Jerusalém aos que invocavam este nome? e ao que veio cá, não foi para os levar presos aos príncipes dos sacerdotes?

Saulo foi pregar na sinagoga dos judeus e esbarrou logo com a intransigência deles, os quais não admitiam que o chefe da perseguição se bandeasse com os perseguidos.

22 – Porém Saulo muito mais se esforçava e confundia os judeus que habitavam em Damasco, afirmando que este era o Cristo.

Saulo, inteiramente baseado nas Escrituras, trabalhava por demonstrar-lhes que o Messias prometido era Jesus Cristo que tinham crucificado.

23 – E passado muitos dias, os judeus juntos tiveram conselho para matá-lo.
24 – Porém Saulo foi advertido das suas ciladas. Guardavam pois até as portas de dia e de noite, para o matarem.
25 – E tomando conta dele, os discípulos de noite o deslizaram pela muralha, metendo-o numa cesta.

Entretanto, os judeus, aferrados à lei de Moises, não aceitavam a interpretação de Saulo a respeito de Jesus e resolvem matá-lo. Temendo que lhes escapasse, guardavam as portas da cidade. Sabedores disso, os discípulos fazem Saulo entrar numa cesta grande e por meio de cordas o descem do lado de fora das muralhas, e ele foge. Como quase todas as cidades daquele tempo, Damasco era protegida por muralhas. Ainda hoje existe uma parte delas por onde, dizem, Saulo se salvou.

26 – *Tendo porém chegado a Jerusalém, procurava Saulo ajuntar-se com os discípulos, mas todos o temiam, não crendo que ele fosse discípulo.*

A perseguição que Saulo movera era recente; estava viva na memória deles, para que o pudessem receber sem desconfiança; temiam-no, julgavam que lhes preparava alguma cilada.

27 – *Então Barnabé, levando-o consigo, o apresentou aos Apóstolos; e lhes contou como havia visto o Senhor no caminho e que lhe havia falado e como depois em Damasco ele se portara com toda a liberdade em nome de Jesus.*

Barnabé é o introdutor de Saulo na comunidade dos Apóstolos; tendo-o procurado previamente, inteirou-se de seus propósitos e convenceu-se de sua sinceridade; diante de seu testemunho, não tiveram mais dúvidas em recebê-lo.

28 – *E estava com eles em Jerusalém, entrando e saindo e portando-se em liberdade em nome do Senhor.*
29 – *Falava também com os gentios e disputava com os gregos; mas eles tratavam de o matar.*
30 – *O que tendo sabido os irmãos, o acompanharam até Cesareia e o enviaram a Tarso.*
31 – *Tinha então paz a igreja por toda a Judeia e Galileia e Samaria e se propagava caminhando no temor o Senhor e estava cheia da consolação do Espírito Santo.*

O ambiente de Jerusalém não era propício a Saulo; as perseguições que movera deixaram fundas cicatrizes; seus antigos companheiros do sinédrio não lhe perdoavam a conversão; todos o encaravam receosos. E Saulo, de comum acordo com os Apóstolos, recolhe-se a Tarso, sua cidade natal, onde viverá na obscuridade por três longos anos. A perseguição estacionara; gozavam de relativa paz, que era aproveitada para a semeadura.

Cura de Éneas; Ressurreição de Tabita

32 – *Aconteceu pois que, andando Pedro visitando a todos, chegou aos santos que habitavam em Lida*

Lida era uma cidadezinha próxima a Jerusalém, onde já havia núcleos evangélicos. Sempre que seus pesados deveres o permitiam, Pedro visitava os outros grupos, reforçando-os na fé. Denominavam-se santos as pessoas virtuosas, religiosas.

33 – *E achou ali um homem por nome Eneas, que havia oito anos jazia em um leito, porque estava paralítico.*
34 – *E Pedro lhe disse: Eneas, o Senhor Jesus Cristo te sara; levanta-te e faze tua cama. E num momento se levantou.*
35 – *E viram-no todos os habitantes em Lida e em Sarona; os quais se converteram ao Senhor.*

Sob a inspiração do Alto e usando sua mediunidade curadora, Pedro efetua curas a exemplo de Jesus; todavia, dando provas de profunda humildade, não atribui a si o mérito e sim a Jesus; desse modo, despertava a atenção do Povo para o Evangelho e muitos o aceitavam.

36 – *Houve também em Jope uma discípula por nome Tabita, que quer dizer Dorcas. Esta se achava cheia de boas obras e de esmolas que fazia.*

37 – *E aconteceu naqueles dias que, depois de cair enferma, morresse. A qual tendo-a primeiro lavado, a puzeram num quarto alto.*

38 – *E como Lida estava perto de Jope, ouvindo que Pedro se achava lá, enviaram-lhe dois homens, rogando-lhe: Não te demores em vir ter conosco.*

39 – *E levantando-se, Pedro foi com eles. E logo que chegou o levaram ao quarto alto: e o cercaram todas as viúvas, chorando e mostrando-lhe as túnicas e os vestidos que lhe fazia Dorcas.*

40 – *Mas Pedro, tendo feito sair a todos para fora, pondo-se de joelhos, entrou a orar; e depois de se ter voltado para o corpo, disse: Tabita, levanta-te. E ela abriu os seus olhos e vendo a Pedro se assustou.*

41 – *Mas ele a fez levantar, dando-lhe a mão. Havendo chamado os santos e as viúvas, lha entregou viva.*

42 – *E este caso se fez notório por toda Jope e foram muitos os que creram no Senhor.*

Para que entendamos a ressurreição de Tabita, ao influxo das preces humildes de Pedro, recorramos às explicações que nos dá Allan Kardec em seu livro "A Gênese", capítulo XV, parágrafo 39, "Os milagres no Evangelho", comentando a ressurreição da filha de Jairo e a do filho da viúva de Naim, ambas operadas por Jesus:

"Contrário seria às leis da natureza e portanto milagroso, o fato de volver à vida corpórea um indivíduo que se achasse realmente morto. Ora, não há mister se recorra a essa ordem de fatos, para se ter a explicação das ressurreições que Jesus operou.

Se mesmo na atualidade, as aparências enganam por vezes os profissionais, quão mais frequentes não seriam os acidentes daquela natureza, num país onde nenhuma precaução se tomava contra eles, e onde o sepultamento era imediato. É pois de todo ponto provável que, nos dois casos acima, apenas houvesse síncope ou letargia. O próprio Jesus declara positivamente com relação à filha de Jairo: A menina não está morta mas dorme.

Dado o poder fluídico que ele possuía, nada de espantoso há em que esse fluido vivificante, acionado por uma vontade forte, haja reanimado os sentidos em torpor; que haja mesmo feito voltar ao corpo o Espírito prestes a abandoná-lo, uma vez que o laço perispirítico ainda se não rompera definitivamente. Para os indivíduos daquela época, que consideravam morta a pessoa que deixara. aparentemente de respirar, havia ressurreição em tais casos; mas o que na realidade havia era cura e não ressurreição, na acepção legítima do termo".

43 – E aconteceu que Pedro se deixou ficar em Jope por muitos dias em casa dum curtidor de peles, chamado Simão.

O ofício de curtidor de peles era um dos mais humílimos que havia e mesmo eram desprezados os que a ele se dedicavam. Hospedando-se ali, Pedro nos lega um exemplo de humildade, convivendo com os pequeninos, virtude que deve ornar os que se dedicam ao Evangelho.

Capítulo 38

O Centurião Cornélio

1 – *Havia pois em Cesareia um homem, por nome Cornélio, que era centurião da coorte que se chama italiana.*

2 – *Cheio de religião e temente a Deus com toda sua casa, que fazia muitas esmolas ao povo e que estava orando a Deus incessantemente.*

Como os romanos dominassem a Judeia, mantinham nas principais cidades e pontos estratégicos os seus soldados. Uma corte era composta de cem soldados, ou seja, a décima parte de uma legião; e o centurião era o comandante da corte. O Evangelho já começava a ser aceito pelos outros povos; e os que o abraçavam procuravam mitigar os sofrimentos humanos pelas boas obras e pelas preces.

3 – *Este viu uma visão manifestamente, quase à hora de noa, que um anjo de Deus se apresentava diante dele e lhe dizia: Cornélio.*

Era por volta das três horas da tarde, quando Cornélio viu o anjo que o chamava; o qual lhe apareceu em pleno dia para que Cornélio não duvidasse.

O Espiritismo nos ensina que anjos são assim denominados os Espíritos adiantados que cooperam com o Senhor; este era um dos trabalhadores espirituais do Evangelho. Quanto ao fenômeno da aparição, eis as instruções de Allan Kardec em seu livro "A Gênese", capítulo XVI, parágrafo 35 e seguintes:

"Para nós o perispírito no seu estado normal é invisível; mas como é formado de substância etérea, o Espírito, em certos casos, pode, por um ato da vontade, fazê-lo passar por uma modificação molecular, que o torna momentaneamente visível. É assim que se produzem as aparições, que não se dão fora das leis da natureza, do mesmo modo que os outros fenômenos. Nada tem esse de mais extraordinário do que o vapor que, quando muito rarefeito é invisível, mas que se torna visível uma vez condensado.

Conforme o grau de condensação do fluido perispiritual, a aparição é às vezes vaga e vaporosa; doutras, enfim, com todas as aparências da matéria tangível, pode mesmo chegar até à tangibilidade real, ao ponto de o observador se enganar com relação à natureza do ser que tem diante de si".

4 – *E ele fixando nele os olhos, possuído de temor disse: Que é isto, Senhor? Ele porém lhe respondeu: "As tuas orações e as tuas esmolas subiram, para ficarem em lembrança na presença de Deus".*

As orações sinceras e justas e o bem que obramos ficam registradas nos planos superiores de onde, no devido tempo, produzirão seus frutos.

5 – Envia pois agora homens a Jope e faze vir aqui um certo Simão, que tem por sobrenome Pedro;

6 – Este se acha hospedado em casa de um certo Simão, curtidor de peles, cuja casa fica junto ao mar; ele te dirá o que te convém fazer.

O Espírito diz a Cornélio que Pedro lhe diria o que lhe convinha fazer; isto porque Cornélio e seus familiares já estavam preparados para receber o Evangelho; faltava-lhes apenas quem os iniciasse.

Quando chega nossa hora de trilhar caminhos novos em demanda à Espiritualidade Superior, recebemos sempre um chamado, o qual nos pode vir por meio duma manifestação ostensiva, como a de Cornélio; por uma leitura, por um fato que observamos ou do qual tivemos conhecimento, por uma simples palestra com um amigo etc. A Providência Divina dispõe de mil modos para nos chamar a uma vida superior. Porém, quando os meios suaves falham e continuamos surdos aos avisos do Alto, vem a dor e ela rasga a capa da indiferença sob a qual nós nos acobertamos. O Espiritismo e o Evangelho são, então, nosso caminho, nosso refúgio e nosso remédio: o primeiro nos descerrando as realidades da vida além-túmulo: e o segundo nos suavizando o coração.

7 – E logo que se retirou o anjo que lhe falava, chamou a dois dos seus domésticos e um soldado temente a Deus, daqueles que estavam às suas ordens.

8 – E havendo-lhes contado tudo isto, os enviou a Jope.

Obedecendo às ordens do Espírito, Cornélio se apressa a enviar mensageiros a Jope. Por lhes haver narrado o sucedido, percebe-se que também os soldados partilhavam de sua crença, o que garantia um bom desempenho da missão que lhes confiava. Por aqui vemos a responsabilidade que pesa nos ombros dos que ocupam cargos elevados na mordomia terrena; seus subordinados são geralmente levados a compartilharem de suas ideias, a seguir seus exemplos, a tomá-los como modelos, enfim; é uma oportunidade que o Senhor lhes concede de influírem favoravelmente sobre todos os que lhe estão abaixo ou são seus dependentes.

9 – E ao dia seguinte, indo eles seu caminho o estando já perto da cidade, subiu Pedro ao alto da casa a fazer oração, perto da hora sexta.

Era quase meio-dia e Pedro se retirou para orar; para isso procurou um lugar sossegado onde pudesse entregar-se por alguns instantes à prece e à meditação. O alto da casa era o terraço que a cobria.

É bom desenvolvermos também o hábito da prece e da meditação, para o que reservemos alguns minutos diários. Sobre a prece, eis o que Allan Kardec, no "O Livro dos Espíritos", nos diz na observação à pergunta 662: "O pensamento e a vontade representam em nós um poder de ação que alcança muito além dos limites de nossa esfera corporal. A prece que façamos por outrem é um ato dessa vontade; se for ardente e sincera, pode chamar em auxílio daquele por quem oramos, os bons Espíritos, que lhe virão sugerir bons pensamentos e dar-lhe a força de que necessitam em seu corpo e em sua alma".

10 – E como tivesse fome, quis comer. Mas ao tempo que lho preparavam, sobreveio-lhe um rapto de espírito.

11 – E viu o céu aberto e que descendo um vaso, como uma grande toalha, suspenso pelos quatro cantos, era feito baixar do Céu à Terra.

12 – No qual havia de todos os quadrúpedes e dos répteis da terra e das aves do céu.

13 – E foi dirigida a ele uma voz que lhe disse: Levanta-te, Pedro, mata e come.

14 – E disse Pedro: Não Senhor, porque nunca comi coisa alguma comum ou imunda.

15 – E a voz lhe tomou segunda vez a dizer: Ao que Deus purificou não chames tu comum.

16 – E isto se repetiu até três vezes e logo o vaso se recolheu ao céu.

A visão de Pedro é um símbolo do qual a Espiritualidade Superior se serviu para indicar-lhe que, diante do Evangelho, não haveria acepção de pessoas, de raças ou de nações; todas, incondicionalmente, seriam convocadas a participar de suas luzes. O Evangelho não seria uma lei restrita a um povo, como o era a lei de Moisés; seria uma lei para todos os povos da Terra, uma lei universal. Essa visão predispôs Pedro, que soube compreendê-la, a receber os enviados de Cornélio e a atender-lhe o chamado.

17 – E enquanto Pedro entre si duvidava sobre o que seria a visão que havia visto, eis que os homens que Cornélio tinha enviado, perguntando pela casa de Simão, chegaram à porta.

18 – E havendo chamado, perguntavam se ali estava hospedado Simão que tinha por sobrenome Pedro.

19 – E considerando Pedro na visão, lhe disse o Espírito: Eis aí três homens que te procuram.

20 – Levanta-te pois, desce, e vai com eles sem duvidar; porque eu sou o que os enviei.

21 – E descendo Pedro para ir ter com os homens, lhes disse: Aqui me tendes, que eu sou a quem buscais; qual é a causa por que aqui viestes?

22 – Responderam eles: O centurião Cornélio, homem justo e temente a Deus que disto mesmo logra o testemunho de toda a nação dos judeus, recebeu resposta do santo anjo, que te mandasse chamar à tua casa, e que ouvisse as tuas palavras.

23 – Pedro pois, fazendo-os entrar, os hospedou. E levantando-se ao dia seguinte, partiu com eles; e alguns dos irmãos, que viviam em Jope o acompanharam.

Assistimos aqui a fenômenos mediúnicos: Pedro, imerso na oração e meditando na visão que tivera, ouve com facilidade a voz do Espírito. O recolhimento, a meditação e a oração fazem com que melhor captemos as intuições que nossos diretores espirituais nos desejam dar, com vistas ao trabalho que estamos desenvolvendo na Terra, quer como médiuns, quer como doutrinadores, quer como pregadores, ou qualquer outra tarefa que nos couber na seara. Observemos também a obediência de Pedro que, uma vez confirmadas as instruções recebidas, com bom ânimo recebe os mensageiros e dispõe-se a segui-los.

24 – *E ao outro dia depois entrou em Cesareia. E Cornélio os estava esperando, havendo convidado já os seus parentes e mais íntimos amigos.*
25 – *E aconteceu que, quando Pedro estava para entrar, saiu Cornélio a recebê-lo; e prostrando-se a seus pés, o adorou.*
26 – *Mas Pedro o levantou dizendo: Levanta-te, que eu também sou homem.*
27 – *E entrou falando com ele e achou muitos que haviam concorrido.*

Tanto Pedro como Cornélio nos dão aqui um exemplo de humildade: Cornélio percebendo em Pedro um Espírito superior ao qual devia respeito; e Pedro fazendo-se pequenino, igual aos pequeninos que o rodeavam. No campo do Espiritismo e do Evangelho, jamais aceitemos quaisquer homenagens, lembrados de que somos servos inúteis, mal cumprindo os nossos deveres.

28 – *E lhes disse: Vós sabeis como é abominável para um homem judeu o ajuntar-se ou unir-se a um estrangeiro; mas Deus me mostrou que a nenhum homem chamasse comum ou imundo.*

Realmente, diante de Deus nosso Pai, ninguém é comum ou imundo, nem há raça mais privilegiada que outra. Devemos ver em cada pessoa um nosso irmão que merece nosso carinho, o nosso respeito e a nossa consideração. Todos nós somos filhos do mesmo Pai, com os mesmos direitos e com as mesmas responsabilidades. Pela lei da reencarnação, poderemos ocupar quaisquer das posições na Terra e também reencarnar em outros países e em outras raças. O Evangelho nos ensina a quebrar todos os preconceitos que nos separam, obedientes à lei do Amor que nos devemos uns aos outros.

29 – *Por isso, sem dúvida, vim logo assim que fui chamado. Pergunto pois: Por que causa me chamastes?*
30 – *E disse Cornélio: Hoje faz quatro dias que estava orando em minha casa, à hora de noa, e eis que se me pôs diante um varão vestido de branco e me disse:*
31 – *Cornélio, a tua oração foi atendida e as tuas esmolas foram lembradas na presença de Deus.*
32 – *Manda pois a Jope, e faze vir a Simão, que tem por sobrenome Pedro; ele está hospedado em casa de Simão, curtidor de peles, à borda do mar.*
33 – *Em consequência disto enviei logo a buscar-te e tu fizeste bem em vir.*

Agora, porém, nós todos estamos na tua presença, para ouvir todas as coisas quantas o Senhor ordenou que nos dissesses.

Pedro não duvidou em ir ter com Cornélio, o qual o esperava com todos os seus, ansiosos por conhecer o Evangelho, a fim de consolidar a fé que já possuíam; confiavam muito na inspiração de Pedro, tendo-o por um enviado do Senhor.

34 – Então Pedro, abrindo a sua boca, disse: Tenho na verdade alcançado que Deus não faz acepção de pessoas;
35 – Mas que em toda a nação aquele que o teme e obra o que é justo, esse lhe é aceito.

Deus é o Pai Altíssimo e todos nós somos seus filhos. A humanidade constitui uma única família, sob as vistas de Deus. O Pai não tem preferência por nenhum de seus filhos e trata a todos de igual modo, mediante suas leis justas e sábias. Essas leis trazem felicidade aos filhos que as respeitam e obrigam os filhos recalcitrantes a se reajustar a elas.

36 – Deus enviou sua palavra aos filhos de Israel, anunciando-lhes a paz por meio de Jesus Cristo (este é o Senhor de todos).

A palavra que o Pai nos enviou é o Evangelho e seu mensageiro foi Jesus. Ele é o Senhor de todos, porque a ele está afeto o governo espiritual da Terra, como Espírito que já alcançou a perfeição.

O Evangelho nos anuncia a paz, porque quando ele for praticado por todos os povos, não mais haverá guerras fratricidas e sim fraternidade entre as nações. Contudo, desde já ele felicita os lares onde é praticado, suavizando o sofrimento e desenvolvendo a compreensão e a boa vontade entre todos os membros da família.

37 – Vós sabeis que a palavra foi enviada por toda a Judeia; pois começando desde a Galileia, depois do batismo que pregou João.

O Evangelho primeiramente devia ser pregado por toda a Judeia, porque seu povo estava preparado para recebê-lo; dali se espalharia pelo mundo, conquistando outros povos.

38 – Sabeis que a palavra mencionada é Jesus de Nazaré; como Deus o ungiu do Espírito Santo e de virtude, o qual andou fazendo o bem e sarando a todos os oprimidos do diabo, porque Deus era com ele.

Os ensinamentos que o Espiritismo nos trouxe nos revelam que Jesus é o Supremo Orientador da coletividade terrena; Deus lhe confiou a Terra e o destino de seus habitantes. Para que cheguemos à perfeição e para que a Terra se torne um planeta feliz, Jesus nos trouxe o Evangelho, o qual nada mais é do que o regulamento moral que devemos observar a todos os instantes de nossa vida.

Os oprimidos do diabo são aqueles que se deixam envolver pelas sugestões dos Espíritos ignorantes, que se comprazem no mal. A aplicação do Evangelho em nosso viver diário é uma forte defesa contra eles, quer sejam encarnados, quer sejam desencarnados.

39 – E nós somos testemunhas de tudo quanto fez na região dos judeus e em Jerusalém; ao qual eles mataram, pendurando-o num madeiro.
40 – A este ressuscitou Deus ao terceiro dia e quis que ele se manifestasse.

41 – Não a todo o povo, mas às testemunhas que Deus havia ordenado antes; a nós que comemos e bebemos com ele, depois que ressuscitou dentre os mortos.

Os Apóstolos testemunharam os atos de Jesus, inclusive sua morte; em seguida, Jesus apareceu-lhes várias vezes, provando-lhes que não há morte. Deixando o corpo carnal que vai desfazer-se no sepulcro, o Espírito revive no mundo espiritual, onde continua a viver normalmente. E assim Jesus os preparou a fim de que não fraquejassem na ingente tarefa que lhes foi proposta: a de assentarem as bases do Cristianismo.

42 – E nos mandou pregar ao povo e dar testemunho de que ele é o que por Deus foi constituído juiz de vivos e mortos.

A evolução em nosso orbe, sob todos os aspectos, se processa sob a direção de Jesus; seu sacrifício garantiu-lhe o cargo de Governador Espiritual de nosso globo e nós somos seus tutelados.

43 – A este dão testemunho todos os profetas, de que todos os que creem nele recebem perdão dos pecados, por meio do seu nome.

O povo judeu, desde seus primórdios, recebeu de seus profetas avisos da vinda de Jesus, estando a Bíblia cheia deles. Crer em Jesus é praticar-lhe os ensinamentos, é observar o seu Evangelho; é perdoar do fundo do coração os que nos ofenderem; é amar-nos uns aos outros: é não fazer aos outros o que não queremos para nós.

44 – Estando Pedro ainda proferindo estas palavras, desceu o Espírito Santo sobre os que ouviam a palavra.

Dentre os ouvintes, havia os que eram portadores da mediunidade e, por meio destes, os Espíritos se manifestaram.

45 – E se espantaram os fiéis que eram da circuncisão, os quais tinham vindo com Pedro, de verem que a graça do Espírito Santo foi também derramada sobre os gentios.

Aferrados ainda à lei de Moisés que fazia do judeu um povo eleito, não compreendiam que as graças divinas são para toda a humanidade e não apenas para um determinado grupo. Daí o espanto deles ao ver que outros que não circuncisos também começavam a participar do banquete da luz.

46 – Porque eles ouviam falar diversas línguas e engrandecer a Deus.

Fenômenos mediúnicos, por médiuns de incorporação, comuns nos Centros Espíritas de hoje.

47 – Então respondeu Pedro: Por ventura pode alguém impedir a água para que não sejam batizados estes que receberam o Espírito Santo, assim também como nós?

48 – E mandou que eles fossem batizados em nome do Senhor Jesus Cristo. Então lhes rogaram que ficasse com eles por alguns dias.

Os recém-saídos do judaísmo pedem o batismo, hábito arraigado do qual não se livram de pronto. O mesmo sucede em nossos dias com aqueles que aportam ao Espiritismo, trazendo consigo os ritos e preconceitos da religião anterior, da qual vieram. Sobre o batismo, reenviamos nossos leitores às nossas notas já citadas.

Capítulo 39

Pedro Justifica-se Perante a Igreja de Haver Batizado Cornélio

1 – *E ouviram os Apóstolos e os irmãos que estavam na Judeia, que também os gentios haviam recebido a palavra de Deus.*
2 – *E quando Pedro passou a Jerusalém, disputavam contra ele os que eram da circuncisão.*
3 – *Dizendo: Por que entraste tu em casa de homens que não são circuncidados e comeste com eles?*

Posto que convivesse com outros povos, o povo judeu não se misturava com eles, obedecendo aos preceitos rígidos da lei mosaica. Ao chegar o Evangelho, não compreenderam o seu caráter universalista e o quiseram confinar somente a eles. Contra tal tendência luta o Plano Espiritual, revelando por manifestações espirituais simbólicas, mas fáceis de compreender, que ele era mensagem para todas as nações.

4 – *Mas Pedro, tomando as coisas desde o princípio, lhas expunha pela sua ordem, dizendo:*
5 – *Eu estava orando na cidade de Jope e vi em um arrebatamento de espírito uma visão em que, descendo um vaso, como uma grande toalha, sustida pelas quatro pontas, baixava do céu e veio até onde eu estava.*
6 – *Detendo eu nele os olhos, o estava contemplando e vi dentro animais terrestres de quatro pés, e alimárias e répteis e aves do céu.*
7 – *E ouvi também uma voz que me dizia: Levanta-te, Pedro, mata e come.*
8 – *E eu disse: De nenhuma sorte, Senhor, porque nunca na minha boca entrou coisa comum ou imunda.*
9 – *E me respondeu outra vez a voz do céu: O que Deus purificou, tu não chames comum.*
10 – *E isto sucedeu por três vezes e depois todas estas coisas tornaram a recolher-se no céu.*
11 – *E eis que chegaram logo três homens à casa onde eu estava, enviados a mim de Cesareia.*
12 – *E o Espírito me disse que fosse eu com eles, sem pôr a isso alguma dúvida. Estes seis irmãos que vedes, foram também comigo e entramos na casa de certo varão.*
13 – *E nos referiu como tinha visto na casa ao anjo que estava diante dele e que lhe dizia: Envia a Jope, e faze vir a Simão, que tem por sobrenome Pedro.*
14 – *O qual te dirá as palavras pelas quais serás salvo tu e toda tua casa.*
15 – *E como eu tivesse começado a falar, desceu o Espírito Santo sobre eles, assim como descido também tinha sobre nós no princípio.*

16 – *E eu me lembrei então das palavras do Senhor, como ele havia dito: João na verdade batizou em água, mas vós sereis batizados no Espírito Santo.*

Pedro compreendeu muito bem a visão que tivera; expõe aos companheiros de apostolado como os fatos se passaram e por que levara o Evangelho aos incircuncisos, ou seja, aos outros povos.

17 – *Pois se Deus deu àqueles a mesma graça que também a nós, que cremos no Senhor Jesus Cristo, quem era eu, para que me pudesse opor a Deus?*

18 – *Eles, tendo ouvido este arrazoamento, se aquietaram e deram glória a Deus, dizendo: Logo também aos gentios participou Deus o dom da penitência que conduz à vida.*

Diante da evidência, aceitaram o fato, não sem antes agradecer a Deus. O dom da penitência consiste em pautarmos nossas vidas pelo Evangelho, o qual nos conduz à vida, isto é, aos Planos Superiores da Espiritualidade.

O Evangelho É Pregado aos Gentios em Antioquia

19 – *E na verdade aqueles que haviam sido dispersos pela tribulação que tinha acontecido por causa de Estevão, chegaram até Fenícia e Antioquia, não pregando a ninguém a palavra, senão só aos judeus.*

A Espiritualidade Superior sabe tirar proveito dos erros dos homens. Assim os que haviam fugido de Jerusalém pelas perseguições espalharam-se por muitas cidades nas quais semeavam a palavra. É de notar ainda o exclusivismo das pregações, dirigidas apenas aos judeus.

A Fenícia distinguiu-se na Antiguidade como nação navegadora, comerciante e industrial; era uma faixa litorânea, no Mediterrâneo, e se estendia por uns 200 km com uma largura média de 30 km, nas costas da Síria; o solo arável era quase nenhum e por isso seu povo teve de tirar seu sustento da indústria e do comércio, no que foi exímio; Inventou o alfabeto que hoje usamos e que nos veio por meio dos Latinos; suas cidades eram todas à beira-mar, sendo as principais: Biblos, Sidon, Tiro, Trípoli, Arad e Akko. Biblos tornou-se grande centro do comércio do papirus e dos escritos, pelo que os gregos lhe deram esse nome que significa "livro". Em suas andanças na pregação do Evangelho, Jesus esteve em Tiro e Sidon; a Fenícia confinava com a Galileia. Antioquia, da Síria, era considerada, em importância, a terceira cidade do império Romano, vindo logo depois de Roma e de Alexandria; seu sistema de iluminação das ruas foi o único da Antiguidade que chegou ao nosso conhecimento; ponto de encontro de gregos, romanos e semitas, gozava de péssima reputação, por vícios e depravação moral.

20 – *Entre eles havia alguns varões de Chipre e de Cirene, os quais, quando entraram em Antioquia, falavam também aos gregos, anunciando-lhes ao Senhor Jesus.*

Chipre é a maior ilha do Mediterrâneo, com 9.600 km²; Cirene, cidade da Cirenáica, hoje Tripolitânia, ao norte do Mediterrâneo e a Este do Egito. Em Antioquia se pregou o Evangelho aos outros povos pela primeira vez.

21 – E a mão do Senhor era com eles e um grande número de crentes se converteu ao Senhor.

Antioquia oferecia ao Evangelho um ambiente propício: contrastando com o luxo dos poderosos, a sua classe pobre e sofredora era numerosíssima, pois a ela convergia gente de todas as partes em busca de trabalho. Esta abraçava o Evangelho com entusiasmo, encontrando nele uma fonte de consolo e de remédio para seus males.

22 – E chegou a fama destas coisas aos ouvidos da igreja que estava em Jerusalém e enviaram Barnabé a Antioquia.

O serviço do Evangelho prosperava em Antioquia. Era pois natural que os Apóstolos, sediados em Jerusalém, se interessassem pelo movimento antioquiano e mandassem para lá observadores.

23 – O qual, quando lá chegou e viu a graça de Deus, se alegrou; e exortava a todos a perseverar no Senhor pelo propósito de seu coração.

Alegrou-se sobremaneira Barnabé com o que encontrou, e sua exortação a que se mantivessem firmes na nova fé é sempre atual.

O Espiritismo atrai para seu seio um número incalculável de adeptos, dentre os quais se destacam os trabalhadores da grande causa; os pregadores, os médiuns, os doutrinadores, os escritores, os jornalistas e outros mais. É mister que ninguém abandone o seu posto; que perseverem no trabalho em prol da evangelização de quantos lhes batam às portas, por mais adversas que sejam as circunstâncias que tenham de enfrentar.

24 – Porque era varão bom e cheio do Espírito Santo e de fé. E se uniu ao Senhor grande número de gente.

O exemplo atrai irresistivelmente, sendo mesmo o melhor dos pregadores; tanto que se diz: "pregar pelo exemplo". Foi o que Barnabé fez: deu a todos o exemplo de bondade, de vida reta, de firmeza na fé; e assim arrebanhou para Jesus muita gente. Não nos esqueçamos desta lição: os que ocupam postos de responsabilidade no Espiritismo devem pregar com os lábios sim, porém muito mais com o exemplo.

25 – E dali partiu Barnabé para Tarso, em busca de Saulo; e tendo-o achado o levou a Antioquia.

Três anos se passaram desde que os discípulos acompanharam Saulo a Cesareia, embarcando-o para Tarso, onde mergulhou na obscuridade, esperando pacientemente que Jesus o chamasse; e este chamou-o por Barnabé. Depois de sua conversão e iniciado por Ananias nas luzes do Evangelho, Saulo se pôs a pregar em Damasco. Mal recebido pelos judeus que o acoimavam de traidor de Moisés, quase o sacrificaram; sai às escondidas de Damasco e chega a Jerusalém e o recebem com extrema frieza e desconfiança; Barnabé carinhosamente lhe estende as mãos e aplaina as dificuldades, e os Apóstolos o reconhecem como discípulo; o sinédrio o persegue, sendo ele causa de confusão; é então aconselhado pelos companheiros a desaparecer por algum tempo, para que o esquecessem; sua hora chegaria, tivesse paciência.

E Saulo esperou pacientemente.

E sua hora chegou.

A seara crescia em Antioquia, reclamando trabalhadores, sempre mais trabalhadores; de Jerusalém não havia possibilidade de ajuda, dado que lá também eram poucos. E Saulo foi lembrado e Barnabé foi buscá-lo. E Saulo, que ainda guardava no fundo do coração o entusiasmo da primeira hora, não vacilou: aceitou o convite e foi trabalhar.

Em nossa estrada evolutiva, receberemos também o convite para dedicar-nos à seara do Senhor; quando este convite chegar, não o desprezemos; aceitemo-lo, agradeçamo-lo e com amor e entusiasmo entreguemo-nos à tarefa, por mais apagada que ela seja.

26 – *E aqui nesta igreja passaram eles todo um ano, e instruíram uma grande multidão de gente, de maneira que em Antioquia foram primeiro os discípulos denominados cristãos.*

Durante um ano, Barnabé e Saulo trabalham na comunidade de Antioquia; operários do Senhor, atentos ao dever, distribuem luzes espirituais a quantos os procuram. Em Antioquia, por inspiração superior, os seguidores do Evangelho recebem o nome de "CRISTÃOS", pelo qual passam a se identificar. Esse nome, que desde então reboa pelo mundo como um clarim de alerta, representa para nós o mais alto grau de espiritualidade a que podemos aspirar na Terra.

27 – *E por estes dias vieram de Jerusalém a Antioquia uns profetas.*

Os profetas a que o Velho e o Novo Testamento se referem correspondem aos atuais médiuns do Espiritismo. Eram pessoas portadoras de mediunidade que se autodesenvolviam, tornando-se medianeiros entre os Espíritos e os homens. Com o advento da Idade Média e transformando-se o Cristianismo em Catolicismo, a mediunidade foi cruelmente perseguida, extinguindo-se o profetismo e, consequentemente, a comunicação ostensiva entre os dois planos. A Espiritualidade Superior, entretanto, aguardou que a inteligência humana amadurecesse mais para aceitar as verdades novas que viriam a seu tempo. Elas vieram e foram codificadas sob o nome de Espiritismo, ou a Doutrina dos Espíritos. Desde então possuímos normas, orientações seguras para o desenvolvimento da mediunidade. E hoje o profetismo dos tempos bíblicos e apostólicos chama-se mediunidade, e os profetas modernos, médiuns.

28 – *E levantando-se um deles por nome Ágabo, dava a entender, por Espírito, que havia de haver uma grande fome por todo o globo da Terra; esta veio no tempo de Cláudio.*

Eis um caso de comunicação mediúnica; um dos Espíritos presentes à reunião incorpora-se no médium Ágabo e transmite o aviso da fome que viria. As advertências dos Espíritos são comuns; como estão libertos da carne, veem com mais facilidade o desenrolar dos acontecimentos e podem assim prever o futuro. Cláudio, imperador romano, imperou do ano 41 ao 54. A fome aqui profetizada veio terrível no ano 44.

29 – E os discípulos, cada um conforme a possibilidade que tinha, resolveram enviar algum socorro aos irmãos que habitavam na Judeia.
30 – O que eles efetivamente fizeram, enviando-o aos anciães por mãos de Barnabé e de Saulo.

É um exemplo de assistência fraterna. Tão logo sabem das dificuldades com que se defrontariam os irmãos de Jerusalém, cotizam-se cada um segundo suas posses. É um exemplo de caridade e de humildade; de caridade, angariando recursos para os menos afortunados; de humildade, não esperando que se lhes estendam mãos súplices, mas indo espontaneamente ao encontro delas, sem humilhá-las. Por anciãos designavam-se os Apóstolos que tinham convivido com Jesus e que agora estavam à testa dos trabalhos em Jerusalém.

Capítulo 40

Herodes Manda Matar Tiago. Pedro É Livre da Prisão. A Morte de Herodes

1 – E neste mesmo tempo enviou o rei Herodes tropas para maltratar a alguns da igreja.
2 – E matou à espada Tiago, irmão de João.

Herodes, para agradar ao sacerdócio organizado, reativa as perseguições. Uma das vítimas foi Tiago, filho de Zebedeu e irmão de João, para os quais sua mãe pediu a Jesus os lugares de sua esquerda e de sua direita no reino dos céus. Mal sabiam eles então o que lhes importava padecer por amor ao nome de Jesus. Hoje não mais necessitamos sofrer o suplício sangrento; todavia, impõe-se-nos o sacrifício de extinguir, dia a dia, os nossos caprichos por amor ao reino dos céus.

3 – E vendo que agradava aos judeus, fez também prender a Pedro. Eram então os dias dos asmos.
4 – Tendo-o pois feito prender, meteu-o num cárcere, dando-o a guardar a quatro esquadras, cada uma de quatro soldados, com tenção de o apresentar ao povo depois da Páscoa.
5 – E Pedro estava guardado na prisão a bom recado. Entretanto pela igreja se fazia sem cessar oração a Deus por ele.

Era por volta da Páscoa, quando Pedro foi preso; temiam-no por ser ele a figura central do movimento cristão e supunham que, prendendo-o, dariam um golpe de morte a esse movimento. Observemos a fé que havia naqueles corações; ao invés de se lastimarem, entregam-se confiantes à oração, certos de que não lhes faltaria o socorro divino. Quando tudo nos parece abandonar e o desânimo e o desespero tentam apossar-se de nós, confiemo-nos à prece; ela não ficará sem resposta.

6 – Mas quando Herodes estava para o apresentar, nessa mesma noite se achava dormindo Pedro entre dois soldados, ligado com duas cadeias; e os guardas à porta vigiavam o cárcere.
7 – E eis que sobreveio o anjo do Senhor e resplandeceu uma claridade naquela habitação e tocando a Pedro em um lado, o despertou dizendo: Levanta-te depressa. E caíram as cadeias de suas mãos.
8 – E o anjo lhe disse: Toma a tua cinta e calça as tuas sandálias. E fê-lo Pedro assim. E o anjo lhe disse: Põe sobre ti a tua capa e segue-me.

9 – *E saindo, o ia seguindo e não sabia que, o que se fazia por intervenção do anjo era assim na realidade, mas julgava que ele via uma visão.*

10 – *E depois de passarem a primeira e a segunda guarda, chegaram à porta de ferro, que guia para a cidade; a qual se lhes abriu por si mesma. E saindo caminharam juntos o comprimento de uma rua, e logo depois o deixou o anjo.*

De novo a mediunidade de efeitos físicos intervem para salvar Pedro. Por meio dessa mediunidade, os Espíritos podem atuar sobre a matéria e produzir efeitos, tais como: voz direta, deslocamentos de objetos, corporificarem-se, trabalhos manuais, transportes etc. E para isso necessitam dum médium de efeitos físicos, o qual pode não estar ali presente, e sim até bem longe. O Espírito que foi libertar Pedro se utilizou da mediunidade dos discípulos congregados em oração, algum ou alguns dos quais possuíam este tipo de mediunidade, o que lhe facilitou tudo. Tais fenômenos reproduzem-se frequentemente em sessões de estudo da mediunidade.

11 – *Aí então Pedro, entrando em si, disse: Agora é que eu conheço verdadeiramente que mandou o Senhor o seu anjo e me livrou da mão de Herodes, e de tudo o que esperava o povo dos judeus.*

12 – *E considerando nisto, foi ter à casa de Maria, mãe de João, que tem por sobrenome Marcos, onde muitos estavam conjugados e faziam oração.*

13 – *Mas quando ele bateu à porta, foi uma moça chamada Rhode, a que veio ver quem era.*

14 – *E tanto que conheceu a voz de Pedro, com o alvoroço não lhe abriu logo a porta mas, correndo para dentro, foi dar a nova de que Pedro estava à porta.*

15 – *Eles porém lhe disseram: Tu estás louca. Mas ela asseverava que assim era. E eles diziam: Deve ser o seu anjo.*

16 – *Entretanto, Pedro continuava a bater. E depois de lhe terem aberto a porta, então o conheceram e ficaram pasmados.*

17 – *Mas ele, tendo-lhes feito sinal com a mão que se calassem, contou-lhes como o Senhor o havia livrado da prisão e disse-lhes: Fazei saber isto a Tiago e aos irmãos, E tendo saído se foi logo à outra parte.*

Uma vez livre, Pedro reconhece a intervenção divina a seu favor; dirige-se à casa de Maria, mãe de Marcos, o futuro evangelista. Notemos que, se os discípulos não puderam socorrer Pedro materialmente, o fizeram por meio da oração. Pedro, depois de lhes narrar o que houve e tranquilizá-los, abrigou-se em outra parte a fim de evitar nova prisão.

18 – *Mas quando foi dia, houve não pequena turbação entre os soldados, sobre o que tinha sido feito de Pedro.*

19 – *E Herodes, tendo-o feito buscar e não o achando feito exame a respeito dos guardas, os mandou justiçar; e passando de Judeia a Cesareia, deixou-se aqui ficar.*

20 – *Ora Herodes estava irritado contra os de Tiro e de Sidonia, mas estes de comum acordo o foram buscar e com o favor de Blasto, que era seu camarista, pediram paz, porque das terras do rei é que o seu país tirava a subsistência.*
21 – *E um dia assinado, Herodes, vestido em traje real, se assentou no tribunal e lhes fazia uma fala.*
22 – *E o povo o aplaudia dizendo: Isto são vozes de Deus e não de homem.*
23 – *Porém subitamente o feriu o anjo do Senhor, pelo motivo de que não tinha tributado honra a Deus e, comido de bichos, explicou.*

Assistimos aqui à derrocada do orgulho e ao fim das vaidades terrenas. Por mais alto que estejamos situados na vida e na escala social, lembremo-nos de que acima de nós paira um Poder Soberano que, ao julgar oportuno, faz-nos rolar do pedestal em que orgulhosamente nos entronizamos. E a morte de nosso corpo físico finaliza as vaidades com as quais nos comprazíamos.

24 – *Entretanto a palavra do Senhor crescia e se multiplicava.*
25 – *Mas Barnabé e Saulo, tendo concluído o seu ministério, tornaram a sair de Jerusalém, levando consigo a João que tem por sobrenome Marcos.*

Apesar do entrave das trevas, o Evangelho propagava-se incessantemente. E Barnabé e Saulo, tendo entregue os donativos dos irmãos de Antioquia, agora levando consigo a Marcos, retornam a Antioquia.

Capítulo 41

Barnabé e Saulo são Enviados pela Igreja de Antioquia e Pregam em Chipre. Elimas, o Encantador

1 – Havia pois na igreja que era de Antioquia vários profetas e doutores, entre eles Barnabé e Simão, que tinha por apelido o Negro, e Lúcio de Cirene e Manahen, o qual era colaço de Herodes, o tetrarca, e Saulo.

Como sucede nos Centros Espíritas atuais, havia em Antioquia um núcleo de trabalhadores, em torno do qual se movimentavam os trabalhos evangélicos: médiuns, oradores, doutrinadores e outros de boa vontade que atendiam aos serviços. E até um irmão de leite de Herodes, Manahen; por aí vemos a importância que a nova doutrina adquiria.

2 – Ao tempo porém que eles ofereciam o seu sacrifício ao Senhor e jejuavam, disse-lhes o Espírito Santo: Separai-me a Saulo e a Barnabé, para a obra que eu os hei destinado.
3 – Depois que jejuaram e oraram e lhes impuzeram as mãos, os despediram.

O sacrifício que ofereciam ao Senhor era o trabalho na seara a que se dedicavam de corpo e alma. Hoje também, nas sessões espíritas bem orientadas renovam-se os sacrifícios ao Senhor por meio da pregação evangélica, da doutrinação dos Espíritos ignorantes, do passe e da água fluída aos enfermos, do consolo aos aflitos. De certo que os novos discípulos de Jesus já não praticam o jejum material; praticam o jejum espiritual que consiste em se absterem de pensamentos malévolos, de palavras que possam ferir e de atos que prejudiquem alguém.

Estavam eles reunidos nos trabalhos espirituais, quando se manifestou um Espírito por um dos médiuns presentes, o qual cientificou a Saulo e a Barnabé da decisão do Alto a respeito deles; obedeceram, oraram e partiram a desempenhar a missão de que foram incumbidos.

4 – E eles, assim enviados pelo Espírito Santo, foram a Seléucia e dali navegaram até Chipre.

5 – E quando chegaram a Salamina, pregavam a palavra de Deus nas sinagogas dos judeus. Tinham também eles a João no ministério.

Seléucia era o porto de Antioquia no Mediterrâneo e dali navegaram para Salamina, na ilha de Chipre. Obedecendo às inspirações superiores, os missionários pregam a palavra por onde passam. É um passo importante este, porque aqui começa a universalização do Evangelho, o qual, no decorrer dos séculos, abrangerá o mundo inteiro. Ao chegar a uma cidade, procuravam o bairro judeu, onde eram acolhidos: esperavam então o sábado, dia em que se dirigiam à sinagoga. Era costume dar-se a palavra a quem a desejasse, para dirigir aos ouvintes algumas palavras de edificação ou comentar um trecho das Escrituras. Os missionários aproveitavam-se deste costume para expor a doutrina cristã. Jesus também, em muitas ocasiões, assim procedera. E, seguindo estes exemplos, o Espiritismo franqueia sua tribuna aos de boa vontade que desejem ensinar o Evangelho ou a Doutrina Espírita, restabelecendo, desse modo, a simplicidade dos dias apostólicos.

6 – E tendo discorrido por toda a ilha até Pafos, acharam um homem mago, falso profeta, judeu, que tinha por nome Barjesus.

7 – O qual estava com o varão Sérgio Paulo, varão prudente. Este, havendo feito chamar a Barnabé e a Saulo, desejava ouvir a palavra de Deus.

8 – Mas, Elimas, o mago (porque assim se interpreta o seu nome) se lhes opunha, procurando apartar da fé ao proconsul.

Os missionários percorriam a ilha, discorrendo sobre o Evangelho e chegaram a Pafos, capital de Chipre. Ora a ilha estava sob o domínio romano desde o ano 22. Era governada por um proconsul, Sergio Paulo, designado pelo senado romano. É de crer que ele estivesse doente e que chamasse os missionários unicamente pelo interesse da cura; a presença de Barjesus ao pé dele parece confirmar isto. Os judeus gozavam da fama de bons médicos e os romanos doentes se entregavam a eles de boa mente. Ao par de alguns conhecimentos reais, tais curadores apresentavam muita charlatanice e mesmo sabiam servir-se da mediunidade interesseira para explorar os que lhes caíam nas mãos. Daí Barjesus ser dito falso profeta, ou seja, um médium mistificador e interesseiro. Ad perceber que ia ser desmascarado e perder o seu rendoso cliente, Barjesus tenta desacreditar Barnabé e Saulo perante o procônsul.

9 – Porém Saulo, que é também chamado Paulo, cheio do Espírito Santo, fixando nele os olhos,

10 – Disse: Ó cheio de todo o engano e de toda astúcia, filho do diabo, inimigo de toda justiça, tu não deixas de perverter os caminhos retos do Senhor.

11 – Pois agora eis aí está sobre ti a mão do Senhor e serás cego, que não verás o sol até certo tempo. E logo caiu sobre ele uma obscuridade e trevas, e andando à roda, buscava quem lhe desse a mão.

12 – Então o procônsul, quando viu este fato, abraçou a fé, admirando a doutrina do Senhor.

Saulo, movido por inspiração superior, tenta em vão demonstrar a Verdade a Barjesus; todavia, como ele não arredasse pé de seu ponto de vista, Saulo teve de recorrer à energia para dominar os Espíritos trevosos que instigavam Barjesus contra ele e o Evangelho; assim é que o falso médium recebe nos olhos uma carga fluídica, que lhe dá uma momentânea sensação de cegueira.

A formosa pregação de Saulo e a demonstração palpável de um Poder Superior que reduz as trevas ao silêncio levam o procônsul ao Evangelho.

Além do acontecido a Elimas, o mago, e da conversão de Sérgio Paulo ao Cristianismo, dois outros fatos de suma importância ressaltam dos versículos em estudo: a troca do nome de Saulo pelo de Paulo; e as palavras de Paulo desmascarando o médium interesseiro.

Havia entre os que se convertiam ao Cristianismo o costume de receberem um nome novo, sob o qual passavam a viver como cristãos. Saulo, ao se converter, não cogitou disso, servindo a Jesus com o mesmo nome sob o qual o perseguira. Entretanto, como que para marcar o seu primeiro triunfo contra as trevas, Saulo daí por diante passa assinar-se à romana, ou seja, Paulo.

Quanto ao médium interesseiro, aquele que mercadeja com sua mediunidade. Eis o que Allan Kardec nos ensina em seu livro "O Evangelho segundo o Espiritismo", capítulo XXVI: "Deus não vende os benefícios que concede. Como pois um que não é sequer o distribuidor deles, que não lhes pode garantir a obtenção, cobraria um pedido que talvez nenhum resultado produza? Não é possível que Deus subordine um ato de clemência, de bondade ou de justiça, que da sua misericórdia se solicite, a uma soma de dinheiro. A mediunidade é coisa santa, que deve ser praticada santamente, religiosamente. Se há um gênero de mediunidade que requeira essa condição de modo ainda mais absoluto, essa é a mediunidade curadora".

"Jesus e os Apóstolos, ainda que pobres, nada cobravam pelas curas que operavam. Procure, pois, aquele que precisa do que viver, recursos em qualquer parte, menos na mediunidade; não lhe consagre, se assim for preciso, senão o tempo de que materialmente possa dispor. Os Espíritos lhe levarão em conta o devotamento e os sacrifícios, ao passo que se afastam dos que esperam fazer deles uma escada por onde subam."

O Discurso de Paulo na Sinagoga de Antioquia de Pisídia; A Oposição dos Judeus.

13 – E tendo Paulo e os que com ele se achavam, desferrado de Pafos, vieram a Perge, na Panfília. Mas João, apartando-se deles, voltou a Jerusalém.

14 – E eles passando por Perge, vieram a Antioquia da Pisídia; e tendo entrado na sinagoga em dia de sábado, assentaram-se.

15 – E depois da lição da lei e dos profetas, mandaram-lhes dizer os chefes da sinagoga: Varões irmãos, se vós tendes que fazer alguma exortação ao povo, fazei-a.

16 – E levantando-se Paulo e fazendo com a mão sinal de silêncio disse: Varões israelitas e os que temeis a Deus, ouvi:

Deixando a semente do Evangelho plantada em Pafos e por toda a ilha de Chipre, os missionários prosseguem viagem. João Marcos aparta-se deles, voltando a Jerusalém. Passam por Perge, em direção a Antioquia da Pisídia, onde se demoram. Segundo o costume, no sábado comparecem à sinagoga e se assentam nos lugares reservados aos visitantes. Terminada a leitura das Escrituras pelo chefe da sinagoga, ele lhes oferece a palavra; Paulo aceita e levanta-se para falar.

17 – O Deus do povo de Israel escolheu nossos pais e exaltou este povo, sendo eles estrangeiros na terra do Egito, de onde os tirou com o excelso poder do seu braço;
18 – E suportou os costumes deles no deserto por espaço de quarenta anos;
19 – E destruindo sete nações na terra de Canaã, distribuiu entre eles por sorte aquela terra.
20 – Quase que quatrocentos e cinquenta anos depois; e daí em diante lhes deu juízes, até ao profeta Samuel.
21 – E depois pediram rei, e Deus lhes deu a Saul, filho de Cis, varão da terra de Benjamin, por quarenta anos.
22 – E tirando este, lhes levantou um rei a Davi a quem, dando testemunho disse: Achei a Davi, filho de Jessé, homem segundo o meu coração, que fará todas as minhas vontades.
23 – Da linhagem deste, conforme a sua promessa, trouxe Deus a Israel o Salvador Jesus.

O povo hebreu se originou duma pequena tribo nômade, que pastoreava seus rebanhos nos desertos da Arábia; passou depois para as planícies da Síria, ao redor do monte Sinai; a fome levou-o a buscar alimento no Egito, onde ficou e prosperou; mais tarde reduziram-no à escravidão, da qual o livrou Moisés; este o manteve errante no deserto por quarenta anos; apropriou-se em seguida duma região chamada terra de Canaã e a repartiram entre as diversas tribos que o compunham. Evoluindo do pastoreio – que lhe favorecia o nomadismo – para a agricultura – que exige uma vida sedentária – e crescendo as cidades, nomearam-se juízes que o governassem. Tornando-se cada vez mais complexo o governo da nação, já então formada, constitui-se o reinado, cujo primeiro rei foi Saul, escolhido na tribo de Benjamin pelo profeta Samuel. A Saul seguiu-se Davi, de cuja linhagem, segundo as profecias, descenderia Jesus.

24 – Havendo João pregado, antes da sua vinda, o batismo de penitência a todo o povo de Israel,
25 – E João quando acabava a sua carreira, dizia: Não sou eu quem vós cuidais que eu sou, mais eis aí vem após de mim aquele a quem eu não sou digno de desatar o calçado dos pés.

Paulo invoca a autoridade de João Batista que pregara no deserto, às margens do rio Jordão, a vinda do Messias prometido; porque João Batista era respeitado como um verdadeiro profeta, merecendo inteiro crédito as suas palavras.

26 – Varões irmãos, filhos da linhagem de Abraão e os que entre vós temem a Deus, a vós é que foi enviada a palavra desta salvação.

Fiel ainda à recomendação de Jesus: "Ide antes às ovelhas desgarradas da casa de Israel", Paulo se dirige primeiramente aos judeus; não por exclusivismo, mas porque estavam em situação de compreender a mensagem de Jesus. Filhos da linhagem de Abraão, por descenderem de Abraão, o patriarca do povo judeu.

27 – Porque os que habitavam em Jerusalém, e os príncipes dela, não conhecendo a este, nem as vozes dos profetas que cada sábado se leem, sentenciando-o, as cumpriram;
28 – E não achando nele nenhuma causa de morte, fizeram a sua petição a Pilatos para assim lhe tirarem a vida;
29 – E quando tiveram cumprido todas as coisas que dele estavam escritas, tirando-o do madeiro, o puseram no sepulcro.

Apesar das inúmeras advertências e profecias contidas nas Escrituras e que eram lidas todos os sábados nas sinagogas e no Templo, os dirigentes religiosos do povo não aceitaram Jesus como o Messias; sentenciaram-no à morte e combatiam os seus ensinos por ferirem os interesses materiais deles. Tal acontece hoje com o Espiritismo: conquanto – sob todas as evidências – seja ele o Consolador anunciado, as modernas religiões organizadas o repudiam.

30 – Mas Deus o ressuscitou dentre os mortos ao terceiro dia, e foi visto muitos dias por aqueles,
31 – Que tinham vindo juntamente com ele da Galileia a Jerusalém; os quais até agora dão testemunho dele ao povo.

A morte não existe; é simplesmente o ato pelo qual nos libertamos do corpo carnal que nos serve de instrumento durante nossa permanência na Terra; a esse ato damos o nome de morte; passaremos então a viver normalmente nossa vida de Espírito; é a ressurreição gloriosa de que Jesus nos dá o exemplo.

32 – E nós vos anunciamos aquela promessa que foi feita a nossos pais;
33 – Visto Deus a ter cumprido a nossos filhos, ressuscitando Jesus, como também está escrito no salmo segundo: Tu és meu filho, eu te gerei hoje.
34 – E que o haja ressuscitado dentre os mortos, para nunca mais tornar à corrupção, ele o disse desta maneira: Dar-vos-ei pois as coisas santas de Davi firmes.
35 – E por isso é que também diz noutro lugar: Não permitirás que teu santo experimente corrupção.
36 – Porque Davi no seu tempo, havendo servido conforme a vontade de Deus, morreu; e foi sepultado com seus pais e experimentou corrupção.
37 – Porém aquele que Deus ressuscitou dentre os mortos, não experimentou corrupção.

Paulo, conhecedor profundo das Escrituras Sagradas, busca em seus textos as provas de que Jesus era realmente o Salvador esperado. Sabendo que Jesus aparecera a seus discípulos, Paulo deduz que seu corpo não experimentou a corrupção, isto é, a podridão do túmulo.

O Espiritismo nos ensina que nenhum de nós experimentará a corrupção, porque ressurgiremos do sepulcro. O que experimenta a corrupção, o que apodrece, é o corpo carnal.

Desligado do corpo, pelo fenômeno a que chamamos morte, nosso Espírito, que somos nós mesmos, ressurge no mundo espiritual, onde também teremos um corpo, o perispírito. É fazendo com que seu perispírito se torne visível, isto é, se materialize, mediante a mediunidade de efeitos físicos, que Jesus aparece e seus discípulos. Esse fenômeno é comum hoje em dia nas sessões espíritas de materializações. Durante o tempo em que estamos encarnados, nosso perispírito se justapõe perfeitamente ao nosso corpo de carne – do qual é a forma – mantendo-o coeso e vivo, ligando-o átomo por átomo, molécula com molécula. Sobrevindo a morte, nosso perispírito se desliga do nosso corpo carnal átomo por átomo, molécula por molécula, e partiremos para o mundo espiritual, onde a vida continua.

38 – *Seja-vos pois notório, varões irmãos, que por este se vos anuncia a remissão de pecados, e de tudo o que não pudestes ser justificados pela lei de Moisés.*
39 – *Por este é justificado todo aquele que crê.*

Moisés, tendo de legislar para um povo rude e ainda muito próximo da barbárie, teve de instituir leis severas, tal como a do olho por olho e dente por dente, para conter-lhe os ímpetos. Estas leis perpetuavam o ódio entre os indivíduos. Jesus, dirigindo-se a povos mais adiantados, dá-nos a lei do "amai-vos uns aos outros", do perdão irrestrito, que apaga os ódios, evitando assim males futuros.

Justifica-se em Jesus aquele que nele crê, porque não se concebe que quem crê em Jesus não lhe siga os preceitos, expostos em seu Evangelho de luz e de redenção.

40 – *Guardai-vos pois que não venha sobre vós o que foi dito pelos profetas:*
41 – *Vêde, ó desprezadores, e admirai-vos e finai-vos, que eu obro uma obra em vossos dias, uma obra que vós não crereis, se alguém vô-la referir.*

Na verdade, os avisos espirituais sobre a personalidade e a obra de Jesus não faltaram. Os profetas de Israel sempre alertaram a nação a respeito de sua vinda: Isaías falou dele de maneira impressionante; contudo, nem mesmo vendo o que Jesus fazia, lhe deram crédito.

42 – *E quando eles saíam, lhes rogavam que no seguinte sábado lhes falassem estas palavras.*
43 – *E como tivesse sido despedida a sinagoga, muitos dos judeus e prosélitos tementes a Deus, seguiram a Paulo e a Barnabé, os quais com as suas razões os exortavam a que perseverassem na graça de Deus.*

A pregação de Paulo foi de grande êxito. Terminada a reunião, muitos os seguiram, desejosos de ouvir mais a respeito do Evangelho. Os missionários atendem a todos e não deixam escapar a oportunidade de semear a palavra divina.

44 – E no sábado seguinte, concorreu quase toda a cidade a ouvir a palavra de Deus.
45 – Mas vendo os judeus tanta multidão de gente, encheram-se de inveja, e blasfemando contradiziam as razões que por Paulo eram proferidas.

Paulo encontrou naquelas populações gentias excelentes disposições para abraçarem o Evangelho. Havia entre os gentios uma grande inclinação para o monoteísmo. O culto que Paulo pregava – o Evangelho – era simples; não tinha ritos nem formalidades complicadas; por isso atraía mais o gentio do que o judaísmo com a rigidez da lei de Moisés. E como grande número deles agora a trocava pelo Evangelho, daí a inveja e o furor dos judeus contra Paulo. O mesmo acontece atualmente com o Espiritismo: restaurando a simplicidade do Evangelho e libertando a mente humana de dogmas e formalidades exteriores, tem contra si o furor das religiões organizadas que se distanciaram do Evangelho.

46 – Então Paulo e Barnabé lhes disseram resolutamente: Vós éreis os primeiros a quem se devia anunciar a palavra de Deus; mas porque vós a rejeitais, e vos julgais indignos da vida eterna, desde já nos vamos daqui para os gentios.
47 – Porque o Senhor assim nô-lo mandou: Eu te pus para luz das gentes, para que sejas de salvação até a extremidade da Terra.

Por estarem os judeus de há muito preparados para receber o Evangelho, Paulo e Barnabé se dirigem a eles em primeiro lugar. Todavia, os judeus queriam subordiná-lo à lei de Moisés, encerrando-o nos dogmas mosaicos. A resolução dos missionários de irem pregá-lo aos gentios liberta-o dos preconceitos judaicos; desse momento em diante ele se universaliza e o Cristianismo passa a receber em seu seio os povos de toda a Terra.

48 – Os gentios porém, ouvindo isso, se alegraram e glorificaram a palavra do Senhor, e creram todos os que haviam sido predestinados para a vida eterna.
49 – Assim por toda esta terra se disseminava a palavra do Senhor.

Sem mais preocupar-se com os judeus, os missionários se consagram com ardor a pregar o Evangelho aos gentios, que o recebem de coração aberto; e os ensinamentos de Jesus se espalham rapidamente.

50 – Mas os judeus concitaram a algumas mulheres devotas e nobres, e os principais da cidade e excitaram uma perseguição contra Paulo e Barnabé, e os lançaram fora de seu país.
51 – Então Paulo e Barnabé, tendo sacudido contra eles o pó dos seus sapatos, foram para Icônio.
52 – Entretanto estavam os discípulos cheios de gozo e do Espírito Santo.

Os judeus, que exercem larga influência junto às autoridades da cidade, conseguem a expulsão de Paulo e Barnabé. Estes não se agastam; fiéis aos ensinamentos que pregavam, sacodem o pó de suas sandálias e partem cheios de alegria: ali a plantação estava feita, iam semear em outro lugar.

Capítulo 42

O Evangelho É Pregado em Icônio, Listra e Derbe; Sucesso e Perseguição; A Volta a Antioquia

1 – E aconteceu em Icônio que entraram juntos na sinagoga dos judeus, e que ali pregaram, de maneira que uma copiosa multidão de judeus e de gregos se converteu à fé.

2 – Mas os judeus que permaneceram incrédulos concitaram e fizeram irritar os ânimos dos gentios contra seus irmãos.

3 – Por isso se demoraram ali muito tempo, trabalhando com confiança no Senhor, que dava testemunho à palavra da sua graça, concedendo que se fizessem por suas mãos prodígios e milagres.

4 – E se dividiu a multidão da gente da cidade; e assim uns eram pelos judeus, outros porém, pelos Apóstolos.

Fiéis ao costume, chegados que foram, logo no primeiro sábado comparecem à sinagoga a fim de expor o Evangelho. Houve numerosas conversões não só de elementos judaicos, como de gentios. Não faltaram os incrédulos que açularam o povo contra os missionários, os quais, corajosamente, sem se intimidar, ali trabalham por muito tempo. E pela palavra iluminam os corações e pela mediunidade curadora aliviam sofrimentos em nome de Jesus. E como sempre se passa nestas ocasiões, formaram-se dois partidos: um a favor dos pregadores e outro contra eles. O mesmo acontece hoje com o Espiritismo: doutrina missionária é combatida por uns e aceita por outros; mas, firmada no Evangelho, prossegue conquistando os corações de boa vontade.

5 – Mas como se tivesse levantado um motim dos gentios e dos judeus, com os seus chefes, para os ultrajar e apedrejar,

6 – Entendendo-o eles, fugiram para Listra e Derbe, cidade da Licaonia, e para toda aquela comarca em circuito, e ali se achavam pregando o Evangelho.

Compreendendo que a semente divina estava bem plantada em Icônio e vendo acirrarem-se os ânimos contra sua obra, Paulo e Barnabé retiram-se prudentemente da cidade; vão lavrar novas terras.

7 – *Ora em Listra residia um homem leso dos pés, coxo desde o ventre de sua mãe, o qual nunca tinha andado.*

8 – *Este homem ouviu pregar a Paulo. Paulo, pondo nele os olhos e vendo que ele tinha a fé de que seria curado,*

9 – *Disse em voz alta: Levanta-te direito sobre os teus pés. E ele saltou e andava.*

É a confirmação do que disse Jesus a seus discípulos: "Em verdade, em verdade vos digo que aquele que crê em mim, esse fará também as obras que eu faço, e fará outras ainda maiores."

O coxo era um Espírito em expiação: naquele corpo, resgatava os erros do passado; o sofrimento resignado lhe abrira o coração para o amor e despertara-lhe o desejo de viver nobremente. A pregação de Paulo lhe trouxe a fé na bondade divina, dando-lhe condições de receber a cura que almejava. Intuitivamente Paulo compreende tudo isso, o que lhe dá ensejo de curar o coxo em nome de Jesus.

10 – *Os do povo, porém, tendo visto o que fizera Paulo, levantaram a sua voz, dizendo em língua licaônia: Estes são deuses que baixaram a nós em figura de homens.*

11 – *E chamavam a Barnabé Jupiter e a Paulo Mercúrio; porque ele era o que levava a palavra.*

12 – *Também o sacerdote de Jupiter, que estava à entrada da cidade, trazendo para ante as portas touros e grinaldas, queria sacrificar com o povo.*

13 – *Mas os Apóstolos Barnabé e Paulo, quando isto ouviram, tendo rasgado as suas vestiduras, saltaram no meio das gentes clamando,*

14 – *E dizendo: Varões, porque fazeis isto? Nós também somos mortais, e vos pregamos que destas coisas vãs vos convertais ao Deus vivo, que fez o Céu e a Terra e o mar e tudo quanto há neles;*

15 – *O que nos séculos passados permitiu a todos os gentios andar nos seus caminhos.*

16 – *E nunca se deixou por certo a si mesmo sem testemunho, fazendo bem lá no céu, dando chuvas e tempos favoráveis para os frutos, enchendo os nossos corações de mantimento e de alegria.*

17 – *E dizendo isto, apenas puderam apaziguar as gentes, para que não lhes sacrificassem.*

O povo supersticioso e educado nas práticas pagãs, ao presenciar a cura do coxo, viu nos missionários entes sobrenaturais e quis tratá-los como tratava seus deuses.

Admiremos a humildade dos dois apóstolos; indignam-se e imediatamente desfazem o equívoco daquele povo, mostrando-lhe que eram também homens como eles e que não passavam de simples instrumentos da vontade divina. Isto sirva de lição para os médiuns atuais, que não devem envaidecer-se com os frutos de sua mediunidade; não devem dar ouvidos a elogios que lhes cultivem a vaidade; saibam que são simples instrumentos da Espiritualidade e sem o auxílio de Deus nada poderão.

18 – *Então sobrevieram de Antioquia e de Icônio alguns judeus, os quais, tendo ganhado para si a vontade do povo, e apedrejando a Paulo, o trouxeram arrastado fora da cidade, deixando-o por morto.*

19 – Mas rodeando-o os discípulos e levantando-se ele, entrou na cidade. E ao dia seguinte partiu com Barnabé para Derbe.

Jesus lá tinha advertido seus discípulos de que ele os mandava como ovelhas no meio de lobos e que por causa de seu nome seriam presos e açoitados. O Mestre não lhes prometeu facilidades, antes avisou-os das dificuldades com que se defrontariam ao pregar o Evangelho. Tal aconteceria porque vinham reformar o mundo, e a missão dos reformadores é cheia de tropeços e perigos. É o que experimenta hoje o Espiritismo: doutrina reformadora por excelência. Tem contra si o ódio e o escárnio das religiões organizadas, e de quantos não querem sair do comodismo em que vivem.

A intriga dos judeus da sinagoga volta o povo contra os missionários e chegam a lapidar Paulo. Verificando terem firmado o Evangelho naquelas plagas, partem a arar novos campos.

20 – E tendo eles pregado o Evangelho àquela cidade e ensinado a muitos, voltaram para Listra, e Icônio, e Antioquia.

21 – Confirmando o coração dos discípulos e exortando-os a perseverar na fé; e que por muitas tribulações nos é necessário entrar no reino de Deus.

Depois de terem fixado o Evangelho em Derbe, os missionários fazem a viagem de retorno; estimulam os novos discípulos a perseverar nos ensinamentos recebidos, dado que a elevação espiritual de cada um exige muito esforço e muita luta. É o que atualmente o Espiritismo ensina: sem a reforma íntima à luz do Evangelho, em vão tentaremos penetrar nos planos superiores da Espiritualidade.

22 – Por fim, tendo-lhes ordenado em cada igreja seus presbíteros, e feito orações com jejuns, os deixaram encomendados ao Senhor em quem tinham crido.

23 – E atravessando a Pisídia, foram a Panfília.

24 – E anunciando a palavra do Senhor em Perge, desceram a Atália.

25 – E dali navegaram para Antioquia, de onde haviam sido encomendados à graça de Deus para a obra que concluíram.

26 – E havendo chegado, e congregado a igreja, contaram quão grandes coisas havia Deus feito com eles, e como havia aberto a porta da fé aos gentios

27 – E se detiveram com os discípulos não pouco tempo.

Visitando os núcleos já formados, os missionários os reorganizam, escolhendo os mais capazes para dirigi-los. Durante o trajeto de volta, não perdem nenhuma ocasião de pregar por onde passam. E chegando a Antioquia de onde tinham partido, são recebidos com regozijo. E narrando-lhes tudo quanto tinham feito e padecido pelo amor ao Evangelho.

Capítulo 43

A Questão Acerca do Rito Mosaico; A Assembleia de Jerusalém e sua Decisão

1 – E vindo alguns da Judeia, ensinavam assim aos irmãos: Pois se vos não circuncidais segundo o rito de Moisés, não podeis ser salvos.

O rito da circuncisão acompanha o povo judeu desde o tempo do patriarca Abraão, que o instituiu segundo lemos na Bíblia – Gênesis 17, 9-14, Ex. 4,25-26, Josué 5,2-8. "Em sua origem, este costume não tinha nem a generalidade, nem a significação que lhe atribuíram mais tarde. Era uma operação que grande número de tribos semitas praticava e que tinha sua razão fisiológica" (Renan, *História do Povo de Israel*).

Não percebiam que o Evangelho liberta o homem de ritos materiais, só admissíveis na infância da humanidade e, por isso, queriam subordiná-lo à lei de Moisés. Paulo – que pregava o Evangelho essencialmente aos gentios – sabia da repugnância que a circuncisão lhes causava, o que constituía sério embaraço na difusão do Evangelho entre eles; daí o seu empenho em isentá-los de semelhante prática. É de notar-se que tal exigência provinha dos que vinham do mosaísmo, os quais, abraçando o Evangelho, tentavam eivá-lo de cerimônias a que estavam habituados. O mesmo panorama se depara hoje no Espiritismo; recebendo em seu seio adeptos, em sua maioria procedentes de outras religiões, espantam-se de nele não encontrar nenhum ritual, nenhum dogma, nenhum sacramento a que se acostumaram. Raros compreendem que o Espiritismo é uma religião que nos liberta de tudo aquilo e de quaisquer outras práticas exteriores; e que age no fundo de nossa alma pela reforma íntima à qual nos obriga; induz-nos à fé raciocinada e nos faz aceitar o Evangelho como uma norma de vida, um roteiro de renovação, um guia a aperfeiçoar-nos a consciência e o coração.

2 – E tendo-se movido uma disputa não mui pequena de Paulo e Barnabé contra eles, sem os convencer, resolveram que fossem Paulo e Barnabé, e alguns dos outros, aos Apóstolos e aos presbíteros de Jerusalém sobre a questão.

Em questões do Evangelho, os Apóstolos, que haviam convivido com Jesus, representavam a suprema autoridade para resolvê-las. E assim forma-se uma comissão, chefiada por Paulo e Barnabé, para tratar com eles do momentoso assunto da circuncisão.

3 – Eles pois, acompanhados pela igreja, passavam já pela Fenícia e pela Samaria, contando a conversão dos gentios; e davam grande contentamento a todos os irmãos.

A comissão visitava os núcleos cristãos que encontrava no caminho e lhes relatava as numerosas conversões dos gentios; e se rejubilavam todos com a rápida propagação do Evangelho.

4 – E tendo chegado a Jerusalém, foram recebidos pela igreja, e pelos Apóstolos e pelos presbíteros, aos quais eles referiam quão grandes coisas tinha obrado Deus com eles.

5 – Mas levantaram-se alguns da seita dos fariseus que abraçaram a fé, dizendo: É necessário pois que os gentios sejam circuncidados, e mandar-lhes também que observem a lei de Moisés.

Em Jerusalém a comissão se hospeda na instituição mantida pelos Apóstolos, da qual se irradiava o Evangelho para os judeus, assim como de Antioquia ele se difundia entre os gentios. O problema da circunscisão praticamente não existia para o núcleo de Jerusalém, composto de judeus ainda observantes da lei de Moisés; contudo era muito grave para o de Antioquia. Os gentios queriam o Evangelho e nada mais; os judeus exigiam que os que o abraçassem se submetessem também à lei de Moisés; daí as discussões. Paulo compreendeu que o gentio jamais aceitaria o Evangelho vinculado à lei de Moisés; por isso resolve trabalhar pela independência do Evangelho. Do mesmo modo, devemos hoje lutar pela pureza do Espiritismo, não permitindo que ele se eive de vícios, dogmas, sacramentos, práticas exteriores, superstições e coisas quejandas, provenham de onde provierem.

6 – Congregaram-se pois os Apóstolos e os presbíteros para examinar este ponto.

Era a reunião ardentemente desejada por Paulo e por ele provocada; nela se jogaria o destino do Evangelho: dela sairia ele independente ou se converteria numa simples seita mosaica? É o que veremos a seguir.

7 – E depois de se fazer sobre ele um grande exame, levantando-se Pedro, lhes disse: Varões irmãos, vós sabeis que desde os primeiros dias ordenou Deus entre nós que da minha boca ouvissem os gentios a palavra do Evangelho, e que cressem.

Examinaram detida e meticulosamente o ponto controverso. Pedro representava o bom senso naquela assembleia; sem se deixar envolver por uma ou outra opinião, citou suas próprias experiências, quando foi enviado ao centurião Cornélio.

8 – E Deus, que conhece os corações, se declarou por eles, dando-lhes o Espírito Santo, assim como também a nós.

9 – E não fez diferença alguma entre nós e eles, purificando com a fé os seus corações.

Pedro notara a satisfação íntima com que os gentios recebiam o Evangelho; e, com seu senso prático, reconheceu que ele tinha mais receptividade nos povos não judaicos, por se acharem livres dos dogmas e preconceitos do judaísmo.

10 – Logo porque tentais agora a Deus, pondo um jugo sobre a cerviz dos discípulos, que nem nossos pais, nem nós pudemos suportar?

De fato, o mosaísmo lhes impunha cerimônias exteriores tão pesadas, que acabavam na hipocrisia. Isto levou Jesus a chamá-los de túmulos caiados, belos por fora mas imundos por dentro.

11 – Mas nós cremos que pela graça do Senhor Jesus Cristo somos salvos, assim como eles também o foram.

Todos quantos fizerem do Evangelho o roteiro de suas vidas serão salvos, ou seja, sairão do círculo das reencarnações dolorosas, caminhando para realizações superiores. Esta é a graça que Jesus estende a todos os seus aprendizes.

12 – Então toda a assembleia se calou e escutava Barnabé e a Paulo, que lhes contavam quão grandes milagres e prodígios fizera Deus por intervenção deles aos gentios.

O povo hebreu – que se dizia o povo escolhido – julgava que só com ele o Altíssimo se comprazia, desprezando os outros. O relato de Barnabé e Paulo lhes demonstrou que o Pai cuida de todos os seus filhos, pertençam a que raça pertencerem. E hoje o Espiritismo nos revela a estreita solidariedade que há entre os povos, constituindo a humanidade uma única e imensa família.

13 – E depois que eles se calaram, entrou a falar Tiago, dizendo: Varões irmãos, ouvi-me:
14 – Simão tem contado como Deus primeiro visitou os gentios, para tomar deles um povo para o seu nome.

É relembrado aqui o episódio do centurião Cornélio, ao qual Pedro fora enviado e se convertera a si e a toda sua família e servos. Tomar do gentio um povo, isto é, fazê-lo conhecer o Deus único, o Pai Altíssimo, e seguir-lhe as leis sábias e justas.

15 – E com isto concordam as palavras dos profetas, como está escrito:
16 – Depois disto eu voltarei, e edificarei de novo o tabernáculo de Davi, que caiu; e repararei as suas ruínas e o levantarei;
17 – Para que o resto dos homens busquem a Deus, e todas as gentes, sobre as quais tem sido invocado o meu nome, diz o Senhor, que faz estas coisas.
18 – Pelo Senhor é conhecida a sua obra desde a eternidade.

Através das páginas do Velho Testamento abundam as profecias sobre a vinda de Jesus, e de seu Evangelho, sob o qual se confraternizariam todos os homens, edificando então o universal e verdadeiro templo de Deus, o Pai Altíssimo. A profecia que

Tiago cita é do profeta Amós, que vivera cerca de 750 anos a.C. Profeta universalista, Amós pregava que Deus cuida de todas as nações, e não somente de Israel, e que todas estão sujeitas ao julgamento, como obra sua que são. E o Espiritismo, hoje, propagando-se pelo mundo inteiro, apressa ainda mais a universalização do Evangelho e a consequente união dos povos.

19 – Pelo que julgo eu que se não devem inquietar os que dentre os gentios se convertam a Deus,
20 – Mas que se lhes deve somente escrever que se abstenham das contaminações dos ídolos, e da fornicação, e das carnes sufocadas e do sangue.
21 – Porque Moisés, desde tempos antigos, tem em cada cidade homens que o preguem nas sinagogas, onde é lido cada sábado.

A formalidade da circuncisão era inquietante para os gentios. Liberto da circuncisão, o Evangelho se tornaria universal por apartar-se definitivamente do judaísmo. Todavia, posto que abrissem mão da circuncisão para o gentio que se convertia, mesmo assim deliberam que os novos conversos observem quatro preceitos mosaicos:
1º – absterem-se das contaminações dos ídolos;
2º – absterem-se da fornicação;
3º – absterem-se das carnes sufocadas;
4º – absterem-se do sangue.

Absterem-se das contaminações dos ídolos: Como os deuses do paganismo eram representados por estátuas ou ídolos, deveriam não mais prestar-lhes culto e passariam a adorar o Deus único, segundo o preceito: "Não terás deuses estrangeiros diante de mim. Não farás para ti imagem de escultura, nem figura alguma de tudo o que há em cima no céu, e do que há embaixo na terra, nem de coisa que haja nas águas debaixo da terra. Não fareis para vós nem deuses de prata, nem deuses de ouro".

Absterem-se da fornicação: Não serem luxuriosos e guardarem a pureza dos costumes.

Absterem-se das carnes sufocadas: As carnes sufocadas eram provenientes dos animais sacrificados aos ídolos e depois vendidas ou distribuídas ao povo. Como os animais eram estrangulados, o sangue deles não escorria de seus corpos; por isso a lei mosaica proibia o consumo dessa carne que continha sangue.

Absterem-se do sangue: O Levítico, 3:17, prescreve: "Por um foro perpétuo em todas as vossas gerações e moradas, nunca jamais comereis sangue, nem gordura".

Tais eram os preceitos que a assembleia, por boca de Tiago, impunha ao gentio convertido. O principal obstáculo – a circuncisão – fora removido. Quanto à idolatria e à luxúria, sendo atos detestáveis para a vida de cada um, as pessoas bem formadas os evitariam; e quanto à carne e ao sangue, o que importava era não cometerem excessos.

22 – Então pareceu bem aos Apóstolos e aos presbíteros, com toda a igreja, eleger varões dentre eles, e enviá-los a Antioquia com Paulo e Barnabé; enviando a Judas, que tinha o sobrenome de Barsabás, e a Silas, varões principais entre os irmãos.

Uma vez as questões resolvidas satisfatoriamente, Paulo e Barnabé voltam a Antioquia; em sua companhia seguem Barsabás e Silas, os quais testemunhariam perante os novos conversos as resoluções tomadas.

23 – Escrevendo-lhes por mão deles assim: Os Apóstolos e os presbíteros irmãos àqueles irmãos convertidos dos gentios que se acham em Antioquia, e na Síria, e na Cilícia, saúde.

24 – Porquanto havemos ouvido que alguns têm saído de vós, transtornando os vossos corações, vos têm perturbado com palavras sem lhes termos mandado tal;

25 – Aprouve-nos a nós, congregados em concílio, escolher varões, e enviá-los a vós com os nossos mui amados Barnabé e Paulo,

26 – Que são uns homens que têm exposto as suas vidas pelo nome de Nosso Senhor Jesus Cristo.

27 – Enviamos portanto a Judas e a Silas, que até de palavras eles vos exporão as mesmas coisas.

28 – Porque pareceu bem ao Espírito Santo, e a nós, não vos impor mais encargos do que os necessários que são estes;

29 – A saber: que vos abstenhais do que tiver sido sacrificado aos ídolos, e do sangue, e das carnes sufocadas, e da fornicação, das quais coisas fareis bem de vos guardar. Deus seja convosco.

Esta carta é de suma importância; ela é a certidão de nascimento do Cristianismo que, de uma seita obscura do judaísmo, passa a ser uma religião universal. Paulo, defendendo seus amados gentios, vencera todos os preconceitos, e ritos e sacramentos, e cerimonias exteriores; e erguia em suas mãos, bem alto, o Evangelho em toda sua pureza, para oferecê-lo ao mundo.

30 – Eles, enviados assim, foram a Antioquia; e havendo congregado a multidão dos fiéis entregaram a carta;

31 – A qual, tendo eles lido, se encheram de contentamento pela consolação que lhes causou.

32 – E Judas e Silas, como também profetas que eram, consolaram com muitas palavras aos irmãos, e os confirmaram na fé.

A decisão dos Apóstolos de Jerusalém causa-lhes grande contentamento. E os Espíritos, pela mediunidade de Barsabás e Silas, exortam a todos a que permaneçam fiéis ao bom trabalho.

33 – E tendo-se demorado ali por algum tempo, foram remetidos em paz, pelos irmãos, aos que lhos tinham enviado.

34 – A Silas, contudo, pareceu bem ficar ali, e Judas foi só para Jerusalém.

35 – E Paulo e Barnabé se demoraram em Antioquia, ensinando e pregando com outros muitos a palavra do Senhor.

Terminada a missão que lhes fora designada, Silas e Judas ficam livres para retornarem a Jerusalém; porém só Barsabás voltou, ficando Silas para ajudá-los. Paulo e Barnabé aproveitam alguns dias para merecido descanso, pregar o Evangelho com os companheiros e pôr em ordem as coisas daquela comunidade cristã.

Separação entre Paulo e Barnabé

36 – *E dali a alguns dias, disse Paulo a Barnabé: Tornemos a ir visitar os irmãos por todas as cidades em que temos pregado a palavra do Senhor, para ver como se portam.*

A questão da circuncisão não abalara apenas a comunidade de Antioquia; ela se fazia sentir em outras comunidades cristãs e também nas que Paulo e Barnabé tinham fundado. Era justo, por conseguinte, que, agora que ela tinha sido resolvida a contento, todas fossem avisadas da grande resolução. E para isso era preciso ir a elas, já que não se gozava naquela época das facilidades de comunicação de que gozamos hoje.

37 – *E Barnabé queria também levar consigo João, que tinha por sobrenome Marcos.*
38 – *Mas Paulo lhe rogava, tendo por justo que (pois se havia separado deles desde Panfília, e não havia ido com eles à obra) não devia ser admitido.*
39 – *E houve tal desavença entre eles, que se separaram um do outro, e assim Barnabé, levando consigo a Marcos, navegou para Chipre.*

A recusa de Paulo em levar João Marcos fundamenta-se em não o julgar ainda amadurecido para semelhante empreendimento. João Marcos era muito jovem; encontrariam pela frente perseguições, prisões, açoites, como da primeira vez; e Marcos recuaria novamente, comprometendo-lhes a semeadura; não convinha arriscar. Todavia Paulo remedeia a situação, enviando Barnabé e João Marcos para Chipre, onde inspecionariam as comunidades cristãs ali fundadas e lhes dariam conta da resolução dos Apóstolos de Jerusalém, no tocante à circuncisão.

Paulo Empreende uma Segunda Viagem Missionária na Companhia de Silas e Timóteo.

40 – *E Paulo, tendo escolhido a Silas, partiu, encomendado pelos irmãos à graça de Deus.*
41 – *E andava pela Síria e pela Cilícia, confirmando as igrejas, ordenando-lhes que guardassem os cânones dos Apóstolos e dos presbíteros.*

Em sua segunda viagem missionária, Paulo alarga o seu campo de ação, reorganizando os grupos já fundados e pregando também em outras paragens. A todos Paulo levava a decisão dos Apóstolos de Jerusalém quanto à circuncisão e aos demais itens.

Capítulo 44

1 – E chegou a Derbe e a Listra. E eis que havia ali um discípulo por nome Timóteo, filho de uma mulher fiel de Judeia, de pai gentio.
2 – Deste davam bom testemunho os irmãos que estavam em Listra e em Icônio.

Paulo revê os núcleos de Derbe e de Listra, fundados em sua primeira viagem missionária; nestas cidades conquistaram grande número de adeptos e sofreram duras provas e perseguições; encontram ali Timóteo, filho de mãe israelita e de pai grego. Timóteo e sua mãe converteram-se ao Evangelho, na primeira visita de Paulo, e encarregaram-se de cuidar do núcleo criado. Pelo seu zelo para com o Evangelho, Timóteo era benquisto da comunidade cristã, realizando fecundo trabalho naquelas paragens.

3 – Quis Paulo que este fosse em sua companhia, e tomando-o, o circuncidou, por causa dos judeus que havia naqueles lugares, porque todos sabiam que seu pai era gentio.

Como as pregações de Paulo eram feitas nas sinagogas dos Judeus, Paulo submete Timóteo à circuncisão, para evitas discussões e querelas. Daqui por diante, Timóteo será um dos principais auxiliares de Paulo nos seus labores apostólicos.

4 – E quando passavam pelas cidades lhes ensinavam que guardassem os decretos que haviam sido estabelecidos pelos Apóstolos e pelos presbíteros que estavam em Jerusalém.
5 – E com efeito as igrejas eram confirmadas na fé e cresciam em número cada dia.

Por onde passavam, reorganizavam os grupos existentes e os cientificavam das decisões dos Apóstolos de Jerusalém, recomendado-lhes irrestrita obediência a elas.

6 – E atravessando a Frígia e a província da Galácia, foram proibidos pelo Espírito Santo de anunciarem a palavra de Deus na Ásia.
7 – E tendo chegado à Mísia, intentaram passar a Bitínia; mas o Espírito de Jesus lho não permitiu.
8 – E depois de haverem atravessado a Mísia, baixaram a Trôade.

Ao buscar novos campos para semear o Evangelho, Paulo percebe intuitivamente quais as cidades a evitar e a quais se dirigir; é o Plano Espiritual que o guia, por meio de sua mediunidade, encaminhando-o aos lugares onde mais profícua seria sua ação. Do mesmo modo hoje, se bem souberem ver, os trabalhadores do Espiritismo perceberão que sempre situam-se onde mais se tornem necessários.

A Visão em Trôade. Paulo Passa à Macedônia e Prega em Filipos. Lídia. A Pitonisa. O Carcereiro de Filipos.

9 – *E de noite foi representada a Paulo esta visão: Achava-se ali em pé um homem macedônio que lhe rogava e dizia: Tu, passando a Macedônia, ajuda-nos.*

10 – *E assim que teve esta visão, procuramos partir para Macedônia, certificados de que Deus nos chamava a ir pregar-lhes o Evangelho.*

11 – *Tendo-nos pois embarcado em Trôade, viemos em direitura a Samotrácia, e ao outro dia a Nápoles.*

12 – *E daí a Filipos, que é uma colônia e cidade principal daquela parte da Macedônia. E nesta cidade nos detivemos alguns dias conferindo.*

Por um Espírito que se lhe torna visível, Paulo é chamado à Macedônia; compreendendo os desígnios divinos, parte para lá imediatamente. E como Fllipos era a cidade principal daquela região, os missionários começam por ela seus trabalhos evangélicos. É de notar-se que pela primeira vez o Evangelho é pregado em terras da Europa.

Aqui a narrativa muda; Lucas emprega o pronome "nós" demonstrando assim que em Trôade ele se junta a Paulo. Do capítulo 1 ao 15, Lucas escreve baseado nos relatos que lhe fornecem; escreve o que ouve das testemunhas que presenciaram os fatos; do capítulo 16 em diante narra os acontecimentos que vê, dos quais participa; vive enfim o que descreve; a narrativa torna-se mais vívida, mais expressiva; e, cronologicamente falando, é mais precisa. E Lucas não o deixa mais até sua prisão em Roma.

13 – *E um dia dos sábados saímos fora da porta junto ao rio, onde parecia que se fazia oração; e assentando-nos ali, falavamos às mulheres que haviam concorrido.*

Em Filipos não havia sinagoga; parece que a colônia judaica era pequena e pobre, não comportando a feitura de uma. Paulo soube que à margem do rio que banhava a cidade havia um local ao ar livre, frequentado provavelmente por lavadeiras, onde costumavam reunir-se para suas orações. Nesse ambiente bucólico, livre de toda e qualquer pompa, acompanhado pelo suave murmúrio das águas, Paulo transmite a seus humildes ouvintes a sublime mensagem de Jesus.

14 – *E uma mulher por nome Lídia, da cidade dos tiatirenos, que comerciava em púrpura, serva de Deus, ouviu; o Senhor lhe abriu o coração, para atender àquelas coisas que por Paulo eram ditas.*

15 – *E tendo sido batizada ela e sua família, fez esta deprecação dizendo: Se haveis feito juízo de que sou fiel ao Senhor, entrai em minha casa e pousai nela. E nos obrigou a isso.*

Em suas viagens missionárias, Paulo sempre encontrava, nas cidades onde pregava, ouvintes que sobressaíam aos outros em interesse pelas coisas espirituais; e aproveitava-os habilmente para com eles fundar núcleos de irradiação do Evangelho. Aqui vemos Lídia, a comerciante de púrpura, provendo os meios de se instalar em Filipos um grupo cristão; e, ante seu pedido, os missionários se hospedam em sua casa.

16 – *E aconteceu pois que, indo nós à oração, nos encontrou uma moça que tinha o espírito de Píton, a qual com suas adivinhações dava muito lucro a seus amos.*

É a exploração da mediunidade. Vemos aqui um médium colocando sua mediunidade a serviço de Espíritos inferiores, que se compraziam em responder às consultas de interesses puramente materiais, mediante pagamento. Tais médiuns, naquela época, eram denominados pitonisas, por acreditarem os antigos que era o Espírito de Píton, uma serpente mitológica que dava as respostas. Chamavam também de pitons aos Espíritos que se comunicavam pela pitonisa.

17 – *Esta, seguindo a Paulo e a nós, gritava dizendo: Estes homens são servos do Deus Excelso, que vos anunciam o caminho da salvação.*
18 – *E isto fazia muitos dias. Mas Paulo indignando-se já, e tendo-se voltado para ela, disse: Eu te mando em nome de Jesus que saias desta mulher. E ele na mesma hora saiu.*

Espíritos inferiores que eram, e mesmo maldosos, procuram desenvolver a presunção no coração dos missionários, prodigalizando-lhes elogios. Paulo, porém, não se engana; ciente de sua própria inferioridade em relação ao título que o Espírito lhe outorga pela boca da pitonisa, indigna-se e com sua superioridade moral manda que o Espírito se retire, promovendo assim a cura daquela obsidiada. Este exemplo de Paulo deve sempre ser imitado pelos médiuns atuais. É comum nas sessões espíritas comparecerem Espíritos inferiores tributando altos louvores aos médiuns e aos dirigentes das sessões; tentam despertar-lhes a vaidade para levá-los ao fracasso; devem ser energicamente repelidos e colocados em seus devidos lugares.

19 – *E vendo seus amos que se lhes tinha acabado a esperança do seu lucro, pegando em Paulo e em Silas, os levaram à praça, aos do governo.*

A atitude de Paulo foi de encontro aos interesses dos amos da pitonisa — diremos melhor dos donos dela, porque era uma escrava — cuja mediunidade lhes constituía excelente fonte de renda; e com a expulsão dos obsessores que se serviam dela, já não ganhariam dinheiro; procuram então se vingar dos missionários, acusando-os perante as autoridades.

A respeito da exploração da mediunidade, vale transcrever aqui um comentário de Léon Denis, de seu livro *No Invisível*, 4ª edição, FEB, 1939, pp. 400 e seguintes: "Para conservar seu prestígio moral, para produzir frutos de verdade, deve a mediunidade ser praticada com elevação e desprendimento, sem o que se torna uma fonte de abusos, instrumento de contradição e desordem, do que se utilizarão as entidades malfazejas. O médium venal é como o mau sacerdote, que introduz no santuário suas paixões egoísticas e seus interesses materiais. A comparação não é destituída de propriedade, porque também a mediunidade é uma espécie de sacerdócio. Todo ser humano distinguido com esse dom deve preparar-se para fazer sacrifício de seu repouso, de seus interesses e mesmo de sua felicidade terrestre; mas, assim procedendo, obterá a satisfação de sua própria consciência e se aproximará de seus guias espirituais.

"Mercadejar com a mediunidade é dispor de uma coisa de que não se é dono; é abusar da boa vontade dos mortos, pô-los ao serviço de uma obra indigna deles e desviar o Espiritismo de seu fim providencial. É preferível para o médium procurar noutra parte os meios de subsistência e só consagrar às sessões o tempo que lhe ficar disponível. Com isso ganhará estima e consideração."

20 – E apresentando-se aos magistrados disseram: Estes homens amotinam a nossa cidade, porque são judeus.

21 – E pregam um modo de vida que a nós não é lícito receber nem praticar, sendo romanos.

Nenhuma acusação foram capazes de produzir aos magistrados contra Paulo e Silas, além de que eram judeus e pregavam um gênero de vida diferente do seguido pelos romanos. Realmente os costumes romanos diferiam grandemente dos de outros povos. Os judeus, educados sob a lei de Moisés, mantinham uma vida pura, moralizada, que contrastava de muito com a vida quase que licenciosa dos povos seguidores do paganismo. E aos romanos, cuja economia se assentava na pilhagem e na escravatura, era odioso ouvir falar de humildade e de amor ao próximo, o que era pregado pelos missionários.

22 – E acudiu o povo, pondo-se contra eles; e os magistrados, rasgados os vestidos deles, mandaram que fossem açoitados com varas.

23 – E depois de muito bem os terem fustigado, os meteram numa prisão, mandando ao carcereiro que os tivesse a bom recado.

24 – Ele, tendo recebido uma ordem tal como essa, os meteu em um segredo, e lhes apertou os pés no cepo.

Jesus, o Mestre Inolvidável, não prometeu facilidades nenhumas a seus discípulos; disse-lhes que a paga que teriam do mundo em troca de seus trabalhos evangélicos seria açoites, prisões, lágrimas, suores, canseiras e incompreensão até o completo triunfo do Evangelho em todos os corações. Por isso o trabalhador do Evangelho precisa armar-se de muita paciência para não se desesperar e para que seu trabalho seja proveitoso.

25 – Mas à meia-noite, postos em oração Paulo e Silas, louvavam a Deus; e os que estavam na prisão os ouviam.

Exemplo de fé. É nas horas amargas de nossa vida que devemos apegar-nos ao Altíssimo, ao nosso Pai Celestial, pois só ele será capaz de mitigar nossos sofrimentos, de derramar em nossas feridas o bálsamo consolador da esperança. Paulo e Silas, feridos pelas varadas, no fundo de escuro calabouço, com os pés metidos no tronco, nem por isso se desesperam, nem por isso maldizem a sorte, mas entoam um cântico de louvores a Deus.

26 – E subitamente se sentiu um terremoto tão grande, que se moveram os fundamentos do cárcere. E se abriram logo todas as portas e foram soltas as prisões de todos.

E o Pai não os deixou sem resposta; não os desamparou; libertou-os, proporcionando-lhes mais uma oportunidade de dar o testemunho de bons trabalhadores.

Nossas rogativas ao Pai jamais ficam sem resposta; se não atendidas de modo tão ostensivo como acabamos de ver, brando conforto se apossa de nós fortificando-nos para bem suportarmos nossas provas e expiações.

Mais uma vez a mediunidade vem em socorro dos missionários. O fenômeno acima descrito pertence à mediunidade de efeitos físicos, muito bem explicado pelo Espiritismo em sua parte científica.

27 – Tendo pois despertado o carcereiro, e vendo abertas as portas do cárcere, tirando da espada queria matar-se, cuidando que eram fugidos os presos.
28 – Mas Paulo lhe bradou mui de rijo, dizendo: Não te faças nenhum mal, porque todos aqui estamos.

O primeiro ímpeto do carcereiro ao ver abertas as portas da prisão foi de matar-se, temeroso das consequências funestas que lhe adviriam da fuga dos presos. Todavia, sensibilizados pelas palavras de Paulo que lhes pregava o Evangelho, os encarcerados nem sequer tentaram a fuga. Paulo, pressentindo o desespero do carcereiro, apressa-se a tranquilizá-lo.

29 – Então, tendo pedido luz, entrou dentro; e todo tremendo se lançou aos pés de Paulo e de Silas;
30 – E tirando-os para fora, disse-lhes: Senhores, que é necessário que eu faça para me salvar?
31 – E eles lhe disseram: Crê no Senhor Jesus e serás salvo tu e a tua família.
32 – E lhe pregaram a palavra do Senhor e a todos os que estavam em sua casa.

É fora de dúvida que o carcereiro estava a par dos acontecimentos que culminaram com a prisão dos missionários; e lembrando-se de suas pregações e dos atos por eles praticados, e agora com as portas da prisão abertas sem ele saber como, uma vez que as chaves delas pendiam de sua cintura, apodera-se dele o temor e reconhece neles seres superiores. E como ensinavam o caminho da salvação, o Evangelho, nada mais simples para ele do que se lhes lançar aos pés e fazer-lhes a pergunta; e Paulo lhe responde que era crer em Jesus e seguir-lhe os ensinamentos.

33 – E tomando-os naquela mesma hora da noite, lhes lavou as chagas; e imediatamente foi batizado ele e toda a sua família.
34 – E havendo-os levado à sua casa, lhes pôs a mesa e se alegrou com todos os de sua casa, crendo em Deus

Somente um ânimo muito forte como o de Paulo e Silas poderia suportar o desconforto daquela noite; tiveram suas roupas rasgadas, foram açoitados, feridos, presos numa masmorra infecta, sem luz, com as pernas apertadas num tronco, famintos, sujos e sangrando, estirados no lajedo frio e úmido, as dores a martirizá-los, ainda assim não se desesperam. E por fim veio a resposta a suas preces; e são tratados pelo carcereiro em cujo lar depositam a semente do Evangelho e a crença no Pai Único, Criador de todas as coisas.

35 – *E quando foi dia, lhes mandaram dizer os magistrados pelos litores: Deixa ir livres esses homens.*

36 – *E o carcereiro fez aviso desta ordem a Paulo: Já os magistrados mandaram que sejais postos em liberdade; agora pois, saindo daqui, ide em paz.*

37 – *Então Paulo lhes disse: Açoitados publicamente sem forma de juízo, sendo romanos, nos meteram no cárcere e agora nos lançam fora em segredo? Não será assim; mas venham,*

38 – *E tirem-nos eles mesmos. E os litores deram parte destas palavras aos magistrados. E estes temeram, quando ouviram que eram romanos;*

39 – *E vindo lhes pediram perdão e, tirando-os, lhes rogavam que saíssem da cidade.*

Durante todo seu apostolado, Paulo evita invocar sua qualidade de cidadão romano para defender-se: talvez agisse assim para não exacerbar ainda mais os ânimos de seus ouvintes judeus, para os quais tudo o que se relacionasse com Roma lhes era particularmente odioso. Como os romanos eram temidos e respeitados em toda parte, é possível que aqui em Filipos, recorrendo à sua cidadania romana, Paulo quisesse proteger e fazer respeitada a igreja nascente em casa de Lídia, como tendo sido um romano e não um judeu quem a fundou.

A cidadania romana conferia a seu possuidor grandes regalias, tanto assim que os magistrados compareceram prontamente ao chamado de Paulo, logo que o souberam um cidadão romano; e pedem-lhe perdão pelo que o fizeram sofrer. Hoje não sabemos exatamente em que consistia cada uma das leis que protegia o cidadão romano e quais os direitos que essas leis lhe conferiam. O que é certo é que nenhum cidadão podia ser açoitado ou supliciado, ou sofrer a pena de morte, sem ter a possibilidade, em último recurso, de apelar para o povo romano. A pena de morte na cruz jamais lhe podia ser aplicada. O direito de apelo ao povo romano foi confirmado desde o ano 509 a.C. pela lei Valéria; no ano 199 a.C., o tribuno P. Porcius Laeca reforçou-o e deu-lhe maior amplitude pela lei Porcia; em seguida, C. Gracchus pelas leis Simpronias. Os magistrados de Filipos, ao açoitarem e prenderem Paulo no tronco, violam todas essas leis, o que lhes acarretava severa punição por parte de Roma; daí o temor que se apossa deles.

40 – *Saindo pois do cárcere, entraram em casa de Lídia; e como viram os irmãos, os consolaram e logo partiram.*

Tão logo se veem livres, dirigem-se à casa de Lídia; tranquilizam-na, planificam os trabalhos evangélicos que ali se desenvolveriam e partem em seguida.

Capítulo 45

Paulo em Tessalônica e em Bereia

1 – *E tendo passado por Anfípolis e Apolônia, chegaram a Tessalônica, onde havia uma sinagoga de judeus.*

2 – *E Paulo entrou a eles, segundo o seu costume, e por três sábados disputou com eles sobre as Escrituras,*

3 – *Declarando e mostrando que havia sido necessário que Cristo padecesse e ressurgisse dos mortos; e este, dizia, é o Jesus Cristo que eu vos anuncio.*

4 – *E alguns deles creram e se agregaram a Paulo e a Silas, como também uma grande multidão de prosélitos e de gentios e não poucas mulheres de qualidade.*

Certamente, ao passarem por Anfípolis e Apolônia, os missionários não deixaram de pregar o Evangelho às populações daquelas aldeias, bem como às de outras que encontraram pelo caminho. Entretanto, como em Tessalônica havia uma sinagoga, Paulo fez dessa cidade o centro de suas pregações naquela região.

A disputa sobre as Escrituras consistia em analisarem os cinco livros de Moisés: o Gênesis, o Êxodo, o Levítico, o Números e o Deuteronômio, estudando-lhes as passagens que profetizavam sobre Jesus e comparando-as com anotações evangélicas que Paulo possuía. Diante da lógica que os fatos demonstravam, houve os que se convenceram e aceitaram o Evangelho. E bom número dentre o povo, tomando conhecimento duma doutrina que lhe dava forças para enfrentar a vida áspera de todos os dias, aderiu facilmente aos missionários.

5 – *Porém os judeus, levados de zelo, e fazendo seus alguns da escória do vulgo, maus homens, com esta gente junta amotinaram a cidade; e bloqueando a casa de Jason, procuravam apresentá-los ao povo.*

6 – *E como os não tivessem achado, trouxeram por força a Jason e a alguns irmãos à presença dos magistrados da cidade, dizendo a gritos: Estes são pois os que amotinam a cidade, e vieram a ela,*

7 – *Aos quais recolheu Jason, e eles todos são rebeldes aos decretos de Cesar, sustentando que há outro rei que é Jesus.*

8 – *E amotinaram o povo e os principais da cidade ao ouvirem estas coisas.*

9 – *Mas depois que Jason e os outros deram caução, os deixaram ir.*

Contudo, não durou muito a paz de que os missionários gozavam. A intolerância religiosa a serviço das trevas, que sempre tentou cercear o pensamento humano e apagar as luzes da Espiritualidade Superior, novamente procura anular a obra de Paulo; para isso vale-se de marginais, que sempre há deles em qualquer parte, os quais desencadearam motins, cujo alvo seria a expulsão deles da cidade. Jason, a exemplo de Lídia, os hospedara em sua casa; e como no momento do ataque à sua casa não os encontrassem, ele e alguns companheiros sofrem as consequências.

10 – *E os irmãos, logo que chegou a noite, enviaram a Paulo e a Silas a Bereia. Os quais, tendo lá chegado, entraram na sinagoga dos judeus.*

11 – *Estes pois eram mais generosos do que aqueles que se acham em Tessalônica; os quais receberam a palavra com ansioso desejo, indagando todos os dias nas Escrituras se estas coisas eram assim.*

12 – *De sorte que foram muitos dentre eles que creram e dos gentios muitas mulheres nobres e não poucos homens.*

Saem às escondidas de Tessalônica para Bereia. Segundo o costume, procuram a sinagoga. Encontram pessoas mais esclarecidas e mais liberais que de boa vontade compulsam as Escrituras no sincero desejo de verificar se as palavras dos missionários têm apoio nelas. E como chegassem à conclusão de que os novos ensinamentos em nada contradiziam os antigos, de bom grado aceitam o Evangelho. Este é um excelente exemplo de como devemos proceder com as ideias novas: antes de rejeitá-las, devemos analisá-las muito bem. É interessante notar-se que, embora Paulo pregasse nas sinagogas dos judeus, muitos gentios e muitas mulheres nobres e não poucos homens se converteram. É porque, entre os gentios, grande número deles tinha repudiado o paganismo e procurado um culto mais puro e mais adiantado, tal como o judaísmo lhe podia oferecer. Esses gentios conversos ao judaísmo mais facilmente abraçavam o Cristianismo por ser uma religião mais simples e que mais diretamente lhes tocava o coração.

13 – *Porém como os judeus de Tessalônica soubessem que também em Bereia tinha sido pregada por Paulo a palavra de Deus, foram também lá comover e sublevar o povo.*

14 – *E logo entre os irmãos deram modo a que Paulo se retirasse e fosse para a parte do mar; porém Silas e Timóteo ficaram ali.*

15 – *E os que acompanhavam a Paulo o levaram até Atenas, e depois de haverem dele recebido ordem para dizerem a Silas e a Timóteo que muito à pressa viessem a ele, partiram logo.*

Não tardou que a intolerância de novo apanhasse os pregadores; dessa vez ela os seguiu de Tessalônica, obrigando-os a sair de Bereia; mas partiam contentes; a semente estava plantada e germinaria e haveria de dar frutos em abundância.

Paulo encerra aqui sua missão na Macedônia. Os resultados foram fecundos. Novos núcleos de irradiação do Evangelho tinham sido fundados, a beneficiar vasta região. E cheio de entusiasmo, daquele entusiasmo sadio que nunca o deixou por mais adversas que se lhe deparassem as circunstâncias, Paulo vai para Atenas, disposto a levar ao mundo grego o Evangelho de Jesus. E recomenda a Silas e a Timóteo que, sem perda de tempo, se juntem a ele naquela cidade.

Paulo em Atenas; O seu Discurso no Areópago

16 – *E enquanto Paulo os esperava em Atenas, o seu espírito se sentia comovido em si mesmo, vendo a cidade toda entregue à idolatria.*

17 – *Disputava portanto na sinagoga com os judeus e prosélitos e na praça todos os dias com aqueles que se achavam presentes.*

18 – *E alguns filósofos epicúreos e estoicos disputavam com ele e uns diziam: Que quer dizer este paroleiro? E outros: Parece que é pregador de novos deuses; porque lhes anunciava Jesus e a ressurreição.*

Conquanto já em decadência, ainda floresciam na Grécia os mais variados cultos pagãos. E Paulo, educado na religião de Moisés, no culto do Deus único, e agora iluminado pelas sacrossantas luzes do Evangelho, entristecia-se por ver o povo distanciado da Verdade. Fiel ao seu costume, dirige-se à sinagoga, onde expõe o Evangelho, firmando-se nas Escrituras. Quanto ao disputar em praça pública, era um antigo costume que tinham de reunir-se sob os pórticos da cidade e ali discutir religião, filosofia, política etc. Paulo aproveita-se desse hábito para falar diretamente aos atenienses.

O intelectualismo e as falsas filosofias, totalmente divorciadas do coração, dominavam o povo grego; e como o Evangelho se dirige essencialmente ao coração do homem, pouca ou nenhuma repercussão teve entre os ouvintes de Paulo naquela época. Os filósofos epicúreos seguiam a filosofia de Epicuro, filósofo grego nascido na ilha de Samos, no ano 342 a.C. Sua filosofia ensinava que o prazer era o único bem a que o homem deve aspirar. Os estoicos seguiam a filosofia de Zeno, também filósofo grego nascido em Citium, na ilha de Chipre e estabelecido em Atenas no ano 310 a.C., onde manteve uma escola de filosofia. Ensinava que o homem deve libertar-se das paixões, não se emocionar nem pela alegria nem pela tristeza e submeter-se sem queixumes às forças irresistíveis que governam todas as coisas.

É evidente que, diante de tais ouvintes, pouco ou nenhum êxito Paulo podia obter. E ainda hoje, como no tempo de Paulo, o mesmo venenoso intelectualismo e as mesmas falsas filosofias cegam o homem, não o deixando ver o Caminho, a Verdade e a Vida. Porém com o advento do Espiritismo, e por meio dessa união íntima que se estabeleceu entre os homens e os Espíritos, por meio da mediunidade que hoje brota em todos os lares, mais facilmente se dará a evangelização da humanidade.

19 – *E depois de pegaram nele, o levaram ao Areópago, dizendo: Podemos nós saber que nova doutrina é essa que pregas?*

20 – *Porque nos andas metendo pelos ouvidos umas coisas todas novas para nós; queremos pois saber o que vem a ser isto.*

21 – *(E todos os atenienses e os forasteiros ali assistentes não se ocupavam noutra coisa, senão em dizer ou em ouvir alguma coisa de novo.)*

O Aerópago era um tribunal soberano em Atenas, famoso pela justiça e imparcialidade de suas decisões; era composto pelos homens notáveis da cidade. Caso este Conselho aceitasse as palavras de Paulo, facilmente o povo as receberia. Ao ser anunciada uma reunião no Areópago, acorriam para lá em busca de novidades.

22 – *Paulo, pois, posto em pé no meio do Areópago, disse: Varões atenienses, em tudo e por tudo vos vejo um pouco excessivos no culto da vossa religião;*
23 – *Pois indo passando e vendo os vossos simulacros, achei também um altar em que se achava esta letra: Ao Deus Desconhecido. Pois aquele Deus que vós adorais sem o conhecer, esse é de fato o que vos anuncio.*

Passeando pela cidade, Paulo notou que toda ela estava cheia de simulacros, ou seja, de estátuas representando deuses de toda a espécie. Isto se devia a que todos os que vinham da Ásia traziam para Atenas seus cultos e religiões orientais. E como em Atenas havia liberdade de pensamento, seguiam suas crenças sem constrangimento. Para não ofender nenhum deus que não estivesse ali representado, erigiram um altar aos deus desconhecido. Paulo que notara esse altar, muito inteligente e oportunamente o toma como ponto de partida para suas prédicas.

24 – *Deus que fez o mundo e tudo o que nele há, sendo ele o Senhor do céu e da Terra, não habita em templos feitos pelos homens.*
25 – *Nem é servido por mãos de homens, como se necessitasse de alguma criatura, quando ele mesmo é o que dá a todos a vida e a respiração e todas as coisas;*
26 – *E de um só fez todo o gênero humano para que habitasse sobre toda a face da Terra, assinando a ordem dos tempos e os limites da sua habitação.*

É o monoteísmo que Paulo prega, O Deus único, Criador de todas as coisas, o Pai, o qual nos dá a vida e tudo o que é preciso para mantê-la. O Pai bom e misericordioso que enche com sua presença o Universo; e como todos somos seus filhos, a mais perfeita fraternidade deve reinar entre nós.

27 – *Para que buscassem a Deus, se porventura o pudessem tocar e achar; ainda que não esteja longe de cada um de nós.*
28 – *Porque nele mesmo vivemos e nos movemos e existimos, como ainda disseram alguns de vossos poetas: Porque dele também somos linhagem.*
29 – *Sendo pois nós linhagem de Deus, não devemos pensar que a Divindade é semelhante ao ouro, ou prata, ou à pedra lavrada por arte e indústria do homem.*

Na verdade, não podemos ainda conhecer a natureza íntima de Deus; todavia seu fluido divino tudo penetra e tudo vivifica e tudo sustenta; por esta razão é que em Deus vivemos, nele nos movemos e nele existimos e dele somos linhagem, pois que descendemos de Deus. Diante de nosso trabalho de cada dia, por mais difíceis que sejam os casos que surjam, não deixemos que a ansiedade e a angústia tomem conta de nós. Trabalhemos e esperemos confiantes, realizando o melhor que pudermos, certos de que o Pai nos apoia. E quaisquer que sejam as circunstâncias que se nos deparem, lembremo-nos de que se Deus nos sustentou até agora, também nos sustentará de agora em diante.

O Pai é Espírito e não pode ser representado por simulacros feitos por mãos humanas. Paulo evoca o primeiro mandamento do decálogo: "Não farás para ti imagem de escultura, nem figura alguma, de tudo o que há em cima no céu, e do que há embaixo na terra, nem de coisa alguma que haja nas águas debaixo da terra. Não as adorarás, nem lhes darás culto, porque eu sou o Senhor, teu Deus". E Jesus ensina que: "Mas a hora vem, e agora é, quando os verdadeiros adoradores hão de adorar o Pai em espírito e verdade; por que tais quer também o Pai que sejam os que o adorem. Deus é Espírito; e um Espírito e Verdade é que devem adorar os que o adoram."

30 – *E Deus, dissimulando por certo os tempos desta ignorância, denuncia agora aos homens que todos em todo lugar façam penitência,*
31 – *Pelo motivo de que ele tem determinado um dia em que há de julgar o mundo, conforme a justiça, por aquele varão que destinou para juiz, do que dá certeza a todos, ressuscitando-o dentre os mortos.*
32 – *E quando ouviram a ressurreição dos mortos, uns na verdade faziam zombaria e outros disseram: Outra vez te ouviremos sobre este assunto.*
33 – *E assim Paulo saiu do meio deles.*
34 – *Todavia alguns varões, agregando-se a ele, abraçaram a fé; entre os quais foi não só Dionísio aeropagita, mas também uma mulher por nome Damáris e com eles outros.*

Façam penitência, diz Paulo, ou seja, mudem de vida, deixando os erros e os vícios do passado e começando de agora em diante a viver de acordo com Evangelho que lhes prego. O julgamento do mundo se dará imperceptivelmente à medida que o Evangelho for conquistando os corações; aqueles que o adotarem como norma de vida, continuarão sua evolução na Terra; os que não o aceitarem e viverem contrariando seus ensinamentos serão transferidos para mundos inferiores à Terra. A ressurreição dos mortos não se dá com o corpo carnal, conforme entenderam os ouvintes: mas sim em Espírito. Não há morte. Deixaremos o corpo de carne e ressurgiremos com nosso corpo espiritual, em outros planos da vida. Incapazes de compreender os profundos ensinamentos que Paulo lhes transmitia, riram-se incredulamente, zombando dele e abandonando o recinto.

Dionísio era um dos componentes do Areópago; posto que ele e outros tenham aceitado a palavra de Paulo, não se fundou nenhum núcleo evangélico em Atenas.

Capítulo 46

Paulo em Corinto; em Éfeso; Volta para Jerusalém

1 – *Depois disso, havendo saído Paulo de Atenas, chegou a Corinto.*

2 – *E achando ali um judeu por nome Áquila, natural do Ponto, que pouco antes havia chegado de Itália, e Priscila sua mulher (pelo motivo de que Cláudio tinha mandado sair de Roma a todos os judeus), se uniu a eles.*

3 – *E porquanto era do mesmo ofício, estava com eles e trabalhava (porque o ofício deles era o de fazer tendas de campanha).*

Cláudio foi imperador de Roma do ano 41 ao 54, depois de Cristo. Segundo narra Suetônio, ele expulsou os judeus de Roma devido às perturbações que causavam com suas disputas religiosas; grande número deles desembarcou em Corinto; entre eles estavam Áquila e Priscila, que já eram cristãos e trabalhavam na seara do Senhor.

Fiel ao seu princípio de não ser pesado a ninguém e viver do trabalho de suas próprias mãos, Paulo se une ao casal e os três trabalham no ofício de tapeceiro. Este é um dos mais belos e grandes exemplos que Paulo nos deixou: jamais explorar nossa religião ou nossa mediunidade, pois são dons que o Senhor nos concede de graça e de graça devemos distribuí-los; para a conquista de nosso pão de cada dia, o Senhor nos deu os braços e a inteligência.

4 – *E disputava todos os sábados na sinagoga, fazendo entrar em seus discursos o nome do Senhor Jesus e convencia aos judeus e aos gregos.*

5 – *E quando vieram de Macedônia Silas e Timóteo, Paulo instava com a sua pregação, dando testemunho aos judeus de que Jesus era o Cristo.*

6 – *Mas como eles contradissessem e blasfemassem, sacudindo ele os seus vestidos, lhes disse: O vosso sangue seja sobre a vossa cabeça; eu estou limpo, desde agora me vou para os gentios.*

Como sempre, Paulo iniciava sua pregação pela sinagoga da cidade; analisava com os judeus a missão de Jesus, segundo as Escrituras. As pregações eram ouvidas com especial interesse pelos gentios, convertidos ao judaísmo; como não estavam contaminados pelos preconceitos religiosos, facilmente aceitavam a nova doutrina. Em Corinto Paulo rompe definitivamente com o judaísmo, libertando dele o Evangelho.

7 – *E saindo dali, entrou em casa dum chamado Tito Justo, temente a Deus, cuja casa vizinhava com a sinagoga.*

8 – *E Crispo, que era príncipe da sinagoga, creu no Senhor com todos os de sua casa; e muitos dos coríntios, ouvindo-o, criam e eram batizados.*

Tito Justo, frequentador da sinagoga, torna-se cristão e franqueia sua casa para os trabalhos evangélicos; outros muitos o seguem, e Crispo, um dos principais da sinagoga; e instala-se na cidade um florescente núcleo cristão.

9 – *Ora de noite, em visão, disse o Senhor a Paulo: Não temas mas fala e não te cales;*
10 – *Porque eu sou contigo e ninguém se achegará a ti para te fazer mal; porque tenho muito povo nesta cidade.*
11 – *E se deteve ali um ano e seis meses, ensinando entre eles a palavra de Deus.*

Ante as dificuldades da tarefa, Paulo recebe encorajamento do Plano Espiritual: que trabalhasse sem temor, que ali o campo estava preparado para grande semeadura; diante disso, demora-se em Corinto dezoito meses, a trabalhar sem esmorecimento.

12 – *Mas sendo Galião procônsul da Acaia os judeus de comum acordo se levantaram contra Paulo e o levaram ao tribunal.*
13 – *Dizendo: Este pois, contra a lei, persuade aos homens que sirvam a Deus.*
14 – *E como Paulo começasse a abrir a sua boca, disse Galião aos judeus: Se isto fosse na realidade algum agravo, ou enormíssimo crime, eu vos ouviria, ó varões judeus, conforme o direito.*
15 – *Mas se são questões de palavras e de normas e da vossa lei, vêde-o vós lá; porque eu não quero ser juiz destas coisas.*
16 – *E assim os mandou sair do tribunal.*
17 – *Então eles todos lançando mão de Sóstenes, cabeça da sinagoga, lhe davam pancadas diante do tribunal; e a Galião nada disso lhe dava cuidado.*
18 – *Mas Paulo, havendo permanecido ali ainda muitos dias, despedindo-se dos irmãos, navegou para a Síria (e com ele Priscila e Aquila), depois de se ter feito cortar o cabelo em Cencris, porque tinha voto.*

O êxito das pregações foi tamanho que os judeus se levantaram contra o pregador. A sinagoga esvaziava-se; o Evangelho se instalava em todos os corações ávidos de consolo e esperança que só ele lhes podia porporcionar. Galião era o governador da província; inteirando-se da puerilidade da acusação que apresentavam contra Paulo, dela não toma conhecimento, dá liberdade a Paulo e despede-os do tribunal. Sóstenes era o chefe da sinagoga; como fracassasse em conseguir a condenação de Paulo, ali mesmo os judeus o castigam, sem que as autoridades romanas intervenham. Para evitar novas investidas contra o núcleo cristão que florescia em Corinto, Paulo resolve partir e leva consigo Áquila e Priscila; passando por Cencris, raspa a cabeça para reafirmar um voto que tinha feito, segundo os costumes populares da época; talvez com esse voto confirmasse sua fidelidade à difusão do Evangelho, apesar das dificuldades que ainda tivesse de enfrentar.

19 – *E chegou a Éfeso e os deixou ali. E tendo entrado na sinagoga, disputava com os judeus.*
20 – *E rogando-lhes eles que ficasse ali mais tempo, não consentiu nisso;*

21 – Mas despedindo-se deles e dizendo-lhes: Outra vez, querendo Deus, voltarei a vós, partiu de Éfeso;
22 – E descendo à Cesareia, subiu a Jerusalém, e saudou aquela igreja e logo passou a Antioquia.
23 – E havendo estado ali por algum tempo, partiu, atravessando por sua ordem a terra de Galácia e Frígia, fortalecendo a todos os discípulos.

Para Éfeso, Paulo partiu levando consigo Áquila e Priscila; como nunca deixasse para depois os trabalhos de Jesus, vai à sinagoga e prega o Evangelho à luz das Escrituras. Sua permanência em Éfeso foi curta; ali deixando Áquila e Priscila e prometendo voltar tão logo as circunstâncias o permitissem, retorna a Antioquia, passando por Jerusalém, onde visita a instituição dos Apóstolos. Descansa por algum tempo em Antioquia; depois, possivelmente instado pelos da Galácia e da Frigia, para lá se dirige e resolve-lhes os problemas que tinham surgido.

Apolo em Éfeso e Corinto

24 – E veio a Éfeso um judeu por nome Apolo, natural de Alexandria, homem eloquente muito versado nas Escrituras.
25 – Este era instruído no caminho do Senhor, e falava com fervor de espírito, e ensinava com diligência o que pertencia a Jesus, conhecendo somente o batismo de João.

Com a propagação do Cristianismo, era natural que os trabalhadores de boa vontade surgissem de todos os lados. Apolo é um exemplo disso; já conhecedor das Escrituras, com certeza lhe veio às mãos uma cópia dos ensinos de Jesus; estudou-os, comparou-os, aceitou-os e tornou-se ardente divulgador deles. (Sobre o batismo, ver nossas notas anteriores.)

26 – Este pois começou a falar com liberdade na sinagoga. Quando Priscila e Aquila o ouviram, o levaram consigo e lhe declararam mais praticamente o caminho do Senhor.
27 – E querendo ele ir a Acaia, havendo-o animado a isto os irmãos, escreveram aos discípulos que o recebessem. E tendo ali chegado, foi de muito proveito para aqueles que haviam crido,
28 – Porque com grande veemência convencia publicamente aos judeus, mostrando-lhes pelas Escrituras que Jesus era o Cristo.

Apolo se apresentou na sinagoga local; ao ouvi-lo, Priscila e Aquila compreenderam que estavam diante dum discípulo sincero de Jesus e lhe completam os conhecimentos sobre o Mestre e sua obra, segundo tinham aprendido com Paulo. É preciso notar que naquele tempo não havia as facilidades de comunicações entre cidades e povos, como as há hoje; as comunidades viviam quase que isoladas; os livros eram raríssimos, escritos à mão, e poucos sabiam ler e escrever; por isso, sempre que aparecia alguém que lhes trouxesse notícias, ou pudesse ensinar-lhes alguma coisa, recebiam-no muito bem, dado ser de proveito para todos, como aqui se diz de Apolo.

Capítulo 47

Terceira Viagem Missionária de Paulo. Prega o Evangelho em Éfeso. Tumulto Incitado por Demétrio

1 – *E aconteceu que, estando Apolo em Corinto. Paulo depois de haver atravessado as altas províncias da Ásia, veio a Éfeso, e achou alguns discípulos.*
2 – *E lhes disse: Vós recebestes já o Espírito Santo, quando abraçastes a fé? E eles lhe responderam: Antes nós nem sequer temos ainda ouvido se há Espírito Santo.*
3 – *E ele lhes disse: Em que batismo fostes vós batizados? Eles disseram: No batismo de João.*
4 – *Então disse Paulo: João batizou ao povo com batismo de penitência, dizendo que cressem naquele que havia de vir depois dele, isto é, em Jesus.*
5 – *Ouvindo isto, foram batizados em nome do Senhor Jesus.*
6 – *E havendo-lhes Paulo imposto as mãos, veio sobre eles o Espírito Santo e falavam em diversas línguas e profetizavam.*
7 – *E eram por todos algumas doze pessoas.*

Em Éfeso, Paulo encontrou um círculo cristão já formado. A cidade tinha sido trabalhada por Áquila, Priscila e Apolo. Faltava-lhes apenas o batismo do Espírito Santo, pois só conheciam o de João; e Paulo batiza-os no Espírito Santo, impondo-lhes as mãos. A imposição das mãos lhes conferia o dom da mediunidade. Esse dom que em nossos dias se tornou comum é desenvolvido nos Centros Espíritas, onde o futuro médium se batiza no Espírito Santo, ou seja, aprende a usar sua mediunidade. Hoje, como no tempo de Paulo, nem todos desenvolvem sua mediunidade; entretanto, para o aprendiz sincero, sempre há serviço na seara de Jesus.

Vamos transcrever aqui nosso comentário sobre o batismo de João e de Jesus, capítulo 3, versículos 13 a 17, do Evangelho de Mateus, deste livro: "Este ponto, em que os Evangelistas tratam do batismo do Mestre, deu origem a intermináveis discussões, que sempre se reacendem ao se depararem circunstâncias favoráveis.

Todas as seitas que se constituíram ao influxo das palavras evangélicas adotaram o batismo. Algumas de modo racional, pois se permitem que seus adeptos se batizem na idade em que possam julgar o ato que praticam. Outras obrigam seus seguidores a se batizarem na primeira infância, idade em que lhes é impossível avaliarem a cerimônia na qual tomam parte inconscientemente.

O batismo em nossos dias é uma formalidade exterior, sem significação moral, e serve apenas para a satisfação de vaidades e preconceitos arraigados no coração dos pais.

O Espiritismo não adota o batismo. O batismo, diante das revelações do Espiritismo, é uma cerimônia do passado, inútil no presente.

E por que Jesus se batizou?

Porque lhe convinha cumprir toda a justiça, segundo ele próprio o declara a João.

O Precursor encerra o período das fórmulas exteriores, com as quais até então se adorava o Pai. Jesus inaugura o período em que se presta veneração a Deus em espírito e verdade, no santuário da consciência de cada um de seus filhos.

O batismo de João era bem diferente do que conhecemos em nossos dias. Pregando no deserto as alvoradas do reino dos céus, dirigia enérgico convite a todos para que se preparassem para o luminoso dia da redenção. Seduzidos pela sua palavra vibrante de fé, muitos dos ouvintes se arrependiam da vida delituosa que tinham levado e confessavam-lhe as faltas, como penhor de que não tornariam a cometê-las. E João batizava-os, isto é, lavava-os, dando a entender que o arrependimento sincero, seguido do firme propósito de não mais reincidir no erro, limpa o Espírito, como a água limpa o corpo.

E João prega que Jesus batizaria no Espirito Santo e no fogo. Entrando Jesus na água para ser batizado, é como se dissesse: Até agora foi assim; daqui por diante será conforme lhes vou ensinar.

E seu batismo é de Espirito Santo e de fogo.

O ávaro que deixa de ser avarento.

O hipócrita que se torna sincero.

O orgulhoso que se torna humilde.

O mau que se torna bom.

Os viciados que abandonam os vícios.

Os inimigos que esquecem os ódios que os separavam e se abraçam à luz do Evangelho.

O forte que se lembra de proteger o fraco.

O rico que procura concorrer para o bem-estar dos pobres.

O pobre que não murmura.

Os que, apesar de seus padecimentos, bendizem a vontade de Deus.

Todos esses não sofrem um verdadeiro batismo de fogo?

O batismo de fogo, pois, com o qual Jesus nos batiza, é o esforço que ele nos convida a fazer para que nos livremos das paixões inferiores que nos dominam; livres delas, estaremos batizados, isto é, puros diante de Deus, nosso Pai.

O Espírito Santo é a denominação dada à coletividade dos Espíritos desencarnados, que lutam pela implantação do reino de Deus na face da Terra. Batizar-se no Espírito Santo significa receber-se a mediunidade. Todos os que recebem a mediunidade se colocam à disposição dos Espíritos do Senhor para os trabalhos de evangelização, que se desenvolvem no plano terrestre. É um batismo de renúncia, devotamento, abnegação e humildade. Todos são chamados para o sagrado batismo do Espírito Santo, porque todos podem trabalhar para o advento do reino dos céus".

8 – *Tendo pois entrado dentro da sinagoga, falou com liberdade pelo espaço de três meses, disputando e persuadindo-os acerca do reino de Deus.*

9 – *Mas como alguns se endurecessem e não cressem, desacreditando o caminho do Senhor diante da multidão, apartando-se deles, separou os discípulos, disputando todos os dias na escola de um certo Tirano.*

10 – *E isto foi por dois anos de tal maneira que todos os que moravam na Ásia ouviram a palavra do Senhor, judeus e gentios.*

A origem da sinagoga é obscura, incerta; as primeiras inscrições que testemunham sua existência foram encontradas perto de Alexandria, datando-as a partir do século III a.C. Parece que correspondiam a uma necessidade que tinham os judeus, afastados de Jerusalém, de um lugar onde perfazer o seu culto. Por volta do século I a.C. a sinagoga é encontrada em toda e qualquer comunidade judaica, no império romano. Em Roma havia pelo menos treze, segundo relatam os historiadores.

Por três meses toleraram Paulo na sinagoga; depois percebeu que seria melhor afastar-se dela. As ideias novas nem sempre são aceitas por todos, e o normal é encontrarem acérrimos opositores. Diante das explicações de Paulo, alguns aceitaram Jesus; outros não. Tal acontece hoje com o Espiritismo, apesar de ter sido ele claramente anunciado por Jesus: "Mas eu digo-vos a verdade; a vós convêm-vos que eu vá; porque se eu não for, não virá a vós o Consolador; mas se for, enviar-vo-lo-ei. Quando vier aquele Espírito da Verdade, ele vos ensinará todas as verdades, porque ele não falará de si mesmo, mas dirá tudo o que tiver ouvido, e anunciar-vos-á coisas que estão para vir. Ele me glorificará porque há de receber do que é meu, e vô-lo-á de anunciar" (João, 16-7-14). Uns o aceitam e tomam seus ensinamentos como normas de suas vidas; outros o combatem, chegando mesmo a taxá-lo de diabólico. Todavia a Verdade marcha irresistivelmente e acaba por se impor, levando de roldão todos os obstáculos.

Ora havia em Éfeso uma escola que pertencia a um cidadão chamado Tirano; Paulo obteve permissão para usá-la, nos dias em que não havia aulas, e lá se instala com os companheiros, e toda a Ásia se beneficia dessa medida. Notemos que o Evangelho mais e mais se afasta da sinagoga, ou seja, do meio judaico, transferindo-se para o meio gentio.

11 – *E Deus fazia milagres, não quaisquer, por mão de Paulo;*

12 – *Chegando estes a tal extremo que sendo aplicados aos enfermos os lenços e aventais que tinham tocado no corpo de Paulo, não só fugiam deles as doenças, mas também os Espíritos malignos se retiravam.*

Na realidade, Paulo não fazia milagres. Os milagres, como ensina Allan Kardec, são uma derrogação das leis da natureza; e o Altíssimo não derroga suas leis. O caso era que Paulo usava o passe, auxiliado pelos Espíritos do bem. Semelhante prática é comum hoje em dia nos Centros Espíritas, para alívio dos sofredores. Paulo conseguia o prodígio de não só curar doenças, como também expulsar os Espíritos obsessores, porque sua vida era regida pela mais alta moralidade, pela sua dedicação à causa evangélica e pelo seu profundo desejo de praticar o bem em nome de Jesus; e tudo isso aliado a uma sinceridade e a um desinteresse sem limites.

13 – Ora também alguns dos exorcistas judeus, que andavam de terra em terra, tentaram invocar o nome do Senhor Jesus sobre os que se achavam possessos dos malignos Espíritos, dizendo: Eu vos esconjuro por Jesus, a quem Paulo prega.

14 – E os que faziam isto eram uns sete filhos de certo judeu, príncipe dos sacerdotes, chamado Sceva.

15 – Mas o Espírito maligno respondendo lhes disse: Eu conheço a Jesus e sei quem é Paulo; mas vós quem sois?

16 – E o homem no qual estava um Espírito maligníssimo, saltando sobre eles e apoderando-se de ambos, prevaleceu contra eles de tal maneira que, nús e feridos, fugiram daquela casa.

É evidente que os exorcistas aqui citados eram médiuns mercenários. Espíritos malignos são Espíritos obsessores que perseguem os encarnados, quer por vingança, quer para explorar-lhes as fraquezas e os vícios. Hoje, mais do que nunca, são muito comuns. E nos Centros Espíritas se curam os obsidiados, ensinando-lhes a seguir uma vida moralizada, o que afasta os obsessores, os quais, ao abandonar suas vítimas, se convertem à luz do Evangelho. Ora, quem mercadeja com a mediunidade não tem força moral para se fazer ouvir pelos Espíritos ignorantes e não é obedecido por eles. Por isso é que não obedeceram aos exorcistas, e mesmo os atacaram. O Espírito obsessor, declarando que conhecia Jesus e Paulo, é como se ele dissesse: Jesus e Paulo têm autoridade sobre mim pela alta moralidade que possuem; a eles eu obedeceria; mas não a vocês que valem tanto quanto eu (Ver em nosso livro *Mediunidade sem lágrimas* o capítulo "A possessão").

17 – E este caso se fez notório a todos os judeus e gentios que habitavam em Éfeso e caiu sobre todos eles um grande temor e o nome do Senhor Jesus era engrandecido.

18 – E muitos dos que haviam crido vinham confessando e denunciando suas obras.

19 – Muitos também, daqueles que tinham seguido as artes vãs, trouxeram juntos os seus livros e os queimaram diante de todos; e calculando o seu valor, acharam que montavam a cinquenta mil dinheiros.

20 – Deste modo crescia muito, e tomava novas forças a palavra de Deus.

Dentre todas as manifestações espirituais, os casos de obsessão são os que mais chamam a atenção dos homens, dado a espetaculosidade de que se revestem. Esses casos geralmente têm duplo objetivo: podem ser uma expiação para o obsidiado, o qual se defronta com um inimigo de outras eras e que agora se aproveita de sua condição de desencarnado para vigar-se; cumpre então ao encarnado reajustar-se com ele, por meio do esclarecimento e do perdão recíprocos; e pode ser uma prova de mediunidade, um chamado para o trabalho na seara do Senhor; é então necessário que o obsidiado desenvolva sua mediunidade e a faça produzir frutos espirituais. De qualquer modo, o fato é sempre um aviso superior, não só para os que assistem a ele, como também para os que dele compartilham. É um aviso, um chamado a todos; felizes daqueles que o compreendem e o atendem; porque daí por diante a paz passa a morar em seu coração, e a tranquilidade em seu íntimo; e um caminho de luz se abre ante seus pés.

Os livros que foram queimados eram conhecidos como "Ephesia Grammata", ou seja, tratados de magia, de cuja prática se serviam indivíduos sem escrúpulos para embair criaturas ignorantes que, na ânsia de realizar seus desejos, nem sempre possíveis ou dignos, recorriam a tais exploradores. Eles existem também em nossos dias, e o discípulo do Evangelho precisa precaver-se contra eles para que não se torne um agente das trevas.

21 – *E concluídas estas coisas, propôs Paulo, por instinto do Espírito Santo, ir a Jerusalém, depois de atravessar a Macedônia e a Acaia, dizendo: Porque depois que eu estiver ali é necessário que eu também veja Roma.*
22 – *E enviando à Macedônia dois dos que lhe ministravam, Timóteo e Erasto, ainda ele mesmo se demorou algum tempo na Ásia.*

Notando que tudo corria bem quanto ao Evangelho, Paulo deu por terminado o seu trabalho em Éfeso. E, como alimentasse o desejo de ir à Roma para pregar o Evangelho, decidiu visitar antes os núcleos cristãos que trabalhavam nas regiões da Macedônia e da Acaia; com essa intenção, enviou em sua frente seus dois colaboradores, Timóteo e Erasto.

23 – *Mas neste tempo se excitou um não pequeno tumulto a respeito do caminho do Senhor.*
24 – *Porque um ourives da prata, por nome Demétrio, que fazia da prata uns nichos de Diana, dava que ganhar não pouco aos artífices.*
25 – *Aos quais, convocando ele, e os outros que trabalhavam em semelhante obra. Disse: Varões, vós sabeis que o nosso ganho nos resulta deste artifício;*
26 – *E estais vendo e ouvindo que, não só em Éfeso, mas em quase toda a Ásia, este Paulo, com as suas persuasões, aparta de nosso culto muitas gentes, dizendo que não são deuses os que são feitos por mãos dos homens.*
27 – *Pelo que não somente correrá perigo de que esta nossa profissão venha ficar em descrédito, senão que também o templo da grande Diana será tido em nada e até começará a cair por terra a majestade daquela a quem toda a Ásia e o mundo adoram.*
28 – *Ouvindo isto, se encheram de ira e levantaram um grande grito, dizendo: Viva a grande Diana dos Efésios.*

Não nos esqueçamos de que estamos ainda em pleno paganismo; e Diana era um de seus deuses, adorada em quase todo o mundo antigo, e tinha em Éfeso o seu principal santuário. Seu templo, dum esplendor fora do comum, era tido como uma das maravilhas arquitetônicas da época. No ano 263, foi Éfeso tomada pelos Citas, povo da Tartária, e o Templo invadido e despojado de suas riquezas; por fim, Constantino mandou destruí-lo definitivamente. Explorando a credulidade e a superstição, havia toda uma indústria que fabricava estatuetas, quadros, medalhas, amuletos, talismãs, do templo e da deusa, de prata e de outros materiais, os quais eram vendidos aos romeiros que visitavam o templo, quando iam cumprir suas promessas. Como vemos, Paulo respeitou o culto da deusa, não se insurgindo contra ele; simplesmente pregou o Evangelho. E como o Evangelho é luz, as trevas começaram a dissipar-se, enraivecendo os que viviam delas. Paulo esteve em Éfeso durante os anos 55 a 57.

29 – *E se encheu toda a cidade de confusão, e todos a uma arremeteram ao teatro, arrebatando a Gaio e a Aristarco, macedônios, companheiros de Paulo.*
30 – *E querendo Paulo apresentar-se ao povo, os discípulos o não deixaram.*
31 – *E alguns até dos principais da Ásia, que eram seus amigos lhe enviaram a rogar que não se apresentasse no teatro;*
32 – *E outros levantaram outro grito. Porquanto aquela concorrência de povo estava ali confusa e os mais deles não sabiam o porque se haviam ajuntado,*
33 – *E tiraram a Alexandre dentre aquela turba, levando-o a empurrões aos judeus. E Alexandre, pedindo silêncio com a mão, queria dar satisfação ao povo.*
34 – *Quando conheceram que ele era judeu, todos a uma voz gritaram pelo espaço de quase duas horas: Viva a grande Diana dos Efésios.*

É fora de dúvidas que o Cristianismo conquistava os corações; prova-o a pregação que Paulo faria no teatro da cidade nessa noite. A escola de Tirano se tornara pequena para abrigar o povo desejoso de ouvi-lo. Gaio e Aristarco eram discípulos e companheiros de Paulo e estavam no teatro, preparando-o para a noite. Demétrio, um dos principais fabricantes dos ídolos de Diana, não se conforma com a perda da clientela e promove um tumulto contra os missionários. A multidão é inconsciente e manejável, como sempre, tanto que a maioria das pessoas que ali se reunia e gritava nem mesmo sabia o porquê daquela confusão; apenas obedecia cegamente aos gritos de Demétrio. Alexandre, outro discípulo e companheiro de Paulo, querendo dar uma explicação ao povo, não consegue, tal o furor da turba.

35 – *Então o escrivão, tendo apaziguado a gente, disse: Varões de Éfeso, quem há pois, dentre todos os homens, que não sabia que a cidade de Éfeso é honradora da grande Diana e filha de Júpiter?*
36 – *E porquanto isto se não pode contradizer, convém que vos sossegueis e que nada façais inconsideradamente.*
37 – *Porque estes homens, que vós fizestes vir aqui, nem são sacrílegos, nem são blasfemadores da vossa deusa.*

38 – *Mas se Demétrio e os oficiais que estão com ele, têm alguma queixa contra algum, audiências públicas se dão e procônsules há; acusem-se uns aos outros.*
39 – *E se pretendeis alguma coisa sobre outros negócios, legítimo ajuntamento se poderá despachar.*
40 – *Porque até corremos risco de ser arguidos pela sedição de hoje, não havendo nenhuma causa (de que possamos dar razão) deste concurso. E havendo dito isto, despediu o congresso.*

Cega e insuflada por Demétrio e seus oficiais, a multidão queria resolver o caso pela violência. Entretanto, o escrivão, que representava a autoridade, usou de bom senso e com palavras judiciosas acalmou os ânimos e dispersou o povo.

Capítulo 48

Paulo Visita Outra Vez a Macedônia e a Grécia e Depois Volta para a Ásia

1 – *E depois que cessou o tumulto, chamando Paulo a si os discípulos e fazendo-lhes uma exortação, se despediu deles e se pôs a caminho para ir à Macedônia.*
2 – *E depois de haver andado aquelas terras e de os ter exortado ali com muitas palavras veio à Grécia;*
3 – *Onde, havendo estado três meses, lhe foram armadas ciladas pelos judeus, estando ele para navegar para a Síria.*
4 – *E acompanhou-o Sópatro de Bereia, filho de Pirro e dos de Tessalônica, Aristarco e Secundo e Gaio de Derbe e Timóteo; e dos da Ásia, Tíchico e Trófimo.*

Se Paulo persistisse em ficar em Éfeso, certamente o conflito se agravaria em prejuízo do núcleo cristão ali já fundado. Assim ele exorta os discípulos a perseverarem firmes no bom trabalho e parte para a Macedônia em companhia de alguns colaboradores. Por onde passava transmitia estímulo a todos; contudo, as trevas não lhe dão sossego; por toda a parte os judeus lhe armam ciladas, procurando deter a marcha do Evangelho; prudentemente ele se recolhe a Filipos.

5 – *Estes, tendo partido adiante, nos esperaram em Trôade.*

Aqui a narrativa volta a ser feita na primeira pessoa do plural, porque em Filipos Paulo se reencontra com Lucas, que lá o esperava.

6 – *E nós, depois dos dias dos asmos, nos fizemos à vela desde Filipos e fomos ter com eles a Trôade, onde nos detivemos sete.*

Terminados os seus deveres em Filipos, Paulo vai em companhia de Lucas para Trôade, onde se juntariam aos outros companheiros. A viagem foi feita por mar e zarparam depois dos asmos. Os asmos eram o pão sem fermento que os judeus comiam em obediência aos preceitos de Moisés, quando instituiu a Páscoa: "No primeiro mês, no dia 14 do mês, à tarde, comereis os ázimos até à tarde do dia 21 do mesmo mês. Durante sete dias não se achará fermento em vossas casas" (Êxodo 12:15); é a festa dos ázimos em memória da partida dos hebreus do Egito.

7 – *Ora no primeiro dia da semana tendo-se ajuntado os discípulos a partir o pão, Paulo que havia de fazer a jornada no dia seguinte, disputava com eles e foi alargando o discurso até meia-noite.*

Partir o pão era uma cerimônia que os discípulos celebravam em memória da última ceia de Jesus. Depois da leitura do Evangelho e das pregações que se seguiam, quem presidia à reunião tornava do pão, abençoava-o e o distribuia em pedacinhos para todos. Mais tarde, com a oficialização do Cristianismo pelo imperador Constantino, com édito de Milão no ano 313, o Cristianismo se transforma em Catolicismo; e essa prática foi abolida.

O primeiro dia da semana era o domingo; e Paulo, que tinha de viajar, desejando aproveitar a oportunidade, prolongou a reunião até tarde da noite.

8 – *E havia muitas lâmpadas no cenáculo onde estávamos congregados.*
9 – *E um mancebo, por nome Êutico, que estava assentado sobre uma janela, como fosse tomado por profundo sono, caiu abaixo desde o terceiro andar da casa e foi levantado morto.*
10 – *Para socorrer o qual, havendo Paulo descido, se recostou sobre ele e tendo-o abraçado, disse: Não vos perturbeis, porque a sua alma nele está.*
11 – *E subindo e partindo o pão e comendo, ainda lhes falou largamente até que foi de dia; depois disto, partiu.*
12 – *E levaram vivo o mancebo, de que receberam não pequena consolação.*

Cenáculo era a peça da casa onde se ceiava; corresponde hoje à nossa sala de jantar; iluminava-se por lamparinas de azeite.

É comum depararmos com assistentes que se entregam ao sono durante as reuniões; foi o que aconteceu com Êutico. Felizmente a queda não foi mortal; Paulo, ao se debruçar sobre ele, percebeu que Êutico vivia; e reanimou-o com vigoroso passe. Devido ao incidente, houve naturalmente uma interrupção na exposição do Evangelho e muita preocupação entre os familiares do rapaz. Certificando-se de que nada de grave havia, Paulo faz um intervalo, abençoa, parte e distribui o pão, do qual todos comem; e continua sua pregação até ao romper do dia. E, refeitos do susto que lhes causara a queda do jovem, despedem-se do missionário.

13 – *Nós porém, metendo-nos num navio, navegamos até Asson, para recebermos ali a Paulo; pois assim havia ele disposto devendo fazer a viagem por terra.*
14 – *Tendo-se ajuntado conosco em Asson, depois de o tomar, fomos a Mitilene*
15 – *E continuando dali a nossa derrota, chegamos ao dia seguinte defronte de Quio, e no outro aportamos em Samos, e no seguinte chegamos a Mileto.*
16 – *Porque Paulo havia determinado passar adiante de Éfeso, por se não demorar na Ásia Apressava-se pois, se possível lhe fosse por celebrar em Jerusalém o dia de Pentecoste.*

Paulo envia seus companheiros à sua frente, de navio para Asson onde o aguardariam; ele mesmo seguiria a pé para lá, por terra, desejoso talvez de pregar o Evangelho pelas aldeias que encontrasse no caminho. Paulo, o atleta cristão, não despreza oportunidades de trabalhar na seara do Senhor, recusando até o descanso que a viagem por mar lhe proporcionaria. De Asson seguem juntos para Jerusalém. Paulo não quis desembarcar em Éfeso, não só para evitar novas perturbações, como também para não perder tempo, uma vez que desejava estar em Jerusalém na festa do Pentecoste. Como vimos mais atrás, Paulo ia a Jerusalém obedecendo à intuição que recebera de seus superiores espirituais.

Discurso de Paulo aos Anciões da Igreja de Éfeso

17 – E enviando desde a Mileto a Éfeso, chamou dois anciões da igreja;

De Mileto a Éfeso havia muitos núcleos cristãos, quase todos fundados sob a direção de Paulo, o qual desejou, pela última vez, endereçar-lhes sua palavra amiga e despedir-se.

18 – Aos quais, depois de virem ter com ele e estando todos juntos, lhes disse: Vós sabeis, desde o primeiro dia que entrei na Ásia, de que modo me tenho portado convosco por todo esse tempo,
19 – Servindo ao Senhor com toda a humildade e com lágrimas e cem tentações, que me aconteceram por via das emboscadas dos judeus;
20 – Como não tenho ocultado coisa alguma das que vos podiam ser úteis, para que vô-las deixasse de anunciar e vos ensinasse publicamente e dentro em vossas casas.

Tão logo se converteu a Jesus na estrada de Damasco, Paulo não cessou de pregar o Evangelho, pela palavra e pelo exemplo. Fiel ao programa que Jesus lhe traçara e ardendo de entusiasmo pela causa do Mestre, pregou em público e em particular: enfrentou circunstâncias adversas, perigos de toda a espécie, miséria, lutas, privações, açoites, tudo fruto da ignorância cega e fanática, sempre a persegui-lo onde quer que fosse. Todavia, não fraquejou, não esmoreceu, ciente de que Jesus jamais prometera facilidades, e sim um caminho áspero a quem quisesse segui-lo. Hoje, lá não há as dificuldades que se depararam aos primeiros discípulos; são elas mais de caráter moral e defrontamo-nos com nossas imperfeições que devem ser vencidas à luz do Evangelho.

21 – Pregando aos judeus e aos gentios a penitência para com Deus e a fé em Nosso Senhor Jesus Cristo.

Para os judeus, a humanidade de então se dividia em dois grupos: os judeus e os gentios; os primeiros, o povo eleito; os segundos, os impuros, os pagãos. Interpretavam no sentido literal a promessa que o Altíssimo lhes fizera na pessoa de Abraão: "Pois ele há de vir a ser pai de uma nação numerosíssima e poderosíssima; e que todas as nações da Terra hão de ser benditas nele" (Gen. 18:18). Ora, esta promessa deve ser entendida no sentido espiritual: eles revelaram ao mundo o Deus uno, o Pai, o Criador, diante do qual se bendizem todas as nações da Terra; e Paulo, que assim o entendia, prega o Evangelho a uns e a outros.

22 – E agora eis que aqui estou eu que liado pelo Espírito vou para Jerusalém, não sabendo as coisas que ali me hão de acontecer,

23 – Senão que o Espírito Santo me assegura por todas as cidades, dizendo que me esperam em Jerusalém prisões e tribulações.

24 – Porém eu nada disso temo, nem faço a minha própria vida mais preciosa que a mim mesmo, contanto que acabe a minha carreira e o ministério da palavra que recebi do Senhor Jesus, para dar testemunho do Evangelho da graça de Deus.

Tendo recebido de seus superiores espirituais, por meio da mediunidade, ordem de ir a Jerusalém, Paulo obedece, embora não atinasse para que o convocavam àquela cidade. Advertem-no de que o esperavam prisões e tribulações por quê? Porque Paulo se afastara da religião mosaica e ensinava que se libertassem da lei antiga. E pregando Paulo aos gentios que eram tidos como impuros, mais ódio atraia para si do sinédrio, o supremo tribunal de Israel. Daí ele nada esperar de bom em Jerusalém. Contudo, não se intimida; consagrando-se à causa de Jesus, não recua ante os perigos que lhe anunciavam: e nos dá grande exemplo e ensinamento de que em quaisquer circunstâncias em que estejamos devemos ser fiéis a Deus e servi-lo.

25 – E agora eis aqui estou eu, que já sei que não tornareis a ver minha face todos vós, por entre os quais passei pregando o reino de Deus.

Paulo lhes anuncia que não mais voltariam a vê-lo. Não que com isso lhes anunciasse sua morte, mas porque de Jerusalém tencionava ir a Roma visitar os discípulos já ali instalados e de lá passar a outras regiões que ainda não tinham recebido a Boa-Nova.

26 – Portanto eu vos protesto neste dia que estou limpo do sangue de todos,

27 – Porque não tenho buscado subterfúgio para vos deixar de anunciar toda disposição de Deus.

28 – Atendei por vós e por todo o rebanho sobre que o Espírito Santo vos constituiu bispos para governardes a igreja de Deus, que ele adquiriu pelo seu próprio sangue.

Dizendo Paulo que está limpo do sangue de todos é como se lhes dissesse que não ofendeu ninguém, nem corrompeu ninguém, dando-lhes sempre o exemplo duma vida pura e reta. E que durante o tempo que passou com eles, esforçou-se o melhor que pôde para conduzi-los pelos caminhos do Senhor. E exorta-os a que vivam de modo tal que suas vidas constituam exemplos para todos. A admoestação de Paulo é válida hoje para todos aqueles que militam nas diretorias dos Centros Espíritas; devem pautar seu viver nos princípios da mais alta moralidade, a fim de que compareçam sempre limpos diante de todos.

29 – Porque eu sei que depois da minha despedida hão de entrar a vós certos lobos arrebatadores, que não hão de perdoar ao rebanho;

30 – E que dentre vós mesmos hão de sair homens que hão de publicar doutrinas perversas, com o intuito de levarem após si muitos discípulos.

31 – Por cuja causa vigiai, lembrando-vos que por três anos não cessei de noite e de dia de vos admoestar com lágrimas a cada um de vós.

Paulo relembra aqui a advertência de Jesus a seus discípulos contra os falsos Cristos e os falsos profetas: "Porque se levantarão falsos cristos e falsos profetas, que farão grandes prodígios e maravilhas tais que, se fora possível, até os escolhidos se enganariam" (Lucas, 24;24).

O Espiritismo não está livre dos falsos profetas; pelo contrário, eles enxameiam nos meios espíritas, não só como encarnados, mas também como desencarnados. Recomendamos ao leitor estudar atentamente em O *livro dos médiuns*, de Allan Kardec, o capítulo "Identidade dos espíritos". Também a leitura do artigo de Allan Kardec "Falsos irmãos e amigos ineptos", na *Revista Espírita*, ano 1863, ainda atualíssimo. E o capítulo 21, "Falsos cristos e falsos profetas", do *Evangelho segundo o Espiritismo*, de Allan Kardec. Com a leitura dos trechos citados, aprenderemos a distinguir os falsos cristos e os falsos profetas, ou seja, os lobos arrebatadores de que nos fala Paulo.

32 – E agora eu vos encomendo a Deus e à palavra de sua graça, àquele que é poderoso para edificar e dar-vos herança entre todos os que são santificados.

Paulo nos exorta a ser fiéis a Deus e a servi-lo. E a herança é o reino dos céus, a pátria espiritual que o Pai edificou para seus filhos, que se santificaram por meio da reforma íntima, de sua dedicação ao bem, ao amor ao próximo e ao respeito às leis divinas.

33 – Não cobicei prata, nem ouro, nem vestido de nenhum, como vós mesmos sabeis.

34 – Porque estas mãos me serviram para as coisas que me eram necessárias a mim e àqueles que estão comigo.

Um dos grandes exemplos que Paulo nos lega é o respeito profundo pela recomendação de Jesus: "Dai de graça o que de graça recebestes". Compreendendo que o Evangelho proíbe a exploração das coisas sagradas, Paulo dedica ao seu labor evangélico uma parte do seu tempo, outra ele aplica ao seu ofício de tecelão com que ganhava honestamente o seu pão de cada dia; não se tornou um parasita do Evangelho. E, por meio de todo seu apostolado, vemos que o seu primeiro cuidado ao chegar a uma cidade onde pregaria era procurar um emprego em sua profissão para garantir sua subsistência, o que ele exigia de seus companheiros também. Depois do trabalho diário, consagravam ao Evangelho o tempo que lhes sobrava. Imitemos Paulo; dediquemos aos nossos trabalhos espirituais uma parte de nosso tempo: embora sem desprezá-los, não cobicemos os bens transitórios do mundo; não exploremos nossa mediunidade, pois de graça a recebemos, de graça a exerçamos.

35 – *Em tudo vos tenho mostrado que, trabalhando todos desta maneira, convém receber os enfermos e lembrar daquelas palavras do Senhor Jesus, porquanto ele mesmo disse: "Coisa mais bem-aventurada é dar que receber".*

Receber os enfermos, isto é, proporcionar-lhes o socorro espiritual de nossas orações e o conforto de nossa palavra amiga. De fato, é melhor dar que receber, porque a Providência Divina sempre nos devolverá em dobro aquilo que tivermos dado a nosso próximo.

36 – *E havendo dito isto, depois de por em terra os joelhos, orou com todos eles.*
37 – *E entre todos se levantou um grande pranto e, lançando-se sobre o pescoço de Paulo, o beijavam,*
38 – *Aflitos em grande maneira pela palavra que havia dito, que não tornariam a ver sua face. E eles o conduziram a bordo.*

Comparemos Paulo antes de sua conversão, Paulo que aqui está ajoelhado, orando na praia, onde o bendizem chorando. Primeiro é temido e odiado, respirando ameaças de morte contra os discípulos do Senhor; depois de sua dedicação ao próximo, é desejado e amado por todos.

Meu irmão, se até agora tu te dedicaste ao mal ou a coisas menos dignas, não te julgues um condenado para sempre. Lembra-te de Paulo: entrega-te ao bem e às coisas nobres e, como ele, acabarás amado e desejado por todos.

Capítulo 49

Paulo Chega a Jerusalém e É Preso no Templo

1 – E tendo-nos feito à vela, depois que nos separamos deles fomos em direitura a Cóos e no dia seguinte a Rodes e dali a Pátara.

2 – E como tivéssemos achado um navio que passava à Fenícia, entrando nele, nos fizemos à vela.

3 – E depois de estamos à vista de Chipre, deixando-a à esquerda, continuamos a nossa derrota para as partes da Síria e chegamos a Tiro; porque aí se devia descarregar o navio.

Contrariando todas as rogativas, Paulo se dirige a Jerusalém; perseguidor que tinha sido dos cristãos e antigo membro do sinédrio, o que lhe estaria reservado na cidade? Tal a pergunta que ele deve ter feito a si mesmo, durante a viagem. Todavia, profundamente identificado com o Evangelho, ouve apenas a intuição superior, através de sua consciência, que lhe dizia ser-lhe necessário, imprescindível mesmo, dar o seu testemunho a favor de Jesus em Jerusalém.

Em nossa caminhada para a Espiritualidade Superior, muitas vezes teremos de pôr de lado as conveniências do mundo, desprezá-las, enfrentá-las, dar corajosamente o nosso testemunho, para não estacionarmos nas faixas inferiores da evolução.

4 – E como achássemos discípulos, nos detivemos ali sete dias; os quais, inspirados pelo Espírito Santo, diziam a Paulo que não subisse a Jerusalém.

5 – E passados estes dias, tendo partido dali, íamos nosso caminho, acompanhando-nos todos com as suas mulheres e com seus filhos até fora da cidade; e postos de joelhos na praia, fizemos a nossa oração.

6 – E tendo-nos despedido uns dos outros, nos embarcamos e eles voltaram para suas casas.

Paulo está em Tiro, onde o Evangelho lá criara raízes. E como não perdia ocasião de ensinar, demorou-se uma semana nessa cidade. Entre os discípulos havia médiuns, por meio dos quais os Espíritos lhe pediam que não fosse a Jerusalém. É interessante notar que Paulo não dá ouvidos aos Espíritos. Isso é importante que anotemos: os Espíritos que ainda se prendem à Terra, têm suas paixões e receios, como nós mesmos: Paulo sabia disso e assim ignorou as sugestões que o fariam falhar em seu dever.

O Espiritismo, herdeiro direto do Cristianismo puro, inaugurou amplo intercâmbio entre os Espíritos e os encarnados, pelo que recebemos comunicações com facilidade; entretanto, não devemos confiar cegamente no que nos transmitem; não devemos acreditar em todos os Espíritos ou aceitar tudo o que nos dizem. Passemos tudo pelo crivo da razão, da análise, da lógica, como nos ensina Allan Kardec; desse modo evitaremos grande número de sugestões falsas, de erros e mesmo de tolices.

7 – *Nós porém, concluída a nossa navegação, de Tiro passamos à Ptolomaida; e havendo saudado aos irmãos, nos detivemos um dia com eles.*
8 – *E no dia seguinte, havendo partido dali, chegamos a Cesareia. E entrando em casa de Filipe o evangelista, que era um dos sete, ficamos com ele.*
9 – *E tinha ele quatro filhas virgens que profetizavam.*

Cerca de vinte anos depois, reencontramos Filipe. Ele foi um dos sete escolhidos pelos Apóstolos para ajudá-los em Jerusalém. Após a perseguição que se seguiu ao martírio de Estêvão, fixou residência em Cesareia e como que preparou o caminho aos futuros trabalhos de Paulo, pregando aos gentios: primeiro aos desprezados samaritanos e logo ao tesoureiro da rainha da Etiópia; é, pois, um missionário pioneiro; tinha quatro filhas que eram profetizas, ou seja, médiuns, e daí concluímos que mantinha um núcleo de trabalhos espirituais na cidade; provavelmente foi dele que Lucas obteve grande número de informações para escrever o seu Evangelho e os primeiros capítulos dos Atos.

10 – *E como nos detivéssemos ali por alguns dias, chegou da Judeia um profeta, por nome Ágabo.*
11 – *Este, tendo vindo a nós, tomou a cinta de Paulo, e atando-se os pés e as mãos, disse: Isto diz o Espírito Santo: assim atarão os judeus em Jerusalém ao varão cuja é esta cinta e o entregarão nas mãos dos gentios.*

Reencontramos também Ágabo, um profeta, um médium domiciliado em Jerusalém, onde trabalhava com os Apóstolos; em Antioquia profetizou a fome que se abateria sobre Jerusalém; agora prediz a prisão de Paulo pelos judeus; possuía a mediunidade de profecia. Eis o que Allan Kardec nos ensina a respeito dos médiuns proféticos:

"**Médiuns Proféticos**: Variedade de médiuns inspirados ou de pressentimentos que recebem, com a permissão de Deus e com maior precisão do que os médiuns de pressentimentos, a revelação de ocorrências futuras de interesse geral, que estão encarregados de transmitir aos outros para fins instrutivos." "**Nota**: Se há verdadeiros profetas, há também os falsos e ainda em maior número, que tomam os devaneios da própria imaginação por revelações, quando não se trata de mistificadores que o fazem por ambição (Ver o n° 624, de O Livro dos Espíritos sobre as características do verdadeiro profeta; e O Livro dos Médiuns)."

Pelo encadeamento dos fatos, pelo ambiente fanático e carregado de Jerusalém, excitado contra os Apóstolos e especialmente contra Paulo, fácil era deduzir-se que nada de bom o aguardava. É o que o Espírito confirma pela mediunidade de Ágabo.

12 – Quando ouvimos isto, nós e os que eram daquele lugar, lhe rogamos que não fosse a Jerusalém.
13 – Então Paulo a resposta que deu foi dizendo: Que fazeis chorando e afligindo-me o coração? Porque eu estou aparelhado não só para ser atado mas até para morrer em Jerusalém, pelo nome do Senhor Jesus.
14 – E vendo que o não podíamos persuadir, não o importunamos mais, dizendo; Faça-se a vontade do Senhor.

Paulo sentia intimamente que tinha um alto dever a cumprir em Jerusalém; fora ali em sua mocidade já longínqua que desencadeara terrível perseguição a Jesus, na pessoa de seus discípulos, culminando com o sacrifício de Estêvão; por conseguinte, devia-lhes uma reparação no mesmo local onde errara clamorosamente; por isso tinha de ir a Jerusalém, e com o testemunho apaziguaria sua consciência.

No caminho da Espiritualidade Superior, nós nos defrontaremos com inúmeras provas, algumas bem difíceis e dolorosas, e não faltará quem nos queira desviar delas. É preciso bom ânimo para repelir os conselhos que nos fariam fracassar espiritualmente e muita vigilância para não dar ouvidos a tentações que nos podem vir até de pessoas que nos são queridas. Os companheiros e colaboradores de Paulo, pelo muito amor que lhe tinham, aconselham-no a evitar as provas penosas que certamente o aguardavam em Jerusalém. Paulo lhes faz ver que estava preparado moral e espiritualmente para se submeter a elas; e resolutamente lhes repele os rogos.

15 – E depois destes dias, tendo-nos prevenido, subimos a Jerusalém,
16 – E alguns dos discípulos vieram também conosco desde Cesareia, os quais levavam consigo a um tal Mnsason de Chipre, discípulo antigo, para nos hospedarmos em sua casa.

Prepararam-se convenientemente e foram para Jerusalém, Paulo e pequena caravana de discípulos. Mnason colaborava com os Apóstolos e recebeu a todos em sua casa; dada a agitação que lavrava na cidade contra Paulo, não o levou diretamente à instituição dos Apóstolos, que possivelmente estaria sob vigilância; e por isso hospedou-o discretamente.

17 – E chegados que fomos a Jerusalém, os irmãos nos receberam de boa vontade.
18 – E no dia seguinte foi Paulo em nossa companhia à casa de Tiago, onde se tinham congregado todos os anciãos.
19 – Havendo-os saudado, lhes contou uma por urna todas as coisas que Deus tinha obrado entre os gentios por seu ministério.

Por anciãos se designavam os Apóstolos e demais pessoas idosas que dirigiam a instituição cristã; a idade lhes conferia autoridade. Temendo perseguições, reúnem-se em casa de Tiago, e Paulo lhes faz circunstanciado relatório de suas atividades na difusão do Evangelho entre os gentios.

20 – *Eles porém, depois que o ouviram, engrandeceram a Deus e lhe disseram: Bem vês, irmão, quantos milhares de judeus são os que têm crido e todos são zeladores da lei.*
21 – *E têm ouvido dizer de ti que ensinas os judeus que deixem a Moisés, dizendo que eles não devem circuncidar a seus filhos, nem andar segundo o seu rito.*

É a velha questão da circuncisão que revive; querem que os judeus, mesmo convertidos ao Evangelho, continuem a observar os ritos de Moisés. E Paulo pregava que o Evangelho os libertava de tudo; e na epístola aos Gálatas escreve: "Ó insensatos Gálatas! como podeis retornar ao julgo ao qual estivestes acorrentados? Não há mais judeus, nem gregos, nem escravos. Não perfaçais as grandes cerimônias ordenadas por vossas leis. Eu vos declaro que tudo aquilo não vale nada. Amai-vos uns aos outros. É necessário que o homem seja uma criatura nova. Vós fostes chamados à liberdade".

O mesmo sucede em nossos dias com o Espiritismo. Assim como o Evangelho, o Espiritismo é uma doutrina que nos liberta dos ritos e dos dogmas das religiões que o antecederam. Ilumina-nos, livrando-nos das trevas em que o obscurantismo religioso nos mergulhou por milênios. Enfim o Espiritismo também quer que sejamos urna criatura nova. E para isso, segundo Paulo, devemos ser zelosos do bem; amar nosso próximo como a nós mesmos; agir sempre impulsionados pelo sentimento da caridade; cultivar a paz, a paciência, a benignidade, a bondade, a mansidão, a longanimidade, a fidelidade, a modéstia, a temperança, a continência; ajudar-nos e suportar-nos uns aos outros; com a certeza de que tudo quanto plantarmos, isso mesmo colheremos: pois tal é a lei. No entanto, vemos inúmeras pessoas que passam para o Espiritismo ainda observando os dogmas e os rituais da religião que deixaram e até mesmo tentando introduzi-los no Espiritismo. Como Paulo pelo Evangelho, é preciso que lutemos pela pureza do Espiritismo, não permitindo que se agreguem a ele os resíduos da superstição e do obscurantismo.

22 – *Pois que se há de fazer? Certamente é necessário que a multidão se ajunte, porque ouvirão que tu és chegado.*

A fama de Paulo corria mundo; era natural que tão logo se espalhasse a notícia de que ele estava na cidade, a curiosidade atraísse o povo; todos quereriam ver o doutor da lei, antigo membro do sinédrio, que abjurara a lei de Moisés, trocando-a pela doutrina do Humilde Carpinteiro de Nazaré; e que agora, em lugar de homenagens, recebia apenas humilhações, açoites e prisões.

23 – *Faze pois o que te vamos dizer; temos aqui quatro varões que têm voto sobre si.*
24 – *Depois de haveres tomado estes contigo, santifica-te com eles e faze-lhes os gastos da cerimônia, para que rapem a cabeça; e saberão todos que é falso quanto de ti ouviram e que pelo contrário segues o teu caminho, guardando a lei.*

Os quatro varões tinham feito o voto de nazireus que consistia em se santificarem, professando uma vida de extraordinária pureza, abstinência e devoção, consagrando-se ao Senhor, segundo os preceitos de Moisés (Num. 6,2-3 e ss). Os gastos da cerimônia orçavam em três ovelhas para cada um, pães asmos borrifados de azeite e tortas sem fermento também regadas de azeite. Como seriam quatro homens e mais Paulo que se purificaria com eles para aplacar a cólera do sinédrio, gastariam quinze ovelhas e mais o restante para a solenidade. Paulo arearia com todas as despesas, porque os homens eram paupérrimos. Submetendo Paulo a semelhante ato, não só queriam humilhá-lo, como também obrigá-lo a dar uma demonstração pública de que, apesar de seguir Jesus, não deixara de observar a lei de Moisés; forçavam-no a desmentir com os atos o que pregava com palavras. É de crer que Paulo se prestasse a isso com extrema repugnância.

25 – E acerca daqueles que creram dentre os gentios, nós temos escrito que se abstenham do que for sacrificado aos ídolos e de sangue e de sufocação e da fornicação.

O sinédrio toleraria a pregação do Evangelho se os judeus, que o aceitassem, continuassem a observar rigorosamente a lei de Moisés; não concordava com que se afastassem de Moisés para seguiram apenas a Jesus. Quanto aos gentios convertidos, as exigências eram menores (ver capítulo 43, 20-29 e comentários).

26 – Então Paulo, depois de tomar consigo aqueles varões, purificado com eles, no seguinte dia entrou no Templo, fazendo saber o cumprimento dos dias da purificação, até que se fizesse a oferenda por cada um deles.

Não querendo, com sua recusa, causar transtornos à instituição cristã de Jerusalém, Paulo aceita humildemente as exigências do sinédrio. Os dias da purificação eram sete; no oitavo dia ofertavam-se os cordeiros, os pães asmos, as tortas untadas de azeite e o demais para a consagração; à porta do tabernáculo do Templo raspava-se a cabeça dos nazireus e queimavam-se-lhes os cabelos em baixo do altar dos sacrifícios (Num. 6-1,27.) Para Paulo aquela cerimônia não tinha valor algum, mas sacrifica-se para que sinédrio não persiga de Cristianismo nascente.

27 – Mas quando estavam a findar os sete dias, aqueles, judeus que se achavam ali da Ásia, tendo-o visto no Templo, amotinaram todo o povo e lhe lançaram as mãos gritando:

Uma vez que Paulo se submeteu às exigências, o sinédrio não o pôde mais condenar; contudo, a oportunidade para isso não se fez esperar: judeus da Ásia, das cidades onde ele pregara o Evangelho em suas viagens missionárias, o reconheceram no Templo; e lançaram o povo contra ele. É a intolerância religiosa que sempre anda no encalço dos discípulos sinceros.

28 – Varões de Israel, socorro; este é aquele homem que por todas as partes ensina a todos contra o povo e contra a lei e contra este lugar, até de mais a mais meteu os gentios no Templo e profanou este santo lugar.
29 – Porque tinham visto andar com ele a Trófimo de Éfeso, creram que Paulo o havia introduzido no Templo.

30 – E se comoveu toda a cidade e se ajuntou um grande concurso de povo. E lançando mão de Paulo, o arrastaram para fora do Templo e logo foram fechadas as portas.

Paulo nada ensinava contra o povo, nem contra a lei, nem contra o Templo: simplesmente pregava o Evangelho e ensinava que as profecias, que sempre acompanharam Israel, se cumpriram na pessoa de Jesus. Do mesmo modo, Jesus declarou que não vinha destruir a lei de Moisés, mas dar-lhe cumprimento. E hoje o Espiritismo complementa as duas revelações anteriores, a de Moisés e a de Jesus, delas nada destruindo mas ensinando, revelando a grande lei da evolução espiritual pelas reencarnações e pelo aprimoramento moral. É preciso compreender-se que as revelações são progressivas e chegam sempre quando a humanidade está preparada para recebê-las. A religião é uma só que evolue de conformidade com o desenvolvimento da inteligência e da compreensão dos homens. Todavia, o obscurantismo religioso tenta fechar cada revelação num como que compartimento estanque, não deixando que elas fluam e se encadeiem naturalmente; daí se originam as lutas religiosas que infelicitam o mundo.

A entrada dos gentios no Templo era rigorosamente proibida; nos portões havia taboletas avisando os gentios de não entrar, sob pena de morte. Estes avisos eram redigidos em grego e latim, assim: "Nenhum homem de outra nação pode transpor os muros ao redor do Templo. Quem quer que seja que ai for apanhado, deve queixar-se de si mesmo do resultado de sua morte". Em 1871, arqueólogos, escavando os locais onde se erigia o Templo, encontraram uma dessas taboletas escrita em grego.

Trófimo de Éfeso era um discípulo do Evangelho, mas, para os judeus, um gentio; e como o tinham visto em companhia de Paulo, acusaram-no de o ter introduzido no Templo, profanando-o. Isto não podia ser verdade, pois Paulo bem conhecia o rigor que ali imperava e não se atreveria a arriscar a vida dum companheiro; no entanto, valeram-se desse pretexto para o atacar; e os fanáticos o agarram e o arrastam para fora; iam lapidá-lo. Estamos no ano 60 da era cristã; vinte e sete anos atrás, a turba inconsciente sacrificara Estêvão no mesmo local.

31 – E procurando eles matá-lo, chegou aos ouvidos do tribuno da côrte que toda Jerusalém estava amotinada.

32 – Ele havendo logo tomado soldados e centuriões, correu a eles. Os quais, tendo visto ao tribuno e aos soldados, cessaram de ferir a Paulo.

33 – Então chegando-se o tribuno, lançou mão dele, e o mandou atar com duas cadeias, e lhe perguntou quem era e o que havia feito.

34 – Mas nesta confusão de gente, uns gritavam duma sorte, outros de outra. E como por causa do tumulto não podia vir ao conhecimento de coisa alguma ao certo, mandou que o levassem à cidadela.

35 – E quando Paulo chegou às escadas, foi necessário tomarem-no os soldados, de grande que era a violência do povo.

36 – Porque era grande a aluvião que o seguia, dizendo aos gritos: Mata-o.

É de notar-se a rapidez com que os soldados compareceram para salvar Paulo de morte certa; isto se deve a que urna legião romana se aquartelava na torre Antonia, aqui designada como cidadela. No canto noroeste do Templo, e comunicando-se com este por urna escadaria que dava no adro, havia a torre Antonia, que na realidade era uma fortaleza; sua função era defender o Templo em caso de guerra; dali as autoridades romanas vigiavam os judeus observando-lhes todos os movimentos e tudo o mais que se passava no Templo. O tribuno representava em Jerusalém o poder romano, com sede em Cesareia. Ao estalar o motim, tomou alguns centuriões e um destacamento de soldados e foi sufocá-lo; tomando Paulo por promotor do conflito, mandou acorrentá-lo; a violência desencadeada pelo fanatismo era tal que tiveram de carregá-lo a fim de não o massacrarem.

37 – *E quando começavam já a meter Paulo na cidadela, disse ao tribuno: Desejava saber se me é permitido dizer-te duas palavras? O qual lhe respondeu: Sabes o grego?*

As línguas dominantes naquela época eram o latim, o grego e o hebraico, as quais Paulo falava corretamente. Dirigindo-se ao tribuno em grego, Paulo obtém o que desejava, ou seja, ser atendido.

38 – *Por ventura não és tu aquele egípcio que os dias passados levantaste um tumulto e conduziste ao deserto quatro mil homens assassinos?*

Sujeitos ao domínio romano que os judeus odiavam, frequentemente apareciam indivíduos que suscitavam entre o povo revoltas contra o dominador. Tal o homem que o tribuno aqui cita, o qual, batido, foge para o deserto arrastando seus comparsas.

39 – *E Paulo lhe disse: Eu na verdade sou homem judeu, natural de Tarso na Cilícia, cidadão desta não desconhecida cidade. Mas rogo-te que me permitas falar ao povo.*

A cidade de Tarso ocupa lugar de merecido destaque na história do Cristianismo; foi nela que nasceu Paulo; situa-se na Cilícia, antiga província da Ásia Menor. Nesta região abundava o gado caprino, fornecedor da matéria-prima para a indústria da tecelagem, uma das mais importantes daquele tempo. Era também uma cidade universitária; dela há uma inscrição que diz: "A grande e maravilhosa metrópole da Cilícia"; por isso Paulo se refere a ela como "cidadão desta não desconhecida cidade". Hoje é uma cidade pequena com cerca de 25.000 habitantes. A cidade antiga, a do tempo de Paulo, são ruínas de grande valor histórico.

40 – *E quando lho permitiu o tribuno, pondo-se em pé sobre os degraus, fez sinal ao povo com a mão, e tendo ficado todos num grande silêncio, falou então em língua hebraica, dizendo:*

Admiremos aqui a rapidez e a flexibilidade da mente de Paulo, que lhe permitiam dominar facilmente as mais difíceis situações: para ser ouvido pelo tribuno, fala-lhe em grego; e para ser ouvido pelos judeus, fala-lhes em hebraico, a língua do sinédrio.

Capítulo 50

Discurso de Paulo em sua Defesa

1 – Varões, irmãos e pais, ouvi a razão que presentemente vos dou do mim.
2 – E quando viram que lhes falava em língua hebráica, o escutaram com maior silêncio.

Falando a própria língua do sinédrio, o hebraico clássico, Paulo lhes faz um relatório de como e por que se tornou cristão; ao se dirigir aos mais velhos, dá-lhes o título de pais; e aos mais moços, o de irmãos.

3 – E disse: Eu, pelo que toca à minha pessoa, sou judeu, que nasci em Tarso de Cilícia, e me criei nesta cidade, instruído aos pés de Gamaliel, conforme a verdade da lei de nossos pais, zelador da lei assim como todos vós também o sois no dia de hoje;

Paulo, para instruir-se na lei de Moisés, e dela tornar-se um doutor, veio em sua juventude para Jerusalém, onde teve por mestre a Gamaliel, um dos mais respeitáveis membros do sinédrio, ao qual presidiu sob Tibério, Calígula e Cláudio, imperadores romanos; faleceu por volta do ano 52; lá o encontramos no capítulo 33-34, 39, dando a seus pares o conselho sobre o Cristianismo nascente, que ficou conhecido com "o conselho de Gamaliel", um modelo de tolerância religiosa para todos os tempos.

4 – Eu que perseguia este caminho até a morte, prendendo e metendo em cárceres a homens e mulheres;
5 – Como príncipe dos sacerdotes e todos os anciãos me são testemunhas, dos quais havendo também recebido cartas para os irmãos, ia a Damasco com o fim de os trazer dali presos a Jerusalém, para que fossem castigados.
6 – Mas aconteceu que indo eu no caminho e achando-me já perto de Damasco, a hora do meio-dia, de repente me cercou uma grande luz no céu;
7 – E caindo por terra, ouvi uma voz que me dizia: Saulo, Saulo, porque me persegues?
8 – E eu respondi: Quem és tu, Senhor? E o que me falava me disse: Eu sou Jesus Nazareno, a quem tu persegues.
9 – E os que estavam comigo viram sim a luz, mas não ouviram a voz daquele que falava comigo.
10 – Então disse eu: Senhor, que farei? E o Senhor me respondeu: Levanta-te, vai a Damasco, e lá se te dirá o que deves fazer.
11 – E como eu ficasse cego pelo intenso clarão daquela luz tendo sido pelos que me acompanhavam levado pela mão, cheguei a Damasco.

12 – *E um certo Ananias, varão segundo a lei, que tinha o testemunho de todos os judeus, que ali assistiam.*
13 – *Vindo ter comigo e pondo-se diante de mim, disse-me: Saulo, irmão, recebe a vista. E no mesmo ponto o vi a ele.*
14 – *E ele me disse: O Deus de nossos pais te predestinou para que conhecesses a sua vontade e visses ao Justo e ouvisses a voz de sua boca;*
15 – *Porque tu serás sua testemunha diante de todos os homens, das coisas que tens visto e ouvido.*
16 – *E agora para que te demoras? Levanta-te e recebe o batismo e lava os teus pecados, depois de invocar o seu nome.*
17 – *E aconteceu que, voltando eu para Jerusalém e orando no Templo, fui arrebatado fora de mim.*
18 – *E vi ao que me dizia: Dá-te pressa e sai logo de Jerusalém porque não receberão o teu testemunho de mim,*
19 – *E eu disse: Senhor, eles mesmos sabem que eu era o que metia em cárceres e açoitava pelas sinagogas aos que criam em ti;*
20 – *E quando se derramava o sangue de Estevão, testemunha tua, eu estava presente e o consentia e guardava os vestidos dos que o matavam.*

Paulo narra aos judeus enraivecidos o acontecimento que provocou sua conversão ao Evangelho (ver capítulo 37-1,30 e comentários).

21 – *E ele me disse: Vai, porque eu te enviarei às nações de longe.*

Paulo recebeu da Espiritualidade Superior a tarefa de propagar o Evangelho às nações de longe, isto é, aos gentios, para que o Evangelho se tornasse um patrimônio universal.

22 – *E os judeus o haviam escutado até esta palavra, mas levantaram então a sua voz dizendo: Tira do mundo a tal homem, porque não é justo que ele viva.*
23 – *E como eles fizessem alaridos, e arrojassem de si os seus vestidos, e lançassem pó para o ar,*

É a manifestação brutal da intolerância e do fanatismo religioso de todos os tempos. Ultimamente manifestam-se contra o Espiritismo, tentando sufocá-lo. Todavia, por mais violenta que seja essa agressão, jamais ela apagará a Luz que o Senhor acendeu.

24 – *Mandou o tribuno metê-lo na cidadela, e que o açoitassem e lhe dessem tormento, para saber porque causa clamavam assim contra ele.*
25 – *Mas tendo-o ligado com umas correias, disse Paulo a um centurião que estava presente: É-vos permitido açoitar um cidadão romano e que não foi condenado?*
26 – *Tendo ouvido isto, foi o centurião ter com o tribuno, e lhe fez aviso dizendo: Que determinas tu fazer? pois este homem é cidadão romano.*
27 – *E vindo o tribuno lhe disse: Dize-me se tu és romano. E ele lhe disse: Sim.*

28 – *E respondeu o tribuno: A mim custou-me uma grande soma de dinheiro para alcançar este foro de cidadão. Então lhe disse Paulo: Pois eu sou-o de nascimento.*
29 – *Logo no mesmo tempo se apartaram dele os que o haviam de pôr a tormento. Também o tribuno entrou em temor, depois que soube que era cidadão romano, e porque o tinha feito liar.*

Diante daquele tumulto e para evitar consequências graves, recolheram Paulo à torre Antonia, e o querem torturar para que confessasse a causa de toda aquela agitação. Percebendo o que lhe ia acontecer, invoca sua qualidade de cidadão romano, como já o fizera em Filipos. Repetimos aqui nosso comentário aos versículos 37-40 do capítulo 44: leis especiais protegiam o cidadão romano: hoje não mais sabemos em que consistiam exatamente essas leis, pois elas se perderam; contudo, nenhum cidadão romano podia ser supliciado ou açoitado ou ser condenado à morte na cruz, em hipótese alguma; e sempre lhe era concedido o direito de apelar para o povo romano, em último recurso. Este direito foi confirmado no ano 509 a.C, pela lei Valéria; em 199 a.C. pela lei Porcia, e mais tarde pelas leis Simpronias. O simples fato de amarrarem um cidadão romano ao poste de torturas já era um delito severamente punido. O tribuno não era romano; mas naturalizou-se romano, pagando um alto preço; porém Paulo o era de nascimento, embora judeu porque Marco Antonio, no ano 42 a.C., tornara Tarso uma cidade livre do Império Romano.

Paulo perante o Sinédrio

30 – *E ao dia seguinte, querendo saber com mais individuação a causa que tinham os judeus para acusá-lo, o fez desatar e mandou que se ajuntassem os sacerdotes e todo o conselho e produzindo a Paulo, o apresentou diante deles.*

Por causa de sua cidadania romana, o tribuno se interessa em aprofundar o caso de Paulo; e marca uma audiência logo para o dia seguinte. Para apresentá-lo ao conselho desatam Paulo que passara a noite acorrentado.

Capítulo 51

1 – *Paulo pois, pondo os olhos no conselho, disse: Varões irmãos eu até o dia de hoje me tenho portado diante de Deus com toda boa consciência.*

Paulo começa por demonstrar-lhe que não tinha do que se acusar perante aquele tribunal, que o queria condenar de qualquer forma.

2 – *E Ananias príncipe dos sacerdotes, mandou aos que estavam junto dele, que o ferissem na cara.*

3 – *Então lhe disse Paulo: Deus te ferirá a ti, parede branqueada. Tu estás aí sentado para julgar-me a mim segundo a lei, e contra a lei mandas que eu seja ferido.*

4 – *E os que estavam ali disseram: Tu injurias o sumo sacerdote de Deus?*

5 – *E disse Paulo: Não sabia eu, irmãos, que é o príncipe dos sacerdotes. Porque escrito está: Não dirás mal do príncipe do teu povo.*

Castigavam aqueles que injuriassem o sumo sacerdote, batendo-lhes nos lábios com minúsculos açoites. Parede branqueada, isto é, hipócrita, dado a suma hipocrisia que presidia aos atos do sinédrio.

Paulo lhes paga na mesma moeda, respondendo-lhes ignorar ser aquele o sumo sacerdote, pois se o soubesse não cometeria um ato contra a lei.

6 – *Ora sabendo Paulo que uma parte era de saduceus e outra de fariseus, disse em alta voz no conselho: Varões irmãos, eu sou fariseu, filho de fariseus, acerca da esperança e da ressurreição dos mortos eu sou julgado.*

7 – *E quando disse isso, se moveu uma grande dissenção entre os fariseus e os sadeceus e se dividiu a multidão.*

8 – *Porque os saduceus dizem que não há ressurreição, nem anjo nem espírito, ao mesmo tempo que os fariseus reconhecem um e outro.*

Vendo-se sozinho, sem ninguém para defendê-lo das acusações do sinédrio, e notando que na assembleia havia fariseus e saduceus, seitas rivais, Paulo procura tirar partido da situação: proclama-se fariseu e assim joga uma seita contra a outra.

Os fariseus constituíam a mais influente seita judaica, que tinha Hilel como chefe, doutor judeu nascido na Babilônia, fundador de uma célebre escola onde se ensinava que a fé só era dada pelas Escrituras. Sua origem remonta aos anos 180 ou 200 antes de Cristo. Criam, ou pelo menos professavam crer, na Providência, na imortalidade da alma, na eternidade das penas e na ressurreição dos mortos.

A seita dos saduceus formou-se por volta do ano 248 antes de Cristo, assim chamada em virtude do nome do seu fundador, Sadoc. Os saduceus não acreditavam na imortalidade da alma, nem na ressurreição ou na existência de anjos bons e maus. Apesar disso, acreditavam em Deus e, embora nada esperassem após a morte, serviam-no com interesse de recompensas temporais, ao que, segundo acreditavam, se limitava à sua providência. Essa seita era pouco numerosa, mas contava com personagens importantes e tornou-se um partido político sempre oposto aos fariseus (*O Evangelho segundo o Espiritismo*, Allan Kardec).

Ao declarar que era julgado acerca da esperança e da ressurreição dos mortos, Paulo falava a verdade: porque o Evangelho é esperança e a morte não existe; depois de deixar o corpo de carne, ressurgiremos plenos de vida no mundo espiritual.

9 – *Houve pois grande vozeria. E levantando-se alguns dos fariseus, altercavam dizendo: Não achamos mal algum neste homem; quem sabe se lhe falou algum Espírito ou anjo?*

10 – *E como se tivesse originado daqui grande dissenção, temendo o tribuno que Paulo fosse por eles despedaçado, mandou que descessem os soldados e o tirassem dentre eles e o levassem à cidadela.*

O estratagema de Paulo surtiu efeito; as duas seitas passaram a atacar-se, quase que esquecidas dele; alguns fariseus o defenderam. No entanto o tumulto se generalizou e o tribuno, receando que algo de grave lhe sucedesse, mandou que o recolhessem à torre Antonia. E o julgamento foi suspenso.

As Irmãs Fox

No Espiritismo temos um episódio quase igual: o das irmãs Fox, de Hydesville, vilarejo dos Estados Unidos da América do Norte:

"A família Fox se compunha do pai João Fox, da mãe, a senhora Fox, e de duas filhas, Margaret, de quinze anos, e de Kate, de apenas doze anos. Pertenciam à Igreja Episcopal Metodista, da qual eram, como declarou a senhora Hardinge: '... membros exemplares e incapazes de serem acusados de alguma suspeita de fraude ou de mistificação'.

Quando se reuniam num quarto de sua modesta casinha, ouviam, muito frequentemente, baterem na parede, no assoalho, ou nos outros cômodos, principalmente naquele onde dormiam as duas meninas. Acorriam e, ainda que tudo estivesse bem fechado, encontravam os móveis espalhados, os objetos atirados no meio do quarto, sem que ali ninguém tivesse penetrado; e também em sua presença, os móveis continuavam a agitar-se com um movimento de oscilação. Além do mais, as duas meninas, por vezes, sentiam mãos invisíveis, produzindo-lhes uma sensação fria, passar carinhosamente por suas epidermes.

Aquela pobre gente nao tinha mais paz e, atribuindo esta perturbação da ordem natural das coisas a vizinhos brincalhões, de noite percorriam os arredores da sua casinha para descobrir os importunos; mas tudo em vão.

Finalmente, sempre aumentando de intensidade os fenômenos acima referidos, na noite de 31 de março de 1848, uma orquestra diabólica, composta de instrumentos invisíveis e até então nunca ouvidos, perturbou o sono da família Fox; parecia o barulho que fazem as portas e as janelas batidas violentamente. Era de perder-se a cabeça.

Kate Fox, a mais jovem das filhas, percebendo que estes fenômenos não lhe causavam nenhum mal, acabou por habituar-se a eles, os quais a divertiam, tanto que uma noite, por brincadeira, estalando algumas vezes os dedos da mão direita, gritou para o perturbador invisível: 'Faça como eu'. Subitamente os estalos se repetiram no mesmo número de vezes. A cena, como era natural, impressionou vivamente os presentes, que começaram a fazer perguntas, às quais o interlocutor invisível respondeu, sempre por meio de pancadas ou nas paredes ou no centro duma mesa. À pergunta: 'Sois um homem?' nenhuma resposta. À pergunta: 'Sois um Espírito?' foram dadas repetidamente muitas batidas. Grandemente impressionados, os Fox chamaram alguns vizinhos e passaram a noite inteira na primeira das sessões espíritas da qual se tem notícia.

Com rapidez fulminante estas práticas se esparramaram por toda América e invadiram depois a Europa.

Cessado o primeiro movimento de curiosidade, começou-se a dar aos fenômenos bem outra importância; falou-se da possibilidade de rever os próprios mortos e de se ter notícias do outro mundo. O falatório foi tanto que os religiosos trataram do caso e se preocuparam; o pastor local impôs aos Fox que desistissem daquilo, no que não foi atendido.

Houve sessões em que se deram visões de mortos, os quais revelaram viver ainda, mas de outro modo, de amar sempre seus entes queridos, que protegiam e aos quais deram provas de se interessar por eles. Falou-se de Espíritos notáveis que se declararam satisfeitos com as primeiras experiências e estavam prontos a facilitar as comunicações entre os vivos e os habitantes do Além. Os sacerdotes católicos se puseram a exorcismar aqueles que tinham mediunidade, e a ensopar de água benta as mesas girantes, sem nenhum efeito.

A família Fox, origem de tamanho escândalo, foi expulsa da comunidade e obrigada a fugir para Rochester, onde os fenômenos não só continuaram, como também redobraram de intensidade. Os habitantes de Rochester, fanáticos e divididos e subdivididos num sem número de pequenas seitas, passaram a perseguir com tamanha violência os recém-chegados, que os obrigaram a dar uma sessão pública. Começou-se com uma conferência explicativa, durante a qual a turba se entregou a todos os excessos. Contudo, para se obter um resultado prático, decidiu-se nomear uma comissão encarregada de assistir a uma sessão e relatá-la.

Contra toda a expectativa, a comissão, depois de meticuloso exame, concluiu confirmando plenamente os fenômenos. Não se dando por vencidos, nomearam uma segunda comissão, a qual submeteu as duas meninas a um rigoroso exame, não as poupando nem mesmo à prova ultrajante de desnudá-las. O resultado foi o mesmo.

Então, como último recurso, formaram, entre os mais cépticos e incrédulos, uma última comissão que lhes assegurasse a verdade; e para grande maravilha do povo, o resultado foi ainda uma vez favorável à existência dos fenômenos.

Foi quando o populacho, excitado ao máximo, resolveu linchar a família Fox, os seus amigos e até os membros das comissões. E de certo teria corrido sangue se um 'quaker', George Willets, penalizado pela tenra idade das duas meninas, não enfrentasse a multidão gritando: 'Antes de tocarem nelas, terão de passar sobre meu cadáver'.

Esta ira popular, a auréola de martírio que circundou a fronte das irmãs Fox, as acirradas polêmicas suscitadas, enfim este místico de trágico e de extraordinário contribuiu infinitamente para a difusão das novas experiências e em breve toda a América se interessava por elas quem para combater a nova doutrina, quem para defendê-la, quem para ridicularizá-la" (Prof. A. Pappalardo, *Spiritismo*, 5ª ed.).

Como vemos, no tempo de Paulo, quer no nosso, as trevas estão sempre prontas a embaraçar a difusão das luzes espirituais, sacrificando seus portadores.

11 – E na noite seguinte aparecendo-lhe o Senhor, lhe disse: Tem constância, porque assim como deste testemunho de mim em Jerusalém, assim importa que também mo dês em Roma.

Depois das emoções que durante estes dias sofrera em Jerusalém, da humilhação no Templo entre os nazireus e diante dos sacerdotes e de uma população inconsciente, dos açoites e dos apupos recebidos, Paulo sentia-se combalido. E novamente o Plano Espiritual vem em seu socorro duma maneira tangível, reavivando-lhe as forças, pois sua prova testemunhal só terminaria em Roma.

Conspiração dos Judeus Contra Paulo; Este É Mandado para Cesareia.

12 – E quando chegou o dia, houve alguns dos judeus que fizeram liga entre si e apostados se praguejaram, dizendo que eles não haviam de comer nem beber, enquanto não matassem a Paulo.

13 – E eram passante de quarenta pessoas, as que tinham entrado nesta conjuração;

14 – As quais se foram apresentar aos príncipes dos sacerdotes e aos senadores e disseram: Nós nos temos obrigado por voto, sob pena de maldição, a não provarmos bocado até não matarmos a Paulo

15 – Vós pois agora, com o conselho, fazei saber ao tribuno que quereis vô-lo produza, como para haverdes de tomar algum conhecimento mais ao certo de sua causa. E nós estamos prestes para o matar, antes que ele chegue.

Vemos aqui a intolerância religiosa levada ao extremo; resolveram acabar com ele de qualquer jeito; e arquitetam um plano para assassiná-lo. É de notar que os sacerdotes e os senadores, as autoridades máximas da nação, que tinham por dever oferecer a Paulo um julgamento justo, aprovam e facilitam a trama assassina.

16 – Mas um filho da irmã de Paulo, tendo ouvido esta conspiração, foi e entrou na cidadela e deu aviso a Paulo.
17 – Então Paulo, chamando a si um dos centuriões, disse: Leva este moço ao tribuno, porque tem coisa que lhe comunicar.
18 – E nesta conformidade, tomando-o ele consigo, o levou ao tribuno e disse: O preso Paulo me rogou que trouxesse eu à tua presença este moço que tem coisa que dizer-te.
19 – E o tribuno, tomando-o pela mão, o tirou à parte e lhe perguntou: Que é o que tens que me dizer?
20 – E ele disse: Os judeus tem concertado rogar-te que amanhã apresentes Paulo ao conselho, como para haverem de inquirir dele alguma coisa mais ao certo.
21 – Mas tu não os creias, porque há mais de quarenta deles que lhe armam traição, os quais tem jurado, sob pena de maldição, que não comerão nem beberão enquanto o não matarem; e para isso estão já prestes, esperando que tu faças o que eles dizem.
22 – Então o tribuno despediu o moço, mandando-lhe que a ninguém dissesse que lhe havia dado aviso disto.

Felizmente o segredo da conspiração não tinha sido bem guardado; e um sobrinho de Paulo, que morava em Jerusalém, preveniu o tio do que se passava. Paulo faz com que o jovem compareça à presença do tribuno e lhe denuncie a trama.

23 – E chamando a dois centuriões, lhes disse: Tende prontos duzentos soldados, que vão até Cesareia e setenta de cavalo e duzentas lanças, desde a hora terceira da noite;
24 – E aparelhai cavalgaduras para que, fazendo eles montar a Paulo, o chegassem a levar com segurança ao presidente Felix.
25 – (Porque temeu não se desse caso os judeus arrebatassem e o matassem e depois disso fosse ele acusado como que havia de receber dinheiro para lho entregar).

O tribuno tomou providências prontamente; percebeu que a presença de Paulo em Jerusalém se tornava perigosa; se o sinédrio requisitasse o prisioneiro, teria de atender ao pedido; para defendê-lo dos conjurados haveria luta, o que Roma não aprovaria; estudando bem a situação, viu que a melhor solução seria afastá-lo da cidade o quanto antes, levando o caso a um tribunal superior, uma vez que Paulo era cidadão romano.

O tribuno ordenou que Paulo fosse escoltado para Cesareia por quatrocentos e setenta soldados; duzentos armados de escudos e espadas; duzentos de lanças e setenta cavalarianos. Esse aparato bélico evitaria uma emboscada dos judeus para se apossarem de Paulo e matá-lo; caso isso acontecesse, o tribuno poderia ser acusado de conivência com os assassinos. A terceira hora da noite corresponde à meia-noite, quando deveriam partir.

26 – Escrevendo uma carta nestes termos: Cláudio Lísias ao Ótimo presidente Felix, saúde.
27 – A este homem, que foi preso pelos judeus e que estava a ponto de ser por eles morto, sobrevindo eu com a tropa, o livrei tendo sabido já que é romano.
28 – E querendo saber o delito de que o acusam, o levei ao conselho deles.

29 – *Achei que era acusado sobre questões da lei dos mesmos, sem haver nele delito algum que merecesse morte ou prisão.*
30 – *E como tivesse chegado a mim a notícia das traições que eles, judeus, lhe tinham aparelhado, to remeti, intimando também aos acusadores que recorram a ti. Adeus.*

Cláudio Lísias chamava-se o tribuno comandante da guarnição romana, estacionada em Jerusalém, na torre Antonia. Felix era o procurador romano da Judeia, sendo Cesareia a sede do governo. O processo de Paulo foi remetido a um tribunal superior, ao qual deveriam comparecer também seus acusadores. A carta do tribuno já inocenta Paulo e apresenta-o ao governador como um cidadão romano, o que lhe garantiria um tratamento especial.

31 – *Os soldados pois, conforme a ordem que tinham, tomando a Paulo, o levaram de noite a Antipatride.*
32 – *E ao dia seguinte, deixando aos de cavalo que fossem com ele, voltaram para a guarnição.*
33 – *Os quais, tendo chegado a Cesareia, e depois de entregarem ao presidente a carta que levavam, apresentaram diante dele também a Paulo.*
34 – *Ele porém, depois de a ler e perguntar de que província era e sabendo que era da Cilícia,*
35 – *Ouvir-te-ei, lhe disse, quando chegarem os teus acusadores. E mandou que ele fosse posto em custódia no pretório de Herodes.*

Marchando à noite, os soldados chegaram a Antipatride, uma cidade da Judeia fundada por Herodes, o Grande, que lhe deu esse nome em honra a seu pai, que se chamava Antipater; situava-se a meio caminho de Jerusalém a Cesareia. Não havendo mais o perigo de serem atacados pelos judeus, voltam os quatrocentos soldados de infantaria, escoltando a Paulo dali em diante apenas os setenta cavalarianos. Em Cesareia entregam a carta ao governador e lhe apresentam Paulo. Inteirando-se do conteúdo da carta, marca o julgamento para quando chegassem os acusadores. Roma não se pronunciava enquanto não ouvisse ambas as partes. Não recolhem Paulo à prisão comum, dada sua qualidade de cidadão romano; fica detido no pretório de Herodes, com sentinela à vista. O pretório era a residência do governador e o local onde se ministrava a justiça.

Os pretórios se compunham de uma sala de entrada, de um largo corredor em todo o comprimento do edifício, dois pátios laterais ladeados pelas casas dos magistrados e pelas dos soldados da guarda e mais os aposentos particulares do governador.

Capítulo 52

Paulo Perante o Governador Felix

1 – *E dali a cinco dias veio o príncipe dos sacerdotes, Ananias, com alguns anciãos e com um certo Tértulo orador, todos os quais compareceram ante o presidente contra Paulo.*
2 – *E citado Paulo, começou Tértulo a acusá-lo nestes termos: Como pela tua autoridade é que nós gozamos uma profunda paz e pela tua sábia providência se tem emendado muitos abusos,*
3 – *Nós o reconhecemos em todo o tempo e lugar, Ótimo Felix, com a devida ação de graças;*
4 – *Mas por te não ter suspenso muito tempo, rogo-te que ouças, com a tua equidade ordinária, o que te vamos a dizer em breves palavras.*

Cinco dias depois chegaram os membros do sinédrio. E Ananias contratou o orador Tértulo, uma espécie de advogado, para acusar Paulo. Tértulo, a fim de ganhar as graças do governador, começa por tecer-lhe um alto elogio e ao seu governo.

5 – *Nós temos achado que este homem é pestífero e que em todo o mundo excita sedição entre todos os judeus e que é cabeça da sediciosa seita dos nazarenos;*
6 – *Que também tentou profanar o Templo, de maneira que, depois de preso, o quisemos julgar segundo a nossa lei.*
7 – *Mas sobrevindo o tribuno Lísias, ele nô-lo tirou das mãos com grande violência.*
8 – *Ordenando que os seus acusadores viessem comparecer diante de ti; dele poderás tu mesmo, julgando, tomar conhecimento de todas estas coisas de que nós o acusamos.*
9 – *E também os judeus acrescentaram dizendo ser isto assim.*

Para o sinédrio, zelador da lei de Moisés, a seita nazarena, isto é, o Cristianismo nascente, estava fora da lei e como tal devia ser perseguida e aniquilada. As pregações de Paulo eram tidas como sediciosas, pelo que o condenavam. Quanto a profanar o Templo, bem vimos que é uma acusação falsa.

Roma, em suas relações com os povos subjugados, respeitava-lhes as instituições e os costumes, até onde não ameaçassem sua segurança; assim os judeus gozavam de plena liberdade religiosa e quase completa nos assuntos judiciais. Fiel a essa política, nunca se imiscuía nas questões do Templo, permitindo que o sinédrio agisse como quisesse. Interferindo o tribuno Lísias, culpam-no de favorecer Paulo, e portanto a seita nazarena, impedindo que o julgassem segundo a lei deles, com o que demonstram o seu descontentamento para com Roma.

10 – *Mas Paulo (tendo-lhe o presidente feito sinal que falasse) respondeu: Sabendo que tu és juiz desta nação muitos anos há, com bom ânimo satisfarei por mim.*
11 – *Tu podes facilmente saber que não há mais que doze dias que eu cheguei a Jerusalém a fazer a minha adoração;*
12 – *E nem me acharam no Templo disputando com algum, nem fazendo concurso de gente, nem nas sinagogas,*
13 – *Nem na cidade; nem te podem provar as coisas de que agora me acusam.*

Sendo sua vez de falar, Paulo não desce a elogios mesquinhos; cumprimenta o governador e declara que ele mesmo se defenderia; demonstra-lhe que há poucos dias tinha chegado a Jerusalém, para as comemorações da Páscoa; diz-lhe que não fizera pregação de suas ideias no Templo, nem fora dele; e que, quanto às acusações, não sendo elas verdadeiras, não poderiam ser provadas.

14 – *Porém confesso diante de ti: que, segundo a seita que eles chamam heresia, sirvo eu a um Pai e Deus, crendo todas as coisas que estão escritas na lei e nos profetas;*
15 – *Tendo esperança em Deus, como eles também esperam, que há de haver a ressurreição dos justos e dos pecadores.*
16 – *E por isso procuro ter sempre a minha consciência sem tropeço diante de Deus e dos homens.*

De fato, o Evangelho não veio destruir a lei ou invalidá-la, mas dar-lhe cumprimento, segundo declarou o próprio Jesus. Do mesmo modo, o Espiritismo não veio para combater ou destruir religiões, e sim trazer novos ensinamentos que as completam e espiritualizam.

Sendo Deus nosso Pai, nele devemos depositar todas as nossas esperanças; e, como somos Espíritos imortais, ressurgiremos cheios de vida no mundo espiritual, depois de passar pelo fenômeno da morte. E para que não tenhamos decepções do lado de lá, precisamos não cometer atos que manchem nossa consciência.

17 – *E depois de muitos anos, vim à minha gente a fazer esmolas e oferendas e votos.*
18 – *Nisto me acharam purificado no Templo; não com turba, nem com tumulto.*

A esmola a que Paulo se refere era a coleta que ele fazia regularmente entre os irmãos dos núcleos que fundara nas cidades onde estivera e se destinava a auxiliar a obra dos Apóstolos em Jerusalém. Foi esse um hábito que ele conservou por toda a vida (Cap. 39, 28-30). E as oferendas e votos, as despesas que pagou pela purificação dos quatro nazireus, que acompanhou no Templo, segundo o ritual da purificação.

19 – *E estes foram uns judeus da Ásia, que deviam comparecer diante de ti e acusar-me, se tivessem alguma coisa contra mim;*
20 – *Ou estes mesmo digam se acharam em mim alguma maldade, quando eu compareci em conselho;*
21 – *Senão só destas palavras que proferi em voz alta, estando no meio deles: Eu hoje pois sou julgado por vós acerca da ressurreição dos mortos.*

Na realidade, Paulo não tumultuara o Templo; foram os judeus da Ásia que o reconheceram entre os quatro nazireus; se algo houvesse contra ele, seriam eles que o deveriam acusar; e mesmo os que ali estavam nenhuma culpa lhe poderiam imputar. Paulo habilmente desloca a questão para o terreno controverso entre os fariseus e os saduceus: o da ressurreição dos mortos.

O Espiritismo prega também a ressurreição dos mortos; não, porém, a do corpo de carne, que se desfaz na sepultura, onde passa a integrar o grande reservatório da natureza; a ressurreição é a do Espírito, nossa alma imortal, que ressurge no Plano Espiritual. Aliás é o que o próprio Paulo nos ensina em sua Primeira Epístola aos Coríntios, capítulo 15, nos versículos:

42 – Assim também a ressurreição dos mortos. Semeia-se o corpo em corrupção, ressuscitará em incorrupção.
44 – E semeado o corpo animal, ressuscitará o corpo espiritual.

O corpo semeado em corrupção é o nosso corpo de carne; corrupto porque apodrece na sepultura; e o corpo incorrupto é o nosso Espírito, que não sofre a corrupção material, ou seja, não apodrece, não se enterra com o corpo de carne, mas se destaca dele e vai viver nas belíssimas esferas espirituais do reino de Deus. O corpo animal que se semeia é o corpo de carne que participa da vida animal, simples instrumento do Espírito durante o tempo de sua vida terrena. O corpo espiritual é o Espírito, que habita o corpo animal, enquanto vivo na Terra, e do qual se liberta pela morte. Enquanto encarnados, somos compostos de: corpo de carne ou animal; perispírito, elo de ligação entre o corpo e o Espírito; e Espírito propriamente dito, centelha divina que brilha no imo de nosso ser e que nos dá o profundo sentimento de nossa personalidade, que nos faz afirmar do fundo de nossa consciência: EU SOU. Uma vez desencarnados, conservaremos o perispírito que reveste o Espírito e é o instrumento de sua manifestação. E Paulo, que compreendia muito bem o fenômeno da morte, nos versículos 54 e 55, capítulo 15, da mesma Epístola, exclama:

54 – E quando este corpo mortal se revestir da imortalidade, então se cumprirá a palavra que está escrita: "Tragada foi a morte na vitória".
55 – Onde está, ó morte, a tua vitória? Onde está. Ó morte o teu aguilhão?

Mais uma vez repetimos: a morte não existe; é o simples ato de o Espírito desligar--se do corpo. Todavia, enquanto não alcançar a condição de Espíritos Puros, experimentaremos inúmeras vezes o fenômeno da morte; morreremos no mundo espiritual e renasceremos no mundo carnal; morreremos no mundo carnal e renasceremos no mundo espiritual; porque necessitamos de muitas e muitas reencarnações para que conquistemos o grau de Espíritos Puros; e, quando atingirmos esse grau, estaremos revestidos da imortalidade, isto é, não mais necessitaremos da reencarnação; teremos vencido a morte. Essa compreensão do fenômeno da morte, Paulo a adquiriu por meio da mediunidade — sua e de seus colaboradores — que o punha em contato com os Espíritos, que o assistiam em sua obra evangélica.

22 – Felix porém, que sabia perfeitissimamente as coisas deste caminho, os remeteu para outro tempo dizendo: Quando vier o tribuno Lísias, então vos ouvirei.

23 – E mandou a um centurião que o tivesse em custódia, mas sem tanto aperto e sem proibir que os seus o servissem.

Felix conhecia muito bem as intermináveis e estéreis discussões dos judeus, ao interpretarem a lei de Moisés. E, para certificar-se dos fatos concretos que levaram Paulo à prisão, julgou de bom alvitre, antes de pronunciar-se, ouvir o depoimento do tribuno Lísias.

Paulo ficou preso em Cesareia sob custódia, isto é, livre dentro do pretório, porém com sentinela à vista; e podia receber seus amigos e colaboradores, o que foi altamente benéfico à causa do Evangelho. Paulo não ficou inativo; recebia os emissários dos núcleos distantes, solucionáva-lhes os problemas e enviava-lhes mensagens e epístolas, das quais nos restam algumas. Um de seus colaboradores constantes foi Lucas, "o muito amado Lucas", como Paulo o chamava (Col. 4-14), o qual tinha entrada livre no pretório. Lucas não perdeu a oportunidade incomparável, que se lhe deparava em Cesareia, de colher informações de Filipe, que morava na cidade, e de outras pessoas que estiveram bem próximas de Jesus; com elas escreveu o Evangelho que traz o seu nome, e julga-se que também nesse tempo começou a compor o "Atos dos Apóstolos", terminando-o em Roma.

24 – E passados alguns dias, vindo Felix com sua mulher Drusila, que era judia, chamou a Paulo e o esteve ouvindo falar da fé que há em Jesus Cristo.

25 – Mas como Paulo lhe falou em tom de disputa da justiça e da castidade e do juízo futuro, Felix, todo atemorizado, lhe disse: Por ora basta, vai-te; e quando tiver vagar, eu te chamarei.

A fama de Paulo era imensa. Drusila, mulher de Felix e judia de origem, quis ouvi-lo; Paulo lhes expos o programa evangélico; ao falar-lhes da responsabilidade que pesa sobre os ombros de cada um e que seremos julgados segundo nossas próprias obras, Felix amedrontou-se; talvez pela primeira vez sua consciência lhe apontasse atos menos dignos; e em lugar de informar-se de como corrigi-los, achou mais fácil tapar os ouvidos e despedi-lo. O mesmo acontece em nossos dias em relação ao Espiritismo; ensinando que cada um é responsável pelos seus atos, pelos quais sua própria consciência o julgará; pregando o abandono dos maus hábitos e a total reforma íntima muitos se afastam dele, como que atemorizados.

26 – Esperando também ao mesmo tempo que Paulo lhe desse algum dinheiro, por cuja causa mandando chamá-lo repetidas vezes, se entretinha com ele.

27 – Completos porém dois anos, teve Felix por sucessor a Porcio Festo. E querendo Felix ganhar a graça dos judeus, deixou Paulo na prisão.

Por aí vemos que Felix era um governador venal: se Paulo lhe desse dinheiro, ele o soltaria. Paulo, caráter integro, recusou e preferiu permanecer preso, do que alcançar a liberdade por meios indignos. Os atos indignos que cometermos mancham nossa consciência; e pela lei do choque de retorno voltar-se-ão contra nós punitivamente.

Corria o ano 62 quando Porcio Festo substituiu Felix. O processo de Paulo jazia parado há dois anos; o novo governador revê-lo-ia com extrema imparcialidade.

Capítulo 53

Paulo Comparece Perante Festo e Apela para Cesar

1 – Tendo pois chegado Festo à província, veio, passados três dias, de Cesareia a Jerusalém.
2 – E os príncipes dos sacerdotes e os principais dos judeus, acudiram a ele contra Paulo e lhe rogavam,
3 – Pedindo favor contra ele, para que o mandasse vir a Jerusalém, armando-lhe insídias para o assassinarem no caminho.

Como era seu dever, tão logo tomou posse do cargo em Cesareia, o governador Festo fez a visita protocolar a Jerusalém. O sinédrio aproveitou a oportunidade para reclamar o julgamento de Paulo em Jerusalém. O plano sinistro de o assassinarem ainda estava de pé.

4 – Mas Festo respondeu que Paulo estava em custódia em Cesareia e que ele partiria para lá dentro de poucos dias.
5 – Por onde, os que dentre vós, disse ele, são os principais, vinde comigo, se algum crime há neste homem acusem-no.

Festo ainda não tivera tempo de examinar o processo de Paulo: por isso não podia atender ao pedido deles; contudo, convida-os a irem a Cesareia, onde prosseguiria o julgamento.

6 – E havendo-se demorado entre eles não mais de oito ou dez dias, baixou a Cesareia e no dia seguinte assentou no tribunal e mandou trazer a Paulo;
7 – O qual, depois de ser ali trazido, o rodearam os judeus que tinham vindo de Jerusalém, acusando-o de muitos e graves delitos que não podiam provar.

Festo se demorou em Jerusalém cerca de dez dias e depois se instalou em Cesareia; e não perdeu tempo; como chegassem também os representantes do sinédrio, reabriu o tribunal, ante o qual compareceram Paulo e seus acusadores. Ante Festo renovaram-se as acusações que já conhecemos.

8 – Dizendo Paulo em sua defesa: Em nada pois tenho pecado contra a lei dos judeus, nem contra o Templo, nem contra Cesar.
9 – Mas Festo, querendo comprazer com os judeus, respondendo a Paulo, disse: Queres subir a Jerusalém e ali ser julgado por estas coisas diante de mim?

Reafirma Paulo que não pecara contra a lei de Moisés; não a negou nunca; apenas demonstrara que as profecias se tinham cumprido na pessoa de Jesus; não desrespeitara o Templo, não desobedecera a nenhuma lei de Roma; era portanto inocente. Desejando Festo conquistar as boas graças dos judeus logo no início de seu governo, procura transferir o julgamento para Jerusalém; mas, como Paulo era cidadão romano, somente com seu consentimento isso podia ser feito.

10 – E Paulo disse: Ante o tribunal de Cesar estou, onde convém que seja julgado; eu nenhum mal tenho feito aos judeus, como tu melhor o sabes.

11 – E se lhes tenho feito algum mal, ou coisa digna de morte, não recuso morrer; mas nada há daquilo de que estes me acusam, ninguém me pode entregar a eles; apelo para Cesar.

12 – Então Festo, depois de haver conferido o negócio com o conselho respondeu: Para o Cesar tens apelado? ao Cesar irás

Paulo respondeu que já se achava ante um tribunal romano, pelo qual tinha o direito de ser julgado; tinha a consciência tranquila; uma vez que as acusações de que era vítima não foram provadas, o tribunal não o podia entregar ao sinédrio, em Jerusalém. E como cidadão romano, Paulo pronuncia a fórmula consagrada: Caesarem appello (Apelo para Cesar). Festo não esperava por isto mas, consultados seus assessores, respondeu de acordo com a lei: Caesarem appellasti? ad Caesarem ibis. Para Cesar apelaste? a Cesar irás). Estava aberto a Paulo o caminho para Roma, para onde desejava ardentemente ir; como o fizera em Jerusalém, daria lá também o testemunho de Jesus. Em qualquer parte do Império Romano, por mais longínqua que fosse, que estivesse um cidadão romano, uma vez que apelasse para Cesar, tinha o direito de ser conduzido a Roma e por ele julgado. O apelo a Cesar, o imperador, colocava o apelante fora da jurisdição dos governadores provinciais.

13 – E alguns dias depois, o rei Agripa e Berenice vieram a Cesareia a dar os emboras a Festo.

14 – E demorando-se ali muitos dias, Festo deu notícia de Paulo ao rei, dizendo: Felix deixou aqui preso um certo homem,

15 – Por cujo respeito, quando estive em Jerusalém, acudiram a mim os príncipes dos sacerdotes e os anciãos dos judeus, pedindo que o condenasse.

16 – Aos quais respondi que não era costume dos romanos condenar homem algum antes de o acusado ter presentes os seus acusadores, e antes de se lhe dar liberdade para se defender dos crimes que lhe imputam.

17 – Tendo eles pois acudido aqui sem a menor dilação, ao outro dia, assentando-me no meu tribunal, mandei trazer a este homem,

18 – A quem, estando presentes os seus acusadores, nenhum delito opuseram dos que eu suspeitava.

19 – Mas só contra de algumas questões sobre a sua superstição e sobre um certo Jesus defunto, o qual Paulo afirmava viver.

20 – E duvidando eu de semelhante questão, lhe disse se queria ir a Jerusalém e ali ser julgado destas coisas.

21 – Mas apelando Paulo para que ficasse reservado ao conhecimento de Augusto, mandei que o guardassem até que eu o remeta ao Cesar.

Reorganizada como província romana no ano 44 pelo imperador Cláudio, a Judeia nunca mais teve um dirigente nacional; era governada por procuradores romanos, nomeados pelo imperador. Aqui se trata do rei Herodes Agripa II e sua irmã Berenice; conquanto exercesse grande influência, o território do qual se derivava o seu título de rei era Calcis, insignificante e longínquo, junto ao monte Líbano. Vieram a Cesareia dar os emboras ao novo governador, ou seja, cumprimentá-lo e dar-lhes os parabéns pela sua nomeação. Festo, sabendo que Agripa era versado nas coisas judaicas, conferencia com ele a respeito do prisioneiro Paulo, ali deixado por Felix há dois anos. Segundo o costume romano, dera-lhe ampla liberdade para se defender de seus acusadores, os quais, comparecendo ao tribunal, não o acusaram de nenhum delito que merecesse condenação, segundo as leis de Roma; só disputavam acerca de Jesus, que o sinédrio tinha sacrificado e Paulo afirmava estar vivo. E como ele, Festo, duvidasse, perguntou-lhe se queria ser julgado em Jerusalém para aclararem a questão. Porém o prisioneiro recusara o alvitre, apelando para Augusto – um dos títulos do imperador – e aguardava agora a oportunidade de remetê-lo a Roma.

Na verdade, Paulo estava certo: Jesus vivia, não em corpo de carne, e sim em seu estado de Espírito, como nós também viveremos depois de nosso desencarne.

Paulo Perante o Rei Agripa

22 – Então Agripa disse a Festo: Eu também queria ouvir este homem. Amanhã, respondeu ele, o ouvirás.

23 – Ao outro dia pois, tendo vindo Agripa e Berenice com grande pompa e depois de entrarem na audiência com os tribunos e pessoas principais da cidade, foi trazido Paulo por ordem que Festo dera.

A curiosidade em torno da pessoa de Paulo era grande: a história de sua conversão andava de boca em boca; suas lutas, seus sofrimentos, perseguições, açoites, prisões eram conhecidos de todos. Ninguém queria perder a oportunidade de ver e ouvir o doutor da lei que, como diziam, enlouquecera no caminho de Damasco. As pessoas mais representativas da cidade, não só os judeus mas também os romanos, não faltaram à audiência. Esta não foi uma audiência oficial; uma vez que Paulo apelara para Cesar, desligara-se da jurisdição do governador; se quisesse poderia recusar-se a comparecer; porém ele não perderia esta ocasião de dar testemunho de Jesus perante os poderosos; e obedeceu à ordem de Festo.

24 – E disse Festo: Rei Agripa e todos os varões que aqui estais conosco, aqui tendes este homem, contra quem toda a multidão dos judeus me fez recurso em Jerusalém, pedindo e gritando que não convinha que ele vivesse mais.

25 – E eu tenho achado que ele não tem feito coisa alguma digna de morte. Mas havendo ele mesmo apelado para Augusto, tenho determinado remeter-lho.

Festo examinara detidamente o processo que moviam contra Paulo; inteirara-se de que pediam sua condenação à morte; mas, conforme as leis romanas, nada havia por que condená-lo, principalmente à morte; mas como ele apelara para Cesar, era seu dever enviar-lho.

26 – Do qual não tenho coisa certa para escrever ao senhor. Pelo que vô-lo tenho apresentado e maiormente a ti, ó rei Agripa, a fim de ter que escrever-lhe, depois de feita a informação.
27 – Porque me parece sem razão remeter um homem preso e não informar das acusações que lhe fazem.

Quando se enviava um prisioneiro a Roma para ser julgado por Cesar, acompanhava-o um relatório circunstanciado de tudo o que ocorrera e por quais motivos houve o apelo a Cesar. Festo estava embaraçado; não sabia como compor o relatório. Como justificar que um cidadão romano estivesse preso há dois anos com o seu processo parado? E por que – para que seu processo andasse – teve de apelar ao imperador. Ora, o rei Agripa poderia ajudá-lo a elaborar o documento; essa uma das boas razões para fazê-lo ouvir Paulo.

Capítulo 54

1 – E disse Agripa a Paulo: A ti se te permite falar em defesa de ti mesmo. Então Paulo, estendendo a mão, começou a dar razão de si.

2 – Devendo eu hoje fazer a minha defesa na tua presença, ó rei Agripa de tudo quanto me acusam os judeus, me tenho por ditoso,

3 – Maiormente sabendo tu todas as coisas e os costumes e questões que há entre os judeus; pelo que eu te suplico me ouças com paciência.

Todos acomodados, o rei Agripa deu a palavra a Paulo que, cumprimentando-o, diz-lhe da satisfação que tinha de falar em sua presença; porque falaria a quem estava bem a par dos usos e dos costumes dos judeus e das questões que se suscitavam entre eles; falaria, pois, a quem o compreenderia perfeitamente, se o ouvisse com paciência.

4 – E quanto à minha vida desde a mocidade, que eu observei desde aquele princípio entre a minha gente em Jerusalém, é certo que a sabem todos os judeus;

5 – Conhecendo-me desde os meus princípios (se quiserem dar disso testemunho), porque eu segundo a seita de nossa religião, vivi fariseu.

Apresenta-se Paulo ao rei Agripa, como fariseu em sua mocidade, tendo observado fielmente a lei de Moisés, o que mesmo seus acusadores poderiam testemunhar. Não era, por conseguinte, um qualquer, mas sim um conhecedor profundo da religião na qual fora criado.

6 – E agora sou acusado em juízo por esperar a promessa que foi feita por Deus a nossos pais;

7 – A qual as nossas doze tribos, servindo a Deus de noite e de dia, esperam ver cumprida. Por esta esperança, ó rei, sou acusado pelos judeus.

Politicamente a nação judaica se compunha de doze tribos, cada uma delas descendentes de um dos filhos de Jacó (Ex. 1-1, 5). A promessa feita era a vinda do Salvador, sempre anunciada pelos profetas, especialmente por Isaías. E Paulo declara que o acusavam por acreditar nessas profecias.

8 – Reputa-se no vosso conceito por alguma coisa incrível que Deus ressuscite os mortos?

Vimos que os fariseus acreditavam na ressurreição dos mortos. O que haveria então de mais que Paulo pregasse a ressurreição de Jesus. É a pergunta velada que ele faz a Agripa, que também era fariseu.

9 – E eu na verdade tinha para mim que devia fazer a maior resistência contra o nome de Jesus Nazareno;

10 – E assim o fiz em Jerusalém e eu encerrei em cárceres a muitos santos, havendo recebido poder dos príncipes dos sacerdotes; e quando os fazia morrer consenti também nisso.

11 – E muitas vezes castigando-os por todas as sinagogas, os obrigava a blasfemar; e enfurecendo-me mais e mais contra eles, os perseguia até nas cidades estrangeiras.

Nestes versículos, Paulo descreve as perseguições que moveu contra o nome de Jesus e de seus adeptos, levando-os até a morte.

12 – Levado destes intentos, indo a Damasco, com poder e comissão dos príncipes dos sacerdotes,

13 – Ao meio-dia, vi ó rei, no caminho uma luz do céu, que excedia o resplendor do próprio sol, a qual me cercou a mim e aos que iam comigo;

14 – E como todos nós caíssemos por terra, ouvi uma voz que me dizia na língua hebraica: Saulo, Saulo, porque me persegues? Dura coisa te é recalcitrar contra o aguilhão.

15 – Então disse eu: Quem és tu, Senhor? E o Senhor me respondeu: Eu sou Jesus, a quem tu persegues.

16 – Mas levanta-te e põe-te em pé; porque eu por isso te apareci, para te fazer ministro e testemunha das coisas que viste e de outras que te hei de mostrar em minhas aparições;

17 – Livrando-te do povo e dos gentios aos quais eu agora te envio.

18 – A abrir-lhes os olhos, a fim de que se convertam das trevas à luz e do poder de Satanás a Deus; para que recebam perdão de seus pecados e sorte entre os santos, pela fé que há em mim.

19 – Pelo que, Ó rei Agripa, não fui desobediente à visão celestial;

Sempre que oportuno, Paulo relata sua conversão na estrada de Damasco, vindo Jesus abrir-lhe os olhos para a luz e traçar-lhe um plano de trabalho, ao qual ele obedeceu fielmente.

Satanás simboliza a legião dos Espíritos das trevas, inclinados ao mal; através das reencarnações aceitarão o Evangelho e sairão da ignorância e passarão a fazer parte do Espírito Santo, a legião esplendorosa do bem.

20 – Mas preguei primeiramente aos de Damasco e depois em Jerusalém e por toda a terra de Judeia e aos gentios, quo fizessem penitência e se convertessem a Deus, fazendo dignas obras de penitência.

21 – Por esta causa os judeus, estando eu no Templo, depois de preso me intentaram matar.

22 – Mas assistido eu do socorro de Deus, permaneço até ao dia de hoje, dando testemunho disso a pequenos e a grandes, não dizendo outras coisas fora daquelas que disseram os profetas e Moisés que haviam de acontecer;

23 – Que o Cristo havia de padecer, que seria o primeiro da ressurreição dos mortos e para anunciar a luz ao povo e às gentes.

Iniciei minhas pregações, diz Paulo, por Damasco, passei depois a Jerusalém preguei aos judeus e aos gentios, por toda a parte, e jamais disse coisas que contradissessem Moisés ou os profetas. Diante dos poderosos e dos pequeninos, meus ensinamentos foram sempre os mesmos. E o Senhor assistiu-me e socorreu-me em tudo.

24 – *Dizendo ele estas coisas e dando razão de si disse Festo em alta voz: Estás louco, Paulo; as muitas letras te tiram do teu sentido.*
25 – *Então Paulo disse: Eu não estou louco, Ótimo Festo, mas digo palavras de verdade e de prudência;*
26 – *Porque destas coisas tem conhecimento o rei, em cuja presença falo com toda liberdade; pois creio que nada disso se lhe encobre, porque nenhuma destas coisas se fez ali a um canto.*
27 – *Crês, ó rei Agripa, nos profetas? Eu sei que crês.*
28 – *Então Agripa disse a Paulo: Por pouco não me persuades a fazer-me cristão.*
29 – *E Paulo lhe respondeu: Prouvera a Deus que por pouco e por muito, não somente tu, senão também todos quantos me ouvem se fizessem hoje tais qual eu também sou, menos estas prisões.*

O discurso de Paulo, aqui reproduzido deve ser uma pálida ideia do que realmente foi; tanto que Festo, de cultura romana, julgou que o muito estudar atrapalhara-lhe a mente. Paulo replica que falava a verdade, uma vez que o próprio rei Agripa sabia de tudo pois que os profetas não profetizaram às escondidas; e se ele assim falava com toda a liberdade era porque estava sendo ouvido por quem o compreendia; daí sua pergunta ao rei. O rei bem viu que, segundo as profecias, Paulo estava certo e brinca com ele, dizendo-lhe que, diante da lógica de sua exposição, quase vira um cristão: ao que Paulo responde no mesmo tom que oxalá todos se fizessem iguais a ele, isto é, cristãos, mas sem as correntes que o prendiam; porque Paulo, como prisioneiro, fora levado acorrentado à audiência.

30 – *Então se levantaram o rei e o presidente e Berenice e os que estavam assentados com eles,*
31 – *E, havendo-se retirado à parte, falaram uns com os outros, dizendo: Este homem pois não fez coisa que seja digna de morte ou de prisão.*
32 – *E Agripa disse para Festo; Ele podia ser solto, se não tivesse apelado para Cesar.*

Terminada a audiência, conferenciaram entre si e concluíram que nada havia contra Paulo que merecesse condenação; e, se não fosse o seu apelo a Cesar, poderia ser posto em liberdade.

Capítulo 55

Paulo É Mandado Para a Itália; O Naufrágio do Navio

1 – Mas como se determinou enviá-lo por mar à Itália, e que Paulo fosse entregue com outros presos a um centurião da côorte augusta, por nome Júlio.

2 – Embarcando num navio de Adrumete, levantamos âncora, começando a costear as terras da Ásia, perseverando em nossa companhia Aristarco, macedônio, de Tessalônica,

3 – Ao dia seguinte, porém, chegamos a Sidon. E Júlio, usando de humanidade com Paulo, lhe facultou vir ver seus amigos e prover-se do que havia de mister.

4 – E feitos dali à vela, fomos navegando abaixo de Chipre, por nos serem contrários os ventos,

5 – E tendo atravessado o mar da Cilícia e da Panfília, chegamos a Listra que é da Lícia;

6 – E achando ali o centurião um navio de Alexandria, que fazia viagem para a Itália, fez-nos embarcar nele.

7 – E como por muitos dias navegássemos lentamente e apenas pudéssemos avistar a Gnido, sendo-nos contrário o vento, fomos costeando a ilha de Creta, junto à Salmona;

8 – E navegando com dificuldade ao longo da costa, abordamos a um lugar a que chamam os Bons Portos, com quem vizinhava a cidade de Talassa.

Era no fim do outono, às portas do inverno, quando Paulo embarcou para a Itália. Navegava-se de cabotagem, isto é, de porto a porto e sempre com terra à vista: não se aventuravam ao mar largo; ainda não havia a bússola; à noite se orientavam por algumas estrelas; os navios eram de madeira, pequenos, impelidos pelo vento, de um ou dois mastros, aos quais se suspendia uma vela quadrada; somente os navios de guerra tinham remadores, escravos e condenados às galés; não havia conforto a bordo; dava-se especial atenção à carga; no pouco espaço sobrante, amontoavam-se os passageiros como podiam, pois não havia beliches ou camarotes como nos transatlânticos de hoje. Num desses navios, que voltava ao seu porto de origem em Adrumete, na Misia, embarcaram Paulo com outros presos: Paulo para comparecer perante Cesar, e os outros para cumprirem as penas a que tinham sido condenados. O centurião Júlio comandava os soldados que conduziam os prisioneiros. Segundo o costume, os presos seguiam acorrentados dois a dois e ligados a outra corrente, que passava no meio deles. Paulo, dado sua qualidade de cidadão romano e a seu apelo a Cesar, seguia livre.

Tomaram passagens a bordo para acompanhá-lo a Roma, os discípulos Lucas, Timóteo e Aristarco.

Os ventos contrários, anunciadores já de travessia perigosa, impedem que o navio navegue em linha reta de Cesareia a um dos portos da ponta sudeste da Ásia Menor, donde, também em linha reta, em navio que para lá se dirigisse, alcançariam a Itália. Navegam para o norte, bordejando a Fenícia; chegam a Sidon, onde Paulo, com permissão de Júlio, desce em terra para se encontrar com amigos, os quais o proveem do que necessita para a travessia, pois partira de Cesareia com a roupa do corpo apenas. Passam pelo mar da Cilícia e de Panfília, entre a ilha de Chipre e o continente, e aportam a Mira, na Lícia. Ali o centurião baldeia-os em um navio que vem de Alexandria, no Egito, e vai à Itália. Os ventos continuam a não favorecer a navegação, que se faz lentamente; não perdem as costas de vista; atravessam entre a ilha de Gnido e a de Rodes e costeiam a ilha de Creta e tocam num lugar a que chamam Bons Portos, próximo à cidade de Talassa. Estamos agora em pleno mar Mediterrâneo e em Creta, uma das maiores ilhas gregas.

9 – E como se tivesse passado muito tempo e não fosse já segura a navegação, pelo motivo de haver ate já passado o jejum, Paulo os alentava,

10 – Dizendo-lhes: Varões, vejo que a navegação começa a ser trabalhosa e com muito dano, não somente do navio e de sua carga, mas ainda de nossas vidas.

11 – Porém o centurião dava mais crédito ao mestre e ao piloto, do que ao que Paulo lhes dizia.

12 – E como o porto não era azado para invernar, foram os mais deles de parecer que se passasse adiante, a ver se de alguma sorte podiam, em ganhando Fenice, invernar ali, por ser este um porto de Creta, o qual olha o África e ao Côro.

Atinge-se o limite máximo além do qual as viagens marítimas deixam de ser seguras; é o sétimo mês do ano judaico, que corresponde ao nosso outubro; é o mês do grande jejum, o jejum do Perdão, instituído por Moisés: "O décimo dia deste sétimo mês será o soleníssimo das expiações e chamar-se-á santo e nele afligireis as vossas almas e oferecereis um holocausto ao Senhor. Não fareis obra servil alguma em todo este dia de propiciação, para que o Senhor vosso Deus vos seja propicio" (Lev. 23, 27-28). A navegação se torna difícil, o mar encapela-se e com suas ondas varre o navio, estragando a carga e ameaçando a vida dos passageiros. Paulo adverte o centurião do perigo que correm se prosseguirem. E, como Júlio consultasse o mestre e o piloto, acredita mais neles do que em Paulo. Na entrada do inverno, os navios se recolhiam ao porto mais próximo, onde invernavam, aguardando a primavera para de novo fazerem-se ao mar. Tentam ganhar o porto de Fenice o qual, conforme informações, oferece mais segurança para a invernagem, e estariam a favor de África e Côro, duas correntes de vento que sopram da África.

13 – Começando, porém, a ventar brandamente o sul, cuidando eles que tinham o que desejavam, depois de levantarem âncora em Asson, iam costeando Creta.

14 – Mas não muito depois veio contra a mesma ilha um tufão de vento que é chamado Euroaquilão.
15 – E sendo a nau arrebatada e não podendo resistir ao vento, eramos levados, deixada a nau aos ventos.
16 – E arrojados da corrente a uma pequena ilha que se chama Clauda apenas pudemos ganhar o esquife.
17 – Tendo-o trazido a nós, eles se valiam de todos os meios, cingindo a nau, temerosos de dar na Sirte, caladas as velas, eram assim levados.
18 – E agitados nós da força da tormenta, ao dia seguinte alijaram;
19 – E ao terceiro dia também arrojaram com suas mãos os aparelhos da nau.
20 – E não aparecendo por muitos dias sol nem estrelas, e ameaçando-nos uma não pequena tempestade, tínhamos já perdida toda a esperança de chegarmos a salvamento.

Para alívio e alegria de todos, começa a soprar um brando vento do sul; levantam âncora de Asson e seguem para Fenice, costeando a ilha: julgam-se já a salvo, quando subitamente são apanhados por um tufão, fenômeno comum no Mediterrâneo, a que os marinheiros chamam euroaquilão: perdem todo o controle do barco, que é batido pelo vendaval; são arrastados a uma minúscula ilha, Clauda, e mal têm tempo de salvar o escaler que se desprende das amarras; amainam as velas, cingem os costados do navio com cordas fortes, procurando evitar que ele se desconjunte e deixam-se levar; temem naufragar na Sirte, bancos de areia movediça nas costas da África. Recrudescendo a tempestade, jogam ao mar o que podem, e três dias depois também os móveis, os utensílios e tudo o mais que faça peso a bordo, para que o navio se torne mais leve e assim possa resistir melhor aos vagalhões. É tamanha a borrasca que nem mesmo o sol se vê: esvai-se toda esperança de salvamento.

21 – E havendo todos estado muito tempo sem comer, levantando-se então Paulo no meio deles, disse: Era por certo conveniente, ó varões, seguindo o meu conselho, não ter saído de Creta e evitar este perigo e dano;
22 – Mas agora vos admoesto que tenhais bom ânimo, porque não perecerá nenhum de vós, senão somente o navio.
23 – Porque esta noite me apareceu o anjo de Deus de quem eu sou e a quem sirvo,
24 – Dizendo: Não temas, Paulo; importa que tu compareças ante o Cesar; e eu te anuncio que Deus te há dado todos os que navegam contigo.
25 – Pelo que, ó varões, tende bom ânimo; porque eu confio em Deus, que assim há de suceder como foi dito.
26 – Porém é necessário que vamos dar a uma ilha.

A esperança de salvamento está perdida para todos, menos para Paulo; não deve ele dar testemunho de Jesus perante Cesar? Então... o que temer?
Paulo lhes faz ver que melhor seria terem-no escutado em Creta; agora nada adianta reclamar ou lamentarem-se; que aceitem a situação com bom ânimo, tomem a ali-

mentação, pois não comem há dias, e tenham fé em Deus. Durante a noite, conta-lhes, fora avisado de que só o navio se perderá; as vidas humanas, não; e darão a uma ilha.

O anjo de Deus do qual Paulo fala é um Espírito que se lhe fez visível para animá-lo e, por seu meio, a todos. Essas aparições são comuns e pertencem aos fenômenos mediúnicos; o Espiritismo as explica racionalmente. (ver O *livro dos médiuns*, Allan Kardec, Capítulo 6, Manifestações visuais.)

27 – *E quando chegou a noite do dia catorze, indo nós navegando pelo mar Adriático, perto da meia-noite, suspeitaram os marinheiros que estavam perto de alguma terra.*
28 – *E lançando eles a sonda, acharam vinte passos; depois um pouco mais adiante, acharam quinze passos.*
29 – *E temendo que déssemos em alguns penedos, lançando quatro âncoras desde a popa, desejavam que viesse o dia.*
30 – *E procurando os marinheiros fugir do navio, depois de lançarem o esquife ao mar, com o pretexto de começaram a largar as âncoras a proa.*
31 – *Disse Paulo ao centurião e aos soldados: Se estes homens não permanecerem no navio, não podereis vós salvar-vos.*
32 – *Então cortaram os soldados os cabos do esquife e deixaram-no perder.*
33 – *E entretanto que o dia vinha, rogava Paulo a todos que comessem alguma coisa dizendo: Faz hoje já catorze dias que estais à espera em jejum sem comer bocado.*
34 – *Portanto rogo-vos, por vida vossa, que comais alguma coisa, porque não perecerá nem um só cabelo da cabeça de nenhum de vós.*
35 – *E tendo dito assim, tomando o pão, deu graças a Deus em presença de todos; e depois que o partiu começou a comer.*
36 – *E todos com isto tomaram ânimo e se puseram também a comer.*

Navegam há catorze dias no meio da tormenta; estão agora em frente ao mar Adriático, que é um longo golfo do Mediterrâneo. Por volta da meia-noite parece-lhes avizinharem-se da terra; pela sonda, a pouca profundidade lhes confirma a suspeita; para que o navio não se parta de encontro a possíveis penedos, lançam quatro âncoras: duas à popa e duas à proa; e aguardam o amanhecer. Nesse meio-tempo, os marinheiros combinam entre si abandonar o barco; e enquanto descem as âncoras da proa, arreiam também o escaler para a fuga. Percebendo o plano deles, Paulo alerta o centurião, porque, sem os marinheiros que manobrassem a nau, todos pereceriam. Sem hesitar, os soldados cortam os cabos do esquife, que se perde no mar.

Durante estes catorze trabalhosos dias, em que a morte os vigiava ininterruptamente, ninguém dormiu, nem comeu; estão exaustos, famintos, verdadeiros cadáveres ambulantes, mal se sustinham de pé. Raia o dia e Paulo os convoca e os exorta a que se alimentem; reanima-os e dando-lhes o exemplo toma do pão, parte-o, abençoa-o e come: e todos o imitam.

Quando a adversidade, por mais dura e dolorosa que seja, nos apanhar qual negra tempestade e fizer de nós o que a tormenta fez com Paulo, não percamos a fé no Altíssimo; um novo dia amanhecerá e a hora da bonança soará, muito mais depressa do que pensamos: tudo se resume em sabermos esperar confiantes.

37 – *E as pessoas do navio erámos por todas duzentos e setenta e seis.*
38 – *E depois que se refizeram com a comida, aliviaram o navio, lançando o trigo ao mar.*
39 – *E como já tivesse aclarado o dia, não conheceram a terra; somente viram uma enseada que tinha ribeira, na qual intentavam, se pudessem, encalhar o navio.*
40 – *Pelo que, tendo levantado âncoras, se entregaram ao mar, largando ao mesmo tempo as amarras dos lemes; e levantada ao vento a cevadeira, encaminharam-se à praia.*
41 – *Mas tendo nós dado numa língua de terra, que de ambos os lados era torneada de mar, deram com o navio ao través; e a proa, sem dúvida afincada, permanecia imóvel, ao mesmo tempo que a popa se abria com a força do mar.*

Há duzentas e setenta e seis pessoas a bordo, número bastante elevado para os navios da época, além do carregamento de trigo, que se destinava ao abastecimento de Roma; têm diante de si uma terra desconhecida; veem uma enseada na qual deságua um riacho; tentam encalhar o navio e, para facilitar a manobra, alijam o trigo ao mar; recolhem as âncoras e soltam os lemes – dois grandes e compridos remos amarrados à popa –, içam à verga da proa uma pequena vela – a cevadeira – e se entregam ao mar e ao vento que assopra em direção à ilha. A manobra é infeliz; o navio se precipita para a praia, finca a proa na areia, volteia e jaz atravessado com o flanco exposto às ondas, que lhe arrombam o casco; naufragam.

42 – *Nestes termos a resolução dos soldados era matar os presos, por temerem não fugisse algum, salvando-se a nado.*
43 – *Mas o centurião, querendo salvar a Paulo, embaraçou que o fizessem e mandou que aqueles que pudessem nadar fossem os primeiros que se lançassem às ondas, e se salvassem, e saíssem em terra;*
44 – *E quanto aos mais, a uns faziam salvar em tábuas, a outros em cima dos destroços que eram do navio. E deste modo aconteceu que todas as pessoas saíssem em terra.*

Caso, por algum motivo, os soldados não conseguissem levar os presos ao seu destino, deveriam sacrificá-los, no que Júlio não consente, a fim de poupar Paulo; e manda que todos se salvem como puderem. Os passageiros fazem o mesmo e, ou a nado ou agarrados aos destroços do navio, chegam em terra, não perecendo nenhum, como Paulo previra.

Capítulo 56

Paulo em Malta

1 – *Estando nós já em salvo, soubemos então que a ilha se chamava Malta. E os bárbaros nos trataram não com pouca humanidade.*
2 – *Porquanto, acesa uma grande fogueira nos alentaram a todos contra a chuva que vinha e em razão do frio.*

Malta é uma ilha situada no centro do Mediterrâneo, entre a Sicília e a África. Paulo naufragou em suas costas nos fins do ano 62 e salvou-se na baía que hoje tem o seu nome. A palavra "bárbaro" nada tinha de pejorativo; por ela, os gregos e os romanos designavam o estrangeiro; para eles os bárbaros eram os estrangeiros, os povos de outras terras, os que não participavam de suas civilizações. Chovia e fazia frio: muitos habitantes da ilha acorreram à praia a socorrer os náufragos e acenderam uma grande fogueira para confortá-los.

3 – *Então, havendo Paulo ajuntado e posto sobre o lume um molho de vides, uma víbora que fugira do calor, lhe acometeu uma mão.*
4 – *Quando porém os bárbaros viram a bicha pendente de sua mão, diziam uns para os outros: Certamente este homem é algum matador, pois, tendo escapado do mar, a vingança o não deixa viver.*
5 – *Mas é certo que ele, sacudindo a bicha no fogo, não experimentou nenhum dano.*
6 – *Os tais porém julgavam que ele viesse a inchar e que subitamente caísse e morresse; mas depois de esperarem muito tempo e vendo que não lhe sucedia mal nenhum, mudando de parecer disseram que ele era um deus.*

A cobra que picou a mão de Paulo talvez não fosse venenosa; ele tinha por destino dar o testemunho de Jesus em Roma, perante Cesar, e nada o impediria de cumpri-lo. A princípio, os nativos julgaram que Paulo era um criminoso, perseguido pela vingança dos deuses e que, tendo escapado da fúria do mar, estava sendo punido em terra; vendo, contudo, que nada lhe sucedia, mudaram de pensar e o tomaram por um deus; era um povo que ainda seguia o paganismo.

7 – *E naqueles lugares havia umas terras do príncipe da ilha, chamado Públio, o qual hospedando-nos em sua casa três dias, nos tratou bem.*
8 – *Sucedeu porém achar-se então doente de febre e de desinteria o pai de Públio. Foi Paulo vê-lo e como fizesse oração e lhe impusesse as mãos, sarou-o.*

9 – Depois do qual milagre todos os que na ilha se achavam doentes vinham a ele e eram curados.
10 – Eles nos fizeram também grandes honras, e quando estávamos a ponto de navegar, nos proveram do que era necessário.

Malta pertencia aos romanos, e Públio a governava; e como governador providenciou alojamento para Júlio, seus soldados e seus prisioneiros; os outros passageiros se acomodaram como puderam pelas casas da ilha.

Fiel ao seu programa de não perder nenhuma oportunidade de trabalhar para Jesus, Paulo instala um núcleo evangélico, no que é favorecido pela doença do pai de Públio, curado por meio do passe mediúnico; estendem-se então os benefícios do Evangelho e da mediunidade curadora aos necessitados da ilha; e o trabalho espiritual se desdobra ininterruptamente pelo tempo que ali permanecem. Merecem o respeito e a consideração de todos; e, como tinham perdido tudo no naufrágio, quando partem ganham o de que precisam para a viagem.

Paulo Chega a Roma e Fica Prisioneiro em Sua Própria Casa Durante Dois Anos

11 – E ao cabo de três meses embarcamos num navio de Alexandria, que tinha invernado na ilha, o qual levava por insígnia Castor e Polux.
12 – E arribados a Siracusa, ficamos ali três dias.
13 – De lá, correndo a costa, viemos a Régio; e um dia depois, ventando o sul, chegamos em dois a Puzolo.
14 – Onde, como achamos irmãos, eles nos rogaram que ficássemos na sua companhia sete dias; e passados eles, tomamos o caminho de Roma,
15 – De onde, porém, tendo os irmãos novas de que chegamos, saíram a receber-nos à praça de Ápio e às Três Vendas. Paulo, como os viu, dando graças a Deus, cobrou ânimo.

Findava a estação invernosa, entrava a primavera, e Paulo deixa Malta. Um navio de Alexandria, no Egito, com a insígnia de Castor e Polux — deuses do paganismo — pintada na proa, e que ali invernara, zarpava de Malta para a Itália. Júlio contratou com o mestre o transporte dos prisioneiros; arribaram a Siracusa, na Sicília, e ali permaneceram três dias; bordejando sempre alcançaram Régio, cidade da Calábria; dois dias depois, com vento favorável, chegaram a Puzolo, pequenino porto na baía de Napoles, onde desembarcaram; daí por diante seguiriam por terra. Como havia uma comunidade cristã em Puzolo, com autorização de Júlio demoraram-se ali sete dias, confraternizando com aqueles irmãos, ávidos de ver e ouvir Paulo, o apóstolo dos gentios. Para Paulo tal encontro foi de suma importância, porque ficou a par do estado do Cristianismo em Roma, onde já se desencadeara a perseguição aos cristãos. A notícia de sua chegada se tinha espalhado por todo o trajeto da Via Ápia, pela qual chegaria a

Roma; na praça de Apio, nas Três Vendas, onde quer que houvesse cristãos, acorriam a cumprimentá-lo, a abraçá-lo, o que muito o confortava.

16 – E chegados que fomos a Roma, deu-se licença a Paulo que ficasse onde quisesse, com um soldado que o guardasse.

Corria o ano 63, há sete anos reinava Nero, quando Paulo entrou em Roma, capital do Império Romano. Era uma grande cidade de cerca de um milhão de habitantes; possuía belíssimos edifícios públicos, teatros com capacidade de 7.000 a 14.000 espectadores, casas de banhos, termas, circos, dos quais o mais antigo e o maior de todos era o Circo Máximo, comportando até 150.000 pessoas, o qual Paulo deve ter visto logo que entrou na cidade; anfiteatros para a exibição de gladiadores e lutas com as feras. O maior dos anfiteatros, o Coliseu, construído por Vespasiano, cujas ruínas são hoje admiradas, só foi terminado no ano 80; comportava 87.000 assistentes, e nele se consumou o sacrifício de grande número de cristãos. O centro de Roma era o Fórum – onde se desenvolvia a vida pública do romano –, agora só ruínas de alto valor artístico e histórico, carinhosamente conservadas, onde se viam: templos, colunas, arcos comemorativos dos grandes nomes e acontecimentos, estátuas, palácios, o senado, edifícios sacros e civis, monumentos célebres trabalhados em fino mármore, em maravilhoso conjunto; no meio da ampla praça, erigida por Augusto, havia uma coluna dourada que mareava as distâncias dali às principais cidades do Império, entre elas Jerusalém. Conquanto adornada de quarenta e tantos parques em seu interior e arredores, Roma era uma cidade de ruas estreitas e tortuosas, com blocos de apartamentos de três a seis andares. Os aluguéis dos apartamentos térreos eram caríssimos e os únicos que tinham água, e neles moravam as classes ricas; a classe pobre ocupava os últimos andares. Os desabamentos eram frequentes, dado a precariedade destas construções; a higiene, quase nula. O problema do trânsito era tamanho que carretas e carroções, transportando mercadorias, só podiam entrar na cidade de noite, perturbando o sono dos romanos com o barulho que faziam. Ninguém se arriscava a sair à noite, a não ser acompanhado por uma guarda de escravos. Tal era a cidade que se deparava a Paulo, e na qual ele daria o supremo testemunho de Jesus.

Ao chegar, Júlio deu-se pressa em desincumbir-se de sua missão, entregando os prisioneiros às autoridades competentes. Paulo porém, em virtude de ser cidadão romano, enquanto aguardava o julgamento, obteve a "custódia libera", isto é, o direito de permanecer em sua própria casa, custodiado por um soldado, o que lhe valia uma quase completa liberdade.

17 – Mas passados três dias, convocou Paulo os principais dos judeus. Havendo-se eles ajuntado. lhes disse: Eu, varões irmãos, sem cometer nada contra o povo, nem contra os costumes de nossos pais, havendo sido preso em Jerusalém, fui entregue nas mãos dos romanos;
18 – Os quais, tendo-me examinado, quiseram soltar-me, visto que não achavam em mim crime algum que merecesse morte.

19 – Mas opondo-se a isso os judeus, vi-me obrigado a apelar para o Cesar, sem intentar contudo acusar de alguma coisa os de minha nação.
20 – Por esta causa pois é que vos mandei chamar aqui, para vos ver e vos falar. Porquanto pela esperança de Israel é que estou preso com esta cadeia.

Paulo não perde tempo; tão logo se instala, convoca os representantes das sinagogas dos judeus e lhes explica a causa de sua prisão; não cometera crime algum contra o seu povo; não atentara contra os costumes de sua nação; e por seus próprios conterrâneos fora entregue aos romanos, os quais, examinando atentamente seu processo, nada acharam do que o acusar, pelo que o quiseram soltar. No entanto tinha sido obrigado a apelar para Cesar, uma vez que os judeus, o seu povo, queriam sua condenação, custasse o que custasse; mas não abriu a boca para incriminá-los de coisa alguma; e está preso pela esperança de Israel, o Salvador anunciado pelos profetas.

21 – Então lhes responderam: Nós nem temos recebido carta da Judeia, que fale em ti, nem de lá tem vindo irmão algum que nos dissesse, ou falasse algum mal da tua pessoa.
22 – Porém quiséramos que tu nos dissesses o que sentes, porque o que nós sabemos desta seita é que em toda a parte a impugnam.
23 – Tendo-lhe pois aprazado dia, vieram muitos vê-lo a seu hospício, aos quais ele tudo expunha dando testemunho do reino de Deus, e convencendo-os a respeito de Jesus, pela lei de Moisés e pelos profetas, de manhã até à tarde.
24 – E uns criam o que dizia, outros porém não criam.

Responderam-lhe que entre eles, em Roma, nada havia do que acusá-lo; nem mesmo de Jerusalém, do sinédrio, não tinham recebido carta contra ele, nem a seu favor. Mas queriam que ele os esclarecesse sobre esta nova seita, perseguida por toda a parte, o que era tudo o que sabiam dela.

De fato, o Cristianismo contava com três perseguidores implacáveis: o paganismo, que não tolerava que seus adeptos lhe abandonassem os altares; o judaísmo, que não reconhecia em Jesus o Salvador prometido; e o Império Romano, cuja economia se baseava na escravatura e na pilhagem, o qual se sentia ferido frontalmente pelo Evangelho.

Paulo lhes marcou uma reunião, a fim de lhes demonstrar o cumprimento das profecias em Jesus, segundo Moisés e os profetas. E como sempre acontecia quando Paulo pregava aos judeus, acenderam-se acaloradas discussões, que se prolongaram por todo o dia, e uns aceitavam-lhe os ensinamentos e outros não.

25 – E como não estivessem entre si concordes, estavam para se retirar, quando lhes disse Paulo esta palavra: Bem falou pois o Espírito Santo pelo profeta Isaías a nossos pais,
26 – Dizendo: Vai a esse povo e dize-lhe: De ouvido ouvireis e não entendereis; e vendo vereis e não percebereis.

27 – *Porque o coração deste povo se endureceu, e dos ouvidos ouviram pesadamente e apertaram os seus olhos, para que não vejam com olhos, e ouçam com os ouvidos e entendam no coração, e se convertam e eu os sare.*
28 – *Seja-vos pois notório que aos gentios é enviada esta salvação de Deus e eles a ouvirão.*
29 – *E tendo acabado de dizer isto, saíram dali os judeus, tendo entre si grandes altercações.*

Por fim, discutindo em altas vozes entre si, abandonam Paulo, o qual, diante do comportamento deles, segue o exemplo de Jesus, citando-lhes as palavras do profeta Isaías.

Isaías é o primeiro dos chamados profetas maiores; exerceu o seu ministério mediúnico durante quarenta anos, de 740 a 701 a.C.; por meio de sua mediunidade foram ditadas impressionantes profecias a respeito de Jesus.

O orgulho, o preconceito, o comodismo, o interesse erguiam uma barreira intransponível entre eles e o Evangelho, que Paulo pregava, fazendo com que o repudiassem; era como se não ouvissem, nem vissem a realidade desdobrada à sua frente. Grande parte do povo, as religiões organizadas e a ciência oficial se comportam do mesmo modo para com o Espiritismo; cegos e surdos não percebem a reviviscência do Cristianismo, nem o descerramento do véu que ocultava o mundo espiritual, que o Espiritismo está promovendo, nem os benefícios morais que espalha. De muitos o Espiritismo recebe a indiferença; das religiões organizadas, violentos ataques; e da ciência oficial, a negação. Todos veem e todos ouvem, mas é como se não vissem nem ouvissem.

Realmente, os povos gentios, cansados e desiludidos de seus deuses materiais, suspiravam por uma religião pura, simples, por uma doutrina que os elevasse acima da materialidade terrena; Paulo, por experiência, bem sabia que constituíam um campo preparado para a grande semeadura do Evangelho.

30 – *E dois anos inteiros permaneceu Paulo num aposento que alugam e recebia a todos os que o vinham ver.*
31 – *Pregando o reino de Deus e ensinando as coisas que são concernentes ao Senhor Jesus Cristo, com toda a liberdade, sem proibição.*

Já com uma ponta de saudade, aqui nos despedimos de Paulo, cujos passos acompanhamos por cerca de trinta anos: foi no ano 33 que ele, doutor da lei e membro influente do sinédrio, consentiu na morte de Estêvão e desencadeou a onda de perseguições contra o Cristianismo nascente. E agora no ano 63 vemo-lo em Roma, prisioneiro com sentinela à vista, num quarto que alugara. Quão longo foi seu caminho para conquistar a humildade! Depois que rolou do alto do seu orgulho no pó da estrada de Damasco e resolutamente buscou a humildade no Evangelho e no devotamento à causa de Jesus, quanta luta, quanto sofrimento! Ele mesmo nô-lo conta em sua II Epístola ao Coríntios, capítulo 11, versículos:

23 – *... em muitíssimos trabalhos, em cárceres muito mais, em açoites sem medida, em perigos de morte muitas vezes.*

24 – Dos judeus recebi cinco quarentenas de açoites, menos um.
25 – Três vezes fui açoitado com varas, uma vez fui apedrejado, três vezes fiz naufrágio, uma noite e um dia estive no profundo do mar;
26 – Em jornadas muitas vezes eu me vi em perigos de rios, em perigos de ladrões, em perigo dos de minha nação, em perigo dos gentios, em perigos no deserto, em perigos no mar, em perigos entre falsos irmãos;
27 – Em trabalho e fadiga, em muitas vigílias, com fome e sede, em muitos jejuns, em frio e desnudez.
28 – Afora estes males, que são exteriores, me combatem, as minhas ocorrências urgentes de cada dia...

Não desanima, contudo, de seu labor evangélico; e em Roma, aguardando o julgamento de Cesar, diante do qual dará testemunho de Jesus, não esmorece: prega o Evangelho sem receio algum a quantos o procuram. É de crer que, segundo o seu hábito de não depender de ninguém, trabalhe de tapeceiro para manter-se. E aqui o deixamos. Quanto ao destino que em seguida tomou, tudo são conjecturas: terá sido posto em liberdade, e viajado, revisitando suas amadas igrejas, ou se dirigido a outros povos? Ou terá sido sacrificado na grande perseguição aos cristãos movida por Nero, após o incêndio de Roma, no ano 64? Historicamente, apoiados em documentos, nada podemos afirmar. Não importa. Ficou-nos dele o caminho da humildade, que trilhou intemeratamente; legou-nos esse roteiro para que por ele nos guiemos em nossa conquista da humildade; porque nós, um dia, cairemos do alto do nosso orgulho; teremos também a nossa estrada de Damasco. E, depois de ter percorrido o nosso caminho da humildade, oxalá possamos exclamar como Paulo:

"Combati o bom combate, acabei a carreira, guardei a fé." (II a Timoteu, 4-7)